CENT ANS
DE CHANSON
FRANÇAISE

DU MÊME AUTEUR

Combat pour l'Élysée. Paroles de prétendants, avec Jean Véronis, Seuil, 2006.
Georges Moustaki, la ballade du métèque, Fayard, 2005.
Saint-Barthélemy, une énigme linguistique, Didier érudition, 2005.
Essais de linguistique : la langue est-elle une invention des linguistes ?, Plon, 2004.
Léo Ferré, Flammarion, 2003.
Le Marché aux langues : les effets linguistiques de la mondialisation, Plon, 2002.
La Sociolinguistique, « Que sais-je ? », PUF, 2002 ; 2005.
Histoire de l'écriture, « Omnibus », Plon, 1999.
L'Argot, « Que sais-je ? », PUF, 1999 ; 2005.
Une ou des normes ? Insécurité linguistique et normes endogènes en Afrique francophone, Cirelfa/Agence de la Francophonie, diff. Didier érudition, 2000.
Barataria. L'étrange histoire de Jean Laffite, pirate, « Omnibus », Plon, 1999.
La Tradition orale, « Que sais-je ? », PUF, 1984 ; 1997.
Les Voix de la ville. Introduction à la sociolinguistique urbaine, Payot, 1994.
L'Argot en vingt leçons, ou Comment ne pas en perdre son français, Payot, 1993.
La Fleur de Yucca, roman, Flammarion, 1992.
Georges Brassens, Lieu commun, 1991 ; Payot, 2001.
La Guerre des langues et les politiques linguistiques, Payot, 1987 ; « Pluriel », Hachette, 1999 ; 2005.
L'Automne à Canton, Payot, 1986.
Les Langues véhiculaires, PUF, 1981.
Chanson et Société, Payot, 1980.
Langue, Corps, Société, Payot, 1979.
Les Jeux de la société, Payot, 1978 ; 2006.
La Production révolutionnaire, Payot, 1976 ; 2006.
Pour et contre Saussure, Payot, 1975.
Linguistique et Colonialisme, Payot, 1974 ; 2002.

LOUIS-JEAN CALVET

CENT ANS DE CHANSON FRANÇAISE

(1907-2007)

préface de Philippe Meyer

dessins de José Corréa

l'Archipel

Cet ouvrage est une version revue et augmentée de *Cent ans de chanson française*, de Chantal Brunschwig, Louis-Jean Calvet et Jean-Claude Klein (Le Seuil, 1972, 1981, 1985).

www.editionsarchipel.com

Si vous désirez recevoir notre catalogue et être tenu au courant de nos publications, envoyez vos nom et adresse, en citant ce livre, aux Éditions de l'Archipel,
34, rue des Bourdonnais 75001 Paris.
Et, pour le Canada,
à Édipresse Inc., 945, avenue Beaumont,
Montréal, Québec H3N 1W3.

ISBN 978-2-84187-856-7

À Maurice Frot
et Jean-Claude Klein.

Préface

Il n'aura fallu attendre qu'une vingtaine d'années pour disposer d'une nouvelle édition d'un ouvrage que ses lecteurs chérissaient depuis 1972. La voici enfin, revue (un peu) et enrichie (beaucoup), telle qu'on l'espérait sans plus trop oser y croire. Il était temps : mon exemplaire, si souvent consulté, menaçait de se démantibuler.

Cent ans de chanson française est mieux qu'un dictionnaire amoureux : c'est un parcours vivant, éclairé, savant et personnel qui nous offre une promenade entre les hauts (et les moins hauts) lieux où se produisirent et se produisent les interprètes, les titres qui vivent ou qui sommeillent dans nos mémoires, ceux qui les écrivirent et ceux qui leur donnèrent un ton, une allure, une personnalité. Considérable travail, réalisé avec l'élégance de paraître aller de soi et couler de source.

On y fera son miel d'une analyse simple et pertinente du *Plat Pays* de Brel, tout comme on y apprendra qu'il revint à la justice bourgeoise de désigner le véritable compositeur de *L'Internationale*, dont la propriété – alors que ce chant en annonçait la nécessaire abolition – était disputée entre deux frères. On pourra, d'une description à l'autre, reconstituer la diversité et les ambiances des scènes disparues ou en activité, de Bobino à la Pizza du Marais et de l'Alcazar d'hiver à l'Olympia, en passant par le Port du salut. On y retrouvera les chansons dans leur jus, c'est-à-dire dans leur époque, sans que le péché d'anachronisme vienne entacher les peintures des unes et des autres et sans que l'amour de la chanson ne pousse les auteurs à parer les bluettes à succès de vertus imméritées, ni à leur faire subir un examen de passage hautain ou dédaigneux.

Il ne s'agit pas de distribuer des prix (qu'en ferait-on ? il en pleut tant, et si rarement désintéressés), et nous savons qu'une rengaine qui ne peut ni se vanter d'une mélodie inventive, ni de paroles recherchées, ni même d'un sujet un peu neuf, peut avoir le talent de nous lanciner malgré nous ou le génie de nous atteindre au cœur et de nous habiter pour toujours.

Et comme la chanson ne parvient pas jusqu'à nos oreilles par l'opération du Saint Esprit, on trouvera dans cet ouvrage quelques solides réflexions sur les pratiques et sur l'évolution de cet art qui est, comme tous les autres, non seulement le fils des muses et du hasard, mais aussi une industrie. L'analyse – par exemple – de la carrière de Sheila me semble un modèle : dépourvue de cette méchanceté qui tient si souvent lieu de critique, et sans jamais se laisser aller à confondre la personne privée et le personnage public, elle reconstitue la fabrication d'une idole au début des années 1960, sans gommer ni la réussite de cette opération commerciale, ni les limites contre lesquelles elle devait fatalement se briser. De même, en se penchant sur certains auteurs-compositeurs ou certains interprètes dits « engagés », notre trio se refuse à mesurer leur réussite artistique à l'aune de leurs intentions sociales ou politiques.

Remarquablement vivant, *Cent ans de chanson française* est aussi un ouvrage personnel, je veux dire un livre dans lequel les auteurs ne craignent pas d'exposer leur point de vue, le plus souvent avec un sens achevé de la formule, assassine ou affectueuse. Le parallèle qu'ils dressent entre Michel Sardou et Nicolas Sarkozy est aussi bienvenu que leur portrait d'Arno (« bègue en trois langues »), dont ils savent faire goûter l'étonnante personnalité artistique.

La carrière de tous ceux qui figurent dans ce livre, aimés ou non, est décrite sans que l'opinion des auteurs ne vienne biaiser leur travail d'information. Chacun trouvera dans les pages qui suivent de quoi se réjouir ou se rebeller. C'est d'ailleurs l'un des plaisirs que l'on prendra à leur lecture. Je les serrerai sur mon cœur pour l'article, à mes yeux si juste, qu'ils consacrent à Gilles Vigneault ; je leur ferai grief de s'être trop peu étendus sur Francis Blanche ; je les remercierai de sommer le lecteur de donner à Yvan Dautin la chance qu'il n'a pas su lui accorder ; je leur suis reconnaissant d'avoir rappelé à mon bon souvenir la figure d'une talentueuse championne de la chanson « hon » (consciente de l'être, et même volontaire), Gaby Montbreuse, qui créa *Tu m'as possédée par surprise*, si souvent reprise par des chanteuses qui n'étaient pas nées lorsqu'elle mourut (sans oublier qu'elle interpréta *Le Roudoudou* et *La P'tite qui quête*). Je me disputerai sur leur appréciation de l'œuvre et même du personnage public de Pierre-Jean de Béranger, dont ils soulignent à raison qu'il fut le premier à assurer le passage de la chanson anonyme à la chanson d'auteur, mais à qui ils dénient – à tort – les qualités propres à la bourgeoisie éclairée, variété de classe sociale dont je soupçonne les auteurs de se refuser à reconnaître l'existence. Je partage volontiers l'expectative où les plonge l'écoute de Benjamin Biolay, leur enthousiasme pour Plume Latraverse, leur froide analyse du talent – ou plutôt du savoir-faire – de Pascal Obispo. J'aurais aimé qu'ils fussent plus chaleureux à l'égard de Juliette. Je trouve impeccable leur article sur Charles Aznavour. En lisant les lignes qu'ils consacrent à Cali, j'ai retrouvé ma propre impression, mais mieux exprimée que je n'aurais su le faire : « Cali semble être abattu par la vie et régénéré par la musique. »

Chacun aura compris que *Cent ans de chanson française* est un livre avec lequel on n'entretient pas de rapports tièdes. Il me semble que ce que je peux en dire de plus vrai, c'est qu'il nous donne de quoi mieux aimer ce que nous aimons.

Philippe MEYER

Avant-propos

La première édition de cet ouvrage a été publiée aux éditions du Seuil en 1972, sous trois signatures, celles de Chantal Brunschwig, de Jean-Claude Klein et la mienne. Une quatrième personne, Philippe Buisset (dont je reparlerai plus bas), présent au début du projet, avait abandonné en cours de route, suivant une autre voie. Si l'on en juge par les mutations qui, depuis, ont affecté le paysage de la chanson francophone, c'était alors le Moyen Âge, même si beaucoup (Charles Aznavour, Brigitte Fontaine, Juliette Gréco, Johnny Hallyday, Jacques Higelin, Eddy Mitchell, Serge Lama, Georges Moustaki, Pierre Perret, etc.) sont encore là, produisent et chantent toujours. Nous avions ensuite préparé, en 1981, une réédition au format poche considérablement augmentée (quatre-vingt-huit articles nouveaux), prenant en compte la vague de la « nouvelle chanson française » : Alain Souchon, Bernard Lavilliers, Maxime Le Forestier, Yves Simon, etc. Nous savions bien sûr qu'il nous faudrait remettre à jour l'ouvrage à chaque réédition.

Après la mort de Jean-Claude Klein (1995), nous avions décidé, Chantal et moi, de mettre un terme à l'entreprise, et les rééditions suivantes ont alors porté un sous-titre, « 1880-1980 », pour signifier que l'aventure était close. Sans cesse, pourtant, des amis, des chanteurs, des journalistes nous demandaient quand reparaîtrait l'ouvrage mis à jour. Nous répondions qu'il n'en était pas question. Deux choses m'ont incité à revoir ma position : d'une part, l'insistance argumentée de Philippe Meyer, l'un des meilleurs défenseurs radiophoniques de la chanson, et, d'autre part, l'étonnement qui fut le mien (celui de Chantal aussi) devant la parution aux éditions Gallimard d'un petit livre dont les auteurs avaient eu l'inélégance de s'approprier notre titre. C'est peu de dire que cela m'avait irrité... J'ai alors considéré l'idée de me remettre à la tâche d'un autre œil. Chantal, pour sa part, avait d'autres projets. J'ai donc repris seul l'entreprise, avec sa bénédiction amicale.

Bien sûr, je n'avais pas cessé de suivre les mouvements en cours, écrivant régulièrement sur la chanson dans divers journaux et magazines, observant de près ce qui se passait, au jour le jour, ou rédigeant quelques biographies (Brassens, Ferré, Moustaki). Mais, pour cette nouvelle édition (qui est plus qu'une réédition, une réécriture), je me suis remis dans l'état d'esprit qui était le nôtre il y a plus de trente ans. Nous voulions d'abord prendre nos distances avec un discours dominant chez les intellectuels qui ne s'intéressaient qu'à la « bonne » chanson, la chanson poétique ou « rive gauche ». Pour nous, une approche critique de ce mode d'expression devait englober tous les courants, toutes les formes, sans exclusive. Nous voulions aussi tenter de construire un discours critique sur la chanson, la prendre au sérieux, tenir compte à la fois des textes, des musiques, des orchestrations, de la gestuelle, de la voix, bref, envisager la chanson comme un phénomène « total ». Nous voulions enfin nous préserver des effets de mode, ne pas nous laisser abuser par une notoriété fugace, par une carrière fulgurante mais sans lendemain, ou tout simplement par le matraquage. Pour cela, nous nous étions donné quelques critères, auxquels je suis resté fidèle en les adaptant à l'époque. Pour décider d'introduire un artiste dans ce dictionnaire et fixer la longueur de l'article que je lui consacrais, j'ai donc examiné la durée de sa carrière, son succès populaire, l'originalité et la qualité de son répertoire, le nombre de disques qu'il a enregistrés (fixant la barre à trois CD, ce qui laisse hélas à la porte d'entrée des créateurs de qualité : Jeanne Cherhal, Corneille, Camille et quelques autres devront attendre la prochaine édition...). Je suis également resté fidèle à nos choix pour ce qui concerne le contenu des articles, recherchant un juste équilibre entre l'information biographique et historique objective, et le jugement, la critique, voire l'expression du désaccord. Je considère en effet que tout public a droit à sa chanson, ce qui m'interdit d'exclure de ce dictionnaire des œuvres auxquelles je n'adhère pas, mais ne m'empêche en aucun cas de dire ce que j'en pense. J'espère, sur ce point, avoir respecté l'équilibre entre l'information et la critique, tout en sachant parfaitement que cela est affaire d'opinion.

Il est évident que, depuis les années 1970, beaucoup de choses ont changé. Dans la technologie d'une part : la musique acoustique a été largement déstabilisée par les progrès de l'électronique, de l'échantillonnage, et les techniques d'enregistrement ont évolué. D'autre part, l'informatique, le téléchargement, le MP3 ont modifié les conditions de diffusion de la musique au sens large et de la chanson en particulier. Enfin, la mondialisation, la circulation de l'information et des musiques nous ont rendus plus ouverts à ce qui se passe ailleurs, et ceci n'est pas sans conséquences sur la forme même des créations : les musiciens, de nos jours, n'ignorent rien des musiques du monde, et les influences croisées ne sont pas rares. Dans ce grand village qu'est devenue la Terre, les musiques africaines, sud-américaines ou orientales sont presque aussi présentes à nos oreilles que les musiques occidentales ou nord-américaines. Mais il reste bien, cependant, une entité « chanson française », connue et appréciée dans le monde entier, et parfois même nommée de son nom français, *chanson*, dans différentes langues. Des enquêtes que j'ai réalisées pendant vingt ans dans de nombreux pays montrent que les noms les plus connus à l'étranger sont ceux de Georges Brassens, Édith Piaf, Jacques Brel et Georges Moustaki, devant Patricia Kaas, Maxime Le Forestier, Renaud ou Jean-Jacques Goldman. On pourrait y voir la preuve que la nouveauté ne s'exporte guère, que « plus ça change en France et plus c'est pareil à l'étranger ». Je noterai plutôt pour ma part que deux des quatre premières personnes qui symbolisent à l'étranger la chanson française sont originaires l'une de Belgique et l'autre d'Égypte. Et il en va de même pour la nouvelle génération : on trouve dans la chanson « française » des créateurs venus du Cameroun, du Québec, du Gabon, de Suisse alémanique, de Belgique néerlandophone, d'Italie... C'est pourquoi j'aurais volontiers remplacé dans le titre l'adjectif *française* par *francophone*, même si la création française est mieux représentée dans ces pages que celle de la Belgique, des pays de l'Afrique francophone, de la Suisse, de la Louisiane ou du Québec. J'ai cependant tenu, par fidélité à mes anciens coauteurs, à garder le même titre, en changeant simplement l'éventail des dates (1907-2007), mais le lecteur verra aisément que, derrière *chanson française*, il faut entendre *chanson en français*. Quant à la modification de la période couverte, elle m'a amené à exclure un certain nombre d'articles désormais obsolètes, même si j'ai conservé des chansons anciennes dont la fonction perdure (*Marseillaise*, *L'Internationale*, *Le Temps des cerises*...) ou des auteurs qui produisaient avant 1905 mais dont l'importance justifie la présence (Béranger, Désaugiers...). Quant au rap, qui par son contenu a remplacé la chanson « engagée » ou à « message » d'il y a trente ans, il est peu représenté dans ces pages, non pas par désintérêt mais pour m'en tenir à une définition stricte de la chanson, considérée ici comme du texte mis en musique : la chanson, étymologiquement, se chante, tandis que le rap se scande ou se dit.

J'ai indiqué qu'entre 1972 et 1980 le paysage de la chanson avait évolué. Les mutations depuis lors sont, bien sûr, plus importantes et peuvent s'évaluer mathématiquement. Il y a ainsi dans ce livre, par rapport à la dernière édition en format de poche, 317 articles inchangés, 228 modifiés ou récrits entièrement, 133 supprimés, et surtout 152 articles nouveaux. Ce renouvellement n'a pas été continu. Pendant un temps, les maisons de disques ont « fait du chiffre », c'est-à-dire des affaires, en ressortant leur catalogue vinyle en CD. Cela suffisait à leurs bilans, et elles se sont peu préoccupées de dénicher et de produire de nouveaux talents. De ce point de vue, la chanson (et la musique de façon générale) a souffert des progrès technologiques. Une fois la manne des rééditions épuisée, il a bien fallu revenir à la production, et c'est depuis le milieu des années 1990 qu'une nouvelle génération s'est manifestée dans la chanson, non par génération spontanée mais parce que les hommes d'affaires en avaient besoin… Quoi qu'il en soit, les faits sont là : 152 articles nouveaux…

Une dernière chose, et non des moindres. Avant la publication de la première édition de ce livre, au début des années 1970, nous avions été sollicités par l'*Encyclopædia Universalis* pour participer à l'article « Chanson ». J'avais écrit sur la chanson « à travers siècles et pays », Jean-Claude Klein sur « la chanson en France » et Philippe Buisset, notre complice des origines, sur la « sociologie de la chanson ». C'est sur ce troisième texte que je voudrais revenir rapidement. Philippe y expliquait qu'une approche de la chanson devrait se décomposer en trois temps : « une étude de la chanson comme produit, qui serait à replacer dans une sociologie de l'art ; une étude des milieux qui écrivent, enregistrent, diffusent, reçoivent la chanson ; une étude enfin de la médiation entre ces deux aspects, l'interprète et son public[1] ». Un ouvrage comme celui-ci ne pouvait bien entendu pas remplir une telle mission, et notre but n'était pas de rédiger des études, mais des articles brefs. Nous avions cependant tenu à ajouter aux entrées concernant les interprètes et les

1. Philippe Buisset in *Encyclopædia Universalis*, volume 5, page 361.

chansons un nombre important d'articles sur les lieux, les auteurs, les imprésarios..., avec l'idée qu'en les parcourant (un dictionnaire ne se lit pas comme un essai, du début à la fin, mais se butine ou se consulte) le lecteur pourrait construire sa propre approche, faire ses propres analyses. Depuis lors, la situation a changé, l'importance des cabarets s'est restreinte, le profil moyen d'une carrière s'est largement modifié, bref, la chanson n'est plus tout à fait la même. C'est pourquoi, aux entrées traditionnelles (artistes, auteurs, compositeurs, lieux, chansons, producteurs) que j'ai bien entendu conservées et développées, j'en ai ajouté quelques-unes plus « sociologiques » (clips vidéo, décentralisation, reprises et disques collectifs, téléchargement, tubes, etc.) ainsi que quelques données chiffrées (sur les ventes de disques, les entrées dans les festivals...) afin, je l'espère, de faciliter au lecteur une réflexion transversale, un regard globalisant.

A

Charles Aznavour

Dominique A

[Dominique Ané] Provins, 1968. Auteur-compositeur-interprète. L'arrivée dans la chanson française (*La Fossette*, 1992, *La Mémoire neuve*, 1994) de ce multi-instrumentiste (guitare, basse, piano, percussions) sonne comme un manifeste du minimalisme dans la voix comme dans les orchestrations : il murmure plus qu'il ne chante, dans une atmosphère presque exclusivement acoustique. Un titre sort du lot, grâce à sa rythmique, et fait son premier succès : *Le Twenty Two Bar* (1994). Puis un passage au Théâtre de la Ville (1995) montre qu'il y a un public nombreux et enthousiaste pour cet héritier de la rive gauche, qui reste dans la tradition de la chanson à texte. Le gentil garçon des débuts évolue ensuite vers moins de retenue et plus d'électricité (*Auguri*, 2001, *Tout sera comme avant*, 2004, *L'Horizon*, 2006), collaborant avec Sacha Toorop qui apporte à ses musiques plus de muscle. Sa voix s'en trouve libérée, amplifiée, servant au mieux les textes raffinés qu'il continue d'écrire. À suivre...

A.B.C.

Music-hall, boulevard Poissonnière, Paris (1934-1964). Au moment où le music-hall connaissait une crise due aux progrès du cinéma, Mitty Goldin ouvrit l'A.B.C., ex-théâtre Plaza, et en fit, en très peu de temps, « le » music-hall de Paris, celui qui fait l'événement en matière de chanson. À la base de ce succès, il y a la variété et l'abondance de spectacles très rythmés, avec des tours de chant assez courts, ce qui permettait de remettre à l'affiche, plusieurs fois dans l'année, la même vedette, sans craindre la lassitude du public (Marie Dubas passa ainsi cinq fois à l'A.B.C., en 1935 et 1936) ; il y a aussi une programmation éclectique et d'une rare qualité. Fréhel, Georgius, Édith Piaf, Jean Sablon, Pills et Tabet, parmi d'autres, y connurent des triomphes ; Charles Trenet, engagé en 1938 comme numéro 2 de la première partie, termina son passage en vedette. Sous l'Occupation, l'A.B.C. accueillit la revue de Gilles Margaritis, *Chesterfollies* (1941), et tous les grands noms du tour de chant, de Tino Rossi à Léo Marjane. Après la guerre, c'est encore sur la scène du boulevard Poissonnière que s'imposèrent les Compagnons de la Chanson, Georges Ulmer, Bourvil, Patachou... Associé depuis 1949 à Léon Ledoux (qui reprendra seul la direction en 1955), Mitty Goldin donna alors peu à peu la priorité à l'opérette : *La P'tite Lili*, avec Eddie Constantine et Édith Piaf, 1951 ; *La Route fleurie*, qui tiendra l'affiche durant quatre ans, de 1952 à 1956, grâce à la musique de Francis Lopez, à la présence de Georges Guétary et surtout à celle de Bourvil. Mais l'A.B.C., qui avait gagné son pari en 1934, voit revenir à la charge les victimes de la crise de 1929 : l'Olympia redevient music-hall en 1954, l'Alhambra prend en 1956 un nouveau départ sous le nom d'Alhambra-Maurice-Chevalier. Et, ironie du sort, la salle qui avait à l'origine su faire échec au cinéma se transforme en 1964 en salle du 7e art.

ACTUALITÉS

Chanson, par. Albert Vidalie, mus. Stéphane Golmann (1950). Sur un rythme à quatre temps, lent et calme (la chanson est construite sur l'« anatole », suite d'accords introduite par le jazz New Orleans), on y décrit un monde fait de contrastes criants et d'injustice : les mineurs en grève, l'enfant bleu mourant, tandis que

Deux messieurs bien, dans un bar américain,
parlant de chasse et de chien
prennent leur whisky du matin.

Le premier vers, « le soleil brille, sur la terre et sur les champs », renvoyait aux éternelles apparences trompeuses, celles de Prévert et de son « le soleil brille pour tout le monde, il ne brille pas pour... » (suivait une longue énumération). C'est Yves Montand qui, interprétant la chanson, en fit dans les années 1950 un succès.

Salvatore ADAMO

Cosimo (Italie), 1943. Auteur-compositeur-interprète. Son père quitte la Sicile pour travailler dans les mines de Jemmapes (Belgique) en 1947. Le jeune Salvatore sera bilingue franco-italien, et c'est en français qu'il écrit ses premières chansons alors qu'il est encore au lycée. À dx-sept ans, premiers lauriers : il remporte un prix radiophonique. Il gagne la France où il ne tarde pas à avoir un grand succès que vient confirmer son passage à l'Olympia (1965). C'est le coup d'envoi donné à une carrière internationale au cours de laquelle il interprète ses œuvres dans la langue du pays traversé, apprenant ses textes en transcription phonétique, sans en comprendre un mot. Il est régulièrement cité au hit-parade, reçoit trois trophées MIDEM pour quinze disques d'or, etc.

Les premiers auditeurs qui entendirent cette voix curieuse sur les ondes se posèrent la question : s'agissait-il vraiment d'un homme ? Mais, plus qu'un organe qui n'avait rien d'exceptionnel, hormis cette ambiguïté, c'est surtout le retour à une certaine tradition qu'on devait retenir. En pleine « épopée du rock », il composait des valses, des tangos, des javas, recréant une atmosphère un peu désuète mais habillée de neuf : ses orchestrations extrêmement soignées faisaient la synthèse entre un son nouveau et une forme ancienne. Ses textes, gentillets et conformistes, ont abordé les problèmes de tous les adolescents avec une volonté populiste, jusque dans la syntaxe et le vocabulaire (*Vous permettez monsieur*, *Les Filles du bord de mer*, 1964). Les années passant, la gamme des thèmes s'est élargie, parfois vers l'actualité politique (*Inch Allah*, 1967). Avec cet ensemble sans aspérité, agréable, il remplit alors une fonction de réconciliation entre les générations. Ce rôle, bien sûr, ne pouvait pas être éternel. Les albums se succéderont (*Par les temps qui courent*, 2001, *Zanzibar*, 2003, pour ce qui concerne les plus récents) mais, malgré l'énorme capital populaire accumulé, il ne retrouvera jamais le succès de ses débuts, et se trouve pratiquement acculé à récolter sur scène les applaudissements de spectateurs nostalgiques grâce à des pots-pourris de ses premiers titres.

Fred ADISON

[Albert Lapeyrère] Bordeaux, 1908 – Paris, 1996. Compositeur, chef d'orchestre. Influencé par la vogue des orchestres de jazz symphonique

(Paul Witheman, Jack Hylton), encouragé par le succès de Ray Ventura et ses Collégiens, il crée son propre orchestre-spectacle à douze musiciens. Celui-ci obtient un premier succès avec *En cueillant la noisette* (1934), puis le prix du disque pour *Avec les pompiers* (H. Himmel-arr. F. Adison, 1935). Accordant moins de place au vocal que l'orchestre de Ray Ventura, au bénéfice de la partie instrumentale, très dynamique, la vogue de Fred Adison et son orchestre durera jusqu'après la guerre. Parmi ses autres succès il faut citer *Le Petit Train départemental* (1935), *On va se faire sonner les cloches* (1937), *Le Swing à l'école* (1940).

L'AFFAIRE LOUIS TRIO

Groupe « rock rigolo tendance cha-cha-cha », pratiquant un mélange de rock et de swing un peu rétro, créé à Lyon en 1982 par deux frères, Hubert (alias Cleet Boris) et Vincent (alias Karl Niagara), auxquels s'ajoute François (alias Bronco Junior). Révélé au grand public en 1987 avec *Chic Planète*, le groupe publie ensuite deux albums à la diffusion confidentielle avant de renouer avec le succès en 1993, grâce à l'album *Mobilis in mobile*, sorte d'hommage au capitaine Nemo, puis, en 1995, *L'Homme aux mille vies*. Leur dernier disque sortira en 1997. En 2001, Cleet Boris enregistre sous son vrai nom, Hubert Mounier, *Le Grand Huit*, album réalisé par Benjamin Biolay.

L'AFFICHE ROUGE

Chanson, par. Louis Aragon, mus. Léo Ferré (1962). Rencontre de deux maîtres, cette chanson illustrant la chasse aux résistants à laquelle se livrait la Gestapo (le poème fait référence à l'exécution en 1944 du groupe Manouchian, annoncée à l'aide d'affiches rouges par les nazis) donne une gloire posthume à ceux qui n'avaient « demandé la gloire ni les larmes, ni l'orgue, ni la prière aux agonisants ». La musique pourrait paraître grandiloquente, surtout dans l'interprétation de Ferré dont la voix force sur les effets, mais cette enflure épouse parfaitement la rythmique du vers, qui est ici un alexandrin. Aussi la chanson reste-t-elle une des plus belles réussites du disque que Ferré a consacré aux poèmes d'Aragon.

AGLAÉ

[Jocelyne Delongchamp] Épiphanie (Canada), 1933. Interprète. Découverte en 1950 par Pierre Roche alors en tournée au Canada avec Charles Aznavour. Il l'épouse. Enlevée à sa patrie, Aglaé débute à l'Échelle de Jacob. En 1952, *La Chanson d'Aglaé* connaît un grand succès. De genre fantaisiste, cultivant un accent du terroir prononcé (*La Sauvage du Nord*), Aglaé, sentant tourner le vent de la gloire, retourne s'établir au Canada, en enlevant à son tour son mari, pour tenir un piano-bar à l'entrée de la ville de Québec.

AH ! LES P'TITS POIS

Chanson, par. Félix Mortreuil, mus. Émile Spencer (1904). « Chant patriotique » créé par Dranem à l'Eldorado : 250 000 petits formats vendus. Cette scie appartient au genre dit « chansons idiotes ». Qui pourrait en douter, après avoir pris connaissance des paroles :

Moi, je viens d'faire un chant nouveau
c'est spirituel et plein d'entrain,
du reste en voici le refrain :
ah, les p'tits pois, les p'tits pois, les p'tits pois
c'est un légum' très tendre.
Ah, les p'tits pois, les p'tits pois, les p'tits pois
ça n'se mang' pas avec les doigts.

Le doute pourtant a fini par s'installer, et les esprits forts de ce siècle de s'interroger : ne nous trouvons-nous pas devant une de ces œuvres au burlesque volontaire, auquel nous ont habitués les surréalistes, les professionnels du non-sens comme Raymond Queneau (celui de *J'maigris du bout des doigts*) ? Certes, mais à la condition de dégager la responsabilité de ces bons messieurs Spencer et Mortreuil, qui n'y pourraient mais, et en admettant que son interprète, Dranem, devait être assez isolé en son temps. « À n'en pas douter, ceci est un texte où le génie scintille à l'état pur » (Boris Vian).

Pierre AKENDENGUÉ

Port-Gentil (Gabon), 1942. Auteur-compositeur-interprète. Élève du Petit Conservatoire de Mireille, il enregistre en 1973 son premier disque (*Nandipo*) grâce à Pierre Barouh. Pionnier de la chanson francophone africaine (avec, dans un autre style, Francis Bebey), il passe allègrement des rythmes de son pays à ceux venus d'Occident, voire de la musique classique (*Lambarena*, 1993), écrivant des textes peaufinés, dans un style indéfinissable : un peu chanson rive gauche, un peu philosophie africaine. Sa voix elle-même, ou sa façon de la poser, est un pont entre deux continents, l'Afrique où il s'est retiré en 1985 et l'Europe où il a commencé sa carrière. Ayant pratiquement perdu la vue, il continue d'enregistrer (*Maladalite*, 1996, *Ekunda-Sah*, 2005), prenant régulièrement position dans son œuvre (*Mando*, 1983, *Espoir à Soweto*, 1988) tout en militant pour la francophonie (il est conseiller à la présidence du Gabon).

ALCAZAR

Music-hall, rue Mazarine, Paris. Lancé et dirigé par Jean-Marie Rivière et Marc Doelnitz (un ancien du dernier Bœuf sur le toit), ce mini-music-hall de luxe essaie, depuis 1968, de faire revivre, sur le mode du pastiche, la grande tradition de l'avant-guerre. On y a vu reparaître d'anciennes gloires, comme Rina Ketty, et s'affirmer de jeunes talents, tels Dani ou Daniel Guichard. Jean-Marie Rivière parti exercer ses talents de bateleur sous d'autres cieux artificiels (l'Ange bleu, sur les Champs-Élysées, puis le Paradis latin, une copie conforme de l'Alcazar, et enfin Las Vegas), la relève fut assurée par François Vicente et son présentateur-animateur, Hervé Wattine.

ALCAZAR D'ÉTÉ

Café-concert des Champs-Élysées, Paris. Ex-café Morel, il fut ouvert en 1861 par Goubert. Sa première vedette fut Thérésa, qui y attira le public, puis les artistes des caf'conc' d'hiver. L'usage s'établit de venir y chanter l'été. Moins élégante que celle des Ambassadeurs, la clientèle était de composition variée, ce qui semble dû à l'existence d'un promenoir ceinturant la salle. Plus tard, un restaurant vint s'ajouter au café. D'abord café chantant, il s'adjoignit un orchestre (vingt-cinq à soixante-dix musiciens suivant les époques), s'enrichit de spectacles de ballets et de sketches, puis d'attractions diverses, évoluant ainsi vers la formule music-hall. À partir de 1898, on y donna des revues. La première grande période de l'Alcazar fut celle de Paulus, qui y créa, avec le succès que l'on sait, *En revenant de la revue* (1886) et *Le Père la Victoire* (1889) : le spectacle devait être donné à guichets fermés. Outre Paulus, on y entendit Yvette Guilbert et Judic. Avec la direction Ducasse et Dupeyron, il connut une seconde ère de gloire : Polin, Fragson, avec *L'Amour boiteux*, Boucot (1910) s'y révélèrent, et toutes les vedettes de la Scala et de l'Eldorado y séjournèrent : Polaire, Mayol, Max Dearly... En 1906, Cornuché et Chauveau avaient pris la relève de Dupeyron. Ils maintinrent l'établissement jusqu'en 1910 malgré le déclin du caf'conc' et la concurrence des grands music-halls. En 1930, l'Alcazar fut démoli, et ultérieurement remplacé par les bureaux du consulat américain.

ALCAZAR D'HIVER

Café-concert, rue du Faubourg-Poissonnière, Paris. Ouverte en 1858, la salle, dirigée par Arsène Goubert, est lancée en 1864 grâce au succès de Thérésa qui, pendant trois ans, y attirera, au-delà des habitués du caf'conc', l'immense foule venue pour voir et entendre la vedette du jour. Puis sa fortune déclinera, malgré la présence de Suzanne Lagier, qui rivalisa un temps avec Thérésa dans le cœur des foules. Sauvé par le retour de cette dernière, l'Alcazar ne survivra pas à son départ : transformé en théâtre en 1891, il se reconvertit en caf'conc' en 1896, puis disparaît définitivement.

ALCAZAR DE MARSEILLE

Music-hall, cours Belsunce, Marseille (1857-1966). D'abord café-concert limité à « la romance et la chansonnette sans décor ni mise en scène », l'Alcazar ne tarde pas à concurrencer tous les théâtres de Marseille. Œuvre de Sixte Rey (le premier Alcazar au décor mauresque ayant été incendié), cette salle de 1 600 places a connu six directeurs dont les principaux furent Léon Doux, de 1889 à 1919, qui laissa s'épanouir le genre « revue marseillaise » en alternance avec la pantomime, et François Esposito dit Franck, de 1919 à 1950. Charles Helmer en fut le chef d'orchestre attitré et fit jouer sa chanson *Le rêve passe* à chaque représentation pendant trente-deux ans.

Toutes les grandes vedettes du music-hall sont passées dans cette salle avant ou après Paris. Entre autres, Fernandel y fit ses débuts en duo avec son frère, Tino Rossi y connut son premier succès (*Marinella*), Mayol y donna des récitals entiers (très rares à l'époque) entrecoupés de pots-pourris de ses chansons à l'orchestre. Raquel

Meller y fit quotidiennement un malheur pendant dix ans, en lançant ses violettes jusqu'au poulailler (*La Violetera*). Des artistes de second ordre comme Boucot ou Perchicot connurent à Marseille de réels succès, et des vedettes de revues locales comme Fortuné Aîné et Fortuné Cadet, Alida Rouffe et Andrée Turcy (avec sa *Chanson du cabanon*) devinrent de véritables idoles. Le public était admis aux répétitions, et il était sans pitié, surtout au promenoir où venaient en habitués des connaisseurs redoutables qui échangeaient tout haut leurs impressions. Il fallait aussi conquérir les « nervis » du dernier balcon. On mit le feu aux programmes le jour où le jeune Chevalier refusa de faire un *bis*. Mais on fit aussi, en 1928, des adieux mémorables à Mercadier. Enfin, on a pu dire qu'« un artiste qui avait du succès à Marseille pouvait se considérer comme lancé, même s'il n'avait pas encore passé le test parisien » (F. Leschi). Après une fin de carrière moins brillante, la salle est transformée en 1966 en cinéma, puis en garage et, enfin, en bibliothèque.

L'ALGÉRIE

Chanson, par. Serge Lama, mus. Alice Dona (1978). Nous avions l'Algérie des pieds-noirs, chantée par Enrico Macias, Serge Lama nous chante ici celle des appelés. Sur une orchestration très efficace de Jean-Claude Petit, une thématique ambiguë dans laquelle chacun peut trouver son bonheur. Pour ou contre la guerre ? Difficile à dire, mais on remarquera l'imparfait du refrain : « Même avec un fusil, c'*était* un beau pays, l'Algérie. »

ALHAMBRA

Music-hall situé à Paris, rue de Malte, à la place de l'ancien théâtre du Château-d'eau (en 1892, théâtre de la République). Dirigé par l'Anglais Barrasford (1904), il était un des éléments d'une chaîne de grands music-halls internationaux. Salle et spectacles relevaient de la meilleure tradition anglo-saxonne, et les plus grands artistes de variétés (Grock, les mimes Hanlon Bros, le trapéziste androgyne Barbette) y séjournèrent. Parmi les numéros à sensation qui y furent donnés, citons le train accidenté, les gladiateurs à cheval… Côté tours de chant, la grande vedette maison fut Fragson qui y fit courir tout Paris. Après la guerre, on y entendit Damia, Polaire, Fortugé, Raquel Meller, Georgel… Incendié en 1925, l'Alhambra ne rouvrit ses portes qu'en

1932 et maintint sa tradition internationale. Sous l'impulsion de Robitsch et Bizos, il fit place aux vedettes du cirque, du théâtre et de l'écran, tout en accueillant Georgius, Fréhel, Mistinguett (revue *Fleurs de Paris*), Fernandel, Gilles et Julien... Mais le cinéma et l'opérette tendaient de plus en plus à remplacer le music-hall et la chanson. Après la guerre, le tour de chant s'assura la meilleure part, malgré la concurrence des spectacles de ballets français (Roland Petit) et étrangers, et des opérettes. Il prit le nom d'Alhambra-Maurice-Chevalier (1956) et, sous la direction de Jane Berteau, présenta Zizi Jeanmaire, Petula Clark, Gilbert Bécaud, Roger Pierre et Jean-Marc Thibault, Charles Aznavour et... Maurice Chevalier (1959). Une intéressante tentative de renouvellement de la formule du tour de chant y fut tentée par Jean-Christophe Averty (spectacle Jean Ferrat, 1965). Démoli en 1967, l'Alhambra a été remplacé par un immeuble de standing.

ALIBERT

[Henri Allibert] Loriot (Vaucluse), 1889 – Marseille, 1951. Auteur-interprète. Après une brève carrière marseillaise, il monte à Paris en 1908 et s'illustre dans le genre Polin, version provençale. Il obtient sa première consécration à l'Empire en 1913. Dans l'entre-deux-guerres, il s'impose dans la chanson dite marseillaise, interprétant quelques-uns des succès de Vincent Scotto (*Sur le plancher des vaches*, *Adieu Venise provençale*, *Ah qu'il est beau mon village*, *Rosalie est partie*), écrivant à l'occasion le livret de ses opérettes (*Au pays du soleil*, *Un de la Canebière*), et triomphant sur toutes les grandes scènes parisiennes (Eldorado, 1919 ; Empire, 1925 ; réouverture de la Scala, 1934). Alibert a dirigé le théâtre des Deux Ânes, puis les Variétés. Ce type de chanteur, contemporain de Marius, et qui eut son pendant féminin avec Andrée Turcy, n'a pu s'imposer qu'en s'appuyant sur l'opposition culturelle Midi-pays du Nord et en s'appropriant tous les signes de la méridionalité (Canebière et pont d'Avignon, mistral et Mireille, pastis et « assent »). Réaction de défense contre l'impérialisme culturel parisien, certes, mais à moindres frais : le but demeure la conquête de la place (et des places), non son démantèlement.

Graeme ALLWRIGHT

Wellington (Nouvelle-Zélande), 1926. Auteur-compositeur-interprète. Comédien à Londres, puis à Saint-Étienne et, enfin, à Paris, il a quarante ans lorsqu'il décide de débuter à la Contrescarpe dans le protest-song traduit par lui en français, en s'accompagnant à la guitare folk et à l'autoharp. Contrairement à Hugues Aufray, qui fera bientôt avec Pierre Delanoë de l'adaptation « de charme », il décide de pousser l'honnêteté de la traduction jusqu'au sacrifice des rimes, gardant ainsi à ce style toute sa vigueur. Éternel vagabond, parcourant le monde, il parvient néanmoins à s'attacher un public fidèle et à faire connaître quelques-unes de ses adaptations : *Jolie bouteille* (Tom Paxton), *Qui a tué Davy Moore ?* (Bob Dylan), *Suzanne* (Léonard Cohen), *Jusqu'à la ceinture* (Pete Seeger), *Petites boîtes* (Malvina Reynolds). Il passe même deux fois à l'Olympia, y présentant la seconde fois un « non-spectacle ». Il emprunte parfois au folklore des pays visités (*P'tite fleur fânée*, venue de l'océan Indien) et écrit quelques chansons de son cru dans un français un peu primaire (*Johnny*). Écologiste aux harangues parfois indigestes (*Pacific Blues*), mystique un peu boy-scout (*Le Jour de clarté*), mais colporteur sincère d'un certain folk et de tout son contenu, il a eu une influence indiscutable sur une certaine chanson française. Il a également traduit et interprété Brassens en anglais (*Graeme Allwright sings Brassens*, 1984) et a enregistré un (dernier ?) disque en 2002 (*Tant de joie*).

ALSACE-LORRAINE

Chanson, par. Villemer et Nazet, mus. Ben Tayoux (1873). Créée par Chrétienno à l'Eldorado, née dans des circonstances politiques précises, dédiée à l'origine « aux villes de Strasbourg et de Metz », cette chanson relève d'une veine prospère à la fin du XIXe siècle : la revanche à prendre sur les « Germains » et la délivrance à venir de l'Alsace et de la Lorraine. Qu'on songe que le même Villemer, avec Nazet ou Delormel, écrivit plus de dix chansons sur le même thème (*Les Cuirassés de Reichshoffen*, *Le Maître d'école alsacien*, *Le Fils de l'Allemand*, etc.) et qu'Amiati se taillait à l'Eldorado un immense succès en chantant les malheurs de l'Alsace (les précédentes plus *Le Violon brisé*, *Qu'on se souvienne*, etc.). Mais, dans ce lot confus de chansons fossiles, seule surnage *Alsace-Lorraine* : elle sera reprise en 1940, et les patriotes français donneront aisément un sens moderne à ces vers :

Vous n'aurez pas l'Alsace et la Lorraine
et malgré tout nous resterons français.

Vous avez pu germaniser la plaine
mais notre cœur, vous ne l'aurez jamais.

Louis AMADE

Ille-sur-Têt (Pyrénées-Orientales), 1915 – Paris, 1992. Auteur. Étudiant, il écrit des poèmes tout en passant examens et concours. Sous-préfet puis préfet, il continue à mener de front sa carrière de fonctionnaire et d'écrivain. Ses premiers textes de chansons datent de 1948 (*Feu de bois*, mus. Wal-Berg, créée par Yves Montand). En 1952, Édith Piaf le met en rapport avec un jeune compositeur, François Silly, auquel il confie quelques poèmes. Mis en musique, ils deviendront *Les Croix*, *C'était mon copain*... En 1954, François Silly, devenu Gilbert Bécaud, ouvre de la manière que l'on sait l'Olympia. Depuis lors, leur collaboration n'a pas cessé : la cantate *L'Enfant à l'étoile* (1960), *L'Opéra d'Aran* (1962) et près de 100 chansons en sont le fruit. Dans le répertoire de Bécaud, Louis Amade représente la composante poétique. Ses textes, d'une écriture toute classique, traduisent une quête sans fin d'un état de bonheur qu'on voudrait durable sinon éternel : *La Ballade des baladins* (1953), *Le Pays d'où je viens* (1957), *Les Marchés de Provence* (1958), *Le Rideau rouge* (1960), *L'important c'est la rose* (1967). Cependant, dans sa marche à l'étoile, Louis Amade n'a pas toujours su éviter les fondrières de la répétition et du cliché (*On prend toujours un train pour quelque part*).

Les AMANTS D'UN JOUR

Chanson, par. Claude Delécluse, mus. Marguerite Monnot (1957). Ce succès de Piaf a été composé sur un contraste ombre-lumière, l'ombre (en mineur) représentant le cadre dans lequel se situe la conteuse. Tout y est volontairement médiocre :

Moi j'essuie les verres
au fond du café.

La lumière (en majeur), à demi irréelle, nimbe l'apparition du couple. Les amoureux sont des anges, des chérubins. Ils représentent l'amour, la mort, l'échappée vers l'absolu. Un Mayerling populaire avec un arrière-goût de mysticisme.

AMBASSADEURS

Café-concert, Champs-Élysées, Paris (1840-1929). D'abord simple café où venaient jouer des musiciens, dont un célèbre « homme à la vielle », il fut reconstruit en 1849 et baptisé en référence à la clientèle de l'hôtel de Crillon situé dans le voisinage. Il y avait un restaurant à l'étage (c'est-à-dire au balcon) et une scène au parterre, décorée d'un treillage vert. Le directeur était Ducarre. Peu après l'inauguration, le compositeur Paul Henrion y fit scandale en refusant de payer sa consommation au prétexte que l'on jouait sa musique ; cette scène fut à l'origine de la fondation de la SACEM.

À la Belle Époque, toutes les vedettes y passèrent. Polin, Dranem, Mayol et un comique maison, Abeilard, en furent les pensionnaires les plus réguliers. Maurice Chevalier vint s'y consoler de son insuccès à l'Alcazar d'été où passait alors Boucot qui faisait un triomphe. L'Alcazar et les « Ambass' » furent longtemps en concurrence. Néanmoins les Ambassadeurs, qui étaient plus chers, furent aussi considérés comme un lieu plus chic, où l'on mangeait mieux pour un spectacle équivalent. L'établissement des Ambassadeurs existe toujours, mais coupé en deux : une moitié est un dancing, et l'autre le théâtre où s'est installé l'Espace Cardin.

Marcel AMONT

[Jean-Pierre Miramon] Bordeaux, 1929. Interprète. Après le Conservatoire, se consacre à l'opérette et à la comédie musicale puis commence à Paris en 1950 une carrière d'interprète. Se produit dans les cabarets pendant six ans. Remarqué lors d'un passage à l'Alhambra, il signe chez Polydor (1956). La même année, il est vedette anglaise du spectacle de Piaf à l'Olympia. Entre la fantaisie bondissante d'*Escamillo* (Roi-Coulonges), son premier succès, et la tendresse du *Pigeon voyageur* (J. Nohain), il s'est frayé une voie. Elle le conduit à Bobino, à l'Olympia, sur les scènes étrangères et les plateaux de télévision, où il se révèle comme meneur de jeu souriant et très apprécié du public : films, télévision (« Amont tour », de Jean-Christophe Averty), galas, tournées en France et à l'étranger, enregistrements de chansons pyrénéennes, d'airs d'opérette, de duos avec Colette Deréal, sans oublier les créations (*Dans le cœur de ma blonde*, Dréjac-Arletty). Fin 1962, il tente le one man show : cent représentations à Bobino. Bâti sur l'alternance entre chansons à sketches et bluettes tendres, son tour de chant donne une image assez exacte de l'interprète : côté cour, c'est Arlequin qui mime, amuse, fait rire et sourire (*Moi le clown*, *Un Mexicain*, Plante-Aznavour, *Barcarolle auvergnate*, Vidalin-Datin, *Marcel Valentino*, Jourdan-Revaux, etc.), côté cœur, c'est l'amoureux de Peynet, un peu immatériel, qui attendrit (*Ping-pong*, *Tout doucement*, Delanoë-Gérald). Tout cela ne manque ni de charme ni de fraîcheur, et, servi par de bons paroliers et compositeurs (Ricet Barrier, Dréjac, Nougaro, Aznavour, Popp), son répertoire n'est pas sans qualité. Mais, à ne travailler que dans l'esquisse, on risque de manquer de pesanteur. Sans doute est-ce pour cela qu'il ressentit le besoin de présenter *Un autre Amont* (1979). Interprète de Brassens (*Le Vieux Fossile*, mus. Amont), de Souchon (*Viennois*), de Cavanna (*Paris rombière*, mus. Vincent), auteur de chansons en béarnais, il a également publié des ouvrages sur la chanson (dont *Une chanson, qu'y a-t-il à l'intérieur d'une chanson ?*, Seuil, 1989).

AMSTERDAM

Chanson, par. et mus. Jacques Brel (1964). Chanteur francophone, Jacques Brel a toujours exprimé la sensibilité flamande, de façon diffuse dans son œuvre prise comme un tout, ou plus directement dans des chansons comme *Marieke* ou *Le Plat Pays*. *Amsterdam*, dans cette filiation, représente une sorte de quintessence : les ports brumeux, la bière, la solitude et la misogynie. Le rythme de la chanson en faisait, sur scène, une prouesse d'élocution, à l'égal de *La Valse à mille temps*. Léo Ferré, d'une dent méchante, a tenté de répondre à ce texte dans *Rotterdam*, et Guy Béart s'est essayé à évoquer la même ville (*À Amsterdam*). Mais l'*Amsterdam* de Brel, dont la mélodie est inspirée par un classique de la chanson élisabéthaine, *Greensleeves*, représente, dans un genre pourtant très fréquenté, une réussite absolue, l'un des sommets de l'œuvre de son auteur.

ANDREX

[André Jaubert] Marseille, 1907 – Paris, 1989. Interprète. Débute dans les caf'conc' de quartiers, en imitant Chevalier, et finit à l'Alcazar. De 1925 à 1929, tournées dans le Midi et en Afrique du Nord. En 1930, à Paris, il imite toujours, et à s'y méprendre, Chevalier.

Question : va-t-il le remplacer ? Joli garçon, mais petit de taille, il lui manque un peu d'humour pour suivre ses traces. Aussi se cantonne-t-il dans le genre « mec », « type du milieu ». Une chanson de film, *Bébert*, lui fait accomplir un bond. Ses succès : *Antonio*, *Le Charme slave*, *Y'a des zazous*, l'imposent aux directeurs des grandes salles. À la Libération, le voilà promu vedette. Son bagou, sa technique scénique, qui tient du caf'conc' et du music-hall, lui assurent les faveurs du public et font passer la trivialité de son répertoire (vedette à l'Étoile en 1944 et 1946). Mais le personnage qu'il incarne appartient déjà au passé. Andrex n'a cependant pas cessé de se produire et d'enregistrer depuis.

ANGE

Groupe formé en 1969 autour des frères Decamps, Christian, le leader (auteur des textes et chanteur), et Francis (composition et claviers), auxquels vinrent s'adjoindre un guitariste (J.-M. Brezovar, puis C. Demet et R. Defaire), un bassiste (D. Haas puis D. Viseux) et un batteur (G. Jelsch puis J.-P. Guichard). Depuis leur base de Belfort et aidés par une intelligente campagne de promotion (Golf Drouot, tournée Hallyday en 1972), ils conquirent en peu de temps une audience certaine en province, où leurs tournées attirèrent des milliers de jeunes, séduits par le climat envoûtant de leurs concerts, unique sur la scène française d'alors, dont leurs disques, de *Caricatures* (1972) à *Par les fils de Mandrin* (1977), vendus à plus de cent mille exemplaires, ne restituent qu'un écho affaibli. La musique descriptive, appuyée sur des arrangements symphoniques dans lesquels perce l'influence de certains groupes pop anglais (des Moody Blues à King Crimson), sert d'enveloppe à de longs récits, variations autour de légendes savoyardes (*Émile Jacotey*, 1975) ou de mythes moyenâgeux (*Au-delà du délire*, 1974). Ange cherche à donner naissance à une sorte d'opéra rock, qui achoppe sur les limites d'un matériau – voix, ligne mélodique, texte – qui n'est pas toujours à la hauteur des ambitions proclamées. Aussi le groupe vaut-il principalement par ses prestations scéniques et le jeu halluciné, théâtral jusqu'à l'outrance, de Christian Decamps. Dissous au début des années 1980, Ange tentera quelques années plus tard (1988-1989) un retour sans grand succès.

ANIMAL ON EST MAL

Chanson, par. et mus. Gérard Manset (1968). Premier 45 tours de G. Manset qui, malgré de nombreux passages en radio, n'aura que peu de succès. Il y a pourtant là, en germe, tous les ingrédients de la future « patte » Manset qui, déjà, travaille seul en studio, écrit des textes délibérément en marge des courants de la mode (qui d'autre que lui aurait osé écrire à l'époque « Vade rétro rhinocéros » ?), et sait créer un univers obsédant, à la limite de l'envoûtement. Le titre a été repris en 1996 par Alain Bashung (sur un album collectif d'hommage : *Route Manset*) qui l'a transformé en rock, d'une façon peu convaincante. Mais l'original mérite le détour.

Dick ANNEGARN

La Haye (Pays-Bas), 1952. Auteur-compositeur-interprète. Hollandais, il entame à Bruxelles des études d'agronomie puis, après différents métiers, vient à Paris et passe au Petit Conservatoire de Mireille et au Hootenany du Centre culturel américain. Jacques Bedos lui fait enregistrer son premier album, *Sacré géranium* (1975). C'est le succès, dû à une voix « nègre » (en totale contradiction avec un physique de Grand Duduche blond), un accent batave, une syntaxe française impossible et un vocabulaire irrespectueux (*Ubu*). Son jeu de guitare, à la fois R'n'B et jazzy, achève de singulariser cette figure originale de la chanson francophone. De même qu'est original le traitement des thèmes qu'il aborde : la nature, qui lui inspire d'étonnants messages (comme *Transformation*, sur le travail secret des plantes), et le mal-être, qui s'avoue dès le début dans *Bébé éléphant* ou *Albert le merle noir*, animaux rigolos et tristes auxquels il s'identifie, ou dans une série de portraits de schizophrènes dans lesquels il exprime un sentiment aigu d'inadéquation entre les convictions de l'écologiste et le mode de vie d'un artiste à succès. Il en tire les conclusions en décidant d'arrêter le métier en 1978, avec des déclarations à l'emporte-pièce (« je quitte la compétition », ou encore « mon ambition est municipale »). Mais il s'agit d'une fausse sortie. Il voulait simplement échapper aux circuits traditionnels. Il revient sur scène dès 1981 (Bobino) et enregistre à nouveau (*Chansons fleuves*, 1990, *Inédit*, 1992, *Plouc*, 2005), poursuivant son exploration des confins musicaux et textuels, mais peinant à retrouver le grand public.

Jean-Claude ANNOUX

[Jean-Claude Bournizien] Beauvais, 1939 – Martigues, 2004. Auteur-compositeur-interprète. Violoniste, il abandonne en 1957 le classique pour la chanson et écrit pour Marcel Amont, Philippe Clay et lui-même : prix Charles-Cros 1965, il passe à l'Olympia (1966) et à Bobino (1966 et 1968), où il affirme un style vigoureux. Disque d'or pour *Aux jeunes loups* (1965), son ascension est stoppée par un accident de voiture. Depuis, malgré quelques titres intéressants (*Je suis contre*, en réponse à Michel Sardou, ou *Gribouille*, hommage à la chanteuse du même nom), Jean-Claude Annoux n'a plus vraiment trouvé sa place.

Richard ANTHONY

[Richard Btesh] Le Caire (Égypte), 1938. Auteur-interprète. Résidant à Paris depuis 1951, après avoir passé son enfance à voyager, il est successivement étudiant en droit, représentant, candidat chanteur. Engagé en 1958 par Pathé-Marconi, il se laisse porter par la vague yé-yé twist (*J'irai twister le blues*), bossa-nova (*Tout ça pour la bossa-nova*), locomotion (*On twiste sur le locomotion*), protest-song à la manière des promoteurs de maisons de disques (*Écoute dans le vent*), et accompagne toutes les modes. Un peu trop enveloppé, et aidé à l'occasion par les fans (jets de tomates, de bouteilles de Coca-Cola), il comprend qu'il ne pourra jamais concurrencer Johnny sur scène et concentre ses efforts sur la recherche de tubes : domaine dans lequel son flair se révéla remarquable (*J'entends siffler le train*, 1961, plus de deux millions de disques vendus). Après le reflux du yé-yé, il se reconvertit dans la chanson de charme de qualité (*Aranjuez mon amour*, G. Bontempelli-Rodrigo ; *Amoureux de ma femme*, adapt. Y. Dessca), avant de prendre une semi-retraite.

ANTOINE

[Pierre-Antoine Muracciolli] Tamatave (Madagascar), 1944. Auteur-compositeur-interprète. Révélé par une chanson, *Les Élucubrations* (1966), il a tout pour choquer le Français moyen : des cheveux longs, peu de voix, un jeu de guitare approximatif... À son actif, cependant, le fait qu'il poursuive des études d'ingénieur à l'École centrale. Mais le phénomène Antoine dépasse ces anecdotes car il représente à ses débuts une caricature de l'intérieur du phénomène yé-yé : le « oh yé ! » de sa première chanson venant ponctuer chaque couplet, le personnage même avec ses chemises agressives, tout cela introduisait une distorsion par rapport aux idoles, dont les armes favorites étaient précisément les onomatopées et la recherche vestimentaire. En outre, il ne jouait pas le jeu attendu, prônant « la pilule dans les Monoprix » ou menaçant de mettre Hallyday « en cage à Médrano ». Après une année de grand succès, puis une deuxième en petite vitesse, il réoriente sa carrière vers une thématique un peu surréaliste (*Un éléphant me regarde*), puis vers une fonction plus conformiste d'amuseur public (*Tatata*), empruntant aux rythmes brésiliens (*Marinhero*) et jouant de l'exotisme des voyages qu'il accomplit sur son voilier (*Globe flotteur*). Il a donné naissance à toute une série d'imitateurs sans beaucoup de talent (Édouard, Évariste). Pour sa part, il choisit son voilier plutôt que le show-business, ne se manifestant que dans de rares concerts. Quant à la polémique lancée par *Les Élucubrations* (chanson à laquelle Johnny Hallyday avait vivement répondu dans *Cheveux longs et Idées courtes*), elle se poursuit aujourd'hui sur un autre terrain, chacun des deux artistes étant sponsorisé par des opticiens différents (Atoll/Optic 2000).

À PARIS

Chanson, par. et mus. Francis Lemarque (1946). L'une des premières chansons de Lemarque (avec *Mathilda* et *Qu'elle était douce ma vallée*). Introduit par Jacques Prévert, le jeune auteur la présente à Yves Montand en 1946. Celui-ci accepte de la chanter, et le succès sera très rapide (deux millions de disques vendus). La musique de valse, les couplets descriptifs comme autant de croquis, annonçaient déjà les principales qualités (mélodiques et littéraires) de celui qui est un des auteurs français les plus attachants.

Louis ARAGON

Neuilly-sur-Seine, 1897 – Paris, 1982. Romancier, poète. Aragon est de ceux qu'on ne présente pas. Son itinéraire de poète et de romancier – « du surréalisme au monde réel » – est connu de tous, comme sont connus son engagement politique et son unique amour : il n'a en effet rien négligé pour que l'agora sache de lui tout ce qu'il fallait savoir. Et l'on sait aussi, bien sûr, que de nombreux compositeurs ont mis ses poèmes en musique : Léo Ferré (un disque de dix chansons dont *L'Affiche rouge*, *Est-ce ainsi que les hommes vivent ?*), Georges Brassens (*Il n'y a pas d'amour heureux*), Jean Ferrat (*Que serais-je sans toi ?*, *Nous dormirons ensemble*), Charles Léonardi (*Maintenant que la jeunesse*), etc.

Ces rencontres successives du poète et du musicien sont le plus souvent convaincantes, comme si ses vers attendaient la mélodie, étaient faits pour elle. Ferré l'a senti, qui écrit : « Le vers d'Aragon est, en dehors de toute évocation, branché sur la musique. » De fait, les recherches formelles du poète, tendant à la fois vers une grande simplicité et vers une structure interne élaborée, le rapprochaient de la chanson : rimes intérieures, poèmes le plus souvent « carrés ». Alors qu'il est parfois délicat de chanter des poètes dont le vers est en lui-même musique (Verlaine), ou d'autres dont les thèmes sont trop hermétiques pour la chanson (René Char), il semble aisé de chanter Aragon : c'est un mariage attendu depuis longtemps, une union dont le résultat relève de la plus grande logique. Le débat habituel (la chanson sert-elle la poésie ? la dessert-elle ?) est ici inutile. Aragon lui-même le sait bien : « À chaque fois que j'ai été mis en musique par quelqu'un, je m'en suis émerveillé, cela m'a appris beaucoup sur moi-même, sur ma poésie. »

Dan AR BRAZ

[Daniel Legrand : son nom de scène est la traduction en breton de son nom français] Quimper, 1949. Guitariste hors pair, il a également un parcours hors norme. Accompagnant d'abord Jacques Higelin, puis Alan Stivell à l'époque de l'explosion des musiques ethniques de l'Hexagone, il se joint ensuite au groupe anglais Fairport Convention, son talent de guitariste étant alors reconnu internationalement. Il débute dans la chanson, en français, en 1978 (*Allez dire à la ville*), revient à la musique en développant un univers d'une étonnante richesse, enregistre en 1992 des poèmes de Xavier Grall, revient encore à la musique (en 1998, Victoire de la musique pour *Finisterres*) et devient l'une des figures emblématiques de la musique celtique.

Les ARCHERS DU ROY

Chanson, par. Georgius, mus. Jean Gey (1918). Chanson la plus célèbre de Georgius avec *La Plus Bath des javas*. Les mésaventures du cocu, chef de police de surcroît, devaient faire les délices des spectateurs durant vingt ans. Son succès réside surtout dans la coupe des vers qui, tranchant les mots, renvoyait à d'autres mots moins littéraires :

Malheur aux cu
rieux qui nous regardent...
Je tire un cou
teau en cas d'événement...

On la fredonna jusqu'à la dernière guerre, le plus souvent sans savoir, suprême hommage, qui en était l'auteur.

Michèle ARNAUD

[Micheline Care] Toulon, 1919-1998. Interprète. Michèle Arnaud est venue à la chanson par un détour : fille d'officier de marine, elle fréquente les pensionnats religieux puis, après un passage à Cherbourg, arrive à Paris pour y mener des études de droit, de sciences politiques, deux certificats de licence de philosophie. Fréquente en même temps les cabarets (le Tabou, la Rose rouge où elle découvre Léo Ferré). Chante elle-même à partir de 1952. Trois mois après ses débuts à Milord l'Arsouille, où elle est parrainée par Francis Claude, elle se présente au concours de la chanson de Deauville, qu'elle remporte. Elle continue à se produire en cabaret, accède au music-hall en vedette américaine à l'Olympia en 1959, et passe en vedette à Bobino en 1961. Dès 1959, elle commence à produire des émissions de télévision (« Chez vous ce soir », puis, avec Jean-Christophe Averty, « Les raisins verts ») qui obtiendront de nombreux prix internationaux. Elle crée en 1964, avec Georges Brassens et Jacques Brel, le Music-hall de France qui tourne dans la banlieue parisienne avec les Tréteaux de France.

On ne peut pas dire d'elle qu'elle ait un personnage. Elle chante des textes de qualité (Ferré, Béart, Gainsbourg, Vian) d'une voix chaude et belle, mais toujours mesurée, domestiquée (*Zon zon zon, Julie, Timoléon le jardinier*). Elle rend distingué, dans le ton, tout ce qu'elle touche. Nulle émotion réelle, la voix coule, neutre. C'est la chanson empaillée dans le XVIe arrondissement.

ARNO

[Arno Charles Ernest Hintjens] Ostende (Belgique), 1949. Auteur-compositeur-interprète. Bègue en trois langues (flamand, anglais, français), il enchaîne d'abord les groupes, entre rock et blues – Freckle Face, Tjens Couter (avec Paule Couter), TC Matic, Charles et les Lulus –, avant de prendre définitivement, en 1990, son prénom comme image de marque. Chantant aussi bien en anglais qu'en français (*À la française*, 1995, *French Bazaar*, 2004), mais dans des styles très différents, il n'est jamais aussi bon que dans ses reprises, opérant une véritable déconstruction des œuvres dans lesquelles il se glisse. Dans *Ils ont changé ma chanson*, avec Stéphane Eicher, *Les Filles du bord de mer*, *Ostende*, *Voir un ami pleurer*, *Sarah*, il nous restitue alors une vision de l'intérieur de grands succès qui ne perdent rien, au contraire, à être ainsi revisités. Dans son propre répertoire, il faut citer un titre étonnant, *Les Yeux de ma mère*, qui justifierait à lui seul un colloque de psychanalyse. Derrière la voix éraillée et l'apparente maladresse, au travers des orchestrations un peu flonflon, fleurant les brumes, les frites et la bière de sa ville natale, se manifeste un talent original qui n'a sans doute pas fini de nous étonner.

ARTHUR, OÙ T'AS MIS LE CORPS ?

Chanson, par. Boris Vian, mus. Louis Bessières (1958). Un des genres du multiple Boris. Sinon le meilleur, du moins le plus désopilant. Les aventures angoissantes d'un groupe de truands qui, après « un forfait parfait », ont égaré le corps de leur victime qu'aucune tentative, y compris l'expérience du spiritisme, ne peut leur rendre. L'interprétation de Serge Reggiani (1967) achève de faire de cette chanson un petit chef-d'œuvre d'humour.

Raymond ASSO

Nice, 1901-1968. Auteur. A pratiqué les métiers les plus divers, depuis celui de berger jusqu'à celui de directeur d'usine. En 1935, son premier succès de parolier encourage sa vocation littéraire : *Mon Légionnaire* (mus. Marguerite Monnot) créée par Marie Dubas et reprise par Édith Piaf. Il se consacre au lancement de cette dernière jusqu'à la guerre et la fait entrer à l'A.B.C. (*Le Fanion de la Légion*,

J'en connais pas la fin, *C'est l'histoire de Jésus*, mus. Marguerite Monnot). Auteur mi-réaliste mi-sentimental, mettant un vocabulaire volontairement simple au service du grand art de la mise en scène, Raymond Asso remue le cœur de tous les Français en 1953 avec *Comme un p'tit coquelicot* (mus. C. Valéry), chantée par Mouloudji. En 1962, il devient administrateur de la SACEM et le demeure jusqu'à sa mort.

Jean-Louis AUBERT

Nantua, 1955. Auteur-compositeur-interprète. Étudie le piano à partir de quatre ans, et la guitare à dix ans, rencontre Louis Bertignac au cours de ses années lycéennes, puis fréquente un temps l'université de Vincennes, en musicologie. La création du groupe Téléphone, dont il est le pilier et qui, pendant dix ans (1976-1986), sera *le* groupe de rock français et en français, le lance dans la carrière. Il s'associe lors de la dissolution du groupe au batteur Richard Kolinka pour créer Aubert'n'Ko, et enregistre immédiatement le titre *Juste une illusion*, comme pour mettre un point final à l'aventure Téléphone. Mène alors une carrière solo, entre rock, funk et musique acoustique (*Plâtre et Ciment*, 1987, *H*, 1992, *Une page de tournée*, 1994), avec un succès public sans faille : belle voix, belle gueule, présence scénique incontournable, quoique faisant peut-être trop penser aux mimiques de Mick Jagger (Rolling Stones), musiques accrocheuses. Son album *Comme un accord* (2001) résume parfaitement l'ensemble et reste fidèle aux fondamentaux qui caractérisent J.-L. Aubert : voix, mélodies et préoccupations qui tentent de coller à celles de la jeunesse. Mais il semble amorcer une évolution vers une musique plus proche du folk avec son onzième album (*Idéal Standard*, 2005).

AU BONHEUR DES DAMES

Il ne s'agit ni du roman d'Émile Zola, ni du film éponyme de Julien Duvivier, mais d'un groupe créé en 1972 par une dizaine de joyeux lurons réunis autour de Ramon Pipin (Alain Ranval, dit), pour lesquels le burlesque des textes et de la mise en scène passait avant la recherche musicale. Son plus grand succès : *Oh les filles* (1973), répétait inlassablement « Je suis sorti avec Marcel, Il est sorti avec Marcel, Je suis sorti avec Marcel, Il est sorti avec Marcel… ». Précisons que « Marcel » n'apparaît jamais dans le roman de Zola. En revanche, le prénom Denise y apparaît 527 fois, ce qui n'a bien sûr aucun rapport... En 1978, le groupe, qui a vu bon nombre de ses membres quitter le navire, disparaît. Ramon Pipin fondera alors Odeurs, dont la destinée ne sera guère plus longue.

Isabelle AUBRET

[Thérèse Coquerelle] Lille, 1938. Interprète. De père contremaître dans les usines du Nord, elle est d'abord ouvrière et chante dans les galas populaires. L'aide de Jean Ferrat est à l'origine de sa carrière. Prix de l'Eurovision avec *Un premier amour* (C. Vic-R. Valade, 1962), son ascension est interrompue par un accident et reprend en 1968, où elle remporte à nouveau l'Eurovision avec *La Source* (H. Djian, G. Bonnet, D. Faure). Puis c'est *Bonino* et, depuis, une carrière stable. Sacrée meilleure chanteuse du monde par le Japon en 1980, elle a le bon goût de nous épargner le répertoire standard et balisé de ses consœurs à voix, restant fidèle à Brel, Aragon ou Ferrat (elle leur consacre trois CD en 1996, et un spectacle à Brel en 1998). Chanteuse de charme, elle est toute féminité, douceur et finesse. Il est dommage que cet esthétisme ôte de la vie ou de la violence à ses chansons fortes, bien qu'il ait fait école avec, entre autres, Nicole Rieu.

Hugues AUFRAY

[Jean Auffray] Neuilly-sur-Seine, 1932. Auteur-compositeur-interprète. Fils d'industriel, il étudie aux Beaux-Arts puis décide de se lancer dans la chanson. Mais la famille ne finance plus : il « fait » les boîtes de la rive gauche, obtient un prix en 1959 (« Numéro 1 de demain »), mais a du mal à percer en pleine vogue du rock'n'roll. Il découvre alors le folk-song (Pete Seeger, Joan Baez et surtout Bob Dylan) lors d'une tournée aux États-Unis, forme un « skiffle group » et impose une forme nouvelle de chanson qui triomphe à partir de 1964. Son répertoire est un curieux mélange de vrai (*L'Épervier* d'après *El Gabilan*, *Santiano*, *Debout les gars*) et de faux folklore (*Des jonquilles aux derniers lilas*). Interprétant en français les premiers succès de Dylan adaptés par Pierre Delanoë (*Le jour où le bateau viendra*), il apparaît aussi comme un tenant du protest-song (la chanson engagée, version US)... Mais bien à tort. Pour le public averti, il y a d'un côté, avec Graeme Allwright, un chanteur politique authentique, un style d'adaptation honnête et sans fioritures, et, de l'autre, avec Hugues Aufray, un chanteur de charme familial et un style d'adaptation en rapport avec cette image. Issu du même mouvement, mais plus créatif, Maxime Le Forestier, dans la première partie de sa carrière, fera le pont, condamnant peu à peu Hugues Aufray à ranger ses accessoires de cow-boy à l'écurie. Mais il aura cependant influencé toute une génération. Depuis les années 1980, il tente régulièrement un come-back, le dernier en date (2005) étant un spectacle et un album autour de l'œuvre de Félix Leclerc (*Hugues Aufray chante Félix Leclerc*).

AVEC BIDASSE

Chanson, par. Louis Bousquet, mus. Henry Mailfait. Créée par Bach en 1913, assurément un des chefs-d'œuvre du genre comique troupier, dont le rayonnement n'est plus à démontrer. Mérite-t-elle cette fortune ?

Avec l'ami Bidasse
on n'se quitte jamais
attendu qu'on est
tous deux natifs d'Arras
chef-lieu du Pas-de-Calais.

Synthèse magistrale de « recherches » formelles (ah ! cet « attendu que ») qui tirent leur efficacité de leur caractère inattendu, et de la réalité troupière dans son essence même – qu'y a-t-il de plus difficile à rendre que le néant ? –, ces quelques couplets composent un tableau criant de vérité d'un des moments les plus éminents de la vie du Français : celui où, de simple jeune homme, il se mue en « bidasse ».

Charles d'AVRAY

[Charles-Henri Jean] Sèvres, 1878 – Paris, 1960. Auteur-compositeur-interprète. Bien qu'ayant suivi les cours du Conservatoire, il opta très jeune pour la muse et embrassa l'idéal anarchiste. Il chanta toute sa vie des œuvres violentes (plus de mille, avouait-il), dans lesquelles il fustigeait les turpitudes de la société bourgeoise et célébrait l'avenir libertaire qu'il appelait de ses vœux (*L'Idée, Les Géants, Loin du rêve*). Chapeau à large bord, houppelande noire, joues creuses et cheveux noirs, il hantait les rues de Montmartre où il dirigea, dans les années

1920, le cabaret Le Grenier de Gringoire, lorsqu'il ne battait pas la campagne française, donnant d'innombrables « conférences chantées » et propageant jusqu'à sa mort, malgré amendes et procès, ses idées libertaires. Sa chanson la plus connue, *Le Triomphe de l'anarchie*, est un peu devenue l'hymne du mouvement :

Debout, debout compagnon de misère
L'heure est venue, il faut vous révolter...
C'est reculer que d'être stationnaire
On le devient à trop philosopher.
Debout, debout vieux révolutionnaire
Et l'anarchie enfin va triompher !

Une figure exemplaire, et l'un des derniers chanteurs militants, à la manière des chanteurs ouvriers du XIXe siècle, ou des « wooblies » américains, Joe Hill ou Woody Guthrie.

Charles AZNAVOUR

[Varenagh Aznavourian] Paris, 1924. Auteur-compositeur-interprète. Fils d'Arméniens émigrés (de Géorgie pour le père et de Turquie pour la mère), comédiens obligés d'être tour à tour cuisiniers, restaurateurs ou cafetiers, il entre à l'École du spectacle après des études primaires poursuivies jusqu'au certificat d'études. Avec sa sœur Aïda, il se produit dans les bals arméniens. Il a onze ans lors de son premier engagement au théâtre du Petit-Monde et joue divers rôles d'enfant au théâtre Marigny, à la Madeleine et à l'Odéon. Il chante pour la première fois à la troupe de Prior, puis remporte quelques « crochets » dans les grands cafés. Vendeur de journaux pendant la guerre, il fréquente le Club de la Chanson où il se lie d'amitié avec Pierre Roche, qui est compositeur (1941). À la suite d'une erreur de programmation, il doit monter avec lui un duo improvisé et tous deux décident de poursuivre l'expérience. Aidés par l'imprésario Jean-Louis Marquet, ils font quelques galas et, à la Libération, s'établissent auteurs-compositeurs chez l'éditeur Raoul Breton. Aznavour n'écrit alors que des textes. Une de ses premières chansons, *J'ai bu* (mus. P. Roche), remporte, chantée par Georges Ulmer, le Grand Prix du disque (1947). Le duo ne connaît pour sa part qu'un succès d'estime (*Le Feutre taupé*, suite d'onomatopées). Mais Édith Piaf remarque Aznavour et emmène les duettistes en tournée. À Montréal, Roche fait la connaissance d'Aglaé, chanteuse québécoise, et il reviendra l'épouser : c'est la fin du duo. Aznavour se met alors à composer ses musiques. Il est chanté par Eddie Constantine (*Et bâiller, et dormir*), Piaf (*Jézébel, Plus bleu que le bleu de tes yeux*), Juliette Gréco (*Je hais les dimanches*, mus. F. Véran). Mais, comme interprète, il n'a aucun succès et se fait copieusement siffler dans les cinémas de quartier. Les critiques sont sévères : « Avoir la prétention, avec un tel physique et une telle voix, de se présenter devant un public est une pure folie... de la part de cet artiste, cela prouve une totale inconscience. » Le côté souffreteux de sa silhouette et de son timbre gêne un public habitué aux ténors claironnants et pleins de santé. Il végète ainsi pendant des années. Seul le Maroc lui fait, en 1953, un triomphe (*Viens pleurer au creux de mon épaule*). La chance tourne lors de son passage à l'Olympia, en vedette américaine, en 1954 : pour la circonstance, il a composé *Sur ma vie*, qui va être un succès radio. Et l'Alhambra, où il passe la même année en vedette, applaudit l'artiste raté décrit dans *Je m'voyais déjà*. Dès lors, la carrière de « l'enroué vers l'or » est faite. En 1963, il conquiert la presse new-yorkaise au Carnegie Hall qui le salue comme « le plus important événement vocal des temps nouveaux ». Vedette enfin consacrée, il revient présenter en 1965 à l'Olympia un one man show de trente chansons, tandis que se joue au Châtelet son opérette, *Monsieur Carnaval*.

« Si je pointais tous les jours dans une usine, a dit Aznavour, personne ne s'en étonnerait. » Sans doute est-ce là un de ses traits les plus marquants : être un homme du commun. Il a été plébiscité par un public populaire, celui-là même qui, jusqu'ici, n'écoutait que les chanteurs « à voix ». Mais les efforts de l'émigrant pour s'intégrer, l'ambition du pauvre pour monter dans l'échelle sociale, la souffrance de l'être humain à la recherche du bonheur ne pouvaient pas ne pas rencontrer d'échos, une fois surmontée la difficulté de transmettre d'une manière vocale différente. Seuls les intellectuels font la fine bouche devant les évocations très quotidiennes et « vulgaires » de *Tu t'laisses aller*. Seule la bourgeoisie bien-pensante a mis à l'index *Après l'amour*, dont l'auteur pensait « absurde qu'il y ait des toiles et des sculptures de nus... et que le déshabillage soit interdit dans la chanson ». Aznavour a toujours affiché son respect pour la religion, son sens de la famille, sa dignité dans le travail (qu'il considère comme un artisanat), autant de valeurs sûres qui ont fait accepter sa voix comme un vêtement essentiel, de plus en plus seyant avec les années : voix faite pour le jazz (*Je ne peux pas rentrer chez moi, Pour faire une jam*) ou pour la mélopée orientale (*Il faut savoir, La Mamma*, mus. R. Gall) dans laquelle elle dessine d'étonnants

« mélismes ». En scène, ce petit homme grisaille a une fulgurante puissance de description qui tient du mime ou du journalisme gestuel (peintre au pinceau dans *La Bohème*, sourd-muet parlant par gestes dans *Mon émouvant amour*). Il a aussi montré d'étonnantes capacités de comédien au cinéma (*Un taxi pour Tobrouk*, *Le Tambour*, etc.).

Parvenu au faîte de la gloire, il aurait pu n'être qu'un chantre du démon de minuit (*Donne tes seize ans*), ou devenir le manager de sa propre entreprise, aux dimensions mondiales, contraint de se produire à tout prix. Tout au contraire, il va de l'avant, s'impliquant de plus en plus dans la solidarité avec le peuple arménien, dans la chanson, bien sûr, (*Ils sont tombés*, mus. G. Garvarentz), mais surtout dans des actions concrètes, continuant à observer et à chanter la vie quotidienne, les faits de société (un personnage de travesti par exemple, dans *Comme ils disent*), reprenant avec Gérard Davoust les éditions Raoul Breton, celles de ses débuts, ce qui leur permet de lancer en France la Québécoise Lynda Lemay, de gérer son œuvre aussi bien que celle de Charles Trenet, de parrainer Sanseverino... Et il continue d'écrire, et d'enregistrer. En 2004, à quatre-vingts ans, il montre qu'il est toujours là, plus que jamais, avec un disque étonnant, *Je voyage*, dont l'un des titres, *Un mort vivant*, dédié à un prisonnier politique, glace le sang. Il l'interprétera sur la scène de l'Olympia, en février 2005, en ouverture d'un gala de soutien à deux collaborateurs du journal *Libération* retenus en otage en Irak. Jamais il n'aura été aussi grand.

B

Barbara

BACH

[Charles-Joseph Pasquier] Fontanil (Loire), 1882-Nogent-le-Rotrou, 1953. Interprète. Il fut un temps où les tourlourous (ou comiques troupiers) faisaient florès au caf'conc'. Avec Potin, à qui il avait emprunté bien des traits, Bach était l'un des plus caractéristiques : petit, le corps perdu dans un uniforme trop grand pour lui, la trogne réjouie, le poil clair, la voix aigrelette et, ce qui ne gâtait rien, un jeu assez fin. De plus, il eut l'honneur de créer quelques-unes des rengaines les plus mémorables du genre, sont passées à la postérité : *Avec Bidasse, Si la route monte, J'arrose les galons* et, juste à la veille de la guerre, *Quand Madelon*, qui fut un four mais lui valut une gloire rétrospective. En 1919, il crée la *Rue de la Manutention*, son dernier succès de chanteur. L'heure du comique troupier étant passée, il se reconvertit et monte un duo avec Henry Laverne : leurs sketchs font d'eux des vedettes du music-hall et du disque, puis du cinéma et du théâtre (Paul Misraki s'inspira d'un de leurs sketchs pour sa chanson *Tout va très bien, madame la Marquise*).

Pierre BACHELET

Calais, 1944 – Suresnes, 2005. Auteur-compositeur-interprète. Débutant dans la musique de film (*Emmanuelle*, 1974, *Histoire d'O*, 1975, *La Victoire en chantant*, 1975...) qu'il n'abandonnera jamais

(*Les Enfants du marais*, 1999), il perce dans la chanson en 1980 avec *Les Corons*, sur des paroles de Jean-Pierre Lang, avec qui il collaborera pendant plus de dix ans. Les albums se succèdent alors, avec des succès contrastés (*L'An 2001*, 1986), dans un style simple et populaire. Sans jamais retrouver vraiment le succès des *Corons*, il vendra cependant des millions de disques, étant au Nord et aux ch'timis ce que le premier Enrico Macias fut aux pieds-noirs. Certains le comparent à Brel, auquel il fait surtout penser par son visage et sa gestuelle, mais, dans la course à la succession du grand Jacques, Serge Lama l'a déjà emporté de plusieurs longueurs. À signaler un album écrit avec Yann Queffélec en 1995 (*La Ville ainsi soit-il*) et un hommage à Jacques Brel en 2003 (*Tu ne nous quittes pas*), son dernier album.

Joséphine BAKER

Saint Louis du Missouri (États-Unis), 1906 – Paris, 1975. Interprète. « J'ai eu froid et j'ai dansé pour avoir chaud », disait-elle. À seize ans, elle quitte sa famille pour Broadway, via Philadelphie. Théâtres, music-halls. Trois ans après, elle fait partie d'une troupe engagée en Europe : elle y débarque en septembre 1925. En octobre, la *Revue nègre* s'installe au théâtre des Champs-Élysées, et c'est le scandale, c'est la ruée. La cause : « Un personnage étrange, qui marche les genoux pliés, vêtu d'un caleçon en guenilles et qui tient du kangourou boxeur, du sen-sen gum et du coureur cycliste : Joséphine Baker » (*Candide*). Provoquée par cette irruption d'art nègre, la critique réagit violemment. Pour les uns, c'est un nouveau coup porté à la civilisation : « Par l'indécence de votre physique vous déshonorez le music-hall français » (M. Hamel dans *La Rumeur*) ; « Contentons-nous d'admirer cette demoiselle entièrement nue, les cheveux coupés ras, ses cambrures originales, les agitations de sa chaste et ferme poitrine » (P. Reboux dans *Paris-Soir*). Pourtant Joséphine ne faisait que danser. Oui, mais comment ! « Jusqu'à la dislocation », et sur des pas inconnus, charleston, black-bottom. Dans une France exsangue, en mal de renouvellement, elle avait produit un choc, et elle allait en recueillir le fruit sa carrière durant. Animatrice de cabaret (Chez Joséphine, 1926), de revues : *Un vent de folie* (Folies-Bergère, 1927), *Paris qui remue* (Casino de Paris, 1930), son succès ne se démentira pas. Acclimatée, elle prend rang parmi les gloires du music-hall français, soutenant la comparaison avec ses paires :

« Elle a descendu l'escalier traditionnel avec autant d'aisance et d'abattage que l'Autre », pouvait-on entendre au lendemain de la première d'une revue au Casino. L'inévitable devait se produire : « L'ancienne étoile de la *Revue nègre*, qui faisait autrefois scandale... est désormais assimilée par la civilisation occidentale » (D. Sordet).

Il y a aussi la chanson : Joséphine Baker chante depuis 1927, pour les besoins de la revue. Là, pas de révolution. D'une petite voix flûtée de soprano, elle fait entendre des classiques américains (*Always*), remet en selle un vieux succès de Polin (*La Petite Tonkinoise* de Christiné-Scotto) ou crée des chansons taillées sur mesure (*J'ai deux amours*, *Dites-moi Joséphine*). Son accent américain, qui fait un sort à chaque syllabe, ses notes aiguës, modulées tel un envol de guitare hawaiienne, permettent de la distinguer des autres chanteuses de charme exotiques. Elle poursuivit après la guerre sa carrière française et internationale (tournée aux États-Unis, 1947), entrecoupée par plusieurs « adieux à la scène ». Aiguillonnée par les besoins financiers dus à son domaine des Milandes et à sa nombreuse famille adoptive, elle fut obligée de chanter jusqu'au-delà de ses forces : elle mourut alors qu'elle présentait à Bobino une revue retraçant les étapes de sa carrière. Mais, dès avant la guerre, des voix s'étaient fait entendre pour affirmer que Joséphine Baker appartenait à son passé : « L'impression de la *Revue nègre* ne s'est pas renouvelée. Joséphine Baker non plus. Elle a donné dès sa première apparition son maximum » (L. Léon-Martin).

Daniel BALAVOINE

Alençon, 1952 – Mali, 1986. Auteur-compositeur-interprète. Après des débuts dans les bals de la région Sud-Ouest, où il réside, il enregistre en 1975 un premier album (*De vous à elle en passant par moi*) qui passe inaperçu. Deux ans plus tard, *Les Aventures de Simon et Gunther* lui assure une petite réputation, mais c'est *Le Chanteur* (1978) qui va marquer sa véritable entrée dans la cour des grands. L'année suivante, il chante dans l'opéra rock *Starmania* (Berger-Plamondon) puis, en mars 1980, sur un plateau de télévision, il agresse verbalement François Mitterrand, futur président de la République (19 mars 1980), ce qui achève de brosser son portrait : grande gueule, grand cœur, sympathique et nature, ce qui fait un peu oublier son professionnalisme réel. Sa carrière est alors sur les rails, il est reconnu par le public comme rocker « made in France », voix de tête et tendance ONG. Tournée triomphale en 1984, ponctuée par le Printemps de Bourges et le Palais des Sports fin septembre. En 1986, alors que vient de sortir son album *Sauver l'amour* (sur lequel un titre, *L'Aziza*, marche très fort), il suit le rallye Paris-Dakar pour mettre en place une opération humanitaire et il est victime d'un accident d'hélicoptère où il trouve la mort au côté de Thierry Sabine, l'organisateur de la compétition. Il entre alors définitivement dans la galerie mythique des « grands talents disparus trop tôt », faisant mentir le titre d'une de ses chansons les plus connues, *Je n'suis pas un héros* (1980).

BAL CHEZ TEMPOREL

Chanson, par. André Hardellet, mus. Guy Béart (1957). Enregistré d'abord par Patachou, le refrain un peu rengaine du *Bal* :

> *Si tu reviens jamais danser chez Temporel*
> *un jour ou l'autre*

a largement contribué à lancer le nom de son compositeur. Sur un rythme de valse musette et une mélodie moins évidente qu'on ne pourrait le croire, c'est le thème classique de la guinguette remplie de souvenirs d'amours de jeunesse. Une trouvaille : le point d'orgue qui s'attarde au bout du *« l »* de Temporel comme pour marquer le temps qui s'est écoulé. Guy Béart a rendu hommage à l'auteur, André Hardellet, surnommé le « poète du regret », en baptisant sa maison de disques « Temporel ».

La BALLADE DES BALADINS

Chanson, par. Louis Amade, mus. Gilbert Bécaud (1953). Créée par Gilbert Bécaud, elle a également été enregistrée par les Trois Ménestrels. « Des personnages légendaires et irréels, dans un décor qui ne l'est pas moins, passent en dansant sans vouloir s'arrêter nulle part. Ils ne possèdent que des chansons, et celui qui les a vus passer rêve de les suivre, mais les baladins ne font pas attention à lui » (R. Sprengers). Mis en valeur par plusieurs chansons de Bécaud et Amade – *Le Rideau rouge*, *Il fait des bonds le Pierrot qui danse*, *Quand le spectacle est terminé* –, le thème des gens du voyage, des comédiens, traduit l'appel à une vie autre, où tout serait jeu, danse et chant. C'est aussi une variation sur le thème de l'invitation au voyage : la vraie vie est toujours ailleurs. C'est enfin le recours contre l'embourgeoisement qui menace :

Ohé baladins, vous partez... emmenez-moi.

Mais le garçon n'insiste pas. Les auteurs ont réussi là une des meilleures chansons du répertoire Bécaud, longtemps occasion d'un morceau de bravoure vocal (sinon de retour à l'art des tréteaux), lorsqu'il la chantait sans micro, et en plein air.

La BALLADE DES GENS HEUREUX

Chanson, par. Pierre Delanoë-Gérard Lenorman, mus. Gérard Lenorman (1976). Sur une musique de ritournelle se mettent en place, au fil des couplets, les repères d'un univers familier : le petit jardin de banlieue, l'enfant « qui te ressemble un peu », et ces mille et un personnages qu'on rencontre au bistrot du coin, du « roi de la drague... au gentil petit vieux ». En contrepoint, le journaliste, la star sont les symboles d'un monde artificiel, fait d'agitation et de vent. Disposés comme sur une nature morte, à accrocher au mur du salon où l'on reçoit les invités, ces repères sont là pour le décor, car l'essentiel, c'est la phrase principale, revenant tous les quatre vers et soutenue par le chœur (qui annonce les salles enthousiastes reprenant le refrain à l'unisson) :

Je viens vous chanter la ballade,
la ballade des gens heureux.

Chanson-blason de Gérard Lenorman, *La Ballade* est plébiscitée, en 1979, comme l'une des trois chansons préférées des Français (concours RTL et sondage SOFRES). Morale : la chanson, comme les gens heureux, n'a pas d'histoire, ou plutôt, la meilleure façon de réussir un grand succès, c'est, encore et toujours, de revenir aux rythmes sans âge légués par le folklore.

BAMBINO

Chanson, par. Jacques Larue, mus. G. Fonciulli (1955). Le succès de Marino Marini en Italie va, importé, faire le bonheur de tous les chanteurs de charme tendance exotique et, spécialement, celui de l'Italo-Égyptienne Dalida, sa créatrice, qui entame grâce à lui une carrière fracassante sur Europe 1. « Les yeux battus, la mine triste et les joues blêmes », ce pauvre enfant fort à plaindre a fait bien des heureux dans le métier, et bien des aigris chez les auditeurs qui n'en pouvaient plus : « La première agression de Nasser contre la France, ce n'est pas le canal de Suez, c'est Dalida ! » (P. Giannoli, 1956).

BARBARA

[Monique Serf] Paris, 1930 – Neuilly-sur-Seine, 1997. Auteur-compositeur-interprète. Restée quinze ans dans l'ombre (malgré deux prix de chant) ; des années difficiles en Belgique, avec une boîte qui ne marche pas, d'obscurs débuts à Paris, Chez Moineau. Enfin, l'Écluse. Vedette de l'établissement de 1958 à 1963, la « chanteuse de minuit » (surnom emprunté au titre de l'émission de Pierre Hiégel) oscille entre un répertoire contemporain (Datin, Vidalin, Brassens, Brel) et le répertoire 1900 (Fragson, Xanrof). Puis elle se met peu à peu à chanter ses propres œuvres : *Dis quand reviendras-tu ?*, *Chapeau bas*, *Le Temps du lilas.* Un public élargi la découvre alors à un récital du « Mardi des Capucines » (1963). Elle se produit plusieurs fois à Bobino, la première fois en 1964, à l'Olympia (1969, 1978), et y impose sa silhouette noire, longiligne, et son profil d'oiseau de proie soudé à son piano. Elle accepte parfois de quitter le clavier, la première fois en 1965, pour faire au public cette déclaration définitive : *Ma plus belle histoire d'amour c'est vous.* Il s'en était déjà rendu compte. Le succès est dorénavant constant. Elle se produit à Paris (Châtelet, 1987, 1993 ; Mogador, 1990), en province ou à l'étranger, devant des publics fidèles et enthousiastes. En 1986, elle présente un spectacle d'un genre différent, en duo avec Gérard Depardieu, dans une comédie musicale à deux personnages, *Lily passion* (au Zénith). Elle va chanter dans les prisons, s'implique dans l'aide aux victimes du sida, auxquelles elle consacre deux chansons, *Sid'amour à mort* (1987) et *Le Couloir* (1996, en duo avec Jean-Louis Aubert).

La scène avait pris, avec Barbara, l'allure d'une chambre à coucher. Le spectateur était violé et heureux de l'être par cet ange noir transpirant de féminité sublimée, hypnotisé par ce boa femelle, dévoré par cette mante religieuse, envoûté par sa gestuelle... Avec cela, une pudeur d'écriture, au comble du « jusqu'où on peut aller trop loin ». La confidence est égocentrique, portant sur le passé auquel on cherche à échapper (*Nantes*, *Göttingen*), sur des amours insatisfaites (*Mes hommes*, *Attendez que ma joie revienne*), sur une difficulté d'être (*Le Soleil noir*, *La Solitude*, *Le Mal de vivre*), sur l'autoportrait symbolique (*L'Aigle noir*), sur des rêves romantiques (*Marienbad*, mus. F. Wertheimer). En peu de mots, peu de notes, l'atmosphère est créée, parfois magistralement (*Pierre*). Au piano, le jeu de gauchère aux accords plaqués, aux sonorités étranges, aux motifs ressassés présente un danger permanent d'asphyxie auquel ont échappé *Une petite cantate* et *Le Petit Bois de Saint-Amand* issus, l'un d'un thème classique, l'autre d'une comptine. Pour varier le ton, Barbara joue ironiquement avec son personnage de femme fatale (*Le Bel Âge, Si la photo est bonne*). Dans tous les cas, chantant le tragique ou, plus rarement, le comique, son style est resté le même : il est l'art suprême de la courtisane, ou celui de Mélusine, la légendaire femme-serpent.

Didier BARBELIVIEN

Paris, 1954. Auteur-compositeur-interprète. Auteur prolifique (près de 1 500 chansons) et irrégulier, il débute jeune (*Et moi je chante*, pour Gérard Lenorman, 1975), écrivant ensuite des œuvres de tous genres pour les interprètes les plus divers : Johnny Hallyday, Joe Dassin, C. Jérôme, Hervé Vilard, Jean Guidoni, Daniel Guichard, Mireille Mathieu, Michèle Torr, Philippe Lavil (*Il tape sur des bambous*, 1982, que reprendra Julio Iglesias), Gilbert Bécaud, Marie Laforêt, Linda de Souza, Dalida, Guy Mardel, Enrico Macias, Garou et surtout Patricia Kaas (*Mademoiselle chante le blues*, 1987, *Mon mec à moi*, 1988, *Les hommes qui passent*, 1990). Également interprète, il a quelques succès (*Elle*, 1980), chantant parfois en duo avec Félix Gray (*À toutes les filles*, 1990) ou avec Anaïs. Affichant des positions politiques nettement à droite (*Vendée 93*, 1992), il affirme en même temps son admiration pour Léo Ferré (*Léo*, 1978, pour Nicole Croisille, *Ferré*, 1992, pour Gérard Berliner), et enregistre lui-même un album (*Barbelivien chante Ferré*, 2003). Devant un tel éclectisme, on reste coi.

Eddie BARCLAY

[Édouard Ruault] Paris, 1921-2005. Pianiste, compositeur, chef d'orchestre et éditeur. Ancien garçon de café à la gare de Lyon, puis pianiste de jazz, il inaugure sous l'Occupation la première discothèque et, devenu Eddie Barclay, américanise la jeune génération. Pour enregistrer sa formation, « Barclay and his orchestra », il crée une maison de disques, puis deux, puis trois (Blue Star, Riviéra, Mercury) qu'il regroupe en 1955 sous son nom. La compagnie Barclay sera l'une des plus dynamiques de Paris, dans le domaine du jazz comme de la chanson, avant d'être absorbée en 1979 par le trust Polygram (qui sera lui-même plus tard englouti par l'hypertrust Universal...). Dans son catalogue cohabitent Eddie Constantine, Dalida, Henri Salvador, Charles Aznavour, Jacques Brel, Léo Ferré, Jean Ferrat, les Platters, Eddy Mitchell, Claude Nougaro et bien d'autres encore.

Le personnage a un physique d'homme de théâtre d'avant-guerre : prestance, regard bleu, front un peu dégarni ; il se marie et divorce régulièrement, de façon presque compulsive. Maniant le cigare de l'homme d'affaires, parlant peu mais jaugeant du regard, il présente quelques points communs avec Bruno Coquatrix : celui d'avoir composé des mélodies (*Un enfant de la balle*, R. Rouzaud-P. Gérard, 1955) et, surtout, celui d'avoir incarné le pouvoir dans le show-business entre 1950 et 1980.

Brigitte BARDOT

Paris, 1934. Interprète. Gloire du star-system, incarnation d'un des visages de la femme, B.B. ne pouvait échapper à la chanson. D'abord, on la chanta – *Initials B. B.* (S. Gainsbourg), *Brigitte Bardot* (Gustavo) – puis elle chanta. Soutenue par la qualité des chansons écrites sur mesure par Jean-Max Rivière et Gérard Bourgeois, ou Serge Gainsbourg (*Sidonie*, *Je me donne à qui me plaît*, *Harley Davidson*), elle imposa une image de femme libre, amante, mutine et sensuelle. Au demeurant, portrait parfaitement redondant par rapport à celui de l'actrice. Puis Brigitte Bardot, en même temps qu'elle rentrait dans le rang, délaissa la chanson, préférant peut-être le chant des bébés phoques au sien propre.

Pierre BAROUH

Paris, 1934. Auteur-interprète. D'origine turque, il travaille d'abord sur les marchés. Après de nombreux voyages, en particulier au Brésil, où il est frappé par l'impact de la chanson populaire sur la vie quotidienne, il revient à Paris où il fait du théâtre et du cinéma. Le retentissement de la chanson *Un homme et une femme* (dans le film de Claude Lelouch, musique de Francis Lai) qu'il chante avec Nicole Croisille, le lance comme auteur à succès : *À bicyclette* (mus. F. Lai,

1968) par Yves Montand, *Des ronds dans l'eau* (mus. F. Lai, 1965) par Françoise Hardy, etc. Parallèlement il crée, avec ses droits d'auteur, la maison de disques Saravah, qui produit Jacques Higelin, Brigitte Fontaine, David Mc Neil, Jean-Roger Caussimon, Mahjun, Pierre Akendengué... Il produit également des spectacles (au Ranelagh et au théâtre Mouffetard), des tournées. Il suffit de voir ce que sont devenus ses poulains pour comprendre le rôle qu'il a joué dans la chanson à l'orée des années 1970.

Alain BARRIÈRE

[Alain Bellec] La Trinité-sur-Mer (Morbihan), 1935. Auteur-compositeur-interprète. Breton, de parents mareyeurs, il entre à l'École des Arts et Métiers. Ingénieur chez Kléber-Colombes, il rôde aux alentours d'une autre Colombe, celle de Michel Valette, grattant sur sa guitare des textes sibyllins. Puis, optant pour une production simplifiée, il décroche le Coq d'or 1961 avec *Cathy*. Passe en vedette à Bobino et à l'Olympia (1966, 1967 et 1972). Réputé hostile au milieu artistique, il assure sa propre production. Dès son apparition sur les ondes, Alain Barrière n'a pas laissé souffler les amateurs de tubes cousus main : on n'avait pas fini d'entendre *Elle était si jolie* et *Plus je t'entends* (1962) que venait déjà *Ma vie* (1964), suivie de *Tant*, *Vous*, etc. Un timbre de voix un peu cassé lié à la science du crescendo mélodique et du poids des silences apporte une certaine séduction à des textes avares, baignant dans le flou symphonique, sur un rythme de préférence lent, voire langoureux. Sa recette fonctionnera quelque temps (*Tu t'en vas*, 1975, *Qui peut dire*, 1977). Fuyant des ennuis avec le fisc, il part alors quatre ans aux États-Unis, puis au Québec. Revenu en France sans parvenir à renouer avec le succès, il ouvre une discothèque.

Alain BASHUNG

[Alain Baschung] Wingersheim, 1947. Compositeur-interprète. Quinze ans de galère, depuis les premières tournées sur les bases américaines d'Allemagne jusqu'à l'opéra rock *La Révolution française* (1973), en passant par le « management » de la carrière de Dick Rivers et un premier 30 cm en 1977, avaient fait connaître, dans le petit monde du rock français, ce grand garçon timide. *Gaby, oh ! Gaby*, tube absolu de l'année 1980 (1,3 million de disques vendus), allait le lancer enfin dans le grand public. L'heureuse conjonction, retrouvée à l'occasion du disque suivant, *Pizza* (1981), entre le talent d'un parolier (Boris Bergman), orfèvre en matière de poésie automatique, et celui d'un musicien nourri au lait des arrangements rockabilly et funky, a suffi à imposer cet univers « rock de velours » (*Libération*) sur fond de matins blêmes. Fini la galère, à nous le succès. La voix de Bashung, mêlant distance et ironie, rappelle un peu celle d'Elvis Presley, mais d'un Presley doué d'intelligence. Et elle fait merveille : les tubes succèdent aux tubes (*Vertige de l'amour*, *Osez Joséphine*, *Madame rêve*, *Ma petite entreprise*, *La nuit je mens*...). Deux Victoires de la musique en 1999, l'une pour l'album *Fantaisie militaire* et l'autre récompensant le meilleur interprète de l'année, viennent couronner le tout. Il a également enregistré avec sa femme, Chloé Mons, le *Cantique des cantiques* (sur une musique de Rodolphe Burger). Un double CD live (*La Tournée des grands espaces*, 2004) donne une excellente image de l'ensemble de son œuvre.

Jean BASTIA

[Jean Simoni] Bordeaux, 1878-1940. Chansonnier. Débute dans la chanson en 1908 après avoir touché à l'opérette et au journalisme, et fait montre d'une abondante production. La guerre de 14-18 lui inspire des morceaux patriotiques et revanchards : *Zeppelinade*, en particulier, est un pur joyau de stupidité nationaliste. En 1916, il fonde le Perchoir (rue du Faubourg-Montmartre) avec Saint-Granier. Plus tard, en 1935, il ouvrira le Café chantant (rue Coustou). Entre ces deux dates, il a une production intense : des milliers de chansons, une centaine de revues, des poèmes, etc.

Son fils, Pascal Bastia (Paris, 1908), collabora avec lui pour quelques opérettes et écrivit des chansons à succès dont la plus célèbre, interprétée par Jean Sablon, est *Je tire ma révérence* (1938).

BA-TA-CLAN

Café-concert, boulevard Voltaire, Paris. Fondé en 1863, sous la direction de Brice, puis de Paulus, l'établissement connaît une existence chaotique. Sous la houlette de Mme Rasimi à partir de 1913, on y monte de luxueuses revues, jusqu'à une faillite en 1927. Henri Varna et Oscar Dufrenne prolongent son existence jusqu'en 1932. Mais, malgré la présence sur scène de grands de la chanson (Damia,

Dranem, Mistinguett), cette salle, l'une des plus belles de Paris, est transformée en cinéma. Après une brève reconversion en caf' conc' pour tournées touristiques en 1971, le Ba-Ta-Clan se tourne vers le rock dont il devient l'un des temples parisiens, puis élargit sa programmation (spectacles et concerts divers, voire discothèque).

Axel BAUER

Paris, 1961. Auteur-compositeur-interprète. Né dans une famille de musiciens (son père avait joué avec Django Reinhardt), il apprend la guitare, fonde un groupe, les Nightbirds, tout en passant son bac (1979), puis s'inscrit dans une école d'art, avant de revenir à la musique. En 1984, un titre, *Cargo de nuit*, servi par un clip très efficace de Jean-Baptiste Mondino, lui assure une notoriété immédiate (700 000 exemplaires vendus) mais fugace. Il s'installe à Londres, où il enregistre sans grand succès. De retour en France, il collabore avec Boris Bergman, Jean-Louis Aubert, Catherine Ringer, puis avec Zazie et Florent Pagny, mais il ne retrouvera jamais le grand public et reste l'homme d'un seul tube. Son plus récent album, *Bad Cowboy* (2006), n'a guère eu d'écho...

Guy BÉART

[Guy Béhar] Le Caire (Égypte), 1930. Auteur-compositeur-interprète. De son père expert-comptable, qui promène sa famille autour de la Méditerranée, il apprend le violon et chante dans les chorales. Ingénieur des Ponts et Chaussées, il écrit des pièces de théâtre et des chansons. À la Colombe, un soir, on l'encourage. Il passe bientôt au Port du Salut. Patachou enregistre *Bal chez Temporel* (par. A. Hardellet), Juliette Gréco et Zizi Jeanmaire *Qu'on est bien*. Jacques Canetti le pousse alors sur la scène des Trois Baudets et le fait enregistrer, avec sa voix « remarquable jusqu'au jour de la mue... qui ne s'est jamais arrêtée depuis ». Il obtient le Grand Prix du disque en 1958 et le succès de *L'Eau vive*, musique du film du même nom, fait le reste. Prix Charles-Cros en 1965, Béart fonde sa maison de disques (Temporel) et produit à la télé sa propre émission (« Bienvenue ») jusqu'à ce que, lassé d'être PDG ou producteur, il redevienne chanteur (théâtre des Champs-Élysées 1976, Olympia 1978). Au cours des années 1980, il disparaît des scènes, atteint par une grave maladie, enregistre à nouveau (*Demain je recommence*, 1986), raconte sa maladie dans un livre (*L'Espérance folle*, 1987), se produit cycliquement (Olympia, 1987, 1996 ; Bobino, 1999), sans jamais retrouver vraiment le succès qui fut le sien dans les années 1960 et 1970.

Il y a le Béart interprète : « un anti-chanteur », selon *France-Soir*. « Une absence de voix assez remarquable », dit-il lui-même. Ni chair ni poisson, le chanteur reste insaisissable. Il y a le Béart auteur, qu'on ne réduit pas à une formule : il n'emploie pas deux fois le même procédé de versification et utilise le vocabulaire le plus simple (*Les Grands Principes*) comme le plus recherché (*Chandernagor*). Il y a enfin le Béart compositeur, et les choses sont ici plus simples, peut-être un peu trop. Il donne à ses chansons un air familier, avec des mélodies simples et un rythme que le public marque en frappant dans ses mains : nous sommes en plein néo-folklore. Il a d'ailleurs actualisé à sa manière un certain nombre de chansons folkloriques (*Vive la rose*). Perpétuant la tradition musette (*Il n'y a plus d'après*) ou collant au train du folk-song (*La Vérité*), auteur de plusieurs dizaines de standards, il a apporté par ses textes une dimension nouvelle à la chanson, celle de la réflexion philosophique et spirituelle (*Étoiles, garde à vous, Qui suis-je ?, Idéologie*...). Mais le prophète s'efface derrière ses messages et ses œuvres, et « son visage finira par se dissoudre derrière ses chansons qui deviendront peut-être demain celles d'un anonyme du XXe siècle » (J.-L. Barrault). Guy Béart a choisi d'être le reflet de la civilisation de l'ère cosmique, de la société de consommation, sans jamais prendre position. Il observe à distance, et son univers semble perpétuellement construit, sans chair. Est-ce le suprême degré du narcissisme ?

Julos BEAUCARNE

Écaussines (Belgique), 1936. Auteur-compositeur-interprète. Entreprend des études de lettres, puis exerce différents métiers (professeur de gymnastique, assureur, professeur d'art dramatique...). Il commence à écrire des chansons en 1958, tourne en Provence en 1961 et enregistre son premier disque (45 tours) en 1964. À partir de 1967, il sort pratiquement un 30 cm par an. Il y développe une poésie mêlant humour et sensibilité, restant contre vents et marées *Le Navigateur solitaire sur la mer des mots* (album de 1998). Qu'il chante l'horreur de la quotidienneté politique (*Lettre à Kissinger*, 1975), son village (*Julos chante Écaussines*, 1967), l'amour (*Chansons d'amour*, 2002) ou, de façon critique, la francophonie (*Nous sommes*

180 millions de francophones, 1974), il exprime une émotion typiquement wallonne (par opposition à celle de Brel, flamande) et a été à l'origine d'une nouvelle vague de la chanson belge d'expression française. Traducteur en wallon de Brassens (*Merci brionmin des coups = L'Auvergnat*) et de Vigneault (*Les Djins di ç'costé ci = Les Gens de mon pays*), fondateur du Front de libération des arbres fruitiers, il a également mis en musique Ramuz (*Les Petits Bergers*), Victor Hugo (*L'Ogre*), Gustave Nadaud (*Si la Garonne avait voulu*) et le poète belge Max Elskamp (1967). Il a obtenu le prix de l'Académie Charles-Cros en 1976. Sa forme de chanson, sur des mélodies simples et modales, s'apprécie plus en spectacle que sur disque : l'épaisseur humaine du personnage apporte, dans une économie de gestes, un poids magique, à chaque mot, à chaque note (Gaîté-Montparnasse 1979, Bobino 1980, Casino de Paris 1991). Il a aussi « fait l'acteur » au cinéma (*Le Parfum de la dame en noir*, 2005).

BEAU DOMMAGE

Groupe montréalais composé de Pierre Bertrand, Marie-Michèle Desrosiers, Robert Léger (puis Michel Hinton) et Michel Rivard. C'est à l'université du Québec, à Montréal, que se forme le groupe en 1973, rejoint l'année suivante par le batteur Réal Desrosiers. Leur premier disque (*La Complainte du phoque en Alaska*, M. Rivard), sorti en décembre 1974, leur apporte un succès immédiat : 300 000 disques vendus au Québec, et la consécration obtenue à la Chant'août de l'été 1975 où ils triomphent devant 15 000 personnes. Influencé par le folk américain et, sur le plan des harmonies vocales, par les Beatles, Beau Dommage amorce dans la chanson québécoise à la fois une réaction au rock et une prise de distance avec la génération des chansonniers. Il traduit une certaine sensibilité propre aux grandes métropoles, mosaïque faite d'impressions, d'approches du quotidien et de ces petits riens qui flottent autour de chansons à l'humeur charmeuse (*Le Blues d'la métropole*, P. Huet-M. Rivard ; *Tout va bien*, M. Rivard). Cette volonté de dédramatisation, qui est peut-être le contrecoup de la période précédente, où dominait l'affirmation de l'identité québécoise, s'exprime dans tout un courant néo-folk : le groupe Harmonium, rival de Beau Dommage au Québec, les Séguin, Fabienne Thibeault… Après s'être fait connaître en France et avoir produit quatre disques, le groupe perd Michel Rivard et se dissout en 1978.

Michel Rivard (Montréal, 1951) mène désormais une carrière solo québécoise et française d'auteur-compositeur-interprète décidé à imposer son univers poétique et son travail de scène. Il a en particulier collaboré avec Maxime Le Forestier (*Bille de verre*, 1988).

BEAUSOLEIL BROUSSARD

Groupe du Nouveau-Brunswick (Canada) fondé en 1975 par Jacques Savoie (guitare, voix), Isabelle Roy (piano, voix), Claude Fournier (piano, guitare, mandoline) et Jean-Gabriel Comeau (guitare, violon, voix), baptisé du nom d'un résistant acadien (1702-1765) lors du « grand dérangement ». Interprétant à la fois des morceaux traditionnels et d'autres de leur composition, dans un style résolument folk (albums *Beausoleil Broussard*, 1977, *Mutinerie*, 1978, *Le Mitan du siècle qui s'en va*, 1979), ils constituent l'une des toutes premières manifestations de la chanson acadienne, à une époque où la France ne connaissait en la matière que le Québec. Le groupe se dissout en 1980. Isabelle Roy se tourne alors vers le théâtre et Jacques Savoie vers la littérature (*Une histoire de cœur*, 1988, *Les Portes tournantes*, 1990).

Francis BEBEY

Douala (Cameroun), 1929 – Paris, 2001. Auteur-compositeur-interprète. Fils d'un pasteur, il est initié très jeune à la musique. Étudiant à Paris, il collabore un temps avec Manu Dibango, passe une licence d'anglais, écrit un roman (*Le Fils d'Agatha Moudio*, 1967), un ouvrage sur les musiques d'Afrique (1969), et dirige le département musique de l'Unesco avant d'entreprendre, en 1974, une carrière à mi-chemin entre la diffusion de la musique traditionnelle africaine (en particulier les polyphonies pygmées) et la chanson francophone parfois humoristique (*La Condition masculine*, *Agatha*), utilisant un nombre invraisemblable d'instruments, mais de façon minimaliste : le texte passe pour lui avant la musique. Il y a d'ailleurs quelque chose d'étonnant dans la contradiction entre son intérêt pour les musiques africaines et son insistance à favoriser le texte en français : partage entre ses racines et son héritage colonial ? Invité à chanter dans un grand nombre de pays, il est devenu une sorte d'ambassadeur de la tradition musicale de l'Afrique centrale. Nommé par François Mitterrand membre du Haut Conseil de la francophonie, il a terminé sa vie entre les honneurs officiels et les reconnaissances artistiques.

Gilbert BÉCAUD

[François Silly] Toulon, 1927 – Paris, 2001. Compositeur-interprète. Après des études au conservatoire de Nice, il commence à composer en 1948. Ses premières chansons sont créées par Marie Bizet. Pianiste de Jacques Pills de 1950 à 1952, il fait son profit des rythmes et techniques scéniques découverts au cours de ses voyages en Amérique. Édith Piaf lui présente Louis Amade, qui lui confie quelques poèmes : *Les Croix*, *La Ballade des baladins*. Puis il rencontre Pierre Delanoë. Le premier fruit de leur collaboration, *Mes mains*, créée par Lucienne Boyer, est aussi leur premier succès. Devenu Gilbert Bécaud, il commence à se produire dans les cabarets rive droite. Puis à l'Olympia : vedette américaine du spectacle de réouverture, il enthousiasme le public jeune. 1954, « l'année Bécaud », le consacre phénomène public. « Monsieur 100 000 volts », désormais monté dans le train bleu des gens du voyage, n'en redescendra plus. Sans trêve, il se porte au-devant du public, et toujours il est attendu. Parfois, il force les portes et franchit les limites de son domaine : sans peine, lorsqu'il s'agit de figurer dans des films et d'en écrire la musique (*Le Pays d'où je viens*, *Croquemitoufle*), plus difficilement lorsqu'il se lance dans la grande composition (cantate *L'Enfant à l'étoile*, 1960 ; *L'Opéra d'Aran*, 1962). On peut distinguer trois périodes dans la carrière de Bécaud. D'abord, celle de la conquête, marquée par l'odeur du scandale (il est le premier chanteur français pour qui des jeunes cassent des fauteuils), et qui offre l'image d'un Bécaud à la fois insouciant et anxieux, trop heureux de pouvoir se décharger, par une frénésie libératrice, de son trop-plein d'énergie : c'est la jeunesse. Avec *Le jour où la pluie viendra* (par. P. Delanoë, 1957), chanson de fiancés et très grand succès, la mutation est amorcée qui mène à la deuxième période : celle de l'homme jeune, dynamique. Son image publique est désormais fixée, son univers familier. La douleur mâle de *Et maintenant* (par. P. Delanoë, 1962) peut se faire entendre. Bécaud aborde alors la grande carrière internationale. Les récitals qu'il donne à Londres, Moscou ou New York sont autant de triomphes mémorables. Et, tous les deux ans, il vient prendre la température de sa popularité, boulevard des Capucines. C'est la maturité que clôt symboliquement, en 1977, l'anniversaire de ses vingt-cinq ans d'Olympia. Car, imperceptiblement, un tournant a été pris : dépouillé des atours de la jeunesse, il affronte, avec toute l'expérience acquise, mais aussi avec une voix dégradée, plus basse, avec une prédilection pour des musiques à tempi lents et à la ligne mélodique moins chatoyante, et déjà avec une certaine lassitude, cet entre-deux qui sépare l'homme mûr de l'homme rassasié.

Ses chansons, écrites pour la plupart par le trio Pierre Delanoë, Louis Amade, Maurice Vidalin sont, prises dans leur ensemble, d'une excellente tenue. Leur ligne mélodique, simple et variée à la fois, laisse percer la formation classique de leur compositeur ; les rythmes, d'une très grande diversité, sont marqués par l'influence du jazz. Paroles, musiques et arrangements (ces derniers de Raymond Bernard, Gilbert Sigrist...) composent un tout parfaitement redondant, accordé aux possibilités et au personnage du chanteur. Les thèmes, peu nombreux, circonscrivent un univers juvénile ou qui aspire à le rester : émoi adolescent (*Le Mur*, par. Vidalin) et retour à la jeunesse d'un amour (*Je reviens te chercher*, par. Delanoë), amitié élue (*L'Absent*, par. Amade ; *C'était mon copain*, par. Amade) et fraternité partagée (*Alors raconte*, par. Broussolle), enfance enfuie (*Le Bateau blanc*, par. Vidalin) et esprit d'enfance retrouvé (*Pilou Piloubé*, par. Amade), religiosité trouble (*Les Croix*, par. Amade) et troublée (*L'un d'entre eux inventa la mort*, par. Delanoë), féerie du spectacle (*Le Rideau rouge*, par. Amade) et recherche d'un ailleurs rêvé (*Moi, je veux chanter*, par. Amade). Thèmes qui renvoient, en contrepoint, à l'angoisse du temps qui passe et des amours mortes (*Le Train de la vie*, par. P. Philippon ; *La Solitude, ça n'existe pas*, par. Delanoë). Tout, ici, est aspiration à un univers fraternel où les hommes seraient frères, où leur regard aurait la fraîcheur de celui de l'enfant, où le Petit Prince de Saint-Exupéry serait roi. Ce paradis, on le sait, n'existe pas, et l'homme ne pourra redevenir l'enfant qu'il fut. Reste alors le voyage dans l'imaginaire, et les feux du music-hall. Son tour de chant, davantage que ses chansons, dessine ce cercle magique. Sa rythmique corporelle, sa gestuelle, orientée vers la recherche du gag, comique ou dramatique, entraînent. Mais Pierrot doit surtout savoir faire partager sa peine et sa joie au public. Aussi l'espace scénique est-il organisé pour faire entrer dans la ronde musiciens et spectateurs. Entre deux chansons, Bécaud se place face au public, comme pour dire : « Hein qu'on s'est bien amusés. » Chaque soir, éternel adolescent, il crée ce « monde meilleur » qu'il appelle de ses vœux. Son efficacité scénique, sa présence, qui en font un des meilleurs showmen de l'après-guerre, sont à la fois cause et effet de cela. À la limite, on pourrait dire que le rapport au public importe davantage que les chansons interprétées.

Neveu spirituel de Charles Trenet, Bécaud participe de la tradition française du music-hall, qu'il a contribué à rénover et à maintenir. Chantre de la France heureuse, il assume sa part dans la diffusion des mythes du bonheur. Mais n'est-ce pas là une des fonctions de ce genre de spectacle que d'éclairer « Pierrot revêtu de lumière », plutôt que vous et moi, ouvrier ou bourgeois ? Ici, l'important, c'est la rose et non le pain : davantage que tel engagement de circonstance (*Tu le regretteras*, par. Delanoë, 1965), l'œuvre et le personnage en reçoivent leur couleur idéologique. Ses derniers disques (*Faut faire avec*, 1999, et un disque posthume en 2002, édité par son fils) ne renouvellent pas l'univers qu'il avait su créer.

Jacques BEDOS

Paris, 1923. Producteur. Il a commencé par écrire des émissions pour Radio-Alger (1950) où il devient chef du service variétés. En 1961, il se lance à Paris dans la direction artistique : entre autres chez RCA où il enregistre Alain Barrière, et chez Polydor où il s'occupe de Jeanne Moreau, Serge Reggiani, Georges Moustaki, Henri Tachan, Giani Esposito, en une période peu favorable à la chanson dite poétique ; il lancera aussi plus tard Maxime Le Forestier, Dick Annegarn, etc. Il a été l'un des rares producteurs, avec Claude Dejacques et Bob Socquet, à vouloir imposer une certaine idée de la chanson, tout en utilisant les moyens offerts par le système.

Marie-Paule BELLE

Nice, 1946. Compositeur-interprète. Pianiste, elle écrit ses premières chansons avec un ami d'enfance, Michel Grisolia. Après une maîtrise de psychologie, elle reste un an et demi à l'affiche de l'Écluse. L'équipe se complète avec la rencontre de l'écrivain Françoise Mallet-Joris. Débute avec deux albums attachants, dont le premier (*Wolfang et moi*, 1974) obtient le prix Charles-Cros. En 1978, elle passe au Théâtre de la Ville, à Bobino puis à l'Olympia. Avec *La Parisienne*, composée sur un canevas d'opérette et qui bénéficie de nombreux passages radio, son personnage s'impose : la provinciale pas bête et plutôt rigolote qui, « montée » à Paris, garde son bon sens et refuse le snobisme. Exprimant son besoin d'indépendance affective

(*Quand nous serons amis*), tonique et bien française (*Les Petits Patelins*), elle poursuit une carrière habilement menée, alternant des chansons radio (*Je veux pleurer comme Soraya*) construites sur un modèle standard (couplet grave, voix chuchotée, « pont » aigu) et des « petites chansons marrantes » pour la scène. Mais tout cela tourne vite à l'exercice de virtuosité, sans fond réel, dont elle donne une sorte de résumé dans un album live (*Il n'y a jamais de hasard*, 1995). Elle enregistre par ailleurs avec sensibilité des chansons de Barbara (*Marie-Paule Belle chante Barbara*, 2001) mais, dans sa carrière propre, on a le sentiment de promesses non tenues.

La BELOTE

Chanson, par. C.-A. Carpentier et Albert Willemetz, mus. Maurice Yvain (1925). Créée par Mistinguett dans la revue de même nom au Moulin-Rouge. Succès populaire : les trottins reprennent cette java en chœur aux coins des rues et les affiches représentent Mistinguett coiffée d'une casquette, l'air canaille. Il illustre la volonté si caractéristique de la petite bourgeoisie IIIe République de présenter le « populo » de façon aussi rassurante que possible :

On fait une petite belote
et puis ça va.

Entre *La Parisienne* et *Ça c'est Paris*, la belote, sport national, trouvait naturellement sa place dans le répertoire de la Miss, cet autre monument national.

BÉNABAR

[Bruno Nicolini] Thiais, 1969. Auteur-compositeur-interprète. Aborde la musique par le biais de la trompette, mais débute dans le cinéma (son père était régisseur) et réalise quelques courts-métrages, puis écrit pour la télévision avant de se consacrer à la chanson. Sa passion pour les clowns perdurant depuis l'enfance, il prend comme pseudonyme le nom du clown Barnabé, mais en verlan. Oubliée la trompette, il compose au piano ou à l'ordinateur. Se produit d'abord en duo (Patchol et Bénabar), puis en solo. Le premier essai sera un coup de maître, et deux titres font immédiatement sa réputation : *Bon anniversaire* et *Y'a une fille qu'habite chez moi* (2001). Ses albums suivants, *Les Risques du métier* (2003) et *Reprise des négociations* (2005) confirment son talent. Malgré son admiration affirmée pour J. Higelin et Renaud, il a su se créer un univers original, une façon de concevoir la chanson comme de petites scènes de genre ou des portraits pris à la volée, à laquelle ses liens avec le cinéma ne sont pas étrangers. Avec Vincent Delerm et Jeanne Cherhal, il représente un tournant dans la chanson française, une sorte de retour aux sources, à la simplicité, à une chanson « carrée », suite de couplets et de refrain sans inflation orchestrale.

François BÉRANGER

Amily (Loiret), 1937-Sauve (Gard), 2003. Auteur-compositeur-interprète. Révélé en 1969 par *Tranche de vie*, chanson autobiographique, il est d'abord tiraillé entre l'influence de Bruant et celle de La Nouvelle-Orléans : un poulbot socialiste qui aurait écouté Armstrong. Ne passant pratiquement pas à la radio, encore moins à la télévision, il mène une carrière régulière grâce à un public qu'il est convenu d'appeler marginal : grands succès dans les fêtes politiques puis, peu à peu, sur les scènes traditionnelles (Bobino, Élysée-Montmartre). *Tango de l'ennui* (1973), *Rachel* (1974), *L'Alternative* (1975), *Participe présent* (1978), *Natacha* (1979) sont les titres les plus caractéristiques d'une production abondante dont les thèmes, puisant dans la politique quotidienne, sont traités avec le recul et l'intelligence d'un homme honnête qui contemple ce monde… et ne l'aime pas beaucoup.

Ayant sur scène des allures un peu gauches et ne suivant le rythme qu'avec difficulté, il va peu à peu affiner son univers musical (grâce à la collaboration du guitariste Jean-Pierre Alarcen) et gestuel pour acquérir une plus grande efficacité. C'est en 1979, dix ans après ses débuts, qu'il passe pour la seconde fois à la radio avec régularité grâce à un titre, *Mamadou m'a dit*, dont la rythmique cachait aux programmateurs le texte politico-ironique : façon comme une autre de marquer un anniversaire. Béranger a enregistré en 1978 l'adaptation d'un titre de Woody Guthrie, *Blues parlé du syndicat*, revenant peut-être là à ses véritables origines : la chanson politique nord-américaine de l'entre-deux-guerres. Pratiquement disparu du paysage sonore, il revient sur scène à Paris en 1997 (au Trianon), enregistre en 2002 un album (*Profiter du temps*) puis une second (*19 chansons de Félix Leclerc*), qui paraîtra de façon posthume.

Pierre Jean de BÉRANGER

Paris, 1780-1857. Chansonnier. Célèbre dès ses débuts au Caveau moderne (1813), Béranger est tout de suite perçu comme l'ennemi acharné de la royauté et de l'arbitraire. Son séjour en prison (1828) n'est pas pour ternir cette auréole et Eugène Pottier, le futur auteur de *L'Internationale*, lui dédie en ces termes ses premiers vers : « Reprends ta lyre, ô divin Béranger ! », exprimant ainsi son admiration pour celui qui fut, de toute façon, le premier des chansonniers de goguette. Arthur Arnould lui consacre pour sa part un ouvrage louangeur (1864). Seul Jules Vallès apporte une note discordante à cet ensemble : il détestait l'auteur du *Roi d'Yvetot*. Celui-ci présente pourtant tous les signes extérieurs du progressisme. En 1814, il défend la liberté d'expression dans *La Censure* et attaque la Restauration dans sa *Requête présentée par les chiens de qualité*. Un peu plus tard, lors de la discussion sur le Concordat de 1817, il chante, dans *Les Chantres des paroisses* :

Gloria tibi domine
que tout chantre
boive à plein ventre.
Gloria tibi domine
le Concordat nous est donné

et il moque l'ordre jésuite renaissant dans *Les Révérends Pères* (1819). À la même époque, dans *Le Marquis de Carabas*, il marque son hostilité au retour de cette noblesse qui considère que rien n'a changé en France :

Voyez ce vieux marquis
nous traiter en peuple conquis.
Son coursier décharné
de loin chez nous l'a ramené.

Et si, en 1828, on saisit un recueil de ses chansons, ce n'est pas sans raison : Béranger semblait dangereux depuis son *Nabuchodonosor* (1823), pamphlet contre le roi, et son *Sacre de Charles le Simple* (1825), où il ridiculisait le couronnement. À ces positions antiroyalistes, Béranger associe un bonapartisme de bon aloi. Dès 1817, dans *Paillasse*, il reproche à certains opportunistes d'avoir renié l'Empereur. En 1828, dans *Souvenirs du peuple*, il chante encore le défunt :

On parlera de sa gloire
sous le chaume bien longtemps

et il proclame en 1834 : « Il n'est pas mort. » On comprend malgré tout assez bien l'opinion de Vallès qui lui reprochait surtout sa chanson *Les Gueux* et la façon dont il camouflait sous l'image du petit caporal démagogue le tyran Bonaparte. Libéral mais loin du peuple, Béranger n'est en effet qu'un petit-bourgeois dont la thématique n'a rien de révolutionnaire. Le mythe de l'empereur même est peut-être pour lui moins une conviction profonde qu'un certain opportunisme ou plutôt qu'un pis-aller : le Corse était une arme commode contre la royauté. Son anticléricalisme n'enlève rien à son déisme et Flaubert, dans *Madame Bovary*, peut faire dire au pharmacien Homais : « Mon Dieu à moi, c'est le Dieu de Socrate et de Franklin, de Voltaire et de Béranger… »

Il serait en fait plus près de la vérité de dire que Béranger était un sentimental peu versé en politique, car on ne saurait nier sa sincérité, en particulier lorsque, dans *Les Tombeaux de Juillet* (1832), il chante les Trois Glorieuses :

Charles avait dit : que juillet qui s'écoule
venge mon trône en butte aux niveleurs
victoire au lys. Soudain Paris en foule
s'arme et répond victoire aux trois couleurs.

Sa confusion politique n'est que l'image d'une confusion ambiante, et peu de gens, à l'époque, osaient s'attaquer au souvenir de l'Empereur. Quoi qu'il en soit, Béranger est sans doute la première « vedette », le premier chansonnier dont la réputation se soit établie à peu près sans conteste. Il marque en même temps un tournant dans l'histoire de la chanson : on passe lentement, avec lui, de la chanson anonyme à la chanson d'auteur.

BERCY

En 1984, la Mairie de Paris inaugure le POPB (Palais omnisport de Paris-Bercy), structure pouvant accueillir dix-sept mille personnes pour des événements sportifs (boxe, tennis, planche à voile, etc.) et que la chanson va bientôt investir. Après le Palais des sports et le Zénith, et avant le Stade de France, la course au gigantisme se poursuit. Les conditions sont techniquement parfaites, mais les dimensions du lieu rendent nécessaires des écrans géants sur lesquels le public du fond de la salle peut suivre les artistes qu'il ne distinguerait qu'avec peine à l'œil nu. Nous sommes à des années-lumière des cabarets de la rive gauche des années 1950 où débutaient des gratteurs de guitare, loin aussi de salles comme l'Olympia qui peuvent parfois, leur jour de relâche, donner leur chance à des débutants prometteurs : le POPB ne peut programmer que les vedettes du moment, assurées de remplir l'immense salle. On a pu y entendre Julien Clerc (1985), Jacques Higelin (1985), Roch Voisine (1991), Johnny Hallyday (1992), Michel Sardou (1991, 1993, 1998 et 2001), Céline Dion (1995), Eddy Mitchell (1997), Garou (2001), et Yves Montand aurait dû s'y produire en 1991.

Michel BERGER

[Michel Hamburger] Paris, 1947 – Ramatuelle, 1992. Auteur-compositeur-interprète. De mère pianiste, il grandit devant le clavier tout en poursuivant des études (maîtrise de philo, thèse sur l'esthétique de la pop music). Sa rencontre avec Ira Gershwin, parolier et frère de George, le compositeur, est déterminante : à son retour en France, il cherchera à marier la musique *soul* et les mots. Il écrit pour Bourvil et, pendant six ans, travaille avec Véronique Sanson dont il produit les deux premiers disques (1971 et 1973) ; il se met ensuite au service de Françoise Hardy, dont il écrit les chansons (*Message personnel*, 1973), puis de France Gall (*la Déclaration d'amour*, 1974, *Il jouait du piano debout*, 1980). En 1979, il compose *Starmania*, opéra rock (livret de Luc Plamondon) interprété par une brochette de jeunes interprètes français et québécois de talent (Daniel Balavoine, Fabienne Thibeault…). Lui-même enregistre régulièrement depuis 1973, mais sa carrière d'interprète reste d'abord discrète, malgré quelques succès (*Mon piano danse*, *Écoute la musique*, 1974). Il décide enfin de s'occuper de lui-même, et c'est en 1980 *La Groupie du pianiste* et une série de récitals donné au théâtre des Champs-Élysées, où l'on découvre, à son piano, un diable habité par le rythme et les idées grandioses (orchestre des Concerts Colonne, projections sur grand écran). À la fois artiste et producteur, au plein sens de ces deux termes, Michel Berger est aussi le catalyseur de tout un style musical et d'interprétation vocale, que guette le risque de l'uniformité.

Boris BERGMAN

Londres, 1945. Auteur-interprète. D'origine russe, né et élevé en Angleterre, il arrive en France à l'âge de quatorze ans. En 1967, il écrit son premier texte, *Nocturne*, pour la chanteuse Eva, enregistre un disque sans aucun succès (*Le Tzigane et la Fourmi*) puis écrit, en anglais, *Rain and Tears* pour le groupe Aphrodite's Child (et continuera à écrire pour Demis Roussos). Il devient alors l'auteur-adaptateur que l'on s'arrache, et l'impressionnante liste de ses interprètes ressemble à un annuaire du show-business : Christophe, Bashung, Nana Mouskouri, Juliette Gréco, Richard Anthony, Dalida, France Gall, Nicoletta, Paul Personne, Tino Rossi (qui chante la chanson du *Parrain*, dans la version française du film de Coppola, sur une musique de Nino Rota), Catherine Lara, Nicole Croisille, Alice Dona, Lio, Eddy Mitchell, Maxime Le Forestier et quelques autres. Parmi ses grands succès, outre *Rain and Tears*, il faut citer *Fio Maravilla* pour Nicoletta (1973), *Gaby oh ! Gaby* pour Bashung (1980).

Luc BÉRIMONT

[André Leclercq] Magnac-sur-Touvre (Charente), 1915-1983. Auteur-producteur. À côté du romancier, du poète, dont l'activité croise parfois celle de l'auteur de chansons – certains de ses poèmes ayant été mis en musique, comme *Noël* (mus. Léo Ferré), *Numance* (mus. Lise Médini), *Amazonie* (mus. Hélène Martin) –, il y a le producteur d'émissions de radio et de télévision à l'ORTF. Créateur des « Jam-sessions chanson-poésie », dans lesquelles les artistes, aiguillonnés par un thème, intervenaient librement à tour de rôle, il est aussi animateur de « La fine fleur de la chanson française », concours de prospection de talents en herbe (qui révéla notamment Jacques Bertin, Anne Vanderlove), et dirige la collection de disques du même nom (Hélène Martin, James Ollivier, Jacques Douai, Jacques Bertin y ont enregistré). Par ailleurs conférencier et critique dans des revues spécialisées, cette activité multiforme ne peut être innocente : s'y révèle une conception de la « chanson-de-qualité », sous-tendue par une théorie des origines poétiques de la chanson (au sens restreint du terme : poèmes destinés à être mis en musique) et relayant une praxis d'entremetteur au service de la chanson à texte. Action qui influença, dans les années 1960, toute une génération de postulants chanteurs.

Michèle BERNARD

Lyon, 1947. Auteur-compositeur-interprète. Révélée en 1978 au Printemps de Bourges, elle avait déjà fait du théâtre, puis interprété les « grands » (Brel, Ferré, Anne Sylvestre...) avant d'écrire et de composer son propre répertoire, dans un mélange de tendresse et de combativité dont témoigne bien l'une de ses premières (et plus belles) chansons, *La Vieille Chèvre* (1978). Les albums se succèdent (*Le Kiosque*, 1978, *Bar du Grand Désir*, 1982, *Des nuits noires de monde*, 1992, *Quand vous me rendrez visite*, 1997, *Le Nez en l'air*, 2006...), les tournées aussi. Accrochée à son accordéon, elle traverse ainsi trente ans d'histoire de la chanson française en restant fidèle à ses choix, ce qui explique en partie que le grand public l'ignore. Mais elle préfère les aventures collectives, l'amitié et l'artisanat aux guerres du show-business. Deux fois primée par l'Académie Charles-Cros, Michèle Bernard représente la vraie chanson populaire d'aujourd'hui, poétique et (parfois) politique, qui mériterait d'être reconnue. Elle a également collaboré avec Anne Sylvestre à un spectacle pour enfant (*Lala et le Cirque du vent*, 1993).

Ralph BERNET

Marseille, 1927. Auteur. Cireur de chaussures, puis danseur de club et crooner, il écrit ses premières chansons pour Robert Ripa, puis s'associe avec Danyel Gérard. Spécialiste des adaptations de chansons de rock, il travaille pour les Chats Sauvages, les Chaussettes Noires, et devient parolier de Johnny Hallyday en 1962 (*L'Idole des jeunes, D'où viens-tu Johnny ?*) et d'Eddy Mitchell en 1964 (*Société anonyme, Bye bye prêcheur*). Il a écrit deux mille chansons, dont *Fais-la rire* et *Mourir ou vivre* pour Hervé Vilard, et un millier d'adaptations, dont celles de chansons des Beatles.

Louis BERTIGNAC

Oran (Algérie), 1954. Auteur-compositeur-interprète. Guitariste de Jacques Higelin, puis de Téléphone, il forme en 1986 après l'explosion du groupe, avec la bassiste Corinne Marienneau, les Visiteurs, plus rock que le défunt Téléphone. Les disques (*Bertignac et les*

Visiteurs, 1987, *Visiteurs : rock*, 1990, *Elle et Louis*, 1993) se succèdent, sans beaucoup de succès. En 1996, c'est Étienne Roda-Gil qui écrit les textes de son nouvel album (*96*) en glissant ses mots, contrairement à sa manière habituelle de travailler, sur des musiques (toujours rock) déjà composées. C'est pourtant dans un univers résolument acoustique qu'il revient sur le devant de la scène en 2002, avec le disque de Carla Bruni, *Quelqu'un m'a dit*, dont il signe tous les arrangements et sur lequel il joue de la guitare. La belle Carla fera preuve de reconnaissance en lui écrivant une dizaine de textes pour un album qui marque son retour (*Longtemps*, 2005) : entre blues et rock, entre virtuosité guitaristique et textes doux-amers, il semble entamer à cinquante ans une nouvelle carrière, dans une atmosphère plus acoustique, presque pacifiée, comme s'il considérait qu'il avait suffisamment donné au rock électrique.

Jacques BERTIN

Rennes, 1946. Auteur-compositeur-interprète. Après des études de journalisme, il enregistre en 1967 son premier disque avec, déjà, toutes les caractéristiques d'une œuvre qui se poursuivra avec régularité : grande importance accordée au texte et musiques un peu répétitives, parfois à la limite de la mélopée. Sans parvenir à atteindre le grand public, il s'en constitue cependant un, fidèle, qu'il retrouve régulièrement (théâtre Mouffetard, 1974 et 1975 ; Cour des Miracles, 1976 et 1977 ; Gaîté-Montparnasse, 1978 ; Théâtre de la Ville, 1984 ; Printemps de Bourges, 1989 ; Casino de Paris, 1991 ; Café de la Danse, 1997, etc.).

Accompagné par des musiciens de free jazz dont le phrasé contraste curieusement avec ses mélodies, il a su développer un univers original, tiraillé entre une direction nettement politique (*Ambassade du Chili*, *À Besançon*) et une autre nettement poétique (*Claire*). « Je n'ai pas besoin d'être moderne pour être contemporain », a-t-il dit un jour, et cette phrase le résume tout entier. Il est également l'auteur d'un ouvrage sur Félix Leclerc (*Le Roi heureux*) et a dirigé la rubrique culturelle de l'hebdomadaire *Politis* jusqu'en 2000.

Jean BERTOLA

La Roche-sur-Foron (Haute-Savoie), 1922 – Paris, 1989. Compositeur-interprète. Pianiste, il chante à la radio de Lyon en mettant en musique les textes envoyés par les auditeurs. Accompagnateur d'Aznavour à ses débuts, il est poussé par Francis Lopez vers la carrière d'interprète (c'est lui qui créera la version française de *Sixteen Tons*, et il obtiendra un prix du disque en 1957). Il abandonne ensuite la scène pour la direction artistique chez Polydor et pour la composition, travaillant notamment avec Bernard Dimey et Henri Gougaud. Proche de Georges Brassens, il enregistrera, après la mort de ce dernier, ses chansons posthumes, certaines étant mises en musique par ses soins (1984).

BIJOU

Groupe rock fondé en 1976 par Vincent Palmer (Alger, 1952), guitare, Joël « dynamite » Yan (Paris, 1951), batterie, et Philippe Dauga (Cosne-sur-Loire, 1950), basse, sans oublier Jean-William Thoury, producteur et parolier du groupe. Révélés lors d'un concert de Patti Smith à l'Élysée-Montmartre, ils s'imposent rapidement comme chef de file du rock français (*Pas dormir, Danse avec moi, Le Kid*), jusqu'à l'apparition de Téléphone et de Trust. Musiques simples, sucre plutôt que sel, paroles simples, jeu de scène simple mais efficace : Bijou a saisi sa chance au moment où il le fallait pour incarner le besoin d'un son français nourri aux sources de la culture rock. Mais le groupe, certes initiateur, était un peu limité, et d'autres tireront leur épingle du jeu pour remplir cette fonction.

Benjamin BIOLAY

Villefranche-sur-Saône, 1973. Auteur-compositeur-interprète. Né dans une famille de musiciens, pratiquant lui-même plusieurs instruments (violon au conservatoire de Lyon, trombone, guitare électrique...), il fonde d'abord un groupe de rock (Mateo Gallion), collabore comme arrangeur le temps de deux disques avec l'Affaire Louis Trio, puis rencontre en 1999 Keren Ann et concocte avec elle et pour elle son premier album, *La Biographie de Luka Philipsen*. Mais le couple va surtout s'illustrer avec *Jardin d'hiver*, disque qui marque le grand retour d'Henri Salvador. Il écrit aussi pour J. Gréco, J. Birkin, J. Clerc et, parallèlement, mène sa propre carrière. En 2001, l'album *Rose Kennedy* lui permet d'obtenir un prix aux Victoires de la musique. Puis suivent *Négatif* en 2003, *Home* (avec sa femme Chiara Mastroianni, duo qui n'arrive pas à faire oublier celui que constituaient Birkin et

Gainsbourg) en 2004. Au départ visiblement inspiré par Serge Gainsbourg, il évolue lentement vers un univers plus personnel, flirtant au passage avec le rap (*À l'origine*, 2005). Mais derrière le talent indéniable que révèlent ses œuvres un peu lisses, derrière la voix susurrée, on attend que perce vraiment son originalité, sa vérité.

Jane BIRKIN

Londres, 1946. Interprète. Après des débuts dans la comédie musicale et dans le cinéma (*Blow up*, d'Antonioni), elle vient tourner en France et rencontre Serge Gainsbourg. Ils enregistrent ensemble *Je t'aime moi non plus*, initialement écrite pour Brigitte Bardot dont le mari s'oppose à la sortie du disque. Le scandale et le succès sont immédiats. Tout en poursuivant sa carrière cinématographique, elle enregistre alors les disques que Gainsbourg lui mitonne, semblant écrire pour sa tessiture, son personnage et... ses fautes de français. *Ex-fan des sixties* (1978), *Baby alone in Babylone* (1983), *Amours des feintes* (1990) jalonnent sa carrière et illustrent à la fois le talent qu'a Gainsbourg pour écrire du sur-mesure et le personnage de la petite Anglaise presque androgyne, à la voix fragile, touchante, émouvante. Après la mort de son Pygmalion (1991), elle se trouve confrontée à un dilemme : quelle existence artistique après Gainsbourg ? Elle commence par des spectacles d'hommage au disparu, laissant entendre qu'elle quittera bientôt le métier (terminant presque systématiquement ses récitals par *Je suis venu te dire que je m'en vais*), puis reprend des chansons de Gainsbourg qu'elle n'avait jamais interprétées elle-même (*Versions Jane*, 1996). Elle poursuit finalement sa carrière avec un répertoire original, enregistrant des duos avec Miossec, Alain Chamfort, Étienne Daho, Alain Souchon (*Rendez-vous*, 2004), album dont on retiendra surtout un autoportrait ironique (*Je m'appelle Jane*, avec Mickey 3D).

Francis BLANCHE

Paris, 1921-1974. Auteur-compositeur-interprète. Ce comique célèbre, animateur et producteur de nombreuses émissions de radio avec ou sans son compère Pierre Dac, a écrit quelque 400 chansons dans les styles les plus divers : jeux de mots (*Débit de l'eau, débit de lait*, mus. C. Trenet), parodies de musiques célèbres (*J'ai de la barbe* et *La Pince à linge*, créées par les Quatre Barbus, *La Truite de*

Schubert par les Frères Jacques), satires (*Général à vendre*), pseudo-folk américain (*Le Gros Bill, Davy Crockett*), chansons « exotiques » (*Frénésie, Besame mucho*), sérénades (*Chanson aux nuages*, chantée par Tino Rossi), chansons pseudo-folkloriques (*Le Prisonnier de la tour*, mus. G. Calvi, reprise par Piaf et les Compagnons de la Chanson), ou pseudo-réalistes (*Le Mot de billet*) et même chanson d'auteur (*Ça tourne pas rond dans ma p'tite tête*). Le délice des interprètes en quête de répertoire humoristique.

Les BLANCS-MANTEAUX

Café-théâtre, rue des Blancs-Manteaux, Paris. Ouvert en 1973 par Lucien Gibarra, d'abord sous le nom de Pizza du Marais, les Blancs-Manteaux allait très vite devenir une véritable pépinière de la chanson, à l'époque où renaissait à Paris la tradition du café-théâtre. On a pu y entendre à leurs débuts Bernard Lavilliers, Joan Pau Verdier, Renaud, Patrick Font et Philippe Val, ainsi que Jacques Higelin après son tournant rock, Jean Vasca, Catherine Sauvage, etc. Les Blancs-Manteaux changèrent de direction et de politique en 1977.

Alpha BLONDY

[Seydou Koné] Dimbokoro (Côte-d'Ivoire), 1953. Membre d'un groupe éphémère, les Atomic Vibrations, il arrête ses études, part aux États-Unis et découvre le reggae à New York, avec divers groupes jamaïcains. De retour en Côte-d'Ivoire, il enregistre en 1983 son premier album, *Jah Glory*, dont un titre, *Brigadier Sabari*, fait vite le tour des quartiers de la ville, de Cocody à Treichville. Chantant en français, en anglais ou en dioula, il dénonce sans cesse la corruption, les comportements de la police, puis évolue vers une philosophie mystique, cherchant à réconcilier les religions du Livre (*Dieu*, 1994). Entre des problèmes qui l'amènent parfois à séjourner en hôpital psychiatrique et des succès internationaux, grâce en particulier à l'album *Cocody rock* (1984) enregistré avec les Wailers (les musiciens de Bob Marley, mort en 1981), il poursuit une carrière en dents de scie, mais reste le musicien de reggae africain le plus connu, le plus imité, le plus admiré, un rasta du nord de la Côte-d'Ivoire, qui a pris la mesure du monde tout en gardant ses racines. Il a surtout touché le public français avec sa reprise reggae de *Travailler c'est trop dur*, un traditionnel cajun adapté par Zachary Richard.

BOBINO

Music-hall, rue de la Gaîté, Paris. Tire son nom de son premier directeur, le magicien Bobino, qui installa la Baraque à Bobino rue du Maine (1812), puis les Folies-Bobino, rue de Fleurus-rue Madame (1816). D'abord guinguette, il devient vers 1880 caf'conc' de quartier et accueille des chansonniers et des chanteurs de second plan. Ses installations étaient alors tout sauf luxueuses, et il arrivait que la pluie y « fasse des claquettes » dans les coulisses. Après la première guerre mondiale, il se transforme progressivement en music-hall et accueille des vedettes comme Damia, Lucienne Boyer, Félix Mayol, Fernandel (qui y débute), Charles et Johnny, Georgius et son « théâtre chantant ». Une revue clôturait généralement la saison. Lorsque Félix Vitry prend la relève d'Alcide Castille, la salle, transformée (1 100 places), se mue en une sorte de théâtre de la chanson, tremplin pour les artistes révélés dans les cabarets de la rive gauche. Elle accueille régulièrement Georges Brassens (près de 120 000 spectateurs en trois mois en 1964), Léo Ferré, Anne Sylvestre, Juliette Gréco, Jean Ferrat, Serge Reggiani, Georges Moustaki, Claude Nougaro, Gilles Vigneault. Et les programmes de première partie font une large place aux débutants prometteurs. À la même époque, Bobino s'ouvre à diverses expériences comme la pièce de Marc'O, *Les Idoles* (1967), le Théâtre populaire de la chanson de Jacques Douai ou « La fine fleur de la chanson française » de Luc Bérimont.

À la mort de Félix Vitry (1973), la programmation est pendant quelques mois assurée par un groupe de journalistes (Danièle Heymann, Lucien Rioux, José Artur…), puis, à part les passages réguliers de Brassens et de Vigneault, tombe dans un genre très éloigné de celui qui fit le renom de la salle. La qualité de la programmation remonte pendant quelque temps : Guy Bedos (1979, 1981), Renaud et Paco Ibañez (1980). Puis, à la fin des années 1980, la salle est victime d'un programme immobilier et, contrairement à l'Olympia qui a connu le même problème, ne sera pas reconstruite à l'identique et ne retrouvera pas son caractère initial.

Le BŒUF SUR LE TOIT

Cabaret parisien ouvert en 1921 rue Boissy-d'Anglas, transféré en 1925 rue de Penthièvre, en 1934 avenue Pierre-Ier-de-Serbie et, en 1941, rue du Colisée. C'est une création de Jean Cocteau, cet entremetteur génial qui sut réunir et, à l'occasion, faire collaborer le *nec plus ultra* de l'avant-garde artistique parisienne. « Il y régnait une ambiance indéfinissable d'intellectualisme, de whisky, celui-ci exaspérant celui-là, d'affectation et de laisser-aller. » Devant le tableau de Picabia se retrouvait la fine fleur de l'intelligentsia, de Tzara à Drieu la Rochelle. La chanson ? Elle était déjà annoncée par les pianistes virtuoses, Jean Wiener et surtout Clément Doucet, qui jouait du ragtime, Mozart ou Gershwin à la demande, tout en lisant un roman policier. Elle y prospéra, grâce aux productions des artistes les plus originaux de l'entre-deux-guerres : Damia, Yvonne George, Dora Stroeva, puis Jean Sablon, Jean Tranchant, Agnès Capri, enfin Marianne Oswald, la chanteuse maison (1934). En 1943, le Bœuf est chassé de son toit par décision de la force occupante. Après la guerre, on y entendit Dora Stroeva interpréter *Le Chant des partisans russes*, et Jacqueline Bateil, Roland Gerbeau dans leurs œuvres. Mais, en 1946, les jeunes gens de 1925 étaient devenus des personnes arrivées : le sang frais vint de Saint-Germain-des-Prés, qui débarqua aux Champs-Élysées. À la réouverture en 1949 (Marc Doelnitz ayant remplacé Louis Moyses, l'ancien directeur), Juliette Gréco y chanta Sartre et Mauriac, et Catherine Sauvage y fit ses débuts.

La BOÎTE À FURSY

Cabaret montmartrois successivement installé rue Victor-Massé, dans l'ancien local du Chat noir, rue Pigalle et boulevard de Clichy (1899-1929). Animé par le chansonnier Fursy, son propriétaire, ses spectacles se situaient à mi-chemin entre la formule du Chat noir et celle des revues de caf'conc'. On y entendit entre autres Théodore Botrel et Vincent Hyspa. Odette Dulac, Defreyn, Edmée Favart, Enthoven y firent leurs débuts.

Dominique BONNAUD

Paris, 1864-1943. Auteur-compositeur-interprète. Fils d'un chef de bureau de la grande chancellerie, commence sa carrière comme collaborateur de la revue *La France*. Ensuite secrétaire du prince Roland Bonaparte, qu'il accompagne dans tous ses voyages, il revient quelque temps au journalisme et débute finalement dans la chanson, au Chat noir (1895). Outre son tour de chant, il y assure parfois le boniment de Rodolphe Salis lorsque celui-ci est absent. Bonnaud devient très vite un chansonnier célèbre. Il fonde en 1903, en association avec Numa Blès, le cabaret de la Lune rousse où il chante ses succès, principalement *Un rêve sur l'Ouest état.* Sa « chanson la plus plaisante », selon Jean Galtier-Boissière, est *Le Mariage démocratique.* Il continue à se produire jusque dans les années 1930. À cette époque, dans un petit livre intitulé *Montmartre d'hier*, il conte ses souvenirs, donnant quelques portraits de ses amis disparus : Jules Jouy, Marcel-Legay, Montoya, etc.

Mathieu BOOGAERTS

Fontenay-sous-Bois, 1970. Auteur-compositeur-interprète. Commence à jouer de l'orgue à l'âge de 10 ans, puis de la batterie, de la basse et de la guitare, et débute avec Matthieu Chedid (le futur M) dans le groupe Tam Tam (pour Matthieu-Mathieu). Puis il part plusieurs mois en Afrique et revient avec quelques compositions dont *Ondulé*, qui donne lieu à un clip réalisé par Émilie Chedid, puis à un disque, *Super.* En 1999, il réalise lui-même son deuxième album, *J'en ai marre d'être deux.* Tournée avec Dick Annegarn (l'une de ses références majeures, avec Bob Marley), passage aux Francofolies de La Rochelle (1997), troisième album en 2002, quatrième en 2005 (*Michel*), il poursuit une carrière en pente douce, peinant à imposer son style minimaliste et son univers fait de nostalgie enfantine, de tendresse et de malice.

Marcelle BORDAS

Paris, 1897-1968. Interprète. Enfant, elle rêve de théâtre. Modiste, elle chantonne à l'atelier. Spécialisée dans la confection de chapeaux de théâtre, elle fait la connaissance de nombreux artistes. Lucienne Boyer, qui l'a entendue, la fait débuter dans son cabaret. Son genre, la fantaisie, la conduit à jouer dans les revues aux côtés de Mistinguett. Pour meubler le tour de chant qu'elle prépare, elle apprend quelques vieilles chansons françaises : c'est le succès. Elle change alors de répertoire et se spécialise dans les chansons françaises, anciennes ou de composition récente. 1935 : la radio, le disque mettent en valeur sa voix de contralto ; la scène (Alhambra, A.B.C.), sa gouaille faubourienne. On pense évidemment à Thérésa, dont elle reprend une partie du répertoire (*La Femme à barbe*). Interprétant sous Vichy *Ah ! que la France est belle* ou *Les Africains*, elle participe au mouvement de rénovation nationale lancé par le Maréchal. Ce qui fait écrire à un journaliste : « Ce timbre clair et sportif ressuscite la chanson française. » Après la guerre, Bordas revient aux airs de marins et de soldats. Sa dernière apparition en 1967 est pour la télévision : elle y chante *Le 31 du mois d'août* habillée en costume de marin.

BOREL-CLERC

[Charles Clerc] Maille (Basses-Pyrénées), 1879 – Cannes, 1959. Compositeur. Conservatoires de Toulouse et de Paris. En 1903, il arrange une marche espagnole qui est confiée à Mayol : c'est la matchiche. Le succès en est si considérable que le compositeur débutant est lancé d'un jour à l'autre : commandes pour Bérard (*Lison-Lisette*), pour Mayol (*Amours de trottin*) s'ensuivent. Après la guerre, de *La Madelon de la victoire* (par. L. Boyer), créée par Rose Amy en 1918, à *Le Petit Vin blanc* (par. J. Dréjac), chantée par Michèle Dorlan et Lina Margy en 1943, c'est pour Borel-Clerc la route fleurie des succès : Chevalier et *Ma pomme*, *Ah si vous connaissiez ma poule*, *La Marche de Ménilmontant*, Mistinguett et *Monte là-dessus*, Jane Marnac et *On dit ça*, Tino Rossi et *Vous n'êtes pas venue dimanche* furent les plus éminents de ses ambassadeurs. Cette carrière exceptionnellement longue et féconde mit en valeur les qualités d'adaptation aux fluctuations de la mode et de facilité de travail du compositeur.

Théodore BOTREL

Dinan, 1868 – Port-Blanc, 1925. Auteur-compositeur-interprète. Son père ayant émigré à Paris, Botrel fut élevé par sa grand-mère au « pays breton ». À onze ans, ramené à Paris, il apprend différents métiers, notamment celui d'avoué, qui lui permet d'entrer en rapport avec des bourgeois lettrés. Après son service militaire, il prend des cours de diction et entre au PLM. Assuré de ses 100 francs mensuels, il fait ses débuts dans le spectacle, en commençant par écrire des pièces pour patronage. Il compose aussi des couplets dans le goût de l'époque, tels que *Il est frisé mon p'tit frère* (1892) qu'il chante dans les caf'conc' de second ordre. Sa chance fut de chanter un soir au Chien noir pour faire patienter la clientèle, en attendant l'arrivée des artistes. Victor Meusy, patron du lieu, l'engagea et, narquois, le présenta en ces termes : « Le chansonnier breton Théodore Botrel dans ses œuvres. » Ce qui fut pour Botrel une révélation : il revint habillé du bragou-braz (costume breton) et proposa un répertoire *ad hoc*, puisé dans la mythologie de *Pêcheur d'Islande.* Le succès remporté par Mayol avec *La Paimpolaise* (1895) le lance définitivement. Son premier recueil, *Chansons de la mer* (1898), tiré à plus de cinquante mille exemplaires, le consacre dans son rôle d'apôtre de la Bretagne. Il s'enrôle sous la bannière de la Ligue patriotique et donne dans la chanson politique, patriotique et royaliste : *Le Mouchoir rouge de Cholet, Monsieur de Kergariou* deviennent des classiques des chansons chouannes. Ses tournées dans la francophonie sont triomphales : le jour d'arrivée du barde est férié au Québec. Cinq mille personnes l'attendent sur le quai de la gare. À la déclaration de guerre, le « petit sergent de Déroulède », comme il se qualifiait lui-même, est envoyé par Millerand en mission sur le front pour entretenir le moral du combattant. C'est alors qu'il compose *Rosalie* :

> *L'un d'nous est mort, et mort joyeux*
> *en s'écriant : tout est au mieux*
> *voilà ma tombe toute préparée*
> *dans la tranchée*

ou encore *Ma mitrailleuse*, sur l'air de *La Petite Tonkinoise.* À la fin de la guerre, il se retire à Pont-Aven, se consacrant entièrement à sa Bretagne, ranimant notamment la tradition des pardons. Peu de temps avant sa mort, il entreprit une dernière tournée en Belgique. Botrel est un des rares auteurs pouvant se targuer d'avoir assisté à l'entrée de certaines de ses œuvres dans le « folklore ». La simplicité des lignes mélodiques, des thèmes, des constructions, appuyée sur une grande facilité d'écriture et une connaissance certaine du fonds folklorique breton, explique en partie ce succès. Pourtant, personnage et œuvre sont loin de faire l'unanimité... C'est que son entreprise est équivoque : prétendant être à la fois fidèle à la Bretagne et populaire, c'est-à-dire compris et chanté par tous, il est voué à ne célébrer qu'une image idéalisée, historiquement dépassée, de sa province, et à sacrifier le présent au profit du passé. La tradition ayant figé l'expression chantée dans ce qu'on appelle le folklore, il ne reste à Botrel qu'à « faire » du folklore lui aussi, à le copier, en grossissant les traits et accentuant les effets. On aboutit ainsi à ces ballades plus bretonnes que nature, produits d'exportation à l'usage de l'étranger. Ce qui le fait qualifier par un de ses compatriotes, chansonnier comme lui, Léon Durocher, de « Breton de Montmartre ». Théodore

Botrel laissait à sa mort une œuvre importante, par sa diffusion et la réussite certaine en son genre, sans pour autant ouvrir de voie nouvelle à la chanson.

Louis BOUCOT

Paris, 1885-1949. Auteur-interprète. Né dans une famille d'artistes, il débute, tout enfant, à l'Exposition de 1889. Il fera ses premières armes au Concert du Commerce, où, certains soirs, il passait trois fois sous des noms et des déguisements différents. Après un détour – forcé – par le bâtiment, il revient au caf'conc', s'essayant à tous les genres : le comique troupier, le répertoire de Paulus, les chansons de Mayol. Peu à peu, il découvre sa voie dans le genre comique, et crée une manière, un style Boucot, qui l'impose à partir de 1906-1908. Ayant triomphé à Paris-Glace, il est engagé à l'Alcazar d'été en juin 1910 et, devant le public snob du Paris des Champs-Élysées, obtient la consécration de grand amuseur public. À la suite de ce succès, il est engagé pour trois ans à l'Olympia par Jacques-Charles. C'est que Boucot a un truc : après avoir chanté deux chansons d'un ton très neutre, il descend dans le public, tout en modulant sur l'air suivant, y intercalant onomatopées ou airs d'opéra, interpelle le public, ouvre le sac à main d'une dame, etc. L'effet sur le public est énorme : « C'est une révolution de gaîté dans tout l'Alcazar », note Maurice Chevalier. Il ajoute : « Tout cela est neuf... osé mais imprévu. Jamais vu sur une scène avant ce bougre de W. Je sors de l'Alcazar hébété. Je ne sais que me dire : Eh bien mon vieux ! » Mais l'impact de ce genre de procédés, qui a fait fortune depuis, est moindre à mesure que le public s'y accoutume. Et l'improvisateur lui-même est souvent sujet à des baisses de forme, suivant l'humeur et la salle. Aussi le public finit-il par se lasser. Boucot, qui aurait pu être un des grands comiques français, meurt miséreux et oublié. Il avait écrit des textes pour les principaux comiques de son temps (*J'ai le téléphone, Mais voilà*), figuré dans de nombreuses revues et chanté dans tous les music-halls parisiens.

Maurice BOUKAY

[Maurice Couyba] Dampierre-sur-Salon, 1866 – Paris, 1931. Chansonnier. Professeur au lycée Arago, il chantait le soir au Chat noir des chansons évoluant entre la politique « de gauche » (il était radical) et l'amour. *Le Soleil rouge*, par exemple, fut chantée dans les cercles ouvriers. Décidant en 1896 de se présenter à la députation, il profite de ses tournées en province pour faire sa campagne électorale, entre deux tours de chant (le voyage était en effet payé par le Chat noir). Il sera ministre (1911), mais sa carrière politique n'aura que peu d'éclat. Un jour que quelqu'un s'enquérait : « Dans quel groupe siège-t-il donc ? », Marcel-Legay répondit : « Comme Lamartine, au plafond. » Et l'une de ses chansons donne de cet « homme politique » une curieuse image :

Une fois dégoûté
d'être leur député
et d'avoir fait la fête
j'attrap' l'autr' mandat.
j'irai au Sénat
prendre une petit'retraite.

Si ses textes ont parfois acquis une certaine renommée (*Stances à Manon*), ses qualités de chanteur ne retenaient pas particulièrement l'attention, et ce sont surtout Paul Delmet et Marcel-Legay qui furent ses interprètes.

BOURVIL

[André Raimbourg] Prétot-Vicquemare (Seine-Maritime), 1917 – Paris, 1970. Interprète. Fils de cultivateur, apprenti boulanger, il fait son service militaire dans la section musique. Il concourt pour un radio-crochet à Radio-Cité en 1939 et le remporte. Il passe dans divers cabarets parisiens, mais il attendra 1946 pour être lancé, avec l'opération *Les Crayons* (Bourvil-E. Lorin). Sans doute l'un des derniers avatars du chanteur idiot de la Belle Époque, un peu niais, mais s'accrochant à son fond paysan (et normand) pour se tirer des situations délicates : en somme, un compromis entre Dranem et Fortugé. À un art très sûr du comique, il joint une réelle sensibilité, qui, lorsqu'il s'est retiré de la scène, lui a permis de faire une brillante carrière d'acteur de cinéma. Outre *Les Crayons*, *La Tactique du gendarme*, dont il écrivit les paroles avec Lionel (1949), *La Fin des haricots* (1952), ses principaux succès furent suivis par quelques tubes de moindre intérêt (*Salade de fruits*, 1959). Parallèlement à sa carrière d'acteur, Bourvil se produisit dans l'opérette au côté de Pierrette Bruno (*Je t'aime bien*) ou de Georges Guétary.

Jean BOYER

Paris, 1901-1965. Auteur. Fils de Lucien Boyer. Il est connu principalement pour des chansons de films et de revues : *Au revoir Paris* (en coll. avec Lemarchand et Verdun, 1929), créée aux Folies-Bergère, et *Si tous les cocus* (mus. Lelièvre et Varna, 1930), au Concert Mayol. Les chansons *Quand la brise vagabonde* et surtout *Les Gars de la Marine* (mus. Werner et Heymann, 1931) ont survécu au film *Le Capitaine Craddock* ; *Avoir un bon copain* et *Tout est permis quand on rêve* (mus. Heymann, 1931) au film *Le Chemin du paradis*, et *Totor t'as tort* (mus. Mercier) :

> *Tu t'us(es) et tu te tues*
> *pourquoi t'entêtes-tu ?*

au film *Embrassez-moi*. Jean Boyer est également l'auteur d'une série de chansons faubouriennes écrites pour Maurice Chevalier (1939) : *Mimile*, *Ça fait d'excellents Français*, et *Ça s'est passé un dimanche*, dont les musiques sont de Georges Van Parys.

Lucienne BOYER

[Émilienne-Henriette Boyer] Paris, 1903-1983. Interprète. Tout d'abord modiste, puis modèle pour Foujita et J.-G. Domergue, elle chante et entre en apprentissage au cabaret Chez Fysher. Elle joue au Concert Mayol quand Lee Schubert, producteur de revues, l'engage pour sept mois à Broadway. De retour à Paris (1928), elle enregistre son premier disque : *Tu me demandes si je t'aime* (V. Scotto) et ouvre son premier cabaret, Les Borgia. En 1930, *Parlez-moi d'amour* (J. Lenoir) remporte le premier Grand Prix du disque : chanson et interprète ont un tel succès qu'on l'a créé à leur intention. Après être passée dans toutes les grandes salles, Lucienne Boyer, qui préfère l'intimité suggérée par son répertoire (*Si petite*, Claret et Bayle ; *Un amour comme le nôtre*, Borel-Clerc et Farel ; *Les Prénoms effacés*, J. Tranchant), ouvre d'autres cabarets : Chez les clochards, dans une cave du XVIe siècle à Montparnasse, où l'on reprend les refrains en chœur en soufflant dans la soupe ; puis Chez elle, cette fois sur la rive droite, où l'on applaudit, outre la maîtresse de maison, le duo Pills et Tabet. En 1939, Lucienne Boyer retourne aux États-Unis, où se poursuit comme en France le succès de *Parlez-moi d'amour*. On le chante encore pendant la guerre, ainsi que *Mon p'tit kaki* qui fait pleurer les soldats ; on le chante toujours après la guerre : « Parlez-moi d'autre chose », dit aux journalistes Lucienne Boyer excédée. Entre-temps, elle a épousé Jacques Pills et refusé des propositions mirifiques de la Paramount. Elle ne rêve que de cabaret et fait une nouvelle rentrée à Paris en 1959, Chez Lucienne, boîte qu'elle a ouverte à Montmartre pour les débuts de sa fille Jacqueline (née à Paris en 1941).

« Inspirée par Yvonne George, Damia et toutes celles qui l'avaient précédée..., elle vivait ses couplets amoureux avec une orgueilleuse impudeur. Sa voix aux inflexions blessées semblait s'adresser à chacun des hommes venus pour l'écouter... On était là, impressionné, un peu voyeur... On restait troublé longtemps après la dernière vibration du violon » (G. Tabet). Un genre sensuel, intimiste, qui fera école : Jacqueline François, Lucienne Delyle, Juliette Gréco, Barbara...

Mike BRANT

[Moshé Brandt] Nicosie (Chypre), 1947 – Paris, 1975. Interprète. Passionné de musique, il crée un groupe qui chante dans les hôtels et bars d'Haïfa et de Tel-Aviv, puis entre dans le Grand Music-hall d'Israël, avec lequel il effectue une tournée de dix mois aux États-Unis. Remarqué à Téhéran par Sylvie Vartan, il décide, sur les conseils de celle-ci, de s'installer à Paris, où il débarque en 1969. Sa carrière est prise en main par Jean Renard, qui écrit ses premières chansons. Dès le premier disque, (*Laisse-moi t'aimer*, 1970), vendu à 1,2 million d'exemplaires, le succès est là, phénoménal. Ses chansons (*Parce que je t'aime plus que moi*, 1970, *Qui saura*, 1972, *Rien qu'une larme*, 1973) ne sont pourtant que de classiques slows, enveloppés dans un lourd habillage de cordes et de cuivres. Mais la voix étendue, puissante et sensuelle, le physique romantico-viril (qui distinguent Mike Brant des charmeurs androgynes du type Dave ou Patrick Juvet, ou des Méditerranéens asexués du genre Ringo ou Frédéric François), touchent immédiatement un certain public, essentiellement féminin. Public qui déclenche de véritables maelströms sur son passage : dix mille personnes en 1973 à Béziers, autant ou davantage à Marseille, Pau, Chalon... Le suicide de Mike Brant, qui révéla au grand jour une fragilité foncière et une insatisfaction profonde envers le personnage et le genre trop facile dans lequel le show-biz et le succès l'avaient enfermé, donna naissance à un mythe, systématiquement exploité après sa mort : celui du chanteur comblé et pourtant malheureux, le James Dean du 45 tours.

Georges BRASSENS

Sète, 1921 – Saint-Gély-du-Fesc, 1981. Auteur-compositeur-interprète. Fils de maçon, il vient à Paris en 1940, peu attiré par la perspective de préparer son baccalauréat. Sans ressources, il est recueilli par Jeanne Planche (qu'il chantera souvent : *La Cane de Jeanne*, *Chez Jeanne*), chez laquelle il continuera d'habiter jusqu'à sa mort, en 1968. Travaille en usine (Renault), publie en 1942 un recueil de poèmes, *À la venvole* et est envoyé au STO. Après la guerre, continue à écrire, milite au sein de la Fédération anarchiste et collabore à son organe, *Le Libertaire*. C'est Jacques Grello qui le découvre (1952) : il passe alors aux Trois Baudets, à Pacra, et enregistre son premier disque chez Philips (*La Mauvaise Réputation*, *Le Gorille*, etc.). Publie à la même époque un roman, *La Tour des miracles* (1953) et de nouveau des poèmes (*La Mauvaise Réputation*, 1954). Depuis lors, son succès n'a cessé de croître. Ses disques, sans cesse réédités, ont été réunis en coffret, ses chansons ont été traduites (en espagnol, interprétées par Paco Ibañez, en italien, en allemand, en wallon) et il a largement participé (involontairement) à relancer la guitare sèche.

L'œuvre de Brassens a été l'objet de nombreux commentaires et de nombreuses tentatives d'appropriation (certains catholiques en particulier, tel Jacques Charpentreau, essayant de démontrer que cet athée militant est un chrétien qui s'ignore...). Il est vrai que sa thématique n'est pas toujours claire. L'anarchisme cependant domine (*Hécatombe*, *Le Pluriel*), avec une certaine tendresse pour le passé, pour l'époque de Villon (*Le Moyenâgeux*) et le culte de l'amitié (*Au bois de mon cœur*, *Les Copains d'abord*) et du don généreux de soi (*L'Auvergnat*, *La Femme d'Hector*). Mais, sorti de ces trois idées-forces, on ne sait pas toujours où il veut en venir et certains de ses textes sont carrément ambigus : *Les Deux Oncles* par exemple ont des relents de collaboration qui ne plurent pas à tout le monde. Cela aussi, cependant, fait partie de son univers : ennemi des étiquettes, des définitions, il chante ce qu'il pense dans l'instant. Athée, il n'arrive pas à se débarrasser du problème de la mort qu'il chante avec une ironie ou un brin de poésie masquant ses inquiétudes (*Le Testament*, *Les Funérailles d'antan*, *Supplique pour être enterré sur la plage de Sète*). Il met aussi en musique des poètes reconnus : Villon (*La Ballade des dames du temps jadis*), Hugo (*Gastibelza*), Francis Jammes (*La Prière*), Aragon (*Il n'y a pas d'amour heureux*), etc. Dans tous les cas, il introduit dans ses chansons une poésie réelle, mais une poésie de type classique, un peu « rétro », celle qui plaît aux professeurs de lettres. Ses dernières apparitions (Bobino, 1972, 1976) ainsi que les deux disques sortis parallèlement témoignent cependant d'une difficulté certaine à se renouveler, et quelques titres tombent même dans la gauloiserie un peu plate (*Fernande*, *Le Roi des cons*, *Tempête dans un bénitier*).

Ses musiques ont la réputation de se ressembler toutes, d'être monotones. Qu'on ne s'y trompe pas : sous les accords sobres de la guitare se cachent tous les genres rythmiques, java (*Le Bistrot*), blues (*Au bois de mon cœur*) et même boogie-woogie (*Les Copains d'abord*). Il joue en outre assez subtilement des harmonies et de l'opposition majeur-mineur ; il y a dans son jeu de guitare des rappels du jazz d'avant-guerre, de style manouche. Sa voix n'est pas spécialement belle, mais sa façon de lâcher les mots, très proche de celle des chanteurs de blues, est difficilement imitable.

Le personnage a longtemps retenu l'attention des médias : le verbe cru (*Putain de toi*, *La Ronde des jurons*, *Le Bulletin de santé*), l'air volontiers bougon, il se créa très vite l'image d'un ours mal léché, d'autant qu'il refusa toujours de livrer au public des éléments de sa vie privée (il s'en explique dans *Les Trompettes de la Renommée*). Il évoque aussi, avec humeur et humour, ses gauloiseries et le rôle que le public le force à jouer (*Le Pornographe du phonographe*). Il y a là, diraient les sémiologues, un signe neuf et relativement rare dans ce milieu : la vedette qui refuse de jouer le rôle du vedettariat, l'homme célèbre dont on ignore la vie privée.

Plus que son influence sur la jeune chanson (Pierre Perret, Philippe Chatel et bien d'autres), plus que les hommages qu'on lui rend (prix de poésie de l'Académie française 1967, *À Brassens*, chanson de Jean Ferrat, *Les Amis de Georges*, chanson de Moustaki, disques *Le Forestier chante Brassens* et *Le Brassens des Frères Jacques*), c'est l'image d'un homme simple et sincère qui s'impose et qui restera sans doute.

Bertolt BRECHT

Augsbourg (Allemagne), 1898 – Berlin (Allemagne), 1956. Auteur. Considéré sous l'angle de la chanson, l'apport de Brecht tient essentiellement à l'intégration de « songs » dans ses pièces et opéras populaires, et à la fonction dramatique qu'il leur assignait. « Parce qu'elle ne cessait d'être exclusivement sentimentale et d'utiliser tous les habituels piments narcotiques, la musique contribuait à mettre à nu les idéologies bourgeoises. Elle se faisait pour ainsi dire commère ordurière, provocatrice et dénonciatrice » (*À propos de « L'Opéra de quat'sous »*, 1935). Élément gestuel, le « song » avouait le personnage « ouvertement complice de l'auteur » (*L'Achat du cuivre*), et, « en exaltant les désirs inavoués des spectateurs, minait leur participation idyllique au spectacle » (Bernard Dort). Intégrées à un spectacle, ou interprétées pour elles-mêmes, de façon plus ou moins fidèle selon la compréhension brechtienne, ces chansons, dont certaines étaient connues depuis l'adaptation française du film de Pabst *L'Opéra de quat'sous* (1931, interprètes : Albert Préjean et Odette Florelle), tentèrent quelques-unes des meilleures tragédiennes de la chanson en France : Marianne Oswald et Germaine Montero d'abord, Catherine Sauvage et surtout Pia Colombo ensuite. Grâce à la musique de Kurt Weill et aux adaptations souvent remarquables de Boris Vian, Robert Desnos ou André Mauprey, quelques-unes d'entre elles devaient atteindre le grand public : *La Complainte de Mackie* (adapt. A. Mauprey), *Alabama Song* (adapt. B. Vian) ou *Bilbao Song* (adapt. B. Vian). Malgré cela, on ne peut guère parler de chansons ou d'auteurs brechtiens en France. *A fortiori* de tradition brechtienne…

Jacques BREL

Bruxelles (Belgique), 1929 – Bobigny, 1978. Auteur-compositeur-interprète. Fils d'un industriel belge, Jacques Brel est depuis son enfance destiné à prendre la direction de la cartonnerie familiale. Très jeune, il veut chanter et se produit, le dimanche, dans les kermesses et les fêtes paroissiales. Jusqu'au jour où il vient à Paris, passe aux Trois Baudets et rencontre Jacques Canetti qui prend en main sa carrière. Enregistre d'abord chez Philips, puis chez Barclay, accompagné successivement par les orchestres d'André Grassi, Michel Legrand, André Popp, François Rauber. Pour la scène, il reste fidèle à l'orchestre de Gérard Jouannest qui compose d'ailleurs la musique de certaines de ses chansons (*La Parlote*, *Les Vieux*, etc.).

Les textes de Brel, très marqués à l'origine par une nette inspiration catholique, prennent peu à peu une force corrosive et critique, un ton amer qui contraste avec le style de ses débuts, fait d'espoir idéaliste. Recherchant tout d'abord la beauté (*Il nous faut regarder*), la fraternité et l'amour (*Quand on n'a que l'amour*), il en vient à douter de leur existence même. Les femmes remplacent l'amour et elles sont « notre pire ennemi » (*Les Biches*). À côté de cette misogynie qui se développe tout au long de son œuvre, jusqu'au disque ultime (*Les Remparts de Varsovie*, 1977), on trouve chez lui une obsession marquée de la mort (*Le Moribond*, *À mon dernier repas*) qui se transformera en fatalisme tranquille lorsqu'il se saura condamné par le cancer (*Vieillir*), et surtout un anticonformisme qui le fera s'attaquer à toutes les formes de bourgeoisie (*Les Bourgeois*, *Les Bigotes*, *Les Dames patronnesses*, *Les Flamandes*). L'œuvre de Brel est à l'image du personnage sur scène, un vase clos où tout renvoie à tout, où chaque mot, chaque geste est le signe de tout un arrière-plan de mythologie personnelle. Les composantes de cet univers sont constantes et peu nombreuses : sur le plan des thèmes, la femme, le vin et les frites, le passé heureux, le présent et l'échec, etc. Sur le plan du style, une tendance aux images gratuites (« un oiseau mort qui leur ressemble ») ou uniquement justifiées par certaines homophonies (« un divan de diva », « du porto que tu rapportas de la porte des Lilas »), un amour certain pour le néologisme (« une maison qui se tire-bouchonne », « je me suis déjumenté »), un emploi fréquent de couples en opposition (« j'avais l'œil du berger et le cœur de l'agneau », « tu avais perdu le goût de l'eau et moi celui de la conquête »), etc.

Il fut un de nos rares chanteurs à être à la fois auteur-compositeur à succès et interprète de talent. Sur scène, il avait une technique gestuelle très au point, venant paraphraser le texte, l'amplifier, voire le caricaturer. Du Brel immobile derrière sa guitare des premières années au grand diable gesticulant des derniers récitals (1967), il y a un monde : on atteint dans le geste, dans le mime, dans la caricature un point de non-retour qui est aussi un point d'arrivée. Il avait également une façon inhabituelle de couper les mots, de les cracher par tronçons, très caractéristique de son interprétation.

Universellement connu et apprécié, traduit en anglais (entre autres par Mort Shuman), il a sans doute senti qu'il ne pouvait pas, momentanément, aller plus loin et décide, en 1967, de quitter la scène tout en promettant de revenir à travers une chanson (*La la la*) où l'on retrouve la plupart de ses thèmes, mais distanciés, contestés de l'intérieur. Le geste paraphrase auquel il nous avait habitués, venant doubler le texte et la mélodie, grossissant, amplifiant, accentuant les effets, tend très vite à devenir un système qui ne signifie plus rien que lui-même. Or cette chanson représente une sorte de parodie extrême de tous ses trucs : caricature du néologisme (« je mourirai »), de la dichotomie passé heureux-présent échec, de la voix même (Brel chantait bien, il pouvait même chanter l'opéra et l'avait prouvé dans *L'Air de la bêtise*, mais il se ridiculise volontairement en chantant d'une voix chevrotante « la la laaaaa » ou « cerné de riiiiiidicule »). Cette évolution ne sort pourtant pas du continuum brélien qui fait que rien n'est jamais fini, que rien ne commence vraiment, que tout oscille entre « mon enfance » et « ce soir ».

De *Madeleine* à *Frida*, il s'agit toujours du même échec, des *Biches* à *Mathilde*, de la même lutte. Il se tourne alors vers le cinéma, comme acteur (*Les Risques du métier*) puis comme metteur en scène (*Frantz*, 1972), avant de se retirer aux îles Marquises. Sa longue absence laisse au public le temps de sentir à quel point son œuvre était importante, et son retour par le disque, en 1977, est soigneusement orchestré par son éditeur. Dans les dernières chansons de Brel (dont certaines devaient s'insérer dans une comédie musicale qu'il n'aura pas le temps de finir, *Vilebrequin*), à côté d'une grande réussite comme *Les Marquises*, on retrouve, poussés jusqu'à l'exaspération, certains de ses thèmes, comme sa haine des Flamands (*Les F...*), ce qui laisse un certain regret à l'auditeur, que sa mort accentuera l'année suivante.

Raoul BRETON

Vierzon, 1896 – Paris, 1959. Éditeur. À l'issue d'une brillante carrière de danseur mondain, a édité les premières chansons de la « nouvelle vague » des années 1930 : Marcel Achard, Mireille et Jean Nohain, Noël Noël. Il a également inventé l'« auteur-compositeur-interprète », qu'il déniche en la personne de Charles Trenet, alors âgé de quatorze ans. Sa conception du rôle de l'éditeur l'engage à s'intéresser à tous les aspects de la carrière de son « chanteur ». Ce qu'il fit pour Trenet, il le refera peu ou prou pour Gilbert Bécaud, Charles Aznavour, Félix Leclerc et Édith Piaf. Après sa disparition, sa femme (dite « la Marquise ») poursuivra son œuvre, et prévoira de céder à sa mort (1992) les éditions Raoul Breton à Charles Aznavour et Gérard

Davoust, qui resteront dans la même recherche de qualité, introduisant par exemple en France la Québécoise Lynda Lemay.

Dany BRILLANT

[Daniel Cohen] Tunis (Tunisie), 1965. Auteur-compositeur-interprète. Enfance en région parisienne. S'initie à la guitare, entame des études de médecine puis bifurque vers la chanson. Premier album en 1991 (*C'est ça qui est bon*) avec un titre, *Suzette*, qui lui assure un premier succès, suivi de *C'est toi* (1993), *Havana* (1996), *Nouveau jour* (1999), *Dolce vita* (2001)... C'est une véritable déferlante dans un style rétro, sur des rythmes de cha-cha-cha ou de mambo, enregistrés à La Havane ou à Londres, d'un crooner aux cheveux gominés qui construit un monument aux années 1950, puis passe au jazz New Orleans (*Jazz à La Nouvelle-Orléans*, 2004), et fait tout cela très bien. Dès lors, que peut-on lui reprocher ?

Aristide BRUANT

[Aristide Bruand] Courtenay (Loiret), 1851 – Paris, 1925. Né de bonne bourgeoisie, il fréquente le lycée de Sens. Des revers de fortune l'obligent à le quitter à dix-sept ans, et à devenir apprenti bijoutier. Après la guerre de 1870, qu'il fait en franc-tireur, il entre à la Compagnie des chemins de fer du Nord à Paris. De cette époque datent ses premières chansons (*Les Gens de Courtenay*, 1873), ses premières apparitions sur scène (Concert des Amandiers, café-concert Dorell à Nogent), ses premiers succès : il est engagé par le Concert de l'Époque (futur Pacra), par la Scala et chanté par plusieurs artistes de caf'conc' (Paulus, Bourgès, Claudius). Son répertoire est composé de scies populaires, de chansons humoristiques (*L'Enterrement de belle-maman*, *Mad'moiselle écoutez-moi donc*, en collaboration avec Jules Jouy, 1881). Durant son passage au régiment, il compose *La Marche du 113e de ligne*. Introduit au Chat noir par Jules Jouy et Marcel-Legay (1883), il y trouve sa voie, et compose ses chansons de quartier, réunies plus tard en recueil (*Dans la rue*, 1889, 1re édition). C'est à lui que s'adresse Rodolphe Salis pour écrire une ballade du Chat noir :

> *Je cherche fortune*
> *tout au long du Chat noir*

et au clair de la lune
à Montmartre le soir

chantée à la cérémonie de transfert du cabaret, du boulevard Rochechouart à la rue Victor-Massé. Mais Salis est avare, et l'ancien local est libre. Bruant s'y installe en 1885, le baptise Le Mirliton et le fait décorer par ses amis Steinlen et Toulouse-Lautrec : des cadres vides, des tableaux sans cadre, des murs défraîchis marqués par d'anciennes décorations. Lui-même adopte la tenue popularisée par les affiches de Lautrec : bottes, habit noir, foulard rouge, chapeau à large bord. Avec son profil droit, son air martial, sa belle carrure, il ne manque pas de faire impression. Pourtant, le soir de l'inauguration, il n'y a que trois clients. Bruant, bilieux, les houspille. À sa grande surprise, ils s'en montrent très satisfaits. Le chansonnier en tire une ligne de conduite dont il ne se départira plus : plus on maltraitera le client, quitte à le flatter au revers, plus il s'amusera et repartira content. Le calcul se révèle exact, et le bourgeois, lettré ou snob, afflue au Mirliton. L'ambiance est joyeuse. Mais lorsque Bruant monte sur une table et annonce une de ses chansons, le silence s'établit, jusqu'au refrain que les assistants reprennent en chœur à la manière des répons d'église : *À Saint-Lazare* (ou *À la Villette*), *À Montparnasse*... La voix âpre de l'artiste, sa présence indiscutable contribuent à susciter l'aura de mystère qui enveloppe l'univers de ses chansons. Il interprète également ou fait chanter des airs du folklore (*La Route de Louviers*) et vend son journal, *Le Mirliton* (1885 à 1894). En 1895, il abandonne le cabaret, où il se fait remplacer par des doublures, et fait des tournées en France et à l'étranger. Riche et célèbre, il achète le Concert de l'Époque, se présente à la députation à Belleville comme candidat « républicain, socialiste, patriote, antisémite », et obtient 528 voix. Il se tourne vers la littérature, écrivant pas moins de seize romans et six pièces de théâtre : production de quatre sous, bâclée, pour laquelle il se fait aider par deux nègres, mais qui se révèle fort rentable. Il peut se retirer à Courtenay, propriétaire parmi les propriétaires. En 1924, il fait une dernière apparition à l'Empire. C'est un triomphe, le dernier : il meurt peu de temps après. Son décès est l'occasion d'un déferlement d'articles, de récits hagiographiques, de jugements. Villon, Zola, sont appelés à la rescousse et servent de référence : « Le naturalisme nouveau apporté par Bruant renouvellera celui des Zola et des Goncourt » (Yvette Guilbert). Bruant chanteur du peuple, chansonnier socialiste, nouveau Villon et grand poète : qu'en penser ? Il est certain que la part la plus importante de l'œuvre de Bruant est consacrée au peuple. Quel peuple ? Celui qui campe sur les marches de la classe ouvrière, et s'identifie à la population flottante des villages récemment intégrés à Paris : le lumpenprolétariat des barrières. L'apache et la gigolette, qui n'étaient pas encore magnifiés dans l'imagination populaire par les exploits de Casque d'or, s'intégraient à un monde où les assommoirs de la zone étaient présentés comme les derniers refuges du romanesque, de l'honneur, du courage. N'oublions pas que le public de Bruant, comme Bruant lui-même, était bourgeois, et, s'il cherchait le grand frisson, ce n'était certes pas du côté de la réalité dure et nue. Présenter à ce public un univers ainsi défini n'est pas faire œuvre populaire, mais plutôt s'illustrer dans un autre genre, le populisme. Si Bruant a chanté le pavé de Paris, la fleur qu'il y a fait pousser est ou trop rouge ou trop noire pour que tout un peuple puisse s'y reconnaître.

Bruant socialiste ? Il y a certes *Les Canuts*, unique œuvre de son dernier recueil *Sur la route* à être passée à la postérité. Mais les chansons de cette veine sont rares, la lutte ouvrière y est toujours présentée sur le mode passéiste, et les héros des chansons de quartier ou des bataillons disciplinaires sont fatalistes face à leur destin tragique. Leur auteur finira par faire l'apologie de la propriété et de l'armée (*L'Impôt sur la rente*). Bruant, nouveau Villon ? L'usage de l'argot peut y faire penser. Il est cependant marié à celui de la langue triviale et aux vocables créés par l'auteur. Car Bruant a un incontestable sens du langage. Les procédés de versification et de construction mis en œuvre (quatre strophes-refrain, strophes de quatre à huit vers, vers de huit pieds) sont rigoureux. Aussi serait-il à classer parmi les parnassiens, comme l'a noté Jehan Rictus, et non du côté de Villon. Les compositions, sans présenter beaucoup d'originalité mélodique, rendent compte de la même volonté de rigueur. Elles sont facilement reconnaissables, car « toujours inspirées d'un air d'église, d'un air de chasse, d'une sonnerie militaire ou calquées sur une chanson de route » (*Comœdia*) : marches, complaintes (*Dans la rue*), romances (*Rose blanche*) dominent. La réalité, le pouvoir suggestif de l'univers de Bruant ne prennent consistance que par et dans le langage mis à jour par l'auteur. Avec lui, un nouvel astre s'est levé au firmament de la mythologie littéraire : le personnage Bruant, ses représentations graphiques, son langage, son univers ont été assumés par la tradition et sont devenus levain d'une pâte féconde. En témoignent Carco et Mac Orlan, et bien d'autres encore… Postérité qui, bien que circonscrite à une aire limitée, rend compte d'un authentique pouvoir de création.

Patrick BRUEL

[Patrick Benguigui] Tlemcen (Algérie), 1959. Auteur-compositeur-interprète, acteur. Né en Algérie, rapatrié en France à l'âge de trois ans, il passe son bac, rêve d'être chanteur, mais débute dans le cinéma en 1978 (*Le Coup de sirocco*, Alexandre Arcady). Il enregistre cependant quelques disques qui passent inaperçus, continue de tourner au cinéma, et explose en 1989 avec *Alors regarde*, *Casser la voix*, *Place des grands hommes*. Un triomphe (plus de deux millions de disques vendus) et une folie chez les midinettes dont les « Patriiiiiiiiiick » ponctuent tous ses concerts. La Bruelmania est née. Consacré par son passage au Printemps de Bourges en 1991, Bruel est désormais un des piliers de la chanson française. Ce véritable phénomène de société semble pourtant reposer sur quelques recettes assez simples : une belle gueule, une voix placée un peu trop haut, des textes gentiment engagés avec l'air cependant de ne pas y toucher, des musiques ni trop folk ni trop rock. Mais explique-t-on vraiment le succès ? Ses albums suivants n'auront pas le même écho, malgré le relatif succès du titre *Au Café des délices* (F. Gray-P. Bruel, F. Gray, 1999). Il s'essaie alors aux reprises en enregistrant des standards de l'entre-deux-guerres, *Mon Amant de Saint-Jean*, *Que reste-t-il de nos amours*, *La Java bleue* (album *Entre deux*), visant bien sûr un public tout différent de celui qui l'a lancé. Sa carrière dans la chanson semble s'acheminer vers une fin en pente douce (*Des souvenirs devant*, 2006).

Le BRUIT ET L'ODEUR

Chanson, par. et mus. Zebda (1995). Chanson tract qui résume parfaitement le positionnement social du groupe. Commençant par une allusion à Victor Hugo (« Je suis tombé par terre, c'est la faute à Voltaire »), elle se termine par une longue citation du président de la République Jacques Chirac (« Comment voulez-vous que le travailleur français qui travaille avec sa femme et qui ensemble gagnent environ 15 000 francs et qui voit sur le palier à côté de son HLM entassée une famille avec un père de famille, trois ou quatre épouses et une vingtaine de gosses et qui gagne 50 000 francs de prestations sociales, sans naturellement travailler... si vous ajoutez à cela le bruit et l'odeur, eh bien, le travailleur français sur le palier, il devient fou. Et ce n'est pas être raciste que de dire cela. »). Entre les deux, des allusions à la psychanalyste Françoise Dolto, au joueur de tennis Yannick Noah, à un tube de Tonton David (« Plutôt que d'être issu d'un peuple qui a beaucoup souffert »)... À la France, quoi.

Carla BRUNI

Turin (Italie), 1968. Auteur-compositeur-interprète. Née en Italie, elle arrive en France à l'âge de cinq ans, où elle suit ses études secondaires puis entame des études d'histoire de l'art et d'architecture avant de bifurquer vers un nombre invraisemblable de voies. Il y eut la Carla Bruni mannequin (de 1995 à 1997, pour Paco Rabanne, Sonia Rykiel, Dior...) qui, dans l'intimité, écrivait des chansons. Puis la Carla Bruni actrice (*Paparazzi*, d'A. Berberian, 1997). Arrive ensuite la Carla Bruni auteur (*Si j'étais elle*, pour Julien Clerc, puis de nombreux textes pour Bertignac). Et enfin, il y a la Carla Bruni interprète (album *Quelqu'un m'a dit*, 2002), qui chante parfois aussi en duo (*Ce que tu désires*, avec J.-L. Murat, 2005). L'énorme succès de son disque (jolie voix, chaude et un peu éraillée, ambiance très acoustique, orchestration minimale et textes peaufinés) témoigne sans doute d'une attente : le public avait besoin d'un retour vers une chanson plus littéraire. Mais il est difficile de savoir si cet ovni continuera dans cette voie ou bifurquera encore.

Eugénie BUFFET

Tlemcen (Algérie), 1866 – Paris, 1934. Interprète. Bonne à tout faire à Mascara et fille d'officier, elle commence une carrière de comédienne au théâtre de Mostaganem, puis à Marseille sous le nom de Julyani, enfin à Paris (Variétés, Menus-Plaisirs). Ayant fait un séjour en prison à Saint-Lazare pour avoir crié « Vive Boulanger » à la barbe de Carnot à l'Exposition de 1889, elle achète un costume « nature » à ses compagnes de taule et débute dans le tour de chant en 1890 à la Cigale. Richepin lui fait un répertoire. Elle emprunte le reste à Joseph Darcier, Théodore Botrel, Maurice Boukay, Paul Déroulède, Aristide Bruant. D'abord « gigolette », elle crée rapidement un nouveau genre, la « pierreuse » (*À Saint-Lazare*, *Jenny l'ouvrière*, *Les Gueux*). Le succès vient en 1892 avec *La Sérénade du pavé* (« Sois bonne, ô ma belle inconnue… »). « Nini » va alors faire la quête dans les cours des quartiers rupins pour les pauvres. Elle ouvre en 1902 le Cabaret de la Purée et, en 1903, le caf'conc' des Folies-Pigalle avec Émile Defrance, créateur de la chanson improvisée. Devant leur insuccès, elle part avec lui en tournée. Quand la guerre survient, elle chante dans les rues pour « Le Sou du poilu », puis fonde l'œuvre de « La Chanson aux blessés ». On la voit organiser des matinées à l'ambulance du Grand-Palais, dans différents hôpitaux, et jusqu'aux cantonnements du front.

La « Cigale nationale » est alors devenue si populaire que les policiers doivent établir des barrages rue de l'Ancienne-Comédie lorsqu'elle vient chanter au Procope pour les pauvres du Quartier latin. Son activité sociale n'a d'égale que son activité politique : elle est à la fois (ou tour à tour ?) royaliste, comme en témoignent *La Fleur de lys* et *Le Mouchoir rouge de Cholet* (chansons de Théodore Botrel), militante à la Ligue des patriotes, et sergent des Croix-de-Feu. Elle fait en 1922 et 1923 des tournées en Amérique, au Maroc et aux Antilles (mission du gouvernement français), revient en 1924 et passe à l'Empire, l'Eldorado, Parisiana. Puis elle revient au théâtre (les Bouffes du Nord, et *Fleur de trottoir* à la Scala en 1929). Elle passera la fin de sa vie dans ces hôpitaux qu'elle a tant fréquentés dans sa jeunesse, et dans la pauvreté qu'elle a tant chantée et secourue. Un gala d'artistes sera organisé à son profit au théâtre Sarah-Bernhardt en 1926 pour payer les soins. Et, en 1933, on décorera de la Légion d'honneur la « caporale des poilus ».

Michel BÜHLER

Berne (Suisse), 1945. Auteur-compositeur-interprète. Instituteur pendant quatre ans dans un village du canton de Vaud, il se présente en 1969 à un concours radiophonique : c'est le point de départ d'une carrière sans concession qui le mènera, seul ou dans le sillage de Gilles Vigneault, dont il « fit » souvent les premières parties, de Maisons de la culture en galas de soutien et de Bobino en Faux Nez (la salle phare de la Suisse romande, à Lausanne), partout où l'on « écoute » la chanson. Un regard lucide sur la vie quotidienne du chômeur, de l'immigré, du père du soldat mort, un regard rétif aux faux-semblants du bonheur helvétique (*Ma mère, la Suisse*), un regard critique sur la bêtise cocardière à béret basque (*Superdupont*) caractérisent son œuvre, à laquelle on peut cependant reprocher un manque de variété dans les mélodies et les harmonies. Après avoir profité d'une période où la France était ouverte à la fois aux chansons en langues minoritaires de l'Hexagone et aux chansons francophones venues d'ailleurs, sa carrière s'est recentrée uniquement sur son pays natal. Mais il continue à enregistrer (*Chansons têtues*, 2004) et publie en même temps des romans.

La BUTTE ROUGE

Chanson, par. Montéhus, mus. Georges Krier (1922). Alors que, pendant la guerre, Montéhus se laissa emporter par la vague de chauvinisme, reniant ses idées, il retrouva au sortir de la « grande boucherie » son pacifisme d'antan, pour écrire son plus beau texte. La Butte dont il est question est celle de Bapaume, en Champagne. Mais, chantée aujourd'hui dans les manifestations et les meetings, elle est identifiée à tous les hauts lieux de la répression contre le mouvement ouvrier. Il se dégage de la musique de valse une ambiance très calme, très « Casque d'or », qui contraste avec les horreurs décrites par le texte. Elle a été notamment enregistrée par Yves Montand et Claude Vinci.

C

Francis Cabrel

CABARET DES ASSASSINS

▶ LAPIN À GILL.

Francis CABREL

Agen, 1953. Auteur-compositeur-interprète. Élevé à Astaffort par des parents venus du Frioul (Italie), il s'initie à la guitare à partir de 1964 en interprétant les succès de Léonard Cohen ou de Bob Dylan, avant de s'essayer à écrire lui-même. Quitte le lycée avant le bac, travaille comme magasinier et remporte en 1974 avec *Petite Marie* un concours organisé par Sud Radio. Premier album en 1977 (*Ma ville*), échec commercial total, deuxième en 1979 (*Chemins de traverse*), et c'est le succès avec *Je l'aime à mourir*, suivi en 1980 de *La Dame de Haute-Savoie* et *L'Encre de tes yeux*. Olympia (1982, 1984), les tournées et les disques se succèdent, et les succès aussi : *Sarbacane* et *Il faudra leur dire* (1989), *Je t'aimais, je t'aime et je t'aimerai* (1994) jusqu'à l'album *Les Beaux Dégâts* (2004). Victoire de la musique (artiste de l'année) en 1990, Cabrel est alors incontournable dans le paysage de la chanson française. Élu conseiller municipal d'Astaffort en 1989, il y crée en 1994 les « rencontres d'Astaffort », ouvertes aux aspirants auteurs, compositeurs ou interprètes qui viennent y apprendre les rudiments de leur métier. Il s'implique également dans différents disques collectifs au profit de causes humanitaires (Urgence, Sol en Si, Les Restos du Cœur...).

Avec son look à la d'Artagnan (ses cheveux seront plus tard raccourcis et sa moustache disparaîtra plus tard encore), son accent du Sud-Ouest, sa voix un peu nasillarde (qui rappelle celle du Dylan des années 1960), son jeu de guitare très folk et ses textes peaufinés, Francis Cabrel s'est imposé alors que la France était en pleine vague disco, prenant ainsi le public à contre-pied. Il a su aussi imposer ses conceptions musicales aux maisons de disques, après un premier disque orchestré contre ses goûts, dans un style très variétés : plus de violonnades langoureuses mais des guitares nerveuses, très présentes, entre blues et boogie, entre sa passion pour Bob Dylan et son amour de la langue. Il s'éloigne alors du milieu parisien pour concevoir et parfois enregistrer ses disques chez lui, devenant lentement une sorte de gentleman de la chanson, retiré sur ses terres, distant mais pas hautain, méfiant face au métier mais toujours très humain.

ÇA C'EST PARIS

Chanson, par. Jacques-Charles, Lucien Boyer, mus. José Padilla (1925). Autour du thème de Paris, Jacques-Charles et Lucien Boyer s'essaient à placer des images évocatrices sur un paso doble de l'Espagnol Padilla. Il importe de réussir, la chanson étant prévue comme leitmotiv de la revue du même nom. Trois versions sont refusées par l'interprète, Mistinguett. C'est alors que Jacques-Charles a l'idée de l'association devenue fameuse, « Paris, c'est une blonde ». Malgré les réticences de l'entourage et de Boyer, celle-ci est maintenue et la chanson, menée au succès par la Miss, survécut à la revue du Moulin Rouge. Telle est l'histoire de cette rengaine dans laquelle un de ses auteurs voit « *la Marseillaise* de la Parisienne ». Parisienne dont

> *le nez retroussé, l'air moqueur*
> *les yeux toujours rieurs*

ne sont pas sans rappeler l'apparence de Mistinguett. Hasard que cette rencontre entre la ville éternelle, l'éternel féminin et l'inusable Miss ? Non, sans doute : cette dernière ne fai[sait]-t-elle pas partie du décor ? Ne s'identifiait-elle pas à une certaine représentation mythique de Paris ? Aujourd'hui, dans les bals de France et d'ailleurs, Paris est toujours une blonde. Il est des mythes qui ont la vie dure.

CAFÉ AU LAIT AU LIT (ON PREND L')

Chanson, par. et mus. Pierre Dudan (1940). Le tube d'un auteur-compositeur de talent. Popularisée par la Radio suisse, très écoutée pendant l'Occupation, cette chanson connaît dès 1942 un grand succès dans la région lyonnaise et le Dauphiné, avant d'« éclater » après la Libération. Vogue due à son air entraînant, mais plus sûrement à l'idéal de farniente qu'elle proposait après des années difficiles.

CAFÉ MOREL

▶ ALCAZAR D'ÉTÉ.

CALI

[Bruno Caliciuri] Perpignan, 1968. Auteur-compositeur-interprète. Participe à divers groupes comme bassiste ou guitariste (Pénétration anale, Les Rebelles, Tom Scarlett, groupe avec lequel il enregistre son premier disque en 1998), avant de chanter en 2002 sous le nom de Caliciuri (Francofolies de La Rochelle) puis sous le nom de Cali. En 2003, son album *L'Amour parfait*, avec en particulier le titre *C'est quand le bonheur ?*, le fait remarquer. Il confirme en 2005 avec *Menteur*, accompagné à la guitare par M sur quatre titres. Cali semble être abattu par la vie et régénéré par la musique. Il en résulte des œuvres sombres, parfois désespérées, à forte tendance autobiographique, transfigurées par un environnement musical plus joyeux, entre rock et folk, manifestant une légèreté en parfaite contradiction avec son univers vocal et textuel. Il a fait en juin 2006 une apparition involontaire dans la précampagne présidentielle, Laurent Fabius ayant utilisé *C'est quand le bonheur ?* sans l'avoir sollicité…

CALOGERO

[Calogero Mauricci] Échirolles, 1971. Auteur-compositeur-interprète. Apprend très jeune la guitare, l'orgue et le piano, et fonde à quinze ans, avec son frère Giaocchino (1968) et son ami d'enfance Francis (1970), le groupe Charts (1986-1998), qui enregistrera trois albums. Dans l'intervalle, il a commencé à collaborer avec Pascal Obispo (1992), et se lance en 1999 dans une carrière solo (album *Au milieu des autres*, 2000). Deuxième album en 2002, dont un titre, *En apesanteur*, lui apporte une certaine reconnaissance. Un troisième en 2003 et Victoire de la musique la même année. Il a écrit pour Pascal Obispo, Zazie, Patrick Fiori et Florent Pagny.

Gérard CALVI

[Grégoire Krettly] Paris, 1922. Compositeur. Grand Prix de Rome de composition, il fait une carrière dans la musique légère. Auteur de plus de trois cents chansons, de musiques de films, de comédies musicales. Ses succès côté chanson : *Le Prisonnier de la tour* (par. F. Blanche, 1946), créée par É. Piaf et reprise par les Compagnons de la Chanson, *Ce n'est qu'une chanson* (par. A. Boublil, 1954), interprétée entre autres par Frank Sinatra (*One of those songs*), *Un amour de femme* (par. Rivgauche, Mareuil, 1982) pour Colette Renard. Côté comédie musicale : *La Polka des lampions* (1961). Il a été président de la SACEM.

Jacques CANETTI

Roustchouk (Bulgarie), 1909-1997. Imprésario, « découvreur » de vedettes, spécialiste de l'« auteur-compositeur-interprète ». Enfance à l'étranger, études en langue allemande. Colleur d'étiquettes chez Polydor, il obtient de l'inaccessible Marlène Dietrich un enregistrement en français. C'est aussitôt la promotion. Il organise les émissions de jazz-hot sur le Poste parisien, les premiers concerts de Duke Ellington et d'Armstrong à Paris. Entre à Radio-Cité comme directeur artistique (1936), se destinant à la promotion de la musique classique et du jazz, mais son émission « Le music-hall des jeunes », où il fait voter les auditeurs, lui donne Agnès Capri comme première lauréate… Le tournant est pris : Canetti contribue à faire connaître Charles Trenet, Lucienne Delyle, Édith Piaf.

À la guerre, il part pour Alger organiser les émissions de Radio France et monte un théâtre de chansonniers avec lequel il fait le tour du Moyen-Orient. À la Libération, il reconstitue l'écurie de Polydor : Georges Brassens, Jacqueline François, Félix Leclerc (qu'il fait découvrir en France). Devient directeur du catalogue chez Philips (1951-1962) et crée le théâtre des Trois Baudets (1947-1960), qui sert de laboratoire à toutes ses découvertes (Guy Béart, Jacques Brel, Philippe Clay, Jean-Claude Darnal, Leny Escudero, Léo Ferré, les Frères Jacques, Serge Gainsbourg, Michel Legrand, Francis Lemarque, Dario Moreno, Mouloudji, Henri Salvador, Anne Sylvestre, etc.). En 1963, il monte sa propre maison de production (Jeanne Moreau, Serge Reggiani).

Par son aptitude à anticiper – et à préparer – les goûts du public en matière de chanson style rive gauche, Jacques Canetti a joué un rôle fondamental pendant plus de trente ans. Mais, prenant en charge la programmation chanson du théâtre de l'Est parisien en 1979, il se révèle alors incapable de comprendre l'évolution récente de cet art. Il a publié ses souvenirs en 1978 (*On cherche jeune homme aimant la musique*).

Les CANUTS

Chanson, par. et mus. Aristide Bruant (vers 1899). Abandonnant, le temps d'une chanson, son monde de marlous et de gigolettes, Bruant rend hommage aux tisserands lyonnais héros de l'insurrection de 1831. Peut-être inspiré par la *Chanson du linceul* (par. franç. Maurice Vaucaire), tirée de la pièce *Die Weber* de Gerhardt Hauptmann :

> *Nous tissons sur nos métiers*
> *ton linceul, ô vieille Allemagne*
> *avec nos fill's et nos garçons*
> *c'est ton linceul que nous tissons*

il prédit, lui, le bourgeois :

> *Mais notre règne arrivera*
> *quand votre règne finira*
> *nous tisserons alors*
> *le linceul du vieux monde...*

Avec *Les Canuts*, Bruant a réussi à évoquer, par-delà un épisode passé de la lutte des classes, l'essence même du combat du mouvement ouvrier. Par sa charge poétique, sa construction rigoureuse et néanmoins simple, c'est l'œuvre la plus forte, et de loin, du recueil *Sur la route.*

Agnès CAPRI

[Sophie-Rose Friedmann] L'Arbresle (Rhône), 1915 – Paris, 1976. Interprète. Ancienne élève de Dullin et de la Schola Cantorum, elle fait du cabaret (Bœuf sur le toit), du music-hall (A.B.C) et de l'opéra bouffe, avant d'ouvrir elle-même en 1938 une salle de 40 places rue Molière. Le Capricone est un cabaret révolutionnaire : « Une scène en miniature, protégée par un rideau rouge, occupait le fond de la petite salle capitonnée. Agnès Capri, un air de candeur jeté sur son visage aigu, chantait des chansons de Prévert » (Simone de Beauvoir). Elle y est entourée d'artistes de tendance surréaliste et d'amis du groupe Octobre, entre autres Michel Vaucaire, Marcel Herrand, Prévert et Kosma, Max Jacob... « Curieuse et attachante ambiance d'où l'on sortait avec la satisfaction d'avoir entendu quelque chose de peu banal. » La guerre l'oblige à fermer le cabaret. Une tournée des artistes en zone libre est interdite et Agnès Capri recherchée par la police. Elle gagne l'Afrique du Nord et devient l'animatrice des spectacles de l'opéra d'Alger. De retour à Paris en 1944, elle rouvre les portes de son cabaret – théâtre Agnès-Capri – où Stéphane Golmann, Yves Deniaud et Fabien Lorris (dans un numéro de duettistes), Cora Vaucaire (qui vient de se constituer un répertoire), Mouloudji, les Quatre Barbus... se font entendre. Mais, miné par la concurrence, le cabaret doit fermer en 1958. Agnès Capri poursuivit jusqu'à sa mort une triple carrière de comédienne, de chanteuse et de professeur (cours de cabaret artistique au théâtre de l'Épée-de-Bois).

Jean-Michel CARADEC

Morlaix, 1946 – Rambouillet, 1981. Auteur-compositeur-interprète. Conservatoire de Brest. Intronisé par Maxime Le Forestier (il écrivit pour lui l'un de ses premiers textes, *Mai 1968*), il se fit connaître à partir de 1974 avec des ballades folk ou pop : *Île*, *La Ballade de Mac Donald* (1975), *Dans ma peau* (mus. Loudon Wainwright III), *J'aime les petites filles* (1977). Il mena une carrière sans tapage, gravissant d'un pas tranquille les marches du temple de la renommée, de l'Olympia, en vedette américaine en 1974, au théâtre des Mathurins, où il présenta pendant un mois son tour de chant en 1980. Par le climat, l'écriture de ses chansons, les thèmes au milieu desquels il se promène, cœur aux lèvres et fleur au fusil – écologie (un disque anti-pollution, *Portsall*, en 1978), Bretagne, amour, solitude –, il ne pouvait qu'entrer en résonance avec un certain public, familier d'Elton John ou des livres de Pierre Jakez Hélias. C'est parfois original (*Parle-moi*, réminiscence dylanienne, 1979), souvent un peu mièvre, mais toujours charmant.

Francis CARCO

[François Carcopino-Tusoli] Nouméa, 1886-Paris, 1958. Auteur. Fils d'un inspecteur des Domaines, il se fait connaître par ses romans (*Jésus la Caille*, 1914) et son appartenance à un groupe de poètes dits fantaisistes. Ses recueils de poèmes ont des titres qui appellent la musique : *Chansons aigres-douces*, *Petits airs*. Dans les années 1910, Francis Carco participe à la vie montmartroise. C'est un habitué du Lapin à Gill, tout comme Mac Orlan, à la belle époque de « Berthe » et de « Frédé ». Il ne dédaigne pas de pousser lui-même la rengaine en grimpant sur les tables. Son inspiration, toujours nostalgique, a inspiré nombre de compositeurs (Daniderff, Larmanjat, Léonardi) et d'interprètes de qualité (Monique Morelli, Renée Lebas). Sa chanson la plus célèbre : *Le Doux Caboulot*, créée en 1931 par Marie Dubas.

Patricia CARLI

[Rosetta Ardito] Toronto (Italie), 1943. Auteur-compositeur-interprète. Elle chante avec un sens aigu du cliché des chansons de femme-victime (*Demain tu te maries*, mus. L. Missir, 1963) qui ont un grand succès, mais préfère prendre de la distance par rapport au métier d'interprète et écrit *Oh Lady Mary* (mus. M. Bukey, 1969) pour David-Alexandre Winter et *La Tendresse* (par. D. Guichard, J. Ferrière, 1972) pour Daniel Guichard, devenant ainsi un auteur de tubes, et, par la même occasion réenregistre elle-même (*L'Homme de la plage*, 1978).

CAROLINE

Chanson, par. MC Solaar, mus. Ch. Viguier (1991). Le plus littéraire des rappeurs français déclinait ici deux syllabes d'un prénom pour en faire le point de départ d'un paradigme renvoyant aux couleurs des jeux de cartes : « Je suis l'as de trêfle qui pique ton cœur, Caroline », ou encore, « je suis l'homme qui tombe à pic pour prendre ton cœur, il faut se tenir à carreau... ». Au milieu de ce texte assez classique, il faisait également la démonstration de sa virtuosité vocale, comme pour montrer qu'on peut à la fois avoir le sens de l'écriture et être un « toaster » capable de respecter le « riddim » : « Claude MC prend le microphone genre love story raggamuffin… » Avec *Bouge de là* et *Victime de la mode*, *Caroline* marque l'arrivée de MC Solaar dans l'univers du rap français.

Claude CARRÈRE

[Claude Ayot] Paris, 1940. Imprésario, auteur. Après une carrière météorique d'interprète, il s'associe avec Jacques Plait en vue de produire des artistes débutants. En 1962, il fait signer un contrat de dix ans à Annie Chancel, seize ans, qui lui a été recommandée par Henri Leproux, le patron du Golf Drouot. Deux semaines plus tard, Annie Chancel est devenue Sheila. C'est le coup d'envoi de l'une des plus étonnantes aventures du show-business d'après-guerre. Le succès dépasse toutes les espérances. Avec les bénéfices de l'opération (plus de 25 millions de disques vendus) et avec l'assistance de Jacques Plait puis d'Hubert Ibach, Carrère peut élargir son champ d'action. La formation d'une écurie de jeunes chanteurs (Ringo, Roméo, Christian Delagrange…) et la création d'une maison de disques (Label Carrère) lui permettent de devenir en peu de temps le plus important producteur français indépendant. Il est aussi l'un des auteurs des principaux succès de Sheila (*L'École est finie*, *Adios amor*, *La Famille…*). Mesuré à l'aune du tiroir-caisse, un grand du métier.

CARTE DE SÉJOUR

Djamel Dif (batterie), Mokhtar Amini (basse), Mohamed Amini (guitare), Éric Vaquer (Guitare), Rachid Taha (voix). Ce groupe lyonnais est l'une des manifestations de la prise de parole, à la fin des années 1980, de la banlieue et des beurs, avec Karim Kacel (*Banlieue*), Khaled (*Aïcha*), Faudel (*Tellement je l'aime*) et, plus tard, Ridan, entre le raï et la chanson engagée, façon Léo Ferré. Après l'album *Rhorhomanie* (1982), ils enregistrent en 1985 *Deux et demi*, sur lequel figure la reprise de *Douce France*. « Cher pays de mon enfance », avec l'accent beur, transforme la bluette en manifeste politique : succès médiatique important, distribution du disque à l'Assemblée nationale (en présence du ministre de la Culture, Jack Lang, et de l'auteur de la chanson, Charles Trenet), lors de la discussion d'une loi sur le code de la nationalité. Mais le succès du titre fait oublier le reste du disque, chanté en arabe. Le groupe se dissout en 1988, et Rachid Taha entame alors une carrière solo.

CASINO DE PARIS

Le prestigieux music-hall du 17 de la rue de Clichy naquit en 1890. Dirigé par Desprez et Borney, il s'étendait alors jusqu'à la rue Blanche et comprenait un jardin oriental. Coupé en deux, il périclita lorsque la guerre lui fit fermer ses portes. Repris par Léon Volterra en 1917, le Casino connut alors sa grande période. La revue *Laissez-les tomber* (décembre 1917), avec Gaby Deslys et Harry Pilcer, fut la première d'une éblouissante série : *Pari-ki-ri* (1918), qui consacre le couple vedette Mistinguett-Chevalier, *La Grande Revue* (1919), dans laquelle Max Dearly et la Miss jouèrent pour la dernière fois la « valse chaloupée », *Paris qui danse*, un cocktail de toutes les sortes de danses, *Paris qui jazz* dans laquelle Mistinguett créa *Mon homme*, *En douce*, où une cuve de 100 000 litres d'eau fut montée sur la scène... Le maître d'œuvre, Jacques-Charles, avait su grouper autour de lui les collaborateurs les plus talentueux : Albert Willemetz et Saint-Granier pour les paroles, Maurice Yvain et Borel-Clerc pour la musique, le jeune Gesmar et le couturier Paul Poiret pour les décors et costumes. Et sur le plateau, Mistinguett, Chevalier, mais aussi Dorville, le comique maison, Rose Amy, Jane Marnac et les vedettes américaines Pearl White et Vernon Castle...

Premier music-hall de Paris, le Casino influa sur l'orientation de la chanson à grande diffusion en popularisant les rythmes d'outre-Atlantique (ragtime) et en amenant les paroliers à simplifier et grossir leurs effets. « Jacques-Charles et Léon Volterra nous ont habitués à ne chercher dans les revues du Casino de Paris que le plaisir des yeux. Ils nous dédommagent d'ailleurs si largement de ce qui est refusé du côté de l'esprit que nous ne songeons plus à exprimer des regrets », écrivait alors le critique Gustave Fréjaville. Et il ajoutait : « Cette prodigalité est dangereuse ; d'éblouissements en éblouissements, on perd la force d'admirer. » Cette évolution ne put être endiguée lorsque Oscar Dufrenne et Henri Varna prirent la relève de Volterra (1924). Fidèles à la tradition de la maison, ils firent appel aux grandes vedettes pour mener leurs revues : Mistinguett, Joséphine Baker qui créa *J'ai deux amours* (1930), Marie Dubas dans *Sex-appeal 32*, Chevalier qui créa *Y'a d'la joie* (1939). Ce fut Varna qui donna l'occasion à Cécile Sorel de prononcer ce mot historique : « L'ai-je bien descendu ? » (l'escalier) ; ce fut lui qui révéla Tino Rossi, un chanteur corse, dans la *Parade de France* (1934), qui engagea aux côtés de Mistinguett deux ex-boys du Casino, Pills et Tabet (1936). La retraite de Mistinguett (1949), de Chevalier, la crise du music-hall, la hausse des cachets allaient poser le problème de la vedette. Varna le résolut provisoirement en faisant confiance à des artistes du tour de chant et du disque : Line Renaud (1959) et Mick Micheyl. Mais cela ne pouvait suffire à renouveler une forme de spectacle depuis longtemps fossilisée. Même Roland Petit et Zizi Jeanmaire, qui succédèrent à Varna, mort en 1969, n'osèrent porter qu'une couche de vernis à l'ancien fonds. Malgré le retour de Line Renaud, le Casino dut fermer ses portes en 1979.

CASSER LA VOIX

Chanson, par. P. Bruel, G. Presgurvic, mus. P. Bruel (1989). On raconte que Patrick Bruel écrivit cette chanson en sortant d'un concert de Jacques Higelin, dont on sait qu'il peut chanter des heures jusqu'à se casser la voix, justement. Il s'agirait donc d'un simple récit, d'une chanson journalistique en quelque sorte. C'est plausible, quoique rien dans le texte n'avalise vraiment cette version. Mais Bruel, acteur tout autant que chanteur, a le sens des rôles de composition, et il a su s'approprier le personnage qu'il mettait en scène. *Casser la voix* est ainsi devenue une chanson centrale dans le phénomène de la Bruelmania, lançant le personnage avec, dans une moindre mesure, *Alors regarde* et *Place des grands hommes.* Elle a été reprise par P. Kaas, D. Hallyday et Garou sur l'album *Enfoirés en 2000.*

Jean-Roger CAUSSIMON

Montrouge, 1918 – Paris, 1985. Auteur-interprète. Acteur de théâtre, radio, TV, il commence à chanter au Lapin à Gill des poèmes nostalgiques évoquant des voyages dans l'espace et dans le temps. Mis en musique et interprété par Léo Ferré (*Comme à Ostende, Monsieur William, Le Temps du tango*), Philippe Clay (*Bleu-blanc-rouge*), il devient en 1971 son propre interprète et enregistre grâce à Pierre Barouh. Il connaît quelques succès radio (*Les Cœurs purs*, mus. E. Robrecht, *La Java de La Varenne*) et, pour ses récitals, choisit les théâtres (Vieux-Colombier, Renaissance, Gaîté-Montparnasse) où il campe un magnifique personnage de grand-père anarcho-écolo-sentimental et drôle (*Si vis pacem*), et nettement plus jeune que sa musique.

C'EST SI BON

Chanson, par. André Hornez, mus. Henri Betti (1947). Sur cet air qui, pendant trois ans, n'inspira aucun interprète, André Hornez eut quelque hésitation à mettre « C'est si bon », alors que Charles Trenet venait de lancer son « C'est bon... ». La chanson dormait dans les tiroirs des éditions Paul Beuscher quand Suzy Delair la prit et l'emporta au Festival de jazz de Nice. Louis Armstrong l'entendit et l'emmena en Amérique. Elle ne nous revint que par son intermédiaire. Bien que composée par un musicien de formation classique, cet air de jazz est tellement authentique que les Américains sont persuadés que la chanson appartient à leur folklore noir et qu'elle a été traduite en français. Les Français eux-mêmes se demandent si ce n'est pas Armstrong qui l'a inventée et chantée en français pour leur faire plaisir. Parmi ses divers avatars, il faut signaler le tour du monde musical que lui fait accomplir Marcel Amont dont c'est, sur scène, le morceau de bravoure.

CHACUN FAIT (C'QUI LUI PLAÎT)

Chanson, par. Philippe Bourgoin, mus. Gérard Presgurvic (1981). « Cinq heures du mat' j'ai des frissons... » En 1981, ce titre, *Chacun fait c'qui lui plaît*, passe presque en boucle sur les radios et se vend à 3 millions d'exemplaires. Derrière le titre, un duo, Chagrin d'amour (Vally et Gregory Ken : Valli Kligerman, New Haven, États-Unis, 1958, Jean-Pierre Trochu-Giraudon, 1947-1996), qui n'aura guère d'avenir. Mais *Chacun fait (c'qui lui plaît)* a, rétrospectivement, une énorme importance historique, représentant le premier rap français. Ce n'est qu'en 1990 que paraîtra *Rappattitudes*, compilation de différents groupes de rap, en 1991 que MC Solaar sortira son premier disque et en 1993 que le groupe marseillais IAM se fera connaître avec *Je danse le mia*. Dix ans d'avance, donc.

Alain CHAMFORT

[Alain Le Govic] Paris, 1949. Compositeur-interprète. Pianiste classique de formation, il participe à quelques petits groupes puis accompagne Herbert Léonard, Éric Charden, et, à partir de 1966, Jacques Dutronc, avant d'entamer une carrière solo sous son vrai nom, sans aucun succès. Sa rencontre avec Claude François le lance à la fois comme compositeur de tubes et comme chanteur pour jeunes filles en fleurs, mais il se cherche toujours. C'est Serge Gainsbourg qui, écrivant les textes de son album *Rock'n Roses* (1977), le met sur sa voie. Et, en 1979, *Manureva* (paroles de Gainsbourg), hommage au navigateur disparu Alain Colas, le lance définitivement (il collabore aussi avec les paroliers Jean-Michel Rivat et Pierre Grosz). Les albums se succèdent alors (*Année zéro*, 1981, *Tendres Fièvres*, 1986, *Neuf*, 1993, *Personne n'est parfait*, 1997). Entre-temps, il produit la chanteuse Lio (*Les Brunes comptent pas pour des prunes*, 1986). Dans cette carrière en zigzag, on a du mal à percevoir ce qui se cache vraiment derrière cet esthète ostentatoire mais musicien raffiné. Le titre d'un album de 1983 le résume peut-être tout entier : *Secrets glacés.*

La CHANSON DE CRAONNE

Chanson, par. anonyme, mus. Charles Sablon (1917). Encore appelée *Chanson de Lorette.* Recueillie par Paul Vaillant-Couturier et Raymond Lefèbvre, cette complainte, chantée par les poilus sur le front de l'Aisne, où se trouve le plateau de Craonne, est un témoignage direct sur l'état d'esprit des troupes françaises au moment de l'échec de l'offensive Nivelle et des mutineries d'avril 1917 :

> *Ceux qu'ont l'pognon, ceux-là r'viendront*
> *car c'est pour eux qu'on crève,*
> *mais c'est fini, car les troufions*
> *vont tous se mettre en grève.*

Si les paroles sont sans doute le fruit d'une écriture collective, l'air est celui d'une romance de Charles Sablon, *Bonsoir m'amour* (1911).

La CHANSON DE TESSA

Chanson, par. Jean Giraudoux, mus. Maurice Jaubert (1934). Pour cette pièce adaptée du roman de Margaret Kennedy, *La Nymphe au cœur fidèle*, Louis Jouvet, qui la montait au théâtre de l'Athénée, avait demandé la musique de scène au compositeur qui venait de s'affirmer dans *Juliette ou la Clé des songes* de Georges Neveux. Au Ier acte, d'une manière soudaine, la voix du héros, Lewis (Louis Jouvet), s'élève « avec une ferveur qui stupéfie les autres » (Jean Giraudoux) :

> *Si tu t'en vas, la vie est ma peine éternelle*
> *si tu meurs, les oiseaux se tairont pour toujours*
> *si tu es froide, aucun soleil ne brûlera...*

puis celle de Tessa (Madeleine Ozeray) :

> *Si je meurs, les oiseaux ne se tairont qu'un soir*
> *si je meurs, pour une autre un jour tu m'oublieras.*

« Sans doute la plus émouvante des chansons de théâtre et l'une des plus belles mélodies – monodies, pourrait-on dire, tant l'accompagnement de la main droite est discret – qui soient », écrira François Porcile. De toutes les interprétations suscitées par ce classique de la chanson d'amour, retenons celle, *mezza voce* et sans apprêt, de Jean-Pierre Kalfon et Valérie Lagrange (1966).

La CHANSON DES BLÉS D'OR

Chanson, par. C. Soubise-L. Lemaître, mus. F. Doria. Lancée par un inconnu, Frédéric Doria, vers 1870, au Concert Parisien ; reprise par Marius Richard à la Scala, elle est passée dans le répertoire de tous les chanteurs à voix patentés ou occasionnels : n'est-ce pas elle que l'on « pousse », encore aujourd'hui, à la fin des repas de fête, en milieu populaire ? Il serait du plus haut intérêt d'analyser ce phénomène de longévité (une enquête de 1957 la donnait comme la chanson la plus demandée par les auditeurs d'un poste parisien), et d'en fournir une explication non seulement en ce qui concerne cette chanson, mais aussi pour toutes celles qui se rattachent au courant « agraropopuliste » du XIXe siècle (*L'Angélus de la mer*, *La Voix des chênes*, *Les Bœufs*...). La référence à l'imagerie de la terre, de la famille, de la religion, en somme à tout ce qui s'apparente à un ordre stable, pérenne, et sa traduction musicale (berceuse) ou vocale (registre des basses) peut en donner la clé.

CHANSON PLUS BIFLUORÉE

Groupe issu de la fusion en 1985 du duo le Mécanophone (Robert Fourcade, ?-2005, et Xavier Cherrier, 1957) et du duo le Gong du Balayeur (Michel Puyau – Bayonne, 1957 – et Sylvain Richardot – Aix-en-Provence, 1959). Spécialisés dans la reprise (Trenet, Brassens, Boby Lapointe, mais aussi *L'Internationale*), mais interprétant aussi leurs propres œuvres, les quatre lascars accumulent d'abord les succès de scène (Printemps de Bourges, 1986, 1987, 1990, 1991 ; Olympia, 1990 ; Francofolies de La Rochelle, 1990, puis tournées diverses à travers le monde), tant leurs prestations vocales et gestuelles sont parfaites. Étant donné l'importance des gags visuels dans leurs spectacles, le passage au disque semble alors problématique : comme les Frères Jacques, ils doivent être consommés visuellement. Leur premier album (1991) est cependant couronné par l'Académie Charles-Cros. Suivent *Pourquoi les girafes* (1992), *Le Meilleur en public* (1997). À partir de 1998, ils ne sont plus que trois (Robert Fourcade ayant décidé de suivre une autre voie) et continuent dans la même inspiration loufoque (*Le Cédé en public*, 2003, *Peinture à carreaux*, 2005).

CHANSON POUR L'AUVERGNAT

Chanson, par. et mus. Georges Brassens (1955). En accréditant auprès d'un public choqué par les verdeurs du *Gorille* une nouvelle image de Brassens, poète de la fraternité, elle élargit certainement l'audience du chanteur. Sa source d'inspiration directement chrétienne (qu'on retrouve dans *La Prière*) valut à Brassens la sollicitude de (certains) journalistes catholiques. Mais à aucun moment son auteur ne reniera l'œuvre. Entre cette moderne parabole du bon Samaritain (qui s'inspire de l'accueil que firent à l'auteur, pendant la guerre, Jeanne et son mari) et l'univers de Brassens, des *Copains d'abord* à *Jeanne*, c'est la même recherche d'un monde où l'homme ne serait plus un loup pour l'homme.

Le CHANT DES PARTISANS

Chanson, par. Joseph Kessel-Maurice Druon, mus. Anna Marly (1943). Sur un air composé par Anna Marly et destiné à être l'indicatif de la radio de la France libre, Kessel et Druon écrivirent leurs paroles en quelques heures. Sifflé par Claude Dauphin sur les ondes de la BBC et chanté par Germaine Sablon dans le film d'Albert Cavalcanti, *Pourquoi nous combattons*, il se répandit avec une rapidité extraordinaire pour être au rendez-vous de l'Histoire et honorer son titre officiel : *Le Chant de la Libération*. Hymne de l'ombre, cette marche se caractérise par son rythme lent. Effet renforcé par la métrique inhabituelle – vers de 11 pieds, chute de 3 pieds – mais régulière. La mélodie progresse par imitation et retrouve son point de départ à chaque chute de rythme. Chant du combattant, il valorise le maquisard et, à travers lui, les classes sociales qui supportent l'essentiel de la lutte, qui paient « le prix du sang et des larmes ». La reconnaissance de cet état de fait par deux auteurs d'obédience gaulliste n'en est que plus significative. *Le Chant des partisans* reflète ainsi parfaitement la réalité de la Résistance, y compris dans ses ambiguïtés. Il a notamment été enregistré par Germaine Sablon (1945) et par Yves Montand (1955).

Le CHANTEUR

Chanson, par. et mus. Daniel Balavoine (1978). Il y avait Aznavour et son *Je m'voyais déjà*, il y aura un an plus tard *Le Blues du business-man* (« J'aurais aimé être un artiste », *Starmania*). Entre les deux, Balavoine lance une sorte de manifeste qui marque sa véritable entrée dans le club des grands de la chanson : « Je m'présente je m'appelle Henri, j'voudrais tant réussir ma vie [...] et surtout être intelligent... » On peut y entendre quelques échos de Jacques Brel (« être beau et con à la fois », *Jacky*), on y découvrait surtout une voix, qui allait faire merveille, en 1979, dans *Starmania*, justement, puis dans une carrière brutalement interrompue en 1986.

Manu CHAO

Paris, 1961. Auteur-compositeur-interprète. Né de parents espagnols, il participe à différents groupes (Hot Pants, 1986, les Carayos, 1986-1987) comme chanteur et guitariste, avant de créer la Mano Negra (1988-1994). Après l'éclatement du groupe, il entame une carrière solo ponctuée par des disques connaissant un énorme succès : *Clandestino* (1998, vendu à trois millions d'exemplaires), *Proxima Estación : Esperanza* (2001) et enfin *Sibérie m'était contée* (2004), qui constitue un concept original : un album de vingt-trois chansons enchâssé dans un livre illustré par Wozniak, le tout diffusé en librairie. Guitare sèche, musiques venues des quatre coins de l'univers et de tous les horizons rythmiques, mélange de langues qui en font un chanteur linguistiquement inclassable (francophone, hispanophone, mais aussi anglophone, voire arabophone), il se pose en porte-parole de l'alter-mondialisme, des exclus, des bidonvilles, et connaît un succès mondial (il vend autant de disques à l'étranger qu'en France). Son univers musical, mêlant cordes et cuivres, et son acoustique résolument latino-américaine participent à cette ambiance (alter)mondialiste. Il a également réalisé l'album d'Amadou et Mariam, *Dimanche à Bamako* (2005).

Robert CHARLEBOIS

Montréal (Canada), 1944. Auteur-compositeur-interprète. Apprend la musique chez les sœurs, puis la comédie à l'École nationale du théâtre. Son premier disque, en 1966, est un événement dans la chanson québécoise : une jeunesse nourrie au lait de la « révolution tranquille » se reconnaît dans ce chanteur résolument en marge. Les remous suscités par son spectacle musical *Osstidcho* (Show de l'hostie, Comédie Canadienne, 1968) lui confèrent la stature d'un chef de file. Après s'être imposé au Québec, il part à la conquête du Vieux Monde. Premier prix du Festival de Spa (1968), il se produit dans des conditions assez malheureuses à l'Olympia (1969). Mais le succès de *Lindberg* (par. C. Peloquin), interprétée en duo avec Louise Forestier, puis d'*Ordinaire* (par. Mouffe) et de *Cartier* (par. D. Thibon), son sens du show (Comédie Canadienne, 1974 ; Palais des Congrès de Paris, 1976 et 1979) lui assurent une place à part dans la chanson francophone. Se démarquant de la chanson traditionnelle (de Félix Leclerc à Gilles Vigneault) qui se réfère au modèle français et à l'image d'un Canada blanc et poudreux, il réalise la synthèse entre une tradition linguistique sauvegardée et un environnement façonné par deux siècles d'anglophonie. Réinvestissant le joual, la langue des faubourgs montréalais, il marie avec bonheur la phonétique française et la rythmique rock et donne du Québec un image composite, du travail (*Mon pays ce n'est pas un pays c'est un job*, par. R. Ducharme) à l'amour (*Parle-moi*, par. M.-J. Casanova, *Chanson pour Mouffe*) et au sentiment national (*Québec love*, par. D. Gadouas, *Mon ami Fidel*). Mais la bâtardise culturelle, à force d'être chantée, a fini par être reconnue, et Charlebois rejoint ceux dont il se distinguait à l'origine, Félix Leclerc et Gilles Vigneault (Francofête, 1974), assumant son statut de « gars ben ordinaire » qu'il a chanté. Séparé de son épouse Mouffe, auteur de ses meilleurs textes, il se tourne vers des paroliers à la mode (Dabadie, Barbelivien, Plamondon...) qui lui façonnent une image assagie. Ayant perdu une partie de son aura, il s'éloigne un peu de la scène et se tourne vers le cinéma (*Les Longs Manteaux*, de Gilles Béhat, *Sauve-toi Lola* de Michel Drach) et vers la fabrication de bière, mais revient cycliquement devant le public (Francofolies, 2004).

CHARLES ET JOHNNY

▶ Charles TRENET et Johnny HESS.

Les CHARLOTS

Groupe vocal et instrumental, composé de G. Filipelli, J.-G. Fechner, L. Rego, G. Rinaldi et D. Rieubon. Ont débuté en 1965 sous le patronyme des Problèmes en accompagnant Antoine. Puis, en même temps qu'ils changeaient de nom, ils mirent au point un numéro de parodie burlesque, influencés par les Brutos. Jacques Dutronc, Antoine (*Je dis n'importe quoi, je fais tout ce qu'on me dit*), Serge Gainsbourg furent parmi leurs principales victimes. Ils adaptèrent également certains succès de l'avant-guerre (*Sur la route de Pen-Zac*, Georgius-Trémolo), des chansons de Boris Vian (*On n'est pas là pour se faire engueuler*) et mirent le folklore à diverses sauces, dont celle de la lutte pour l'environnement (*Derrière chez moi*). Leurs clowneries ne sont pas toujours gratuites.

Philippe CHATEL

Paris, 1948. Auteur-compositeur-interprète. Garçon de courses d'Henri Salvador, rédacteur de messages publicitaires, il écrit en même temps des chansons très marquées par l'influence de Georges Brassens (auquel il a consacré un livre). Premier disque en 1976 et premier succès avec *J't'aime bien Lili*. En 1977, nouveau disque et nouveau succès (*J'suis resté seul dans mon lundi*), même opération en 1978 (*Mister Hyde*). L'ensemble est habile, mais harmoniquement et mélodiquement peu varié. Il trouve sa voie en 1979 en écrivant un conte musical pour enfants, *Émilie jolie*, interprété par les plus grandes vedettes du moment (Brassens, Charlebois, Souchon, Simon, Mitchell, Vartan, Clerc, etc.), qui connaîtra une version télévisuelle. Philippe Chatel disparaît ensuite du paysage musical, malgré l'enregistrement de quelques disques (*Passé composé*, 2004).

Le CHAT NOIR

Cabaret montmartrois (1881-1898). D'abord situé boulevard Rochechouart, il émigre en 1885 rue Lavai, aujourd'hui rue Victor-Massé. Fondé par un fils de négociant en spiritueux, Rodolphe Salis, le cabaret est au départ un simple débit de boissons, agrémenté d'un attirail décoratif assez baroque : à l'enseigne, un chat noir à poil ras perché sur un réverbère, peint par Willette et que Salis avait trouvé par hasard ; à l'intérieur, un vitrail à prétention symboliste, et au-dessus du comptoir une tête de chat génératrice de rayons d'or. Les murs étaient recouverts de tapisseries, le mobilier ancien baptisé Louis XIII. La rencontre du « gentilhomme cabaretier » et de Goudeau, ex-président du Club des Hydropathes, y amena la clientèle des chansonniers du Quartier latin. En 1882, Salis eut l'idée de fonder un journal hebdomadaire, du même nom que le cabaret, qui était distribué gratuitement, et auquel collaborèrent Goudeau, Caran d'Ache, Steinlen, Alphonse Allais. Le vendredi, toutes portes fermées, les anciens Hydropathes improvisaient un concert, animé par Goudeau. Piqué au jeu, Salis s'y essaya à son tour et révéla des dons de bateleur hors pair. Sa manière était d'assener sur ses clients une bordée d'injures hautes en couleur puis, le mot lui faisant défaut, de les inviter à renouveler leurs consommations. Certains soirs, en l'absence du patron, c'était un chansonnier, Aristide Bruant, qui faisait office de goguetier. On retrouva bientôt le Tout-Paris littéraire aux soirées du Chat noir. À l'étroit boulevard Rochechouart, Salis transporta ses meubles rue Victor-Massé. Le déménagement se fit au son de la marche de Bruant, *Autour du Chat noir*. Le nouveau décor était encore plus pittoresque que l'ancien, avec son hallebardier, sa salle des gardes, son grand escalier d'honneur, sa salle des fêtes. Le programme consistait, comme au premier Chat noir, en une succession de tours de chant et de présentations de poèmes introduits par Salis. Plus tard, celui-ci y adjoignit un spectacle de guignol, puis des jeux d'ombres sur fond de chansons, initiative qui eut un grand succès et qui devint une des spécialités du Chat noir. La réputation du cabaret était alors à son faîte, et il fallait passer par le Chat noir pour être consacré chansonnier. Mais Salis était d'une avarice remarquable, et certains des pensionnaires souhaitèrent voler de leurs propres ailes. Déjà Bruant avait repris l'ancien local du boulevard Rochechouart pour en faire le Mirliton. Il fut suivi par Goudeau, par Gabriel Salis, frère du gentilhomme, par Jules Jouy et d'autres encore. Concurrence, certes, mais aussi rançon du succès. Ayant conquis Paris, Salis voulut conquérir la France, et, pourquoi pas, le monde. En 1892, la Compagnie du Chat noir quitte pour la première fois Montmartre pour Rouen. Par la suite, on put l'applaudir dans presque toutes les grandes villes françaises, en Suisse, en Belgique, en Afrique du Nord. Dans chaque ville, on intégrait quelques éléments de la chronique locale. En 1897, le bail arrivant à terme, Salis doit céder le local. Lors d'une dernière tournée en Europe, Salis, fatigué, tombe malade et abandonne l'entreprise. Toutes les tentatives de relance (telle celle de Jean Chagot en 1908) échouèrent.

Mais si le cabaret disparaissait, le « chanoirisme », l'esprit Chat noir, continuait. Héritier de la tradition du caveau et de la goguette, non conformiste sans être subversif, il était ondoyant et divers dans ses expressions, la présence de chanteurs aussi différents que Mac-Nab, Jules Jouy, Jacques Ferny, Léon Xanrof, Vincent Hyspa, Marcel-Legay, Paul Delmet, Aristide Bruant en est la preuve (« Nous fûmes tour à tour et même simultanément lyriques, réalistes, mélancoliques, satiriques, graves, funambulesques », L. Durocher). Né dans les milieux de petite et moyenne bourgeoisies de la IIIe République, l'esprit Chat noir témoigne de leur aspiration à une forme d'expression bien à eux. Gagnant la chanson à une certaine exigence littéraire, et le milieu littéraire à un certain intérêt envers la forme chansonnière, toucha le caf'conc', élargit son répertoire et contribua à relever le niveau de ses productions. Et si, aujourd'hui, le 12 de la rue Massé n'est plus qu'un immeuble remarquable par sa banalité, il est encore possible de retrouver dans les caveaux des chansonniers, dans les cabarets rive gauche, un peu de cet esprit qui l'habita.

Les CHAUSSETTES NOIRES

Groupe vocal et instrumental (1960-1964). Eddy Mitchell (Claude Moine) et quatre de ses amis avaient constitué un groupe rock, les Five Rocks, qui passa pour la première fois au Golf Drouot. Ils retiennent l'attention de Jean Fernandez, directeur artistique chez Barclay, qui les engage. Les chaussettes Stemm se mettent de la partie : sur proposition de Lucien Morisse, qui assure la promotion du groupe, les Five Rocks deviennent les Chaussettes Noires. Les intéressés l'apprennent en entendant à la radio leur premier disque, *Be bop a lula*, sorti en janvier 1961. Une apparition remarquée au festival rock du Palais des Sports, une tournée Stemm, et les voilà promus vedettes. *Daniela*, *Eddy sois bon*, *Dactylo-rock* sont des tubes. Mais l'armée les appelle : c'est la fin du groupe. Technique vocale et instrumentale balbutiante, répertoire et jeu de scène imités des maîtres américains : Eddy et ses copains (trois guitaristes et un batteur, auxquels s'ajouta un saxo ténor) n'ont pas révolutionné le rock. Qu'importe ! « Ce qui enthousiasmait le public, ce n'était pas notre musique, mais notre âge » (Eddy Mitchell).

Louis CHEDID

Ismaïlia (Égypte), 1948. Auteur-compositeur-interprète. Fils de la poétesse libanaise Andrée Chedid, il arrive en France à l'âge de six mois. Après des études secondaires dans un établissement catholique (il se produira avec les Petits Chanteurs à la Croix de Bois), il fréquente un an une école de cinéma à Bruxelles, puis travaille un temps comme monteur chez Gaumont avant de se lancer dans la chanson en 1973 (premier album, judicieusement intitulé *Balbutiements* puis, en 1974, *Nous sommes des clowns*). Mais il ne touche le grand public qu'en 1978 (*T'as beau pas être beau*), transforme l'essai en 1980 (*Egomane*) et confirme en 1982 (*Ainsi soit-il*, passage à l'Olympia en mai). Ses chansons d'apparence légère cachent derrière leur discrétion un regard incisif sur le monde, qui va parfois jusqu'à la dénonciation sans ambiguïté de l'extrême droite (*Anne ma sœur Anne*, 1985). Textes ciselés, pleins d'humour, musiques variées (dans la lignée classique d'un Brassens aussi bien que dans celle du jazz), il apparaît comme un artisan de la chanson, qui parfois travaille pour les autres : *Moi vouloir toi* (pour Françoise Hardy) ou *Banal Song* (pour Alain Souchon). Sa carrière semble marquer le pas dans les années 1990, mais il revient en 2001 avec *Bouc Bel air*, puis en 2004 avec *Un ange passe*. Louis Chedid est sans doute le plus cinéaste des chanteurs, et aurait pu être le plus chanteur des cinéastes. Il a dorénavant dans le métier un confrère qui se trouve être aussi son fils, M (Matthieu Chedid).

Georges CHELON

Marseille, 1943. Auteur-compositeur-interprète. Étudiant en sciences politiques à Grenoble, il gagne un concours dont le premier prix est un enregistrement chez Pathé-Marconi et débute sur les antennes de Radio Monte-Carlo (1965) par une chanson-cri contre un *Père prodigue.* Prix de l'Académie de la chanson française en 1966 avec son second disque, il passe à Bobino en 1968 et connaît quelques succès radiophoniques avec des chansons en demi-teintes, baignant dans une poésie de bon aloi (*Morte saison*) portée par des mélodies un peu répétitives. Les disques se succèdent (*Commencer à revivre*, 1977, *Tous les deux comme hier*, 1979, *Poète en l'an 2000*, 1983, *Les Portes de l'enfer*, 2000, *L'Impasse*, 2005), entrecoupés d'absences de plus en plus longues : une carrière en dents de scie.

Le CHEVAL D'OR

Cabaret rive gauche, rue Descartes, Paris (1955-1969). Les duettistes Suc et Serre furent les premiers animateurs de cette petite salle de la montagne Sainte-Geneviève. Après le suicide de Jean-Pierre Suc (1959), Léon Tcherniak, le patron, fit appel aux A.C.I. de la rive gauche. Peu à peu, une formule originale se dégagea : première partie servant de banc d'essai, qui révéla notamment Marcel Amont, Raymond Devos et, en dernier lieu, Daniel Beretta et Richard de Bordeaux ; deuxième partie animée par l'équipe permanente. La pierre angulaire en fut longtemps Ricet Barrier, qui rodait là ses spectacles, entouré par Annie Colette, Anne Sylvestre, Boby Lapointe et Roger Riffard, les conteurs Jean Obé, Raymond Devos, François Lalande... Assurément, l'un des lieux les plus chaleureux et les plus inventifs de la rive gauche.

Maurice CHEVALIER

Paris, 1888-1972. Interprète-auteur. Après une enfance difficile, il quitte l'école à onze ans pour gagner sa vie. Pendant quelques mois, il travaille dans un atelier de passementerie, puis de punaises. En 1899, il obtient la permission de chanter le soir au café des Trois Lions, boulevard de Ménilmontant. À douze ans, il décroche son premier engagement (à 12 francs la semaine) au casino des Tourelles. Imitant les grands comiques de l'époque, Dranem, Boucot, Montel, et interprétant leur répertoire surtout grivois, son extrême jeunesse et sa gaucherie lui permettent de s'imposer auprès du difficile public des caf'conc' de quartier : il est alors « le petit Jésus », « le petit Chevalier ». Puis, des hauteurs de Belleville, il descend vers les Boulevards où il commence sa mue qui, de comique « paysan » (son costume : chapeau melon, veste jaune à carreaux, grandes chaussures), le transforme en jeune fantaisiste parigot, avec déjà quelques touches du dandy anglais. Il obtient ses premiers succès de scène : Alcazar de Marseille (1907), Folies-Bergère, en vedette aux côtés de Jane Marnac (1908), puis, pour la première fois, de Mistinguett, avec laquelle il interprète la célèbre « valse renversante » (1912). Fait prisonnier en 1914, il est « ramené » à Paris par Mistinguett en 1916. De l'armistice à son départ pour Hollywood, il connaît une ascension triomphale. Il s'impose dans la revue au Casino de Paris (*Laissez-les tomber, Avec le sourire, Aux côtés de la Miss*), dans l'opérette aux Bouffes-Parisiens (*Dédé, Là-haut*), où il obtient ses premiers succès de chansons : *La Madelon de la victoire* (L. Boyer-Borel-Clerc), 1919 ; *Dans la vie faut pas s'en faire* (A. Willemetz-H. Christiné) et *Je ne peux pas vivre sans amour* (F. Pearly-G. Gabaroche), 1921 ; *Valentine* (A. Willemetz-H. Christiné), 1924. C'est à cette époque qu'il adopte le smoking, découvre le canotier, et met au point son fameux pas de côté.

Dans ces années qu'on surnommera « folles », il représente la modernité. La chance de Maurice Chevalier est de s'être trouvé en harmonie parfaite avec l'air du temps. Au sortir de la grande boucherie, alors qu'une partie de la société tournait ses regards vers la grande espérance qui se levait à l'Est, l'autre visait à s'oublier, à s'enivrer dans un tourbillon de lumières, de brillances et de rythmes. Les danses « nègres », l'américanisme à la mode, les paillettes et les strass, le music-hall les offrait. La fureur de vivre, la vitalité joyeuse et trépidante, le « dandy de Ménilmuche » les incarnait. Celui qui brûlait les planches du Casino de Paris faisait figure de prototype du jeune premier sportif, mais, en même temps, il était le « p'tit gars de chez nous » qui a réussi à la force du poignet. Ce côté « gosse de Paris » se renforcera à mesure que l'âge estompera les prestiges de la jeunesse. Le séjour à Hollywood (1928-1935), en même temps qu'il faisait de « Maurice » une vedette mondiale, surimposera une autre version à celles déjà connues de son personnage : l'ambassadeur officiel de la gaieté et du charme français, l'article de Paris pour exportation, qui imite à merveille l'accent parisien dans la langue du pays d'adoption.

À son retour à Paris, Chevalier pouvait appréhender l'accueil que lui réserverait le public. Mais, malgré les années d'absence, celui-ci est excellent (Casino de Paris, 1937), on le mesure à la popularité de ses chansons, particulièrement nombreuses en ces années d'avant-guerre : *Quand un vicomte* (J. Nohain-Mireille, 1935) ; *Donnez-moi la main* (P. Bayle-Valsien, Learsi, 1935) ; *Prosper* (G. Koger, V. Telly-V. Scotto, 1935) ; *Ma pomme* (G. Fronsac, L. Bigot-Borel-Clerc, 1936) ; *Y'a d'la joie* (C. Trenet, 1937) ; *Ça fait d'excellents Français* (J. Boyer-G. Van Parys, 1939). La guerre va perturber quelque peu cette harmonieuse carrière : Chevalier, cédant aux pressions des forces d'occupation, se produit au Casino de Paris en 1942, puis devant les prisonniers de guerre du camp d'Alten-Grabow, en Allemagne. De plus, à côté de refrains faubouriens (*La Marche de Ménilmontant*, par. M. Vandair, mus. H. Betti, 1941), il avait participé à la diffusion de l'idéologie vichyste, avec des chansons comme *Ça sent si bon la France* (J. Larue-Louiguy, 1941) et *La Chanson du maçon* (M. Vandair-H. Betti, 1941). Tout cela, aggravé par l'utilisation qu'en firent les nazis, faillit lui coûter la vie à la Libération (il fut sauvé, entre autres, par l'intervention d'Aragon). Cette attitude n'est pas pour étonner. Chevalier s'est toujours inscrit dans le cadre des idées, des normes dominantes ; professionnellement, aller dans le sens du plus grand nombre ne pouvait avoir que des avantages pour lui qui se voulait chanteur du peuple. Socialement, il était lui-même une réussite du système et, par son personnage (il ne manquait pas une occasion de s'afficher auprès des « grands » de ce monde) comme par l'idéologie de ses chansons, il servait de caution populaire à l'ordre établi. Aussi, en une période de rupture du consensus national, lui fallait-il faire montre d'une grande prudence, car son renom même faisait de sa personne un enjeu. Cette prudence, en la circonstance, lui manqua.

Après 1944, il se fit l'interprète d'un des succès de la Libération, *Fleur de Paris* (M. Vandair-H. Bourtayre), et abandonna le Casino de Paris (et la revue de music-hall) pour le théâtre des Champs-Élysées et la formule du one man show (1948, puis 1954 ; 1963). Dans ses tours de chant, les monologues intercalés entre les chansons tendent à gagner en importance, le tempo de l'interprétation à se ralentir. Mais jusqu'à ses adieux à la scène, à l'occasion de ses « quatre-vingts berges » (1968, théâtre des Champs-Élysées), Chevalier chantera, de par le monde, devant des salles combles.

C'est que, malgré la relative pauvreté de ses chansons, l'absence de hardiesse de son répertoire (*Y'a d'la joie* est l'exception, et il ne l'a acceptée que sur l'insistance de Raoul Breton) avec un organe vocal médiocre et un type d'interprétation singulièrement peu varié – une fois posé ce qui en est la caractéristique : gouaille faubourienne soigneusement entretenue, phrasé mi-parlé mi-chanté –, Maurice Chevalier arrivait à gagner même les salles les moins bien disposées à son égard. Et, dans cette conquête, son arme absolue a toujours été la manière dont il enveloppait le public de son sourire, appelait sa sympathie, l'attirait dans les filets de son charme. Ce type de rapport au public (qu'illustrera plus tard, à sa manière, un Gilbert Bécaud) est fondé sur la recherche du consensus et exclut toute distance critique. Homme de scène d'abord, Chevalier y subordonnait tout le reste.

Maurice Chevalier a commencé en 1946 à publier ses mémoires, *Ma route et mes chansons*, où il fait revivre, autour de son personnage, toute une époque de l'histoire de la chanson. Sa mort fut l'occasion d'un embaumement quasi officiel et d'un déferlement d'hommages unanimes. Mais à quel Chevalier ceux-ci s'adressaient-ils ?

CHEZ FYSHER

Cabaret, rue d'Antin, à Paris. Imitant le Café de Paris, Nilson-Fisher, Turc naturalisé Anglais, ouvre au lendemain de la Grande Guerre la première boîte de nuit de luxe. Sa formule est d'additionner champagne, chansons et heures d'ouverture tardives (minuit-2 heures) en faisant payer le prix fort, moyen nécessaire pour attirer les noctambules argentés. En peu de temps, le cabaret Chez Fysher devient un des endroits en vogue de Paris. Il n'avait rien à voir avec les boîtes montmartroises qu'on connaît aujourd'hui : le public, sans doute inspiré par le monocle et le visage glabre de Fysher, faisait silence pour écouter les artistes qui défilaient sans interruption. Le programme était de qualité. Parmi les vedettes maison, nous trouvons les noms de Cora Madou, Gaby Montbreuse, Charles Fallot, Bétove, la Roumaine Dora Stroeva, le ténorino napolitain Pizella. C'est Chez Fysher que se révélèrent Lucienne Boyer, Lys Gauty, Yvonne George. La soirée se terminait avec le numéro du maître de céans, qui eut, au dire de Georges Van Parys (pianiste de Chez Fysher de 1924 à 1927), une jolie voix par le passé, et qui recueillait toujours un succès d'estime.

CHEZ GILLES

Cabaret fondé par Gilles, avenue de l'Opéra à Paris (1949-1959). C'est dans ce cadre luxueux que Gilles, secondé par son nouveau partenaire Albert Urfer, accomplit le dernier acte de sa carrière parisienne. Le cabaret joua par ailleurs un rôle important dans la diffusion de la chanson rive gauche. Jacques Douai, les Frères Jacques, Cora Vaucaire, les Quatre Barbus, Lucette Raillat en furent les principaux pensionnaires. Après le départ de Gilles, la Tête de l'Art s'installa dans ses locaux.

Henri CHRISTINÉ

Genève, 1867 – Nice, 1941. Auteur-compositeur, éditeur. Installé rue du Faubourg-Saint-Martin, il se partageait entre son cours de piano, sa maison d'édition de petits formats et la composition de chansons. Ses interprètes favoris étaient Fragson, dont il était l'arrangeur attitré (*Reviens*, *Dans mon aéroplane*), Mayol (*À la Martinique*), Polin, Yvonne Printemps (*Je sais que vous êtes jolie*). Après la guerre, le succès de *Phi-Phi* (1918), suivi de celui de *Dédé* et de *J'adore ça*, en fit un compositeur de réputation mondiale. Comme tout bon compositeur d'opérette, il était doué d'une élégance naturelle d'écriture, très attentif à l'harmonie, aux variations rythmiques (*À la Martinique*), à la courbe mélodique. Aussi son style était-il très personnel. Maurice Yvain, qui possédait sensiblement les mêmes qualités, raconte qu'ayant composé avec lui des parties séparées de la même chanson, *Encore cinquante centimes*, interprétée par Dranem, le public s'exerçait à reconnaître ce qui était de l'un ou de l'autre. Éditeur florissant (dans son écurie, il avait, outre Fragson, Perpignan, Gabaroche, Jouve, Krier), bon parolier, il aida nombre de collègues débutants, notamment Vincent Scotto, pour qui il réécrivit les paroles de *La Petite Tonkinoise*. Parmi ses autres succès populaires, on retiendra : *Valentine*, *C'est un petit béguin*, *La Polka des English*.

CHRISTOPHE

[Daniel Bevilacqua] Juvisy-sur-Orge, 1945. Auteur-compositeur-interprète. Après des études secondaires chaotiques, crée en 1961 le groupe Danny Baby et les Hooligans qui interprète des standards du rock (Presley, Gene Vincent…). Ses idoles sont alors Elvis Presley et John Lee Hooker. C'est en 1965 qu'il sort son premier album sous le nom de Christophe. *Aline* et *Les Marionnettes* sont deux énormes succès (succès étalé dans le temps : il ressortira *Aline* en 1980 et en vendra 3,5 millions d'exemplaires). Après un passage à vide, il revient en 1973 avec un album dont les textes sont de J.-M. Jarre, *Les Paradis perdus*, et un nouveau tube, *Señorita*. Christophe cherche à être l'équivalent français d'un Lou Reed ou d'un David Bowie : mais en a-t-il l'étoffe ? Il récidive deux ans après, *Les Mots bleus* (paroles de J.-M. Jarre). Disparaît un temps de la scène et du disque, et revient en 1996 avec un album, *Bevilacqua*, dont il a pour la première fois écrit les textes. Il devient alors un phénomène culte et son retour sur scène en 2002 (après un quart de siècle d'absence) est un véritable événement. Le dandy des années 1960, ne rêvant que de belles voitures et de fringues, est devenu un auteur inspiré.

Le CINÉMA

Chanson, par. Claude Nougaro, mus. Michel Legrand (1962). Figurant dans le premier 25 cm de Nougaro, cette chanson est construite à partir d'équivalences verbales et sonores du langage cinématographique. Montage alterné (séquences réelles intercalées entre les séquences rêvées), succession de plans dont la nature est déterminée par le choix du tempo, de la ligne mélodique, de la diction. Ainsi, lorsque le héros apparaît « sur l'écran noir de [ses] nuits blanches… Un mètre quatre-vingts, des biceps plein les manches », le rythme est martelé, la diction déliée : c'est un plan moyen sans ambiguïté. Mais que le mouvement vienne à s'accélérer, comme dans cette « séquence où [elle lui] tombe dans les bra aa aas… », et la syncope, le scat, le *feeling* de la voix, de caractère intimiste, permettent de rendre l'effet du travelling avant avec gros plan à l'arrêt. La référence au cinéma s'inscrit dans le thème de la chanson. Il y a donc cohérence à tous les niveaux, ce qui fait de cette chanson une réussite rare. De plus, il y a là quelques-unes des obsessions familières à l'auteur : le face-à-face de l'homme et de la femme, qui se résout en définitive en un face-à-face de l'homme avec lui-même, la femme demeurant l'insaisissable, dont il faut se contenter d'aimer l'image.

Le CLAIRON

Chanson, par. Paul Déroulède, mus. Émile André. Parue en 1875 dans le recueil *Les Nouveaux Chants du soldat*, créée par Amiati à l'Eldorado (1869), et remise à la mode par l'Exposition universelle de 1878, elle obtint un succès extraordinaire. « Le public, debout, criait "Vive la France", et les zouaves (représentés sur la couverture du petit format) venaient uniquement à l'Eldorado pour jeter leur chéchia aux pieds de l'artiste. Le concierge restituait les coiffures après la représentation » (Romi). Ce succès participe de la sensibilité revancharde qui commence à se cristalliser alors, et qui trouvera un écho particulièrement impressionnant au caf'conc'.

CLARIKA

[Claire Keszei] Boulogne-Billancourt, 1967. Auteur-interprète. Fille d'un poète hongrois et d'un professeur de lettres, elle joue du fifre dans une fanfare, passe son bac, s'inscrit en hypokhâgne, mais bifurque vers des cours de théâtre, puis vers ceux du Studio des Variétés, où elle rencontre Jean-Jacques Nyssen qui sera désormais son complice à la vie comme à la scène. Résulte de leur collaboration son premier album (*J'attendrai pas cent ans*) en 1994 chez Boucherie Production, mais c'est en 1996, avec *Ça s'peut pas*, qu'elle atteint le grand public. Troisième album en 2001 (*La Fille tu sais*) avec un titre phare, *Les Garçons dans les vestiaires*, et quatrième en 2005 (*Joker*), toujours avec la complicité musicale de Nyssen. De tout cela sort un ton, un son, une voix Clarika, sans trop d'éclat, un peu en retrait, que l'on retrouve sur le disque collectif *Ma chanson d'enfance* où elle interprète *La Ballade irlandaise*, jadis chantée par Bourvil, dans une ambiance douce-amère. Une voix qui trouve ce qui lui manque dans certains duos (avec Lavilliers dans *Ça s'peut pas* ou avec Jonasz dans *L'Océan des possibles*). Mais son originalité réside plutôt dans ses textes, acides ou irrespectueux des conventions, et à ce titre parfois décapants.

Petula CLARK

Epsom (Grande-Bretagne), 1933. Compositeur-interprète. Carrière d'enfant prodige commencée à sept ans en Angleterre, première émission de radio à neuf ans, du théâtre à onze ans, et cinq cents galas pendant la guerre à la BBC et dans les camps militaires. Petula Clark passe sans encombre le cap dangereux de l'adolescence, enregistre à dix-sept ans et devient vedette en Angleterre et en Scandinavie. En 1957, elle passe à l'émission publique « Musicorama » et se produit peu après en vedette américaine à l'Olympia. Elle chante alors en anglais. Son premier titre français, *Allô mon cœur* (Alhambra, 1958), est enregistré en duplex à Londres et à Paris. Boris Vian lui écrit *La Java pour Petula*. En 1960, passage en vedette à l'Olympia (*Ne joue pas*) et premiers hit-parades européens. En épousant son attaché de presse, Claude Wolf, Petula assure son management, et sa carrière devient internationale : en 1962, deux disques d'or, pour *Chariot* en France et *Romeo* en Angleterre ; en 1965, 1966 et 1967, *Downtown*, *My Love* et *C'est ma chanson* s'inscrivent dans les hit-parades américains. Sacrée première chanteuse d'Europe au MIDEM 1967, Petula Clark est aussi élue en France « vedette la plus sympathique et la plus populaire » en 1963 par un concours de *L'Est républicain*. Reconnaissante, elle compose, sur des paroles de Pierre Delanoë, *L'Île de France* et *Les Colimaçons* (1963). En rose, en blond et en potelé, l'incarnation rêvée de « la petite Anglaise » d'avant les minijupes ne mesure qu'un mètre cinquante et n'a pas de grandes dents. Son accent de jeune fille au pair a été mis en conserve avec application, et il est en France une des composantes essentielles de son succès. Cependant, Petula Clark, à force de glaner des hits de l'autre côté de l'Atlantique, est en train de se faire un peu oublier.

Francis CLAUDE

[Charles Saüt] Paris, 1905 – Passy (Saône-et-Loire), 1989. Auteur, critique. Auteur, il écrit un certain nombre de chansons de qualité (*L'Île Saint-Louis*, mus. L. Ferré). Animateur de cabarets (Quod Libet, 1948-1950, Milord l'Arsouille à partir de 1951), il donne leur chance à des débutants qui ont noms Léo Ferré, Michèle Arnaud, Serge Gainsbourg, Juliette Gréco... Également producteur d'émissions de radio et de télévision, critique, il a servi la chanson de tous ses moyens.

André CLAVEAU

Paris, 1915-2003. Interprète. Fils de tapissier-décorateur, il fait ses études à l'École Boulle, apprend la gravure de bijoux et entre à la

Compagnie des arts français. Il débute dans la chanson à la faveur d'une émission d'amateurs organisée sur le Poste parisien en 1936. Remarqué par l'imprésario Marc Duthyl, il est lancé sur la scène de music-hall (1942), de la revue et de l'opérette, et devient en trois ans le « prince de la chanson de charme » (1942-1945). Il interprète des succès universels tels que *Le Petit Vin blanc*, *La Petite Diligence*, *Domino*, *Seul ce soir*, *Cerisiers roses et Pommiers blancs*. Depuis Jean Sablon, le chanteur de charme moderne est un crooner et André Claveau, dont la voix est celle d'un chanteur d'opéra, doit se plier aux exigences de la mode : « Je retiens ma voix, a-t-il avoué à un journaliste. C'est ce qui fait mon succès. Il ne faut surtout pas que le public sache que je peux chanter autrement ! » Adulé par les femmes, il leur a consacré des émissions radiophoniques confidentielles (« Cette heure est à vous »), imité en cela un peu plus tard par un autre chanteur de charme, François Deguelt (« Un après-midi ensemble »).

Philippe CLAY

[Philippe Mathevet] Paris, 1927. Interprète. D'abord comédien, il gagne en 1949 un concours radio et s'embarque peu après pour l'Afrique avec une valise pleine de chansons, pour la plupart écrites par un auteur-compositeur alors peu connu, Charles Aznavour. Un an plus tard, il se produit aux Trois Baudets et à la Fontaine des Quatre Saisons avec dans son répertoire *Le Noyé assassiné*, *Monsieur James*. Il enregistre ensuite Boris Vian (*On n'est pas là pour se faire engueuler*), passe à l'Olympia (1957), paraît à l'écran (*French Cancan*, Jean Renoir) et renoue avec le théâtre. Les années 1957-1962 sont celles de sa plus grande notoriété : quatre passages en vedette à l'Olympia, nombreuses tournées et succès de vente (*Les Voyous*, A. Grassi, *Le Danseur de charleston*, J.-P. Moulin). Après un passage à vide, il retrouve un peu de faveur grâce à un répertoire anticontestataire qui le marque politiquement à droite (*Mes universités*, D. Faure-H. Djian, S. Balasko, 1971). Mais son image n'est pas près de s'effacer : un mètre quatre-vingt-deux, visage expressif, il possède l'un des physiques les plus saisissants du monde de la chanson. Toujours vêtu d'un pull à col roulé noir, il arpente la scène à grandes enjambées, mimant, raillant de sa voix de Parigot sarcastique. Qu'a-t-il manqué à cet héritier de la grande tradition des diseurs pour atteindre le succès populaire ? Un certain sens de la mesure et sans doute un peu de tendresse. La suite de sa carrière est essentiellement cinématographique et télévisuelle (*Le Causse d'Aspignanc*, 2000, *Là-haut un roi au-dessus des nuages*, 2003).

Jean-Baptiste CLÉMENT

Boulogne-sur-Seine, 1836 – Paris, 1903. Auteur. Né de parents aisés, il rompt très tôt avec sa famille, et devient trimardeur et ouvrier agricole. Il publie ses premières chansons en 1859. Édité par Vieillot, il est mis en musique par Darcier qui l'interprète au caf'conc', ainsi que Jules Pacra et Thérésa (*Les Cerises de Jeannette*, 1863). Cette période, qui durera jusqu'en 1868, est celle du Clément chantre de l'amour, humanitaire, panthéiste et passablement conformiste. Inspiré par Théodore de Banville sur le plan de la facture et par Henri Murger pour les thèmes, il parvient à renouveler le traitement des thèmes traditionnels (*Poésie et Labour*, mus. J. Darcier, 1864) et introduit l'univers villageois dans la chanson. Bergerettes, pastorales et villageoises forment son ordinaire : dans le lot, *Le Temps des cerises* (1867). À partir de 1868, il devient républicain et se lance dans le journalisme d'opposition. Condamné à un an de prison l'année suivante, il est libéré le 4 septembre 1870. Élu de la Commune, il sera obligé de se cacher après la victoire des Versaillais. C'est de sa cachette, quai de la Gare, à Paris, qu'il écrira *La Semaine sanglante* (air : *Le Chant des paysans*, P. Dupont), chant prophétique et vengeur. Pendant son exil à Londres (1871-1880), il produira peu (*Les Volontaires*). Après l'amnistie, le militant, le propagandiste socialiste des Ardennes prendra le pas sur l'auteur. Les textes de cette période (souvent mis en musique par Marcel-Legay) sont marqués par son expérience de la condition et des luttes ouvrières : *La Bande à Riquiqui* (sans mus., 1884), *Serrons les rangs* (sans mus., 1897), *Tas de coquins* (mus. C. Lambert, 1894). Leur facture est généralement moins heureuse que celle des pastorales. Bien que chanté par Vialla et Marius Richard, Clément ne connaîtra guère le succès. À sa mort, cinq mille personnes suivent son cercueil. Mais *Le Temps des cerises* était entré dans la mémoire populaire et le souvenir du « Murger socialiste » (E. Bellot) se mêlera désormais à cette chanson.

Julien CLERC

[Paul-Alain Leclerc] Paris, 1947. Compositeur-interprète. *La Cavalerie* révèle en 1968 tout à la fois une écriture nouvelle (celle d'Étienne

Roda-Gil), un sens mélodique particulier et surtout une voix, dont Julien Clerc joue comme on jouerait d'un instrument, voix vibrante, comme sortie du plus profond des entrailles, et cependant parfaitement maîtrisée. Devenu héros de la comédie musicale *Hair* (Porte-Saint-Martin, 1969), il est aussitôt classé hippy, mais son passage à l'Olympia en 1970 montre que son répertoire ne se réduit pas à quelques tubes et qu'il a le sens de la scène.

La Cavalerie présentait toutes les caractéristiques de la collaboration Clerc-Roda-Gil (et, à un degré moindre, Maurice Vallet) : des textes un peu surréalistes, un peu rêveurs (*Le Caravanier*, 1970, *Niagara*, *Ce n'est rien*, 1971...) dont on se demande comment Clerc parvient à les mettre en musique (la répétition des syllabes, les bredouillements faussement ingénus venant à point compenser l'absence de métrique carrée). Ayant sans doute l'impression d'avoir fait le tour de cette collaboration, Julien Clerc varie ensuite la liste de ses auteurs : Jean-Loup Dabadie (*À la fin je pleure*, 1976) et surtout Maxime Le Forestier (*À mon âge et à l'heure qu'il est*, 1976). Le tournant esthétique ainsi esquissé va se confirmer en 1978 (Palais des Congrès) : Dabadie, Le Forestier, Roda-Gil sont là, mais aussi un traditionnel cajun (*Travailler c'est trop dur*) qui, avec *Ma préférence* (par. Dabadie), sera son succès de l'année. Il retrouvera cependant l'auteur de ses débuts en 1992 (album *Utile* dont Roda-Gil est l'unique auteur) et célèbre en 1993 à l'Olympia vingt-cinq ans de carrière et de succès continu avant de fêter ses cinquante ans en 1997 au Palais des Sports devant cinq mille spectateurs. Il continue à diversifier les collaborations (*Si j'étais elle*, par. Carla Bruni, 2000, *Double enfance*, par. Maxime Le Forestier, 2005), demandant à différents auteurs (Dabadie, Biolay, Le Forestier, Souchon...) d'adapter pour lui les grands succès des crooners américains (album *Studio*, 2003), puis recollant à son image et à son sens de la composition (album *Double enfance*).

Derrière le jeune homme frisé qui semblait s'amuser (les photos des pochettes de disques en témoignent continûment ou presque), derrière le mowgli gourmand qui touchait à tout avec plaisir, il y avait à l'origine une carrière assez classique : des disques, des tubes, des spectacles réussis, en bref un produit normalisé du show-biz. Mais Julien Clerc a évolué au fil des ans jusqu'à devenir le témoin élégant d'une chanson française de qualité, telle qu'en elle-même et sans cesse renouvelée.

CLIPS

C'est en 1960 qu'apparaît en France le scopitone, un appareil permettant de visionner (moyennant finances) dans les bars de courts films présentant un artiste interprétant une chanson. De Gloria Lasso à Jacques Brel, d'Annie Cordy à Claude François ou Johnny Hallyday, ils sont nombreux à inaugurer ce nouveau canal de diffusion et de promotion de leurs œuvres. Côté réalisateurs, on note, auprès de parfaits inconnus, les noms de Claude Lelouch, Jean-Christophe Averty ou Alexandre Tarta. Le phénomène est très présent durant la période yé-yé (1962-1965) mais perdure vaille que vaille jusqu'à la fin des années 1970, avant de disparaître définitivement, cette technique devenant obsolète. En 1981, la chaîne de télévision américaine MTV inaugure une autre technique, le vidéo-clip, avec *Video killed the Radio Star*, du groupe des Buggles. Le phénomène atteint la France et la chaîne M6 lui consacre une émission, « Boulevard des clips ». Jean-Baptiste Mondino (Aubervilliers, 1949), photographe recherché (il travaille dans la mode : Yves Saint Laurent, Jean-Paul Gaultier, Kenzo..., et la jet-set : Madonna, David Bowie, Nelson Mandela...) sera l'un des pionniers de ce genre nouveau, réalisant en noir et blanc puis en couleur des clips pour Alain Chamfort (*Amour année zéro*, 1981), Axel Bauer (*Cargo de nuit*, 1984), les Rita Mitsouko (*C'est comme ça*, 1986) ou Vanessa Paradis (*Tandem*, 1990). Il faut aussi citer Laurent Boutonnat (Paris, 1961), le pygmalion de Mylène Farmer, qui la met régulièrement en images (*Maman a tort*, 1984). Alors que le scopitone présentait le plus souvent un plan fixe de l'artiste, le clip vidéo utilise toutes les possibilités techniques et se livre à toutes les recherches esthétiques. Ainsi Mondino mêlera-t-il des personnages réels à d'autres en pâte à modeler (*La Danse des mots*, 1984). Il ne s'agit plus désormais de chanson filmée mais de création à part entière, dans laquelle l'image et la musique constituent un langage. Le clip passe aujourd'hui essentiellement par le canal du DVD. Dans la jeune génération des réalisateurs, Émilie Chedid (Paris 1970), fille et sœur de chanteurs (Louis Chedid, M) se signale particulièrement : *Ondulé* (Mathieu Boogaerts, 1995), *Ailleurs* (Keren Ann, 2002), *Nostalgic du cool* (M, 1998). Elle a aussi créé la série de DVD *Les Leçons de musique*, avec M (qui reçoit une Victoire de la musique en 2005), puis avec Maxime Le Forestier chantant Brassens.

Jean COCTEAU

Maisons-Laffitte, 1889 – Milly-la-Forêt, 1963. « Je suis un enfant de la balle, les planches m'excitent à la manière dont Monte-Carlo excite le joueur » (*Portraits-souvenirs*). Enfant, Cocteau adora le cirque. Adolescent, il fut fasciné par le music-hall. Polaire, Gaby Deslys furent ses premières idoles. Familier, à dix-sept ans, de « l'Eldo », où triomphait Mistinguett, il conquit même les faveurs d'une divette de faubourg qui répondait au doux nom de Jeanne Reynette. Devenu grand maître des cérémonies du Paris de l'avant-garde, ce prescripteur hors série décerna à la chanson, cette voix de la rue, un label de vérité qui contribua à drainer vers les music-halls des boulevards et les cabarets en vogue la fine fleur de l'intelligentsia parisienne de l'entre-deux-guerres. Yvonne George, dont il organisa l'ultime gala au Grand Écart (une de ses créations), le Bœuf sur le toit qu'il porta sur les fonts baptismaux, Marianne Oswald, pour qui il écrivit *Anna la bonne*, *La Dame de Monte-Carlo*, et qu'il défendit envers et contre tous, Charles Trenet, Jean Sablon, Suzy Solidor, toutes et tous lui sont redevables, peu ou prou, d'une parcelle de leur gloire. Et comment oublier l'amitié qui le lia à Édith Piaf dont il préfaça les souvenirs (*Au bal de la chance*, 1958), pour qui il écrivit le monologue *Le Bel Indifférent*, et dont la mort fut pour lui signal du grand départ !

Daniel COLLING

Lunéville, 1946. Producteur. Étudiant puis enseignant à Nancy, il y organise d'abord des concerts en dilettante (Gainsbourg, Barbara, Nougaro) puis s'installe à Paris (1970) et se fait tourneur pour deux petites boîtes de production, les Concerts Mazarine puis Alice Productions. En 1976, il crée avec un collectif d'artistes (Lavilliers, Béranger, Renaud, Catherine Ribeiro, etc.) et Maurice Frot, ex-secrétaire de Léo Ferré, l'agence Écoute S'il Pleut, bientôt suivie d'une société de production (SPEEDI, qui deviendra plus tard Daniel Colling Productions, et enfin, en 2002, Victor Gabriel Productions), s'occupant à la fois de spectacles et de disques. Jacques Higelin, Pierre Desproges, Charlélie Couture ou Guy Bedos rejoignent l'équipe. Parallèlement, en 1977, dans la foulée d'Écoute S'il Pleut, le Printemps de Bourges voyait le jour. Enfin, à partir de 1981, Daniel Colling se retrouve au poste de pilotage du Zénith de Paris, puis des différents Zénith qui essaiment un peu partout en province. Il joue en même temps un rôle continu dans l'action syndicale du métier qui est devenu le sien. Surfant au départ sur la vague de la chanson alternative en quête de nouveaux débouchés, l'accompagnant puis la canalisant, il a ainsi accompli une mutation spectaculaire, passant d'une action presque militante à une entreprise tentaculaire. Paradoxe ? Daniel Colling semble ne rien avoir renié de ses choix d'origine, mais il est aujourd'hui incontournable et, à ce titre, parfois critiqué. A-t-il trop de pouvoir ? Risque-t-il de faire de l'ombre à d'autres initiatives ? Ou sa réussite suscite-t-elle des jalousies ? Ce qui est sûr, c'est que deux de ses créations, le Printemps de Bourges et les Zénith, ont été pendant un quart de siècle au centre de la chanson française en marche, et que les artistes semblent lui en savoir gré.

La COLOMBE

Cabaret, rue de la Colombe, Paris (1954-1964). C'est dans un très ancien bar racheté pour une bouchée de pain et dont les vieux murs lui plaisaient que Michel Valette ouvre en 1954 dans l'île de la Cité ce restaurant-cabaret où vont se produire bon nombre de débutants aujourd'hui célèbres : Guy Béart, Jean Ferrat, Henri Gougaud, Francesca Solleville, Anne Sylvestre, etc.

Mais Michel Valette a la prétention de payer ses chanteurs à un prix décent (au contraire de nombreux autres cabarets où ils sont proprement exploités), et il sera obligé d'abandonner une expérience qui lui coûte cher. La Colombe devient un restaurant et son propriétaire se consacre alors à l'édition de quelques chanteurs qu'il aime.

Pia COLOMBO

Homblières (Aisne), 1934-1986. Interprète. D'origine italienne, fait des études de danse, puis de théâtre au cours Simon. Rencontre en 1956 Maurice Fanon, qui lui donne ses premières chansons inédites. Georges Brassens l'emmène en tournée pendant trois ans après ses débuts au College Inn et à l'Écluse. Enfin sur la scène des grands music-halls (Alhambra, 1964, Bobino, Olympia à partir de 1958), elle trouve sa dimension : celle d'une chanteuse dramatique aux deux sens du terme. La vague yé-yé survenant, elle se réfugie dans le théâtre où elle poursuit une carrière parallèle (TNP). Une troisième époque (celle de la synthèse) fait redécouvrir Pia Colombo à la faveur de l'opéra *Grandeur et Décadence de la ville de Mahagonny*

(Brecht-Weill, TNP, 1967). Le studio d'enregistrement restant trop étroit pour sa voix criée, malgré quelques relatifs succès (*Jean-Marie de Pantin*, M. Fanon-J. Holmès ; *L'Écharpe* de M. Fanon), Pia Colombo, *pasionaria* vibrante aux gestes saccadés, à la voix rauque, choisit de chanter dans des spectacles montés : *Danse sur un volcan* (théâtre Romain-Rolland, 1973), *Requiem autour d'un temps présent* (théâtre d'Aubervilliers, 1980).

COMME UN P'TIT COQUELICOT

Chanson, par. Raymond Asso, mus. Claude Valéry (1951). Liée à son créateur, Mouloudji, cette chanson doit sa popularité au fait d'avoir repris en mineur le refrain déjà populaire d'une ballade du XVIe siècle devenue comptine (*J'ai descendu dans mon jardin*). L'histoire se présente sous forme de dialogue entre le héros et le confident. Le confident raisonne le héros. Le coquelicot est à la fois souvenir et symbole : d'une femme, d'un amour, de baisers, de sang. La mise en scène est double : le dialogue introduit le récit et l'entrecoupe, l'illustre, comme un chœur de tragédie. Le récit lui-même se déroule en trois actes : la rencontre, l'amour, la mort. Une superposition du temps : le présent (dialogue) et le passé (récit). La chanson finit sur le souvenir, et sur la musique, brusquement nostalgique, de cette ronde d'enfants. Une chanson qui aurait été du mélo (je l'aimais, il était jaloux, il l'a tuée) sans cette trouvaille musicale, et sans cette simplicité voulue dans le vocabulaire qui en fait l'œuvre la plus attachante de Raymond Asso.

Les COMPAGNONS DE LA CHANSON

Groupe vocal composé à l'origine de neuf interprètes : Guy Bourguignon (Tulle, 1931-Paris, 1971), basse ; Jean Broussolle (Saint-Vallier, 1920), baryton ; Jean-Pierre Calvet (Orgon, 1925-1989), ténor ; Jo Frachon (Davézieux, 1919-1992), basse ; Jean-Louis Jaubert (Mulhouse, 1920), basse ; Hubert Lancelot (Lyon, 1923-Paris, 1995), baryton ; Fred Mella (Annonay, 1924), ténor ; René Mella (Annonay, 1926), ténor ; Gérard Sabbat (Lyon, 1926), baryton. Le groupe est né en 1944 des Compagnons de la Musique, eux-mêmes issus des Compagnons de France. Après s'être engagés dans le Théâtre aux Armées, où ils chantent du folklore (*Perrine était servante*) harmonisé par Louis Liébart, le groupe se trouve démobilisé à Paris. Le premier gala, interrompu par une alerte, leur fournit l'occasion de faire connaissance avec Édith Piaf. Celle-ci chantera avec eux pendant deux ans et demi, leur permettant d'accéder très vite à la célébrité : tournée aux États-Unis en 1947 ; Piaf casse son entrée en scène pour venir chanter avec les Compagnons en fin de première partie (*Les Trois Cloches* de Gilles). Elle obtient moins de succès qu'eux.

À partir de 1950, la carrière des Compagnons est une suite ininterrompue de galas à travers le monde. À Paris, ils restent trois mois à Bobino (1966) et passent plusieurs fois à l'Olympia, jouant chacun de plusieurs instruments et mêlant le gag à l'interprétation dans un spectacle qui constitue un show complet, leur tenue très « mouvement de jeunesse » (chemise blanche et pantalon bleu) s'agrémentant d'éléments divers selon le thème. Sur les conseils de Piaf, ils sont passés d'un répertoire ancien au néofolklore (*L'Ours* de Trenet, *La Marie*, H. Contet-A. Grassi, *Le Galérien*, etc.). Ils se laissent ensuite influencer par les modes successives, cha-cha-cha, calypso (*Si tu vas à Rio*), folk-song, etc., qu'ils empruntent leurs succès à d'autres ou que ceux-ci soient composés à l'intérieur du groupe, notamment par J. Frachon, J.-P. Calvet, J. Broussolle (*Le Marchand de bonheur*). Bref, les Compagnons sont continuellement à la recherche d'un style. Plus que leur répertoire, c'est leur manière même de chanter et de s'harmoniser qui manque d'originalité et surtout d'évolution depuis leurs débuts. En effet, ils ne se sont pas écartés des conceptions rigides de la « chorale Mgr Maillet » : voix pures, presque angéliques, contre-chants à la tierce, qui continuent d'ignorer l'ouverture apportée par le jazz dont ils auraient pu éminemment profiter. À la mort de Guy Bourguignon, Jean Broussolle lui-même s'est retiré, remplacé par Gaston-Michel Cassez et, en 1980, le groupe annonce son éclatement définitif.

La COMPLAINTE DE MACKIE

Chanson, par. Bertolt Brecht (adapt. franç. André Mauprey), mus. Kurt Weill (1928). Extraite de *L'Opéra de quat'sous*, cette complainte qui présente le truand-héros Mackie the Knife est sans doute le « song » le plus chanté de Bertolt Brecht. Il est vrai que l'amalgame complainte-rythme de jazz y est fort réussi. Elle fut connue en France par l'interprétation d'Albert Préjean (version française du film de Pabst, 1930).

CONCERT DU CHEVAL BLANC

▶ La Scala.

CONCERT MAYOL

Café-concert, rue de l'Échiquier, Paris. Doit son nom au chanteur Félix Mayol qui en fut propriétaire de 1909 à 1914. Son histoire est pourtant beaucoup plus longue. Café chantant depuis 1867, il prend en 1881 le nom de Concert Parisien et doit sa renommée à trois vedettes qui se succèdent sur ses planches : Paulus, Yvette Guilbert et Dranem. Les directeurs, eux, y défilent à un rythme accéléré : il y eut d'abord Régnier (1881), puis Musleck (1889), Dorfeuil (1894), et enfin Mayol. Ce dernier fit monter trois gloires marseillaises qui avaient noms Raimu, Tramel et Sardou. Oscar Dufrenne et Henri Varna reprennent la salle en 1914 et y font passer de grandes vedettes : Damia, Polaire, Ouvrard, puis, un peu plus tard, Jeanne Aubert, Lucienne Boyer et Fernandel qui y devient une vedette de premier plan. Mais davantage intéressés par le music-hall, Dufrenne et Varna abandonnent en 1933 le Concert Mayol à Saint-Granier, qui le revend dix années plus tard à André Denis et Paul Lefèbvre. À partir de ce moment, le Mayol se spécialise dans le nu artistique et, sous la direction de Lucien Rimels, les vedettes pourraient toutes y porter le nom générique de « Nous sommes nues ». Passé en 1970 sous la houlette de l'ex-danseur de l'Opéra Michel Renault, le Mayol n'était plus depuis longtemps que l'ombre de lui-même. Le cinéma porno lui porta le coup de grâce : en juillet 1979, il ferma ses portes.

CONCERT PACRA

▶ Pacra (concert).

CONCERT PARISIEN

▶ Concert Mayol.

Jean CONSTANTIN

Paris, 1926-1997. Auteur-compositeur-interprète. Gros à en donner envie, il ne quitte pas, sur scène, son piano, et on plaint le tabouret… Chante avec une voix qui rigole des chansons qui font souvent rire et qui, interprétées entre autres par Annie Cordy, Édith Piaf, Zizi Jeanmaire, Catherine Sauvage, les Frères Jacques, Yves Montand, eurent beaucoup de succès : *Mets deux thunes dans l'bastringue, Mon manège à moi, Mon truc en plumes, Sha sha persan, Ne joue pas*, etc. A occupé toutes les grandes et moyennes scènes parisiennes, des Trois Baudets à l'Olympia.

Eddie CONSTANTINE

Los Angeles, 1917 – Wiesbaden, 1993. Interprète. Il arrive en France en 1949 après avoir été dans son pays d'origine successivement vendeur de journaux, laveur de voitures, figurant de cinéma, chanteur d'opéra… Il ne parle alors pas un mot de français. Débute dans l'opérette, créant avec Édith Piaf *La P'tite Lili* (1952) de Marcel Achard et Marguerite Monnot. Puis se lance dans la chanson avec succès : *Un enfant de la balle* (R. Rouzaud, Philippe-Gérard, E. Barclay), *Et bâiller et dormir* (C. Aznavour-J. Davis), *L'Homme et l'Enfant* (R. Rouzaud-O. Shaindlin), *Ah les femmes* (P. Saka-J. Davis), *Cigarettes, whisky et p'tites pépées* (J. Soumet, F. Llenas-T. Spencer), seront fredonnées par tout le monde dans la première moitié des années 1950. Sa voix éraillée, gardant un reste d'accent, prend parfois une sonorité curieuse, par contraste, lorsqu'il chante avec sa fille Tania (*L'Homme et l'Enfant*) ou avec Juliette Gréco (*Je prends les choses du bon côté*, B. Michel-J. Davis).

Mais Constantine mène au cinéma une carrière de plus en plus envahissante, où il entretient soigneusement son style grand-mec-décontracté-à-la-gueule-ravagée, et c'est finalement Lemmy Caution qui l'emporte : il quitte la chanson vers 1958.

Henri CONTET

Anost (Saône-et-Loire), 1904-1998. Auteur. Ancien de l'École supérieure d'électricité, il quitte un travail d'ingénieur à la Compagnie des téléphones pour tenter sa chance au cinéma, puis dans le journalisme. Édith Piaf, rencontrée au cours du tournage d'un film, décide catégoriquement de sa vocation d'auteur de chansons et passe la commande. Henri Contet s'exécute (1941) et écrit *Padam padam* (mus. N. Glanzberg) et *Bravo pour le clown* (mus. Louiguy) ; il écrit aussi pour Jacqueline François *Mademoiselle de Paris* (mus. P. Durand), *Boléro* (mus. P. Durand) et pour Yves Montand *Le Carrosse* (mus. Mireille), *Ma gosse ma p'tite môme* (mus. M. Monnot). Enfin, Henri Contet est l'adaptateur de deux célèbres rengaines : *Montagnes d'Italie* et *Si toi aussi tu m'abandonnes*, extrait du film *Le train sifflera trois fois* (mus. D. Tiomkin). Ses chansons font désormais partie des grands « classiques ».

La CONTRESCARPE

Cabaret, place de la Contrescarpe, Paris. Situé aux abords de la rue Mouffetard, la Contrescarpe, comme ses voisins le Cheval d'or ou la Méthode, appartient à ce groupe de cabarets dits rive gauche qui constituent un pôle dans la chanson française. On a en effet pu y entendre, dans un cadre sommaire et inconfortable (mais qu'importe), des chanteurs d'un type nouveau comme Colette Magny et Graeme Allwright, dont on peut dire qu'ils chantent hors des sentiers battus. S'y produisirent aussi des valeurs plus traditionnelles comme Anne Vanderlove, les Enfants Terribles ou Hélène Martin. Miné par les contributions (non payées depuis des années), la Contrescarpe s'est transformée, à coups de Ripolin, en restaurant pour touristes provinciaux en 1970.

Les COPAINS D'ABORD

Chanson, par. et mus. Georges Brassens (1964). Quintessence d'une œuvre. Le thème est l'un des favoris de l'auteur (*Léon*, *Au bois de mon cœur*, etc.) : l'amitié faisant la nique au temps et l'emportant sur lui. La musique, réputée à tort monotone, montre le bout de son nez et s'affirme perturbatrice (rock'n'roll ou à peu près). Une des plus belles chansons de Brassens, composée pour le film *Les Copains*, dont elle était le leitmotiv.

Bruno COQUATRIX

Ronchin (Nord), 1910 – Paris, 1979. Auteur-compositeur, directeur de salles. Il y eut deux Coquatrix. Celui d'avant 1954, l'auteur et compositeur de plus de trois cents chansons, parmi lesquelles *Clopin-clopant* (par. P. Dudan, 1947), *Mon cher vieux camarade Richard* (1943), *Cheveux dans le vent* (par. F. Sarmiento, J. Chabannes, 1949), ainsi que de plusieurs opérettes, l'imprésario de Lyne Clevers, Jacques Pills, Lucienne Boyer, le directeur de Bobino. Celui d'après 1954 : le courageux relanceur de ce grand vaisseau qu'est l'Olympia. Puis le directeur avisé, prompt à négocier les tournants imposés par la mode. Sa politique lui fut dictée autant par la nécessité de rentabiliser son entreprise que par ses préférences propres. Ainsi misa-t-il avant tout sur la vedette-locomotive (en général déjà imposée par le disque), quel que soit le style de celle-ci : Brassens comme Hallyday, Piaf autant qu'Annie Cordy, Montand comme Dave. Il fut beaucoup critiqué, la virulence de ces critiques étant à la mesure de son pouvoir. Mais, à la tête du plus grand music-hall d'Europe, lui était-il possible d'agir autrement ? Sans doute accueillit-il avec faveur, à la fin de sa vie, le retour d'une chanson plus classique et se prêtant à l'habillage du music-hall à la française, celle qu'illustra son chanteur fétiche, Gilbert Bécaud.

Anny CORDY

[Annie Cooreman] Schaerbreek (Belgique), 1928. Interprète. Études de danse, puis de piano au Conservatoire, et débute au Bœuf sur le toit de Bruxelles. Remarquée par Pierre-Louis Guérin, elle entre à la revue du Lido, à Paris, où elle reste un an et demi, puis se produit au Moulin Rouge (1952). Sa carrière va alors alterner constamment entre chanson et comédie musicale, scènes françaises et tournées internationales. Après son premier succès, *Les Trois Bandits de Napoli* (F. Bonifay), elle enregistre simultanément en Allemagne, en Angleterre et aux États-Unis. Après avoir joué *La Route fleurie* à l'A.B.C., elle enregistre *La Ballade de Davy Crockett*, *Hop diguidi*, *La Tantina de Burgos*. Tournée aux États-Unis, comédie musicale (*Tête de linotte*) et nouveaux titres (*Cigarettes, whisky et p'tites pépées*, *Hello le soleil brille*, *Salade de fruit*...). Bobino (1960, 1966, 1968), nouvelles tournées internationales, théâtre Grammont (1965), Olympia (1979, 1998), etc. Elle aura enregistré plus de 500 titres, donné des milliers de galas, chanté dans des dizaines d'opérettes.

Petit clown féminin qui n'a pas peur de faire des grimaces ni de remplir l'espace de tous les pas de danse possibles, Annie Cordy est une parfaite « woman show », ce qui est assez rare. « C'est peu de dire que vous brûlez les planches, a écrit Paul Guth, vous les calcinez... on a envie d'appeler les pompiers, de vous acclamer à coups d'extincteur. » Elle se tourne ensuite vers le théâtre, le cinéma, les feuilletons télévisés où elle incarne tour à tour des rôles comiques à sa mesure et des rôles plus graves et plus inattendus (*Orages d'été*, à la télévision, 1989).

Les CORONS

Chanson, par. Jean-Pierre Lang, mus. Pierre Bachelet (1982). Récit d'une enfance dans les terrils (« mon père était gueule noire comme l'étaient ses parents »), un peu misérabiliste et très imaginaire : le chanteur a été élevé à Paris, même si sa famille était originaire de Calais. Mais qu'importe : cela a si bien marché ! Et le refrain « Au nord, c'était les corons, La terre c'était le charbon, Le ciel c'était l'horizon, Les hommes des mineurs de fond » est devenu une scie que l'on entonne volontiers à la fin des banquets des comices agricoles.

COUCHÉS DANS LE FOIN

Chanson, par. Jean Nohain, mus. Mireille (1928). « Que voulez-vous faire d'une chanson qui commence par la même note répétée neuf fois ? », disent les éditeurs : extraite d'une opérette, *Fouchtra*, c'est la première œuvre commune d'une jeune pianiste-comédienne de l'Odéon et d'un avocat à la cour, poète à ses heures perdues. 1931 : éditeur d'avant-garde, Raoul Breton prend la chanson et la propose aux duettistes Pills et Tabet qui font leurs débuts. Le disque sort chez Columbia : c'est la révolution.

La chanson noire est pendue au clou, les « pierreuses » peuvent aller se rhabiller : on découvre brusquement un univers ensoleillé, mi-rêvé, mi-réel, en dehors des thèmes habituels d'inspiration. La musique, un peu syncopée, fait un pied de nez insolent à l'opéra de Bizet (*Carmen*). Les paroles annoncent le *Y'a d'la joie* du Fou chantant... C'est une délivrance : on a enfin trouvé le moyen d'être joyeux sans être vulgaire, on a retrouvé en même temps un sentiment de liberté : on invente le vagabondage. Un cri auquel répond en chœur la jeune génération des années 1930.

L'esprit libérateur s'étend à la pochette du disque : elle est illustrée en couleur, à l'aquarelle (c'est l'idée d'André Girard). Pills et Tabet vendent jusqu'à 50 000 exemplaires par mois. On casse le disque à force de le réécouter : certains l'achètent trois ou quatre fois... En 1932, *Couchés dans le foin* obtient le Grand Prix du disque. Vingt ans après, il est encore enregistré aux États-Unis (*Lying in the hay*, par les Andrew Sisters). Entre-temps, il a influencé en France toute la production et fait naître un nouveau style : « Si je me suis mis un jour à écrire des chansons, dira Charles Trenet, c'est parce que j'ai entendu par hasard *Le jardinier qui boite* et *Couchés dans le foin.* »

Georges COULONGES

Lacanau-Ville, 1923 – Pern, 2003. Auteur. Fils de paysan, il devient écrivain et ses premières chansons sont interprétées par Marcel Amont (*Escamillo*), Nana Mouskouri (*L'Enfant au tambour*) et Jean Ferrat qui le fait connaître grâce à *Potemkine*, premier exemple de chanson engagée ayant connu en France un succès appréciable. Il écrit également pour le théâtre, la télévision, se lance dans l'oratorio avec Francis Lemarque (*Paris populi*, TEP, 1977). Il est également l'auteur d'un ouvrage stimulant, *La Chanson en son temps, de Béranger au juke-box* (1969), des *Chansons de la Commune* (1970) qui a servi de matériel de base au spectacle du même nom, et d'une autobiographie (*Ma communale avait raison*, 1998).

Gaston COUTÉ

Beaugency (Loiret), 1880 – Paris, 1911. Chansonnier. Né en Beauce, fils de paysan, il commence à chanter à Paris en 1898 alors que ses parents croient qu'il entame une carrière dans l'administration des Finances. En costume beauceron, il interprète à l'Âne Rouge puis aux Funambules son premier succès, *Le Champ de naviots*. Revient ensuite à une vêture plus parisienne et collabore avec les compositeurs Marcel-Legay, Poncin et surtout Daniderff. La plupart de ses textes fustigent l'époque et l'égoïsme d'une société où « l'honneur quient dans l'carré d'papier d'un billet d'mille ». On retiendra *La chanson d'un gâs qui a mal tourné*, interprétée par Mayol, et *Ça va faire plaisir au colon*, chanson antimilitariste. Grâce à Bernard Meulien, Gérard Pierron et Jacques Florencie, on assiste aujourd'hui à une redécouverte de l'œuvre de Couté.

Charlélie COUTURE

[Bertrand Charles-Élie Couture] Nancy, 1956. Auteur-compositeur-interprète. Père antiquaire, grand-mère professeur de piano, il s'abreuve à ces deux sources, apprenant le piano puis la guitare avant d'étudier aux Beaux-Arts. Son premier album, *Douze chansons dans la sciure* (1978), passe inaperçu mais un concert au Printemps de Bourges (1979) le révèle aux aficionados de la chanson. Un contrat chez Virgin, une chanson (*Comme un avion sans aile*, 1981), un passage à l'Olympia la même année, et il entre dans le club des grands. Il oscille alors entre la peinture, le cinéma, la littérature, la photographie, la musique de film et la chanson, sort régulièrement des albums (*Quoi faire?*, 1982, *Art et Scalp*, 1985, *Melbourne aussi*, 1990, *New Yorcœur*, 2006), retrouve chaque fois son public fidèle sans rejoindre pour autant le chemin des tubes. Ce touche-à-tout de génie, qui a exploré tous les chemins musicaux et se renouvelle sans cesse, reste un peu élitiste ou trop post-moderne pour intéresser les radios. Une exception : *Imbécile heureux* (sur l'album *Double vue*, 2004) qui fait un petit succès dans les médias. En revanche, il déploie tous ses talents dans ses prestations scéniques, malheureusement assez rares. Son exemple et son dynamisme sont à l'origine de ce qui a pu apparaître dans les années 1990 comme une véritable « école de Nancy » dans la chanson, avec son frère Tom Novembre, mais aussi Mil Mougenot, Pierre Éliane, etc.

Nicole CROISILLE

Neuilly-sur-Seine, 1936. Interprète. Ancienne danseuse du corps de ballet de la Comédie-Française et de la revue de Joséphine Baker, à l'occasion mime dans la troupe de Marcel Marceau, Nicole Croisille, qui est bilingue, commence à enregistrer à Chicago. En France, elle fait connaître sa voix grâce à un hit anglais, *I'll never leave you*, qu'elle chante sous le pseudonyme de Tuesday Jackson, et par la bande musicale du film *Un homme et une femme* (P. Barouh-F. Lai, 1966) qu'elle chante en duo avec Pierre Barouh, qui la prend dans son équipe. Amorce un nouveau tournant en 1972 en signant avec le producteur Claude Dejacques et l'éditeur Claude Pascal. Elle enregistre alors une série de chansons qui deviennent des succès (*Téléphone-moi*, P.-A. Dousset-G. Gaubert, 1975) et la conduisent jusqu'à l'Olympia (1976, 1978). Cette chanteuse de jazz *soul*, qui associe le sens musical à une étonnante sensibilité de comédienne (le *feeling*) et qui termine ses récitals par des ballets, a commencé à mettre son talent au service d'adaptations soignées (*Laissez l'oiseau*, *Parlez-moi de lui*) et de chansons de femme-victime, masochiste, en instance perpétuelle d'abandon par le mâle sans lequel elle n'est rien. Avec le temps, les sujets s'élargissent, mais ses auteurs semblent s'endormir un peu et faire trop confiance au seul pouvoir de sa voix. Elle reprend en 1992, au Châtelet, la comédie musicale *Hello Dolly* (en anglais), puis se consacre surtout au cinéma et à la télévision, tout en se produisant à de rares intervalles sur les scènes françaises ou québécoises, interprétant un florilège de ses anciens succès.

Henri CROLLA

Naples, 1920 – Suresnes, 1960. Compositeur. Gitan dont le père joue de la mandoline et dont le cousin s'appelle Django Reinhardt, Henri Crolla, après avoir été maçon et ouvrier d'usine, se consacre entièrement à la guitare de jazz en jouant d'abord avec André Ekyan, Léo Chauliac, Pierre Fouad. Militant du Front populaire au sein du groupe Octobre, il rencontre Prévert et met ses textes en musique (*Le Cireur de souliers de Broadway*, *Sanguine*, chantées par Yves Montand ; *Cri du cœur*, chantée par Édith Piaf). Il se consacre alors à Montand qu'il accompagne pendant dix ans (*Du Soleil plein la tête*, par. A. Hornez). Il compose également pour le cinéma (*Poisson rouge*) et tourne lui-même plusieurs films. Un musicien original, mort prématurément, dont l'œuvre reflète la plus profonde tendresse comme l'humour le plus extravagant.

D

Yves Duteil

Jean-Loup DABADIE

Paris, 1938. Auteur. Fils de Marcel Dabadie, auteur (*Le Général Castagnetas*, interprétée par les Frères Jacques). Après avoir publié deux romans, il écrit des sketches pour les émissions télévisées de Jean-Christophe Averty, des pièces, et se fait connaître comme scénariste des films de Claude Sautet et d'Yves Robert. Sur les instances de Serge Reggiani, il se met à écrire des chansons (*Le Petit Garçon*, mus. J. Datin). C'est le début d'une production exigeante mais extrêmement diverse qui comporte de beaux fleurons : *Et puis*, *Hôtel des voyageurs*, *L'Italien* pour Serge Reggiani, dont il écrira également l'ultime chanson, *Le temps qui reste* (2002) ; *Tous les bateaux tous les oiseaux* et *On ira tous au paradis* pour Michel Polnareff ; *Ma préférence* pour Julien Clerc, etc. Si la grande souplesse de Dabadie peut le faire sombrer dans la démagogie (*Je sais*, pour Jean Gabin), l'ensemble de son œuvre reste d'une grande qualité. Il est aussi l'auteur de sketches pour Guy Bedos et Jacques Villeret.

Pierre DAC

[André Isaac] Châlons-sur-Marne, 1893 – Paris, 1975. Chansonnier, auteur, acteur, journaliste. Le futur rédacteur en chef de *L'Os à moelle* et président du Club des Loufoques avait commencé par écrire des chansons qu'il interprétait, depuis ses débuts à la Vache Enragée en 1926, dans les cabarets de tradition montmartroise : *La Complainte froide*, *Je veux me faire chleuh.* On se souviendra également de ses productions BBC (1943-1944), comme *A dit Lily Marlène.* Il est aussi l'auteur, avec Francis Blanche, de l'épopée à la gloire de Jérémie-Victor Oldebec, sur l'air de la *Cinquième* de Beethoven, intitulée *La Pince à linge.* Apparitions réussies au music-hall.

Étienne DAHO

Oran (Algérie), 1957. Auteur-compositeur-interprète. Enfance en Algérie, puis à Rennes, où il suit des études d'anglais, collabore pour quelques chansons avec le groupe rennais Marquis de Sade, se produit sur quelques scènes locales malgré une timidité maladive, avant de sortir en 1982 son premier disque, *Mythomane.* Mais il lui faudra attendre 1986 et l'album *Pop satori* pour être reconnu comme chanteur pop, étiquette dont il aura ensuite du mal à se débarrasser. S'ensuit une carrière à succès, aussi bien en France qu'en Grande-Bretagne (il enregistre aussi en anglais). Admirateur de Françoise Hardy (dont il a écrit une biographie), auteur de chansons pour Lio, Sylvie Vartan, Françoise Hardy ou Brigitte Fontaine, producteur de disques (S. Vartan, Jacno, B. Fontaine...), il évolue dans sa carrière solo vers un style à mi-chemin entre funky, bossa-nova et techno, avec un certain bonheur, s'affirmant comme « un jeune homme de son temps » (Hervé Guibert). Le titre de son neuvième album (*Révolution*, 2003) est de ce point de vue parlant : comme le capitaine Nemo de *Vingt mille lieues sous les mers*, il est *mobilis in mobile*, mobile dans l'élément mobile, entre évolution et révolution. Autrement dit, comme un poisson dans l'eau.

DALIDA

[Yolanda Gigliotti] Le Caire (Égypte), 1933 – Paris, 1987. Née de parents d'ascendance italienne émigrés en Égypte, secrétaire, élue Miss Égypte en 1954, elle gagne Paris à vingt-deux ans dans l'espoir de faire carrière dans le cinéma : en vain. Débute comme chanteuse à la Villa d'Este. Découverte par Lucien Morisse (directeur artistique d'Europe 1) et Eddie Barclay lors d'une audition à l'Olympia, elle est lancée grâce au succès foudroyant de *Bambino* (1956) et enchaîne avec *Gondolier*, *Ciao ciao bambina*, *Les Enfants du Pirée*, *Les Gitans*, *Le Jour le plus long*, *Itsi bitsi, petit bikini*, *Je reviens te chercher*, *Darla dirladada*, *J'attendrai*, etc. En trente ans, elle aura vendu plus de

20 millions de disques, enregistré plus de six cents chansons en huit langues (dont près de deux cents en italien), participé à plusieurs centaines de galas à travers le monde, ressuscité plusieurs fois après qu'on l'eut gaillardement enterrée, élargi son répertoire vers la chanson à texte (*Avec le temps*, de Léo Ferré), enregistré en duo avec Alain Delon (*Parole parole*, 1973), conquis son pays natal avec *Salama ya salama*, etc. Alors que ses consœurs en roucoulades sentimentalo-exotiques, les Gloria Lasso et Maria Candido, ont depuis longtemps quitté l'affiche, Dalida aborde, avec un sourire triomphant et une plastique de pin-up, le tournant de la cinquantaine en jouant les meneuses de shows (Palais des Sports, 1979) et en obtenant un succès mondial avec une chanson, *Il venait d'avoir dix-huit ans*, qui attaque de front un thème tabou. Elle se révèle enfin comme actrice dramatique de talent dans un film de Youssef Chahine (*Le Sixième Jour*, 1986).

Pourquoi Dalida ? Il y eut certes, à ses débuts, la présence efficace de Lucien Morisse, il y a cette voix d'alto striée de rocailles et relevée par une pointe d'accent italien. Mais, surtout, il y avait le cœur, ce canal privilégié par lequel un vaste public pouvait s'identifier, encore et toujours, à ce personnage « porte-sentiments ». Et, en la matière, sa vie amoureuse (réelle ou imaginaire, qu'importe), remplie de ruptures, de suicides de ses anciens compagnons, a abreuvé le public d'une provision de souffrances et de joies par procuration. Jusqu'au jour où la réalité surgit de dessous le tapis de paillettes et s'impose : dans une grande solitude sentimentale, elle met fin à ses jours.

DAMIA

[Marie-Louise Damien] Paris, 1892 – La Celle-Saint-Cloud, 1978. D'origine lorraine, elle s'échappe à quinze ans de la maison paternelle (son père était sergent de police) après avoir frôlé la maison de correction. Elle gagne sa vie en faisant de la figuration au Châtelet. Roberty, mari de Fréhel, lui apprend à chanter et elle débute à la Pépinière en 1911. Partenaire de Max Dearly pour « la valse chaloupée » à Londres en remplacement de Mistinguett, elle passe à son retour au Petit Casino, puis à l'Alhambra comme vedette féminine, la vedette masculine étant Fragson. Elle a dix-neuf ans. Remarquée par Mayol, elle devient la vedette de son Concert. Elle apprend en même temps le théâtre. On l'entendra ensuite aux Ambassadeurs, à la Gaîté-Montparnasse, au Casino de Paris, à Bobino, l'Olympia, l'Européen, l'Empire, l'Étoile, aux Folies-Bergère, ainsi qu'à l'éphémère Concert Senga et au Concert Damia rue Fontaine.

Pendant la guerre de 14-18, Damia chante au front. Après la guerre, elle part en tournée avec la troupe de Loïe Fuller : elle chante alors des chansons patriotiques, comme la célèbre *Garde de nuit à l'Yser* (mus. L. Boyer) écrite dans sa tranchée par un poilu belge inconnu, Jean Val. Elle mène ensuite une carrière parallèle de chanteuse et de comédienne, voire d'actrice de cinéma. Loïe Fuller, entretemps, lui a appris la science de la lumière et des projecteurs : Damia sera la première à les introduire dans le tour de chant. Elle inaugure en même temps sur scène le fond de rideau noir et modifie sa propre tenue en échangeant la dentelle de Bruges du Concert Mayol contre un fourreau noir très stylisé, au décolleté en V, sans manches, qui inspirera Gréco. Jusqu'à la fin de sa carrière, qui est très longue puisqu'elle ne quitte définitivement la scène qu'en 1956 (dernier récital salle Pleyel en 1949, dernière tournée au Japon en 1953), Damia reste fidèle au côté théâtral de sa mise en scène, qui date d'avant l'époque du micro : occupant toute la scène, elle joue en toute liberté de ses bras nus et des expressions d'un beau visage ferme qui, cheveux rejetés en arrière, « s'offre comme une chose nue » (Louis Léon-Martin). Moulée dans son fourreau d'où émergent des épaules restées célèbres, elle rappelle les sculptures grecques. Sa voix, « faite d'un sanglot et d'une révolte mêlés » (H. Béraud), est râpeuse, prête à se briser, manquant de timbre, mais « c'est une voix véritable et naturelle où les erreurs mêmes prennent du prix » (P. Bost).

Celle que l'on a appelée « la tragédienne de la chanson » ou « la tragédienne lyrique » (« c'est sur lyrique qu'il faut mettre l'accent », dit G. Devaise) a été aussi cataloguée chanteuse réaliste. Dans son cas, cette épithète recouvre un répertoire très varié, allant du mélodrame chanté (*La Suppliante*, *La Malédiction*, *Sombre dimanche*) au poème mis en musique (*Le ciel est par-dessus le toit*, Verlaine-Reynaldo Hahn) en passant par la rengaine des faubourgs (*La Chaîne*). Répertoire choisi surtout en fonction des possibilités scéniques qu'il peut offrir : Damia danse avec *Le Grand Frisé*, joue tour à tour la petite fille et le sadique dans *Le Fou*, porte un mort dans ses bras (*Pour en arriver là*), s'assied par terre la tête penchée (*D'une prison*, Verlaine-R. Hahn), passe sous un projecteur ensanglanté (*La Veuve* de Jules Jouy), ouvre tout grand ses ailes (*Les Goélands* de Lucien Boyer, son immense succès). Mais, à l'inverse d'Yvette Guilbert qui sans cesse change de visage avec l'argument, Damia garde un « personnage » constant qui a été, comme l'écrit P. Bost,

« peut-être le meilleur exemple du déplacement de l'intérêt de la chanson vers l'interprète ».

DANI

[Danièle Graule] Perpignan, 1945. Interprète. Elle fut successivement modèle pour photographes, mannequin, meneuse de revue à l'Alcazar (1970-74), actrice (*La Nuit américaine*, François Truffaut, 1973), tenancière de boîte de nuit très chic, fleuriste, chômeuse... Dans cette vie en zigzag, qui ressemble à tout sauf à une carrière (étymologiquement : le chemin rectiligne des chars), elle trouve une place pour la chanson, débutant en 1968 avec *Papa vient d'épouser la bonne*, ressurgissant en 2002 en duo avec É. Daho (*Comme un boomerang*). Entre temps elle a publié trois albums, un tous les dix ans en moyenne, interprétant d'une voix de brume A. Souchon, P. Vassiliu, F. Lai, J. Lanzmann... Dani, ou le sombre météore de la chanson française.

Léo DANIDERFF

[Ferdinand Niquet] Angers, 1878 – Rosny-sous-Bois, 1943. Compositeur. Surnommé le « faux Russe ». D'abord chef d'orchestre et organiste, il se tourne vers Montmartre, où il chante lui-même ou accompagne ses amis, notamment Gaston Couté, dont il met en musique les poèmes. Pourtant, les quelques centaines de chansons populaires dont il a composé la musique, ainsi que les succès auxquels est attaché son nom, relèvent du genre caf'conc'. De sa production composée, entre autres, de javas, de valses musettes, de valses « réalistes » (*Le Grand Frisé*, qui tint tout l'entre-deux-guerres) ou sentimentales (*La Chaîne*, interprétée par Damia), on retiendra *Je cherche après Titine*, écrite pour Gaby Montbreuse, son amie, et qui eut la fortune que l'on sait.

DANIELA

Chanson, par. André Pascal, mus. Georges Garvarentz (1961). Tirée du film *De quoi tu te mêles, Daniela,* chanson-locomotive des Chaussettes Noires, eux-mêmes article de promotion d'une marque de chaussettes. Tous les ingrédients de la future chanson-copain y sont réunis : l'amour adolescent, les premiers tourments, la condamnation de l'attitude cigale, le moralisme ; un titre proche d'un autre succès (*Diana*) ; une musique à la fois lente (slow soutenu par le choral du groupe) au couplet et rapide au refrain (rock) ; les onomatopées d'Eddy Mitchell. Ce fut donc un succès, le plus important du groupe. Notons enfin que cette chanson est plus vocale qu'instrumentale, la batterie seule se faisant entendre avec insistance. Ce en quoi elle porte la griffe d'une époque, celle des débuts du rock en France.

Le DANSEUR DE CHARLESTON

Chanson, par. et mus. Jean-Pierre Moulin (1957). Dans un cabaret suisse, un « monsieur en frac » et assez gris, entouré de « deux pépées », raconte sa vie. Dans ce même cabaret, Jean-Pierre Moulin, journaliste et auteur de chansons, et qui brûle d'écrire pour Philippe Clay. De ce moment de cafard d'un bourgeois suisse, il tire un petit chef-d'œuvre qui est créé par Philippe Clay aux Trois Baudets. C'est le danseur de charleston qui a écrit lui-même sa propre chanson, déclare à qui veut l'entendre Philippe Clay. Adoptant une construction très classique – 3 couplets, refrain –, Jean-Pierre Moulin commence par poser le décor et présenter le personnage, par le montrer en action, pour lui laisser la parole au refrain. Celle-ci est envahissante, comme le souvenir, et le troisième couplet est tout entier livré au monsieur perdu dans sa tristesse. Face au présent morne (le bonheur suisse, ou bourgeois ?), seul le passé semble rédempteur, conservant aux choses et aux êtres tout leur prestige :

Mais fallait, fallait m'voir
danser le charleston
quand j'avais trente ans
à Cannes au Canton.

Un des attraits de la chanson repose sur le contraste entre le rythme endiablé du charleston et la tristesse profonde (l'interprétation de Clay aidant) du thème. Grand succès de son créateur, *Le Danseur de charleston* fait partie du mouvement de retour aux Années folles qu'on a connu dans les années 1955-1960.

DARCELYS

[Marcel Domergue] Anduze (Gard), 1900 – Peynier (Bouches-du-Rhône), 1973. Interprète. Débute en 1915 au cabaret à Marseille, dans le genre Dalbret. Après la guerre, chante en duo avec Gorlett, puis devient une des vedettes locales (tour de chant à l'Odéon, au Paramount). En 1926, monté à Paris, il se présente avec un répertoire et un genre renouvelés, basés sur la « bonne humeur » marseillaise, au Petit Casino, à l'Européen, l'Empire, l'Olympia. Entre les tournées, le cinéma et l'opérette, il enregistre de nombreuses chansons, qui, à l'instar de celles d'Alibert, se rattachent au genre dit méridional : *La Valse des cols bleus*, *Dans ma péniche*, *Sur le plancher des vaches*, *Une partie de pétanque.*

Jean-Claude DARNAL

Douai, 1929. Auteur-compositeur-interprète. Eut beaucoup de succès aux alentours de 1958 avec *Le Soudard* (« Dans le canon, le canon, le canon de son fusil... ») et *Le Tour du monde* (« Tant mieux si la Terre est ronde... »), chansons qui annonçaient un auteur sympathique et ayant le sens de la mélodie. Mais la chance (et la vague yé-yé) ne lui sourit pas et Darnal se réfugie dans un genre bien spécial : l'animation de jeux pour enfants à la télévision, pour lesquels il compose encore des chansons d'une facture différente. Il n'abandonne toutefois pas son métier d'origine : il écrit pour Annie Cordy, Petula Clark, Raoul de Godewarsvelde (*Quand la mer monte*, 1969), Catherine Sauvage, tout en réenregistrant lui-même en 1980 (*Comme à la ducasse*). Après un silence de près de trente ans, il revient en 2002 avec un album (*Nature*) produit au Québec. Mais il ne parviendra jamais à retrouver l'évidence mélodique de ses premières chansons, *Le Soudard*, *Le Tour du monde* ou *Toi qui disais*.

Paulette DARTY

[Paulette de Bardy] Paris, 1871 – Neuilly, 1939. Interprète. Cette belle femme blonde tint pendant plus de dix ans la vedette à la Scala. Servie par une voix agréable et une diction parfaite, elle avait créé un genre nouveau : la valse chantée (qu'il ne faut pas confondre avec la chanson-valse, à rythme ternaire). Les mélodies de ses compositeurs attitrés, Octave Crémieux et Rodolphe Berger (sans oublier Erik Satie, qui fut un temps son pianiste), faisaient passer les paroles qu'elle s'acharnait à réclamer au comédien Maurice de Feraudy, rimeur assez malheureux. Le succès de *Je te veux* (1903), *Quand l'amour meurt* (1905), *Amoureuse* et surtout *Fascination* lui valut le surnom de « reine des valses lentes ». Son répertoire, presque exclusivement composé de chansons sentimentales, lui attirait les faveurs du public féminin. Elle se retira de la scène en 1908.

André DASSARY

[André Deyhérassary] Biarritz, 1912-1987. Interprète. Destiné à l'hôtellerie, profite d'un service militaire à Bordeaux pour y décrocher des prix de chant au conservatoire. Diplômé d'éducation physique et masseur de l'équipe de France aux Jeux universitaires mondiaux de 1937, il est remarqué par son succès aux radio-crochets et devient chanteur de l'orchestre de Ray Ventura (*Dans mon cœur*, *Sur deux notes*, *Une maison aux tuiles roses*). Sous Vichy, il enregistre *Maréchal, nous voilà* et quelques marches dans le style soldat-laboureur. Après la guerre, il se réfugie dans l'opérette et fait les beaux jours du Châtelet et de l'A.B.C. « Le ténor à la voix d'or » devient aussi vedette de music-hall (Pacra, l'Européen). Sourire Gibbs et buste d'athlète, André Dassary fait partie des chanteurs de charme au teint bronzé venus des côtes exotiques françaises. Son répertoire présente plusieurs tendances : une première inspiration « terre natale », en l'occurrence le Pays basque (*Ramuntcho*, *Les Cloches des Pyrénées*), une autre, d'inspiration classique (romances de Delmet, *Le Temps des cerises*, *Plaisir d'amour*, etc.), une troisième enfin, d'inspiration glorieuse (airs de films de guerre comme *Le Jour le plus long*, marches exaltant l'effort sportif…). André Dassary clame ces morceaux de bravoure à un mètre du micro. Un chanteur à voix, certes. Mais délicat parfois (*Les Allumettes*, Prévert et Kosma).

Joe DASSIN

New York (États-Unis), 1938 – Papeete (Tahiti), 1980. Compositeur-interprète. Fils du metteur en scène Jules Dassin, il vit en Suisse, en France, aux États-Unis, où il aborde des études d'ethnologie, avant de s'installer à Paris. Il s'y lance dans la chanson, adaptant des classiques du folk-song, dont c'est alors la grande vogue, ou livrant des compositions originales. Ses chansons sont accueillies avec ferveur par le public (*Guantanamera*, *Comme la lune*, *L'Amérique*, *Les Daltons*). En 1967, il fait ses débuts sur scène et impose un personnage d'une décontraction toute américaine (Olympia, 1969). Physique séduisant, registre vocal honnête, des talents de mélodiste et le sens des affaires (il crée très vite ses propres éditions), Joe Dassin a trop de dons pour être un chanteur malheureux. Mais, à mesure que s'accumulent les succès (*Les Petits Pains au chocolat*, *La Bande à Bonnot*, *Aux Champs-Élysées*, *Billy le Bordelais*), son « entreprise » restreint sa fonction sociale à la production en série de tubes calibrés, souvent adaptés de succès étrangers par Pierre Delanoë et Claude Lemesle : *Vade retro*, *Et si tu n'existais pas*, *Un Lord anglais* et surtout *L'Été indien* (P. Delanoë-C. Lemesle, J. Dassin, 1975). Sur une musique d'origine italienne, *Africa*, un titre qui retient l'attention, le gimmick d'une voix parlée sur un fond musical du type slow de l'été, le succès est foudroyant. Enregistrant en anglais, en allemand, en espagnol, en japonais, Joe Dassin ratisse le marché international, s'épuise à chanter la joie de vivre, et meurt d'une crise cardiaque à quarante-deux ans. Depuis lors, les rééditions ou les compilations (dont une agrémentée de quatre titres inédits en 2005) se vendent comme des petits pains.

Jacques DATIN

Saint-Lô, 1920 – Salas, 1973. Compositeur. Contrôleur des contributions, mais aussi pianiste, sa rencontre avec Maurice Vidalin et Gilbert Bécaud l'entraîne sur la pente de la chanson. Il écrit d'abord pour Philippe Clay (*Un Fil à la patte*), puis amorce une collaboration suivie avec Vidalin : *Zon zon zon* pour Colette Renard, *Les Boutons dorés* pour Jean-Jacques Debout, *Nous les amoureux* (prix de l'Eurovision) pour Jean-Claude Pascal. Avec Claude Nougaro, il s'oriente vers le jazz et compose notamment les musiques d'*Une petite fille*, *Je suis sous...*, *Cécile, ma fille*. Enfin, avec Jean-Loup Dabadie, il travaille pour Serge Reggiani : *Le Petit Garçon*, *L'Italien*. Il a composé aussi pour France Gall et Petula Clark. C'est un mélodiste subtil aux possibilités très diverses, toujours en harmonie avec le texte qu'il sait mettre en valeur.

Yvan DAUTIN

Saint-Jean-de-Monts, 1945. Auteur-compositeur-interprète. Fait la manche après 1968, remporte le Relais de la chanson française (1969), passe à l'Écluse, à l'Olympia où il présente les programmes, et dans de nombreux galas de soutien ou de fêtes politiques... Aidé par Maxime Le Forestier, il se fait entendre à la radio avec *La Mal-mariée*

(1975) et *La Portugaise* (mus. de J. Clerc, 1976), se fait connaître d'un public plus large au Théâtre de la Ville (1977) et à la Gaîté-Montparnasse (1979). Mais, peut-être par crainte de se laisser enfermer dans un personnage d'amuseur, il semble hésiter à s'attaquer au grand public. Cet héritier de Prévert et de Boby Lapointe sait que, sur la balance du show-biz, ses mots pèsent peu. Aussi préfère-t-il affûter ses calembours, entre sourire et larmes, attendant que son univers doux-amer, son humour à froid, à la limite du *nonsense*, s'impose au public. Mais son sens mélodique indéniable (*Les Mains dans les poches sous les yeux*, 1979) et l'ambiance musicale recherchée à laquelle il nous invite (il a travaillé avec Bernard Lubat, Alain le Douarin, Gérard Jouannest…) ne suffiront pas. Son œuvre se construit, disque après disque, spectacle après spectacle, dans la discrétion. Et la sortie en 2001 d'une compilation, *Les Plus Belles Chansons d'Yvan Dautin*, vient nous rappeler que le public est peut-être passé à côté d'un des grands talents de la chanson française de la fin du XXe siècle.

Max DEARLY

[Lucien-Max Roliand] Paris, 1874 – Neuilly-sur-Seine, 1943. Interprète. Après des débuts peu engageants dans le vaudeville, il quitte Paris pour Marseille, où il est engagé par un cirque anglais. Il y acquiert l'essentiel de sa technique de scène, dont l'accent anglais à la française, sa spécialité. Nanti de ce bagage, il retourne à Paris, et débute au Concert Parisien en même temps que deux autres débutants, Mayol et Dranem. En quelques années, il passe du Concert Parisien à la Scala, puis à l'Horloge, pour finir au théâtre des Variétés, consacré grande vedette. Les raisons de cette rapide ascension : un physique engageant, une présentation élégante qui le placent en marge des genres reçus du caf'conc' (n'étant ni maquillé, ni habillé de façon excentrique) et qui lui valent les faveurs du public féminin ; enfin, le genre anglais – accent, pas de danse –, alors symbole du chic exotique. Il ouvre ainsi la voie aux jeunes premiers comiques du music-hall, et d'abord à Chevalier. À partir de 1900, il alternera opérette (Variétés), revue et tour de chant, mais tendra à paraître de moins en moins au music-hall (Olympia, 1912, Cigale, 1913). À côté de ses succès de la Scala, *L'Anglais obstiné, Tralala voilà les English*, puis des années 1905-1910, alors qu'il est à l'apogée de sa gloire, il faut faire une mention spéciale à la « valse chaloupée », qui lança

Mistinguett (1909, Moulin Rouge) et au *Jockey américain* (1900), chanson pendant laquelle il mimait une course de chevaux. Après la guerre, ses fugues hors de l'opérette devinrent rares (*La Grande Revue* du Casino de Paris, 1919), et si la notoriété de l'interprète de Flers et Caillavet restait égale à elle-même, ses moyens vocaux tendaient à diminuer. En fin de carrière, on le vit porter son personnage à l'écran.

Jean-Jacques DEBOUT

Paris, 1942. Auteur-compositeur-interprète. Fils d'opticien, il se fait renvoyer de toutes les écoles. Une fugue le conduit chez son parrain, l'éditeur Raoul Breton : il deviendra plus tard un habitué de la maison. Jacques Datin et Maurice Vidalin le persuadent d'enregistrer à 16 ans *Les Boutons dorés* (1959). Le succès est immédiat. Le service militaire le fait oublier, et il repart de zéro en 1963 avec ses propres chansons. Johnny Hallyday lui prend *Pour moi la vie va commencer*, qui se vend à près d'un million d'exemplaires. Associé avec le parolier Roger Dumas, il devient alors le fournisseur attitré de Sylvie Vartan : *Comme un garçon* (1968), *On a toutes besoin d'un homme* (1969), *Je chante pour Swany* (1975). Compositeur de la *Revue* du Casino de Paris pour Zizi Jeanmaire, il devient aussi celui du répertoire enfantin de son épouse Chantal Goya. En tant qu'interprète, malgré une tessiture intéressante, il n'a remporté que des succès moyens, se réservant dans sa production des chansons plutôt mièvres et sentimentales : *Redeviens Virginie* (1975), *Je t'aimerai comme le Grand Meaulnes* (1978), *J'écrivais ton prénom* (1997).

Jacques DEBRONCKART

Chartrettes (Seine-et-Marne), 1937-Paris, 1983. Auteur-compositeur-interprète. Pianiste de cabaret, accompagnateur de Maurice Fanon et de Boby Lapointe, il écrit d'abord pour les autres (Juliette Gréco, Nana Mouskouri, Simone Langlois...), puis pour lui-même, enregistrant son premier disque en 1965 (avec une très belle chanson, *Adélaïde*), se produisant dans différents cabarets et à Bobino (1970). Dans la tradition des A.C.I. rive gauche, c'est un enfant spirituel de Jacques Brel (*J'suis heureux*, 1969).

DÉCENTRALISATION

Une des caractéristiques de la chanson française à la fin du XXe siècle est sans doute une décentralisation qui n'a rien à voir avec une quelconque politique gouvernementale, mais plutôt avec un changement de pratiques et de mentalité. Paris était jusque-là le lieu où tout se trouvait, où tout se faisait, où l'on débutait, enregistrait, était reconnu, passait à la télévision, en bref, où l'on faisait carrière… C'est cette structure jacobine qui s'est peu à peu délitée. Tout d'abord, au cours des années 1970, la vogue de la chanson en langues minoritaires de l'Hexagone (breton, alsacien, occitan…) a généré quelques structures régionales (comme les disques Ventadorn, à Béziers) qui sont venues battre en brèche le monopole parisien. Mais les choses sont depuis allées plus loin. Bien des biographies de cet ouvrage montrent que l'on peut désormais débuter en province (provinces que l'on appelle désormais, en langage politiquement correct, régions), voire y faire une carrière régionale. Les festivals, qui se sont multipliés, comme le Printemps de Bourges ou les Francofolies de La Rochelle, ont bien sûr joué un rôle dans cette mutation. Mais la grande nouveauté a surtout été, d'une part, l'apparition de groupes locaux fortement enracinés (Massilia Sound System et IAM à Marseille, Zebda et Fabulous Trobadors à Toulouse, Carte de Séjour et l'Affaire Louis Trio à Lyon, etc.) et, d'autre part, le fait que certains artistes affichent leur sentiment identitaire ou leur attachement à leurs racines en enregistrant chez eux, parfois au plus profond de la province (J.-L. Murat en Auvergne, Miossec en Bretagne, Francis Cabrel à Astaffort…). Dans les années 1990, on a même pu croire à l'émergence d'une « école de Nancy » autour de Charlélie Couture (avec son frère Tom Novembre, mais aussi Mil Mougenot, Pierre Éliane…). La multiplication des Zénith dans une quinzaine de villes françaises est un autre aspect de cette mutation : désormais les grandes salles ne sont pas uniquement parisiennes. Pourtant, l'industrie du disque est plus centralisée que jamais, regroupée autour de quelques *majors* (Universal, Virgin…), mais là aussi des petits labels commencent à se mettre en place (voir l'aventure aujourd'hui terminée de Boucherie Productions, ou celle de Tôt ou Tard). Dans le cadre de la mondialisation, qui touche le domaine artistique tout autant que le domaine économique (les deux ne sont d'ailleurs pas toujours séparables), ces pratiques nouvelles ont-elles des chances de s'imposer ? Le David local a-t-il des chances face au Goliath global dans une alternative « glocale » ? Affaire à suivre.

Pierre DEGEYTER

[Pierre de Geyter] Gand, 1848 – Tarbes, 1932. Compositeur. C'est en 1888, sur l'harmonium de la Lyre des travailleurs de Lille, qu'il composa la musique de *L'Internationale*. Devant le succès, son frère Adolphe prétendit en être l'auteur, et un jugement, en 1914, confirma cette assertion. Ce n'est qu'en 1922 que Pierre Degeyter pourra faire casser ce jugement et faire reconnaître ses droits. Il a également composé des chansons sentimentales, mis en musique *L'Insurgé* de Pottier et *La Grève générale* de Georges Debock.

Claude DEJACQUES

[Claude Bergerat] Paris, 1928-1998. Producteur. Après avoir fait la guerre d'Indochine, il vivote de petits boulots. Entre en 1953 chez Philips et y deviendra directeur artistique (1961), puis chez Festival (1969) et chez Pathé (1980). Il a participé à la carrière d'un nombre étonnant de chanteurs : Barbara, Catherine Ribeiro, Catherine et Maxime Le Forestier, Yves Simon, Nicole Croisille, Catherine Lara, Gérard Lenorman, Herbert Pagani, Michel Legrand, Claude Nougaro... Également peintre, photographe et écrivain, il a publié une dizaine de livres de souvenirs ou de fiction.

Suzy DELAIR

[Suzanne Pierrette Delaire] Paris, 1916. Interprète et actrice de cinéma. Enfant de la balle, elle chante dès l'âge de quatorze ans dans les cafés-concerts. Premier succès au music-hall avant la guerre, tour de chant à l'A.B.C. en 1950. Un succès : *Avec son tralala* (A. Hornez-F. Lopez, 1947). Elle a enregistré des chansons de nombreux films (*Tu n'peux pas t'figurer*, P. Misraki) et tourné avec Clouzot (*Quai des Orfèvres*, 1947), Visconti (*Rocco et ses frères*, 1960), M. Carné (*Du mouron pour les petits oiseaux*, 1962), G. Oury, etc.

Pierre DELANOË

[Pierre Leroyer] Paris, 1918. Auteur. D'abord receveur puis inspecteur des impôts, il taquine le couplet avec son beau-frère, le futur Frank Gérald. Un ami de la famille, Jean Nohain, les recommande à

Marie Bizet qui présente Delanoë à François Silly (plus connu sous le nom de Gilbert Bécaud). *Mes mains*, créée en 1953 par Lucienne Boyer, est le début d'une longue série de succès. Devenu, avec Louis Amade et Maurice Vidalin, l'un des collaborateurs attitrés de Bécaud, il suit son ascension. On lui doit notamment *Le jour où la pluie viendra* (1957), *Marie Marie* (1960), *Nathalie* (1964), *L'Orange* (1965)... Auteur prolifique s'adaptant avec facilité aux interprètes les plus divers, il est très sollicité et écrit pour André Claveau (*Dors mon amour*, mus. H. Giraud, prix de l'Eurovision 1958), Hugues Aufray (à qui il donne en 1965 de fades adaptations des chansons de Dylan), Michel Fugain (*Je n'aurai pas le temps*, mus. M. Fugain, 1967), Michel Sardou (*Les Vieux Mariés*, 1974 ; *Le France*, M. Sardou-J. Revaux, 1975), Gérard Lenorman (*La Ballade des gens heureux*, mus. G. Lenorman), Joe Dassin (*L'Été indien*, mus. C. Lemesle, J. Dassin, 1975), etc. Dans tout cela on note, derrière un évident savoir-faire, une constance dans la conformité aux idées bien-pensantes. Il a également adapté en français des comédies musicales (*Godspell*, *Jésus-Christ Superstar*) et publié en 1980 un livre de souvenirs, *La Vie en chantant*. Directeur des programmes d'Europe 1 de 1955 à 1960, il a plusieurs fois occupé des postes à responsabilités à la SACEM.

Vincent DELERM

Évreux, 1976. Auteur-compositeur-interprète. « Fils de » (son père, l'écrivain Philippe Delerm, écoutait beaucoup Souchon et, de façon plus large, la « nouvelle chanson française »), il suit des études de lettres, rédige un mémoire de maîtrise sur François Truffaut puis débute dans la chanson en première partie de Thomas Fersen (2001). Son premier disque (2002), qui connaît un succès imprévu (400 000 exemplaires vendus, Victoire de la musique 2003), est suivi en 2004 de *Kensingston Square*. Il y cultive un style très « collage », un « côté Ikea » (*Libération*), une tendance aux orchestrations un peu envahissantes et un goût du *name dropping* (Fanny Ardant, Trintignant...). Le tout peut irriter ou séduire. Avec *Les Piqûres d'araignée* (2006), il revient à des orchestrations moins lourdes, laissant plus de place au piano, mais ses chansons conservent le même aspect « bottin mondain » (Steffi Graf, Geneviève de Fontenay...).

Michel DELPECH

Courbevoie, 1946. Auteur-interprète. Sa carrière commence par une comédie musicale, *Copains-clopant*, écrite entre amis et dans laquelle il tient le rôle vedette (1965). Elle se poursuit grâce au succès d'une chanson qui en est tirée, *Chez Laurette*. Enfin, en 1966, *Inventaire 66* (mus. R. Vincent), collage à partir de l'actualité, lui fait franchir un nouveau pas. Prix de l'Académie Charles-Cros en 1969, il devient alors un habitué du hit-parade (*Wight is Wight*, 1970, *La Vie, la vie*, 1971, *Pour un flirt*, 1972, musiques de R. Vincent) et passe à l'Olympia en vedette (1972). Celui qui était jusque-là un chanteur pour minettes va alors élargir son public en chantant les préoccupations du Français moyen, comme l'après-couple (*Les Divorcés*, par. J.-M. Rivat, mus. R. Vincent 1974, vendu à 2 millions d'exemplaires), ou les rapports ville-campagne (*Le Loir-et-Cher*, par. J.-M. Rivat, mus. R. Vincent, 1977). Après ce virage réussi, il traverse une période plus difficile, vivant sur ses acquis et sortant des albums sans grand écho (*Loin d'ici*, 1985, *Les Voix du Brésil*, 1992, *Michel Delpech*, 1997, *Comme vous*, 2004), malgré la collaboration de spécialistes du tube (D. Barbelivien, J.-L. Murat, P. Obispo...). Il a également publié un roman (*De cendres et de braises*, 2000).

Lucienne DELYLE

Paris, 1917 – Monte-Carlo, 1962. Interprète. Orpheline, elle travaille dans une pharmacie et gagne un crochet radiophonique (Radio-Cité, 1939). Jacques Canetti s'intéresse à elle. En 1940, elle rencontre Aimé Barelli, qui devient à la fois son accompagnateur, son compositeur et son mari. Ils chantent même parfois ensemble (*Ça marche*, *Tant que nous nous aimerons*). Lucienne Delyle passe pour la première fois dans un grand music-hall (Olympia) en 1953 et pour la dernière fois (Bobino) en 1961. Ses succès : *Embrasse-moi*, *Tu n'as pas très bon caractère*, *Sur les quais du vieux Paris*. Proche de Lucienne Boyer à ses débuts, elle se détache peu à peu de son influence, mais reste une chanteuse de charme classique. Elle meurt prématurément d'une leucémie.

Gérald DE PALMAS

[Gérald Gardrinier] La Réunion, 1967. Auteur-compositeur-interprète. Quitte son île natale à dix ans pour s'installer à Aix-en-Provence. S'initie à la guitare, puis à la basse, et monte à Paris avant le bac, où il participe brièvement à un groupe, Les Valentins. Bassiste de studio, accompagnant sur scène Kent, Véronique Rivière, il écrit ses propres chansons mais ne sort son premier disque qu'en 1993 (*La Dernière Année*) avec un titre, *Sur la route*, qui frappe par son ambiance musicale folk. Il est couronné par les Victoires de la musique en 1995 (révélation masculine), mais son album suivant, *Les Lois de la nature* (1997), fait un flop. *Marcher dans le sable* (2000) avec la collaboration de Maxime Le Forestier (*Tomber*) et de Jean-Jacques Goldman (*J'en rêve encore*) redresse la barre. Il a aussi écrit pour Johnny Hallyday (*Marie*).

Paul DÉROULÈDE

Paris, 1846 – Nice, 1914. Poète. Sa vocation poétique prend ses racines dans la défaite de 1870 et dans la répression de la Commune à laquelle il participe activement. Ayant quitté l'armée pour raisons de santé, il se fait le chantre des revanchards dans ses recueils (*Chants du soldat*), dont on tire de nombreuses chansons. La plus connue reste *Le Clairon* (1875, mus. Émile André) qui, créée par Amiati, aura une belle fortune. Puis Déroulède quitte la poésie pour la politique active : directeur du journal *Le Drapeau* et dirigeant de la Ligue des patriotes, il tente en 1899 de prendre le pouvoir et devra, après son échec, s'exiler. Avec Delormel et Villemer, il représente la quintessence du sentiment national d'une bonne partie des Français après Sedan. La guerre de 1914 se préparait ainsi autant dans les caf'conc' qu'à l'état-major.

Paul DERVAL

[Alexis Pitron d'Obigny de Ferrière] 1880-1966. Directeur de salle. Après avoir été acteur au théâtre de Versailles, puis propriétaire de l'Éden à Asnières, devint le fondé de pouvoir de Raphaël Beretta, directeur des Folies-Bergère, et, en 1918, à la suite du limogeage de celui-ci, directeur lui-même. Il le restera jusqu'à sa mort. Après avoir remis la maison à flot, modifié la salle (1926), engagé de grandes vedettes (Mistinguett, Joséphine Baker, Yvette Guilbert, la Belle

Otero), il se « limita » finalement à monter ces énormes machines que sont devenues les revues de la rue Richer, se contentant de miser sur la somptuosité du décor, le tape-à-l'œil de la mise en scène et la fidélité, sinon la conformité, à la tradition, pour attirer le touriste. Une autre formule était-elle possible, en cette phase de crise et de reconversion du music-hall ? Toujours est-il que l'affaire était prospère, et ses plus proches collaborateurs, Mme Paul Derval, ancienne couturière, et Michel Gyarmathy, ancien dessinateur, n'eurent garde d'y changer quoi que ce fût.

Le DÉSERTEUR

Chanson, par. et mus. Boris Vian (1954). Écrite à une époque charnière (fin de la guerre d'Indochine-début de la guerre d'Algérie), elle est d'abord chantée par Mouloudji, le jour même de la prise de Diên Biên Phu, puis à l'Olympia et à Bobino en 1955, dans une version légèrement édulcorée par rapport à celle enregistrée par l'auteur (« monsieur le Président » y étant, entre autres, remplacé par « messieurs qu'on nomme grands »). Paul Faber, conseiller municipal, attire sur elle les foudres de la censure, au nom de l'« insulte faite aux anciens combattants ». *Le Déserteur* ne connaîtra donc pendant dix ans qu'une diffusion limitée et parallèle (on raconte que les soldats du contingent embarquent à Marseille en la sifflant). La vogue posthume de Boris Vian et la fin de la guerre d'Algérie lui donnent une deuxième vie : Peter, Paul and Mary veulent reconnaître en elle le type même du protest-song et en offrent en 1966 une version bilingue qui, bien que peu fidèle au texte original, ne manque pas de charme. D'autres chanteurs, comme Richard Anthony et les Sunlights, soucieux sans doute de donner une couleur engagée à un répertoire sans aucun rapport avec elle, se l'approprient sans vergogne. Serge Reggiani rend hommage à Vian en l'enregistrant dans la version restituée. Cette chanson, en somme folklorisée, doit sans doute son succès à des circonstances politiques internationales. En France, elle se rattache à la tradition antimilitariste (dans sa variante pacifiste) illustrée à la même époque par *Le Soudard* (J.-C. Darnal) et *Quand un soldat* (F. Lemarque).

Richard DESJARDINS

Noranda (Canada), 1948. Auteur-compositeur-interprète. Débute à 18 ans en accompagnant, au piano, son frère aîné. Après avoir essayé divers petits boulots, il crée en 1975 le groupe Abbittibbi, fait du cinéma, compose de la musique de film, tout en menant une carrière solo au Québec à partir du début des années 1980. C'est avec son troisième album, *Tu m'aimes-tu ?*, qu'il est reconnu en France en 1991, largement aidé par Francis Cabrel qui enregistre *Quand j'aime une fois j'aime pour toujours* pour l'album *Urgences* en 1992. Continue à faire des films, à chanter, à enregistrer (*Les Derniers Humains*, 1992, *Boom Boom*, 1998, *Kanasuta*, 2003), tout en militant pour la défense des Indiens, en particulier dans ses films. Ce créateur atypique, hors système, au verbe vigoureux, inventif, à l'univers musical situé entre le country-rock et le piano classique, tranche dans le paysage musical québécois : il fait tout sauf de la variété.

Gaby DESLYS

[Gabrielle Caire] Marseille, 1881 – Montrouge, 1920. Interprète et meneuse de revue. Blonde, délurée, d'une beauté et d'une élégance tapageuses, Gaby Deslys fait carrière simultanément à Londres et à Paris. Elle avait fait ses débuts à Parisiana en 1898. Célèbre pour ses aventures sentimentales, on lui prête notamment un flirt avec le roi du Portugal en exil, Manoël. Celui-ci, sous la pression de l'opinion publique, n'a plus qu'à « officialiser le plus charmant des mensonges ». Vers 1910, Gaby Deslys, qui revient d'Amérique, introduit en France la revue de music-hall. On la verra à la Cigale, aux Mathurins, au théâtre Fémina et au Casino de Paris (décembre 1917) que vient d'acheter Léon Volterra. Avec son partenaire américain Harry Pilcer, elle électrise les foules venues applaudir la revue de son ami Jacques-Charles *Laissez-les tomber* et sa chanson-vedette, *Allô ! my Dearie* : les spectateurs sont littéralement enthousiasmés par les danses du couple sur le rythme exubérant du jazz-band importé des États-Unis, et par ces sons tirés d'instruments inconnus, xylophones, saxophones, sarrussophones, banjos et balafons. On voit aussi Gaby Deslys, emplumée d'autruche et sertie de perles, descendre un escalier qui aura au music-hall une certaine postérité. Mistinguett prendra la relève lorsque Gaby Deslys, malade, s'éteindra prématurément, en pleine jeunesse, en pleine gloire. « La chute d'une fleur trop longue » (J. Damase).

Yves DESSCA

Lugrin (Haute-Savoie), 1947. Auteur. De père architecte, il commence des études de droit mais s'introduit très tôt dans les milieux de la chanson et écrit pour Claude François, Gilles Dreu, Hugues Aufray, Nicoletta, Michel Delpech, Hervé Vilard, etc. Parmi ses succès, *Le Rire du sergent* (mus. J. Revaux, 1971) et *La Maladie d'amour* (mus. J. Revaux, 1973) pour Michel Sardou, *Le Gentleman cambrioleur* (J.-P. Bourtayre, A. Boublil) pour Jacques Dutronc.

DIAM'S

[Melanie Georgiades] Nicosie, 1980. Née à Chypre mais élevée en France, elle commence à rapper à quinze ans dans différents groupes de la banlieue sud de Paris. Son premier disque, *Premier Mandat* (1999), passe inaperçu. *Brut de femme* (2003) touche un public plus conséquent, mais c'est *Dans ma bulle* (2006) qui la fait connaître hors des limites du milieu du rap, avec en particulier le succès de *La Boulette*. Alternant la voix nue (le plus souvent en introduction de ses morceaux), le rap classique, c'est-à-dire scandé, et la mélodie, elle se situe à mi-chemin entre différents styles, plus proche de MC Solaar que de NTM (dont elle se réclame pourtant). Dans cet univers sonore original, elle exprime avec véhémence ses refus (*Ma France à moi*), ses espoirs (*Jeune Demoiselle*), ses problèmes (*Petite Banlieusarde*), qui sont ceux de toute une génération.

Bernard DIMEY

Nogent-en-Bassigny (Haute-Marne), 1931 – Paris, 1981. Auteur. De père ouvrier, il fait des études pour être instituteur (il le sera effectivement une demi-journée). Réalisateur d'émissions radiophoniques, journaliste (dans la revue *Esprit*) et peintre, il vient s'installer sur la butte Montmartre à vingt-cinq ans et s'acoquine avec Francis Lai : leurs premières chansons seront chantées par Mouloudji, Jacqueline Danno, Juliette Gréco, Yves Montand. Poète de son état, Bernard Dimey dit ses textes dans les cabarets (au Port du Salut) et dans les grandes salles (Bobino, 1970). Grand Prix du disque 1970. Ses succès en chanson : *Mon truc en plumes* (mus. J. Constantin, chantée par Zizi Jeanmaire), *Syracuse* (mus. H. Salvador), *Mémère* (mus.

D. White, chanté par Michel Simon), *L'Amour et la Guerre* (mus. C. Aznavour).

Céline DION

Charlemagne (Québec), 1968. Petite dernière d'une famille de quatorze enfants (battant ainsi sur le fil Mireille Mathieu, qui n'avait que douze frères et sœurs), elle chante dès l'âge de cinq ans dans le bar familial où sa voix d'or fait merveille. Cours à l'Académie d'art lyrique et dramatique et carrière précoce : produite par René Angelil, elle obtient son premier disque d'or (*La Voix du Bon Dieu*) à quatorze ans puis touche l'ensemble des pays francophones avec *D'amour et d'amitié* (1982) et remporte le Grand Prix de l'Eurovision (pour la Suisse !) en 1988 avec *Ne partez pas sans moi*. Le phénomène intéresse alors les spécialistes du tube sur mesure : Luc Plamondon lui écrit tout un album (1991), suivi par Jean-Jacques Goldman (1995, *Pour que tu m'aimes encore*). Elle commence en même temps à chanter en anglais (*Unison*, 1990, *Céline Dion*, 1992), toujours avec le même succès, épouse son producteur, enchaîne les tubes, les tournées mondiales, les disques dans l'une et l'autre langues, les duos (avec Prince, Goldman, Barbra Streisand, Luciano Pavarotti...), chante pour le pape, pour Bill Clinton, obtient en 1996 deux Victoires de la musique, bref, on s'essouffle à la suivre. Elle aussi. Ayant vendu plus de cent millions de disques, elle fait ses adieux à la scène en 1999 à Montréal, donne naissance à un fils, puis s'installe à Las Vegas où elle se produit pendant de longues années dans un casino cinq soirs par semaine, avec une époustouflante mise en scène à (très) grand spectacle. Cette carrière menée tambour battant laisse pantois. Derrière ce succès international, il y a certes une voix assez rare, ample, prenante, mais surtout une gestion méticuleuse et programmée, une médiatisation de tout ce qui est vendable (mariage, maladies, naissance...) et même de ce qui ne l'est pas vraiment. Ses chansons étant interchangeables, et le plus souvent dénuées d'intérêt, c'est à elle que devrait s'appliquer la formule inventée pour Piaf : elle pourrait chanter l'annuaire du téléphone...

Sacha DISTEL

Paris, 1933 – Rayol-Canadel-sur-Mer, 2004. Compositeur-interprète. Fils d'un ingénieur et d'une pianiste, neveu du chef d'orchestre Ray

Ventura, il est sacré meilleur guitariste de jazz en 1953 et fait des débuts foudroyants dans la chanson avec *Scoubidou* (1958). Le titre, qui imite le scat des jazzmen, donne naissance à un curieux gadget du même nom : on tresse des fils de plastique de différentes couleurs qui servent à tout et à rien, porte-clefs, pendentifs... Des fiançailles temporaires avec Brigitte Bardot achèvent de le mettre sur orbite. La vedette accumule alors des succès sur mesure (*Personnalité*, 1959, *Mon beau chapeau*, 1961) et entame une carrière qui prétend prolonger celle de Maurice Chevalier, mais qui tournera court en France. Il se rattrape donc à l'étranger (États-Unis, Grande-Bretagne). Il a enregistré en 1991 *Dédicaces*, album reprenant les plus belles chansons d'amour, et en 2003 *En vers et contre vous*, double CD sur lequel il interprète des standards américains et ses propres compositions. Mais le sourire de joli garçon bien mis, qui fait merveille à la télévision française (série de « Sacha Show », 1962-1972) puis britannique (il mène à partir de 1971 une carrière en Angleterre), n'arrive pas à compenser l'indigence des chansons qu'il interprète et dont il n'y a rien à dire, elles-mêmes ne disant pas grand-chose.

DOC GYNÉCO

[Bruno Beausire] Clichy, 1974. Auteur-compositeur-interprète. De parents guadeloupéens. Collabore en 1993 avec le groupe Ministère Amer (écrivant un titre, *Autopsie*, pour leur Album *95200*) puis enregistre son premier disque, *Première Consultation* (1996), qui se vend à 750 000 exemplaires. Suivent en 1998 *Liaisons dangereuses* (dont un duo avec Bernard Tapie, un autre avec Renaud) et, en 2002, *Solitaire*, album qui reçoit une Victoire de la musique (meilleur album rap) en 2003. Entre rap « cool » et raggamuffin, avec une touche de funky, il mène une carrière incertaine, inclassable. Moins violent que le groupe NTM, moins tendu qu'IAM, il semble pencher vers un anarchisme à la Ferré, mais un anarchisme version « light » : Doc Gynéco a fait de l'indolence une forme d'esthétique et, pour ne pas fatiguer sa voix, chante en suçant presque le micro. Derrière son air endormi, il se moque gentiment de tout le monde. Sauf de lui.

DOMINIQUE

Chanson, par. et mus. Jeannine Deckers, 1962. « Dominique nique nique s'en allait tout simplement... » Dans le paysage sonore français la voix (belge) de sœur Luc-Gabriel, de son vrai nom Jeannine Deckers, dite Sœur Sourire pour son apparition dans le show-biz, venait s'installer à côté des succès de l'année, *Et j'entends siffler le train* (Richard Anthony), *L'Idole des jeunes* (Johnny Hallyday) ou *Pour une amourette* (Leny Escudero). Dans le paradigme de soutanes chantantes ouvert par le père Duval (le père Bernard, le père Cocagnac, etc.), Sœur Sourire apportait une touche féminine mais pas pour autant pacifique : le texte appelait en effet à la croisade contre les albigeois... Miracle : trois accords d'une simplicité biblique, un chœur de voix juvéniles soutenant celle, très haut placée, de la nonne, et une syllabe à connotation sexuelle qui n'était alors connue que des Français d'Afrique du Nord (nique) et ne pouvait donc heurter les oreilles bien-pensantes. Ce cocktail improbable fit merveille. Adaptée en plusieurs langues, la chanson fut première pendant de longues semaines au Billboard américain, sans faire pour autant la fortune de son auteur : Sœur Sourire avait cédé ses droits à la congrégation dominicaine et finit dans la misère, homosexuelle et défroquée. Elle s'est donné la mort en 1985.

Alice DONA

Maisons-Alfort, 1946. Compositeur-interprète. Chanteuse yé-yé (*Les Garçons*, 1963), elle disparaît quelques années avant de revenir comme compositeur (*C'est de l'eau, c'est du vent*, par. Pierre Delanoë, 1969, interprétée par Claude François). Son association avec Serge Lama en fait, à partir de 1970, une fonctionnaire, côté musique, de la chanson à succès. Les titres se succèdent, qui sonnent comme les items d'un palmarès : *Chez moi, Tous les Aufwiedersehen, Je suis malade, La chanteuse a vingt ans, L'Algérie, Messieurs, Tarzan est heureux, Femme, femme, femme.* Puis elle commence à se faire entendre elle-même (*La Nana 77*). Elle a déjà à son actif le sens de la chanson « carrée » traditionnelle et bien française, venue en ligne directe de la revue des années 1930 ; elle colore en surface avec le « folky » ou le « bluesy » à la mode (*Mon p'tit Cœur*). Bonne chanteuse, au sens radiophonique du terme, elle n'a pas l'air de croire énormément à ce qu'elle raconte, mais néanmoins cette image de femme moderne très classique que lui taillent ses paroliers (principalement Claude Lemesle) porte autant que sa musique sur le bon peuple amoureux des valeurs anciennes. Elle a également écrit pour d'autres interprètes, notamment Serge Reggiani (*J'suis pas chauvin*, 1975, *Le Barbier de Belleville*, 1977, par. C. Lemesle) avec une constance dans le succès qui touche à la provocation, ou au talent... Elle s'est parallèlement lancée, dans les années 1990, dans l'enseignement de la chanson.

Au DON CAMILLO

Cabaret-restaurant, rue des Saints-Pères, Paris. Ouvert par Jean Vergne, c'est d'abord un restaurant typique aux spécialités italiennes. Fernandel patronne l'établissement. Après travaux, la direction décide en 1964 d'en faire un cabaret. La salle contient deux cent vingt dîneurs, la scène est vaste, le spectacle comprend huit artistes : en majorité, comédiens ou diseurs représentatifs de l'humour français traditionnel (Robert Lamoureux, Roger Nicolas, Pierre Repp) ou des chansonniers (Robert Rocca). Mais la chanson y a aussi sa place et l'on a pu applaudir au Don Camillo de nombreuses vedettes, dont Jean Sablon, Léo Ferré, Serge Reggiani, Jean Vallée et Charles Trenet (qui y a fait une de ses rentrées après quelque temps d'absence de la scène).

Georges DOR

[Georges Henri Dore] Saint-Germain-de-Grantham (Canada), 1931-2001. Auteur-compositeur-interprète. Réalisateur de télévision, il débute dans la chanson en 1964 et s'impose rapidement comme l'une des têtes de file de la chanson québécoise : Butte à Mathieu en 1965, Comédie Canadienne de Montréal (trois mille places) en 1966 et 1969. Un auteur qui, dans une facture chansonnière classique, se contente de témoigner de la révolution culturelle québécoise (*Les Ancêtres*, *Les Chinois*). Sa plus belle réussite est sans doute *La Complainte de la Manic*, chanson d'amour qui évoque la condition des travailleurs sur les barrages du Nord canadien et qui a été reprise par Pauline Julien et Catherine Sauvage. Il a également écrit des pièces de théâtre.

Jacques DOUAI

[Gaston Tranchant] Douai, 1920 – Paris, 2004. Interprète. Porte-drapeau de la « bonne chanson », il débute en 1947, guitare en bandoulière (il est parmi les premiers à utiliser cet instrument), Chez Pomme, à Montmartre, avec *Les Feuilles mortes* (Prévert-Kosma) dont il est le premier interprète. Sa carrière ressemble alors à un guide des cabarets parisiens : on le voit au Quod Libet, à la Rose Rouge, à l'Échelle de Jacob, au Club Saint-Germain, Chez Carrère et Chez Gilles. Il accède ensuite à des scènes plus larges : en 1963 il est au Vieux-Colombier et, en 1967, au théâtre de l'Alliance française. Animateur culturel autant qu'interprète, il effectue des tournées en France, au Canada et aux États-Unis avec la « Frairie », groupe de danse folklorique animé par sa femme, Thérèse Palau. Son répertoire offre un choix rare de chansons folkloriques retrouvées et d'œuvres contemporaines inspirées ou non par le folklore (*File la laine* de R. Marcy, *L'Étang chimérique* de L. Ferré, *Une noix* de C. Trenet). Sur scène, en manches de chemise évasées, il cultive un genre « troubadour », avec une voix de chorale un peu froide, qui ne laisse passer aucune émotion. Avec l'aide de Luc Bérimont, qui lui succédera seul dans cette tâche par la suite, il produit une émission destinée à faire connaître de jeunes talents, « La fine fleur de la chanson française ». Il crée par ailleurs un éphémère Théâtre populaire de la chanson (1966), puis un Théâtre du jardin pour l'enfance et la jeunesse (1981). Prix du disque 1974 pour ses « 25 ans de chanson », il aura largement contribué à une renaissance et à une reconnaissance du folklore français, enregistrant en une vingtaine d'albums aussi bien des œuvres du patrimoine que celles de contemporains (Léo Ferré, Jacques Prévert, Jean Vasca, Eluard, Luc Bérimont…). Malgré son important travail de collecteur, la vague folk des années 1970 ne le reconnaîtra pas comme l'un des siens, sans doute parce qu'il s'est surtout intéressé à la dimension poétique du folklore, négligeant un peu son aspect musical.

DRANEM

[Armand Ménard] Paris, 1869-1935. Interprète. Né rue de Château-Landon, il débute en amateur au café-restaurant de la Verrerie, où chantait aussi Montéhus. Le jour, il exerce la profession d'apprenti bijoutier. En 1894, il obtient son premier engagement professionnel à l'Electric-Concert du Champ-de-Mars. Trois années plus tard, il fait ses débuts au Concert Parisien, le même soir que Mayol et Max Dearly. Il est alors catalogué dans le « genre Polin » (comique troupier). C'est à cette époque qu'il adopte une nouvelle tenue, signe visible d'une transformation de son personnage. Il se produit au Divan japonais, au Petit Casino, puis signe à l'Eldorado (1899) : il inaugure avec cet établissement un bail de vingt ans, pendant lequel son seul nom à l'affiche suffira à remplir la salle, alors qu'il faudra à la salle d'en face, la Scala, une pléiade de vedettes pour faire le poids. Pendant cette première période, qui est celle des « chansons idiotes » – *Ah ! les p'tits pois*, *L'Enfant du cordonnier* (*Le Fils du gniaf*), *Pétronille tu sens la menthe*, *Le Trou de mon quai*, *Le Jardinet de ma voisine*, autant de succès –, il ne quitte l'Eldorado que pour l'Alcazar d'été, sitôt la belle saison venue. Après la guerre, il se reconvertit dans l'opérette et la comédie, se produisant notamment aux Bouffes-Parisiens (*Là-haut*) et à l'Odéon (*Le Médecin malgré lui*). Enfin, l'avènement du 7e art lui donne l'occasion d'entamer une troisième carrière, de se faire connaître ainsi du public de province qui n'avait guère eu l'occasion de l'entendre, et de mourir en pleine gloire.

Comique puissant, Dranem avait créé un genre, mieux, un personnage au même titre que Jocrisse, Grock, Charlot. Sa silhouette surprenait : « Un tout petit chapeau dans le genre de ceux des marins américains couronnait une tête chauve comme un œuf de Pâques. Ses joues et son nez étaient maquillés de rouge ; les lèvres, par contre, étaient blanches. Il était vêtu d'une petite veste étriquée, d'un pantalon en toile de matelas, trop large et trop court, découvrant d'énormes godasses sans lacets » (Jacques-Charles). Son apparition, sa tenue sur scène déclenchaient l'hilarité : il arrivait en courant maladroitement, tel un fugitif poursuivi, s'arrêtait interloqué devant le trou du souffleur, et ne semblait se réveiller qu'au son de l'accompagnement. Il entamait alors sa chanson, d'une voix chevrotante, les yeux fermés, sans gestes ; de temps en temps il les rouvrait, comme effrayé par l'énormité de ce qu'il disait, et les refermait aussitôt. Au dernier refrain, il continuait à chanter sans prononcer les paroles, et à cligner des yeux : le public, qui connaissait la chanson par cœur, ne se tenait plus. Le tout était accompagné de commentaires irrésistibles, de petits gloussements de rire. On comprend mieux ainsi la fonction jouée par ces chansons volontairement niaises : mettre en valeur l'écart existant entre les choses dites et le jeu de physionomie de l'artiste. C'est la source d'un burlesque d'un caractère original, à la fois immédiat et au second degré. Pillé, imité (notamment par Chevalier et Milton à leurs débuts), Dranem était entré vivant dans le Panthéon populaire.

Jean DRÉJAC

[Jean Brun] Grenoble, 1921 – Paris, 2003. Auteur-compositeur-interprète. Fils de gantiers, il se destine au music-hall et débute en 1938 (Européen, Petit Casino, Pacra). Commence à écrire pendant la guerre. À la Libération, *Le Petit Vin blanc* (mus. Borel-Clerc), créée avec Lina Margy et Michèle Dorlan, est un énorme succès. Son métier d'auteur l'emporte alors sur celui d'interprète : *Le Petit Bal du samedi soir* (mus. Borel-Clerc) est chantée par Georges Guétary, *L'Homme à la moto* par Édith Piaf, *Bleu blanc blond* par Marcel Amont, etc. Il se remet lui-même à chanter en 1960 (*La Cuisine*, reprise par Juliette Gréco). À partir de 1971, il collabore avec Michel Legrand (*Comme elle est longue à mourir ma jeunesse*) et, en 1977-1978, fête ses *30 ans de chanson* (titre d'un album) à Bobino. Vice-président de la SACEM, il défend âprement les droits de la chanson française.

Marie DUBAS

Paris, 1894-1972. Interprète. Après un apprentissage de comédienne au théâtre de Grenelle, elle devient chanteuse d'opérette tout en se produisant au cabaret Le Perchoir. Obligée d'interrompre une carrière prometteuse à la suite d'un accident vocal, elle se réoriente, sur les conseils de Pierre Wolff, vers la chanson. Le 23 septembre 1927, elle fait ses grands débuts sur la scène de l'Olympia, où elle a été engagée par Paul Franck. C'est le début d'une longue carrière, marquée notamment par la revue *Sex appeal 32*, qu'elle mène au Casino de Paris (1932), un tour de chant au théâtre des Champs-Élysées, dans le cadre des Concerts Pasdeloup (1934), ses rentrées à l'A.B.C. (1945) et à l'Étoile (1946), le spectacle *Chansons d'hier et d'aujourd'hui* avec Damia à l'Olympia (1955), les créations de *Pedro* (Rodor-Gey, 1927), ses grands succès (*Doux Caboulot*, Carco-Larmanjat, 1931 ; *Mon légionnaire* et *Le Fanion de la Légion*, Asso-Monnot, 1936). La maladie seule y mettra un terme, trente ans après ses débuts, en 1958. Marie Dubas est de la grande tradition des diseuses, des Yvette Guilbert et Esther Lekain. Mais elle a su adapter celle-ci aux exigences du music-hall : occupant toute la scène et tirant d'une technique dramatique très complète des effets comiques irrésistibles, elle fait preuve d'une vitalité, d'un sens de la rythmique corporelle qui ravissaient le public. Pour le spectateur d'un de ses tours de chant, Marie Dubas savait tout faire : parodier un air d'opérette (*Lise*, Bernard-Mathé), détailler d'aimables fantaisies (*Marguerite*, Domingo-Roget ; *Les Houzards de la garde*, qu'elle avait reprise du répertoire d'Eugénie Buffet), procurer le frisson, celui des chansons réalistes (*Quand je danse avec lui*, Gabriello-Eblinger), faire rire et pleurer dans la même chanson (*La Femme du roulier*, adaptée du folklore), intercaler un récitatif sur fond musical (*La Charlotte prie Notre-Dame*, de Jehan Rictus). Et puis encore danser, mimer, jouer des hanches ou de sa frange brune, rattraper sa voix haut perchée d'un geste de la main, et lancer son « Pedro oh Pedro oh », sa chanson fétiche. Aussi la jubilation du spectateur était-elle égale à la sienne. « L'admirable, en Marie Dubas, c'est l'incessant bonheur de son talent » (L. Léon-Martin). « Avec elle, le sujet ne compte plus, le texte et la musique même s'effacent. C'est Marie Dubas que l'on regarde, que l'on écoute, rien d'autre » (M. Georges-Michel). Quant à Édith Piaf, elle déclare : « Elle a été mon modèle, l'exemple que j'ai voulu suivre. » En 1936, quelques mois après Marie Dubas, elle reprend *Mon légionnaire*, son premier succès.

Pierre DUDAN

Moscou (Russie), 1916 – Épalinges (Suisse), 1984. Auteur-compositeur-interprète. Touche-à-tout de génie, il fait du théâtre, du cinéma (une quarantaine de films) après des études supérieures à Lausanne. Chante ses œuvres à partir de 1936 dans des cabarets parisiens (Bœuf sur le toit, Lapin à Gill), mais ce n'est qu'après la guerre qu'elles atteindront le succès. *Café au lait au lit* (1940), sa chanson la plus connue, témoigne assez bien de l'ensemble : musique famille, sans nuance péjorative, c'est-à-dire musique que l'on retient et qui marque, ambiance sympathique. *Clopin-clopant* (1947, mus. de Bruno Coquatrix) et *Mélancolie* sont d'une autre veine : Dudan a les mêmes qualités que Francis Lemarque, « coup de crayon » suggestif et rapide, note entraînante, et les défauts de ses qualités : l'ensemble de sa production peut manquer de qualité. Il quitte la France en 1962 pour le Canada où il continue d'écrire loin du marché français, avant de revenir sur le Vieux Continent où il prend sa retraite en Suisse.

Diane DUFRESNE

Montréal (Canada), 1944. Interprète. Infirmière, elle prend des cours de chant et débute dans les boîtes à chanson de Montréal et les cabarets rive gauche de Paris (1965-1966) en interprétant Aragon, Ferré, Vigneault ou Brel. Après sa rencontre avec François Cousineau, pianiste-arrangeur, puis avec Luc Plamondon, qui devient son parolier attitré, elle découvre son identité de chanteuse de variétés rock tout en reprenant son accent québécois. Des chansons comme *J'ai rencontré l'homme de ma vie* (1972) ou *Chanson pour Elvis* (1975), mais surtout son spectacle, *L'Opéra-cirque*, qu'elle présente des deux côtés de l'Atlantique révèlent un personnage étonnant. Qui n'a pas vu Diane Dufresne sur scène a manqué un grand moment de folie onirique : délire visuel, vocal, théâtral, costumes extravagants, tout concourt au spectacle... Elle passe en vedette à l'Olympia (1978), puis participe à *Starmania* (L. Plamondon-M. Berger), accumule les inventions scéniques, tourne dans le monde entier, mais se fait plus rare dans les années 1990 (un album, *Comme un parfum de confession*, en 1997). Elle se consacre également à la peinture et expose cycliquement.

Charles DUMONT

Cahors, 1929. Compositeur-interprète. Prix de trompette, il s'essaie en chanson sur des poèmes de Francis Carco qui seront repris par Cora Vaucaire. Également chanté par Lina Margy, il compose bientôt pour tous les chanteurs de charme et écrit pendant dix ans pour Piaf des chansons dont elle ne veut pas, malgré ses succès avec *Lorsque Sophie dansait* (par. M. Vaucaire, interprétée par les Compagnons de la chanson, 1959). Enfin, en 1960, Piaf a le coup de foudre pour *Non, je ne regrette rien* (par. M. Vaucaire), que Colette Renard a déjà interprétée. Il lui composera trente-cinq autres chansons, parmi lesquelles *Mon Dieu* (par. M. Vaucaire) et *Quand les amants* (par. É. Piaf) qu'il chantera en duo avec elle. La mort de Piaf (1963) et la vague yé-yé l'obligent à changer de voie : il écrit pour le cinéma et la télévision, puis revient à la chanson en 1968 : *Ta cigarette après l'amour* (par. S. Makhno). Il passe alors sur scène (Olympia, 1977) avec succès, entamant une carrière de chanteur pour dames frémissantes. Mais ses disques successifs tendent à n'être désormais que des reprises de ses anciens succès et il termine sa carrière dans de petites salles (Don Camillo, 2003) dont l'intimité convient à son style.

Yves DUTEIL

Neuilly, 1949. Auteur-compositeur-interprète. Issu d'une famille de bijoutiers, il étudie le piano, la guitare, chante et joue de l'orgue dans un groupe éphémère (les Marquis Five) et abandonne des études de sciences pour se lancer dans la musique, testant ses chansons au Club Méditerranée (1969) puis au Petit Conservatoire de Mireille (1972). Ses premiers disques 45 tours n'obtiennent que peu de succès (on y note surtout des influences diverses, de Michel Polnareff à Maxime Le Forestier, d'Hugues Aufray aux Beatles). Le virage est pris avec le Festival de Spa, qu'il remporte en 1974 : *Le Petit Pont de bois* se vend à plus de 700 000 exemplaires. Il passe au Théâtre de la Ville, aux Champs-Élysées, et devient un habitué du hit-parade : *Tarentelle* (huit disques d'or), *J'ai la guitare qui me démange...*

Le procédé Duteil est très simple et très ancien : il consiste à bâtir des mélodies néoclassiques et à les arranger sur une base de guitare-clavecin et de quatuor à cordes. En bref, il s'agit tout simplement de rappeler à l'oreille du public le patrimoine musical qu'il a vaguement acquis à l'école. La seule part de création originale est le rythme, qu'il faut rendre assez sautillant pour concurrencer blues, rock ou folk. Dans le meilleur des cas, le timbre fort bien placé du chanteur y range un jeu de syllabes qui pousse les rapports entre mots et musique vers une perfection non dénuée d'humour (*Lucille et les libellules, La Maman d'Amandine*). Dans le pire, un discours convenu englue l'auditeur dans le miel d'une voix douce, d'une musique douce, de mots doux, et l'on frise alors le doucereux (*Prendre un enfant par la main*). Yves Duteil s'est lancé dans la politique (il est maire de Précy-sur-Marne) tout en continuant à enregistrer cycliquement, obtenant un succès élargi aux frontières de la francophonie avec *La Langue de chez nous* (1986). Ses plus récents albums (*Touché*, 1997, *Sans attendre*, 2001) semblent cependant témoigner d'un mûrissement : l'apparente superficialité des débuts a laissé place à des thèmes plus denses (*Grand-père Yitzhak, Dreyfus, La Tibétaine...*).

Jacques DUTRONC

Paris, 1943. Compositeur-interprète. D'abord guitariste des Cyclones, puis directeur artistique de Françoise Hardy (il lui écrit la musique de *C'est le temps de l'amour*), il se lance dans la chanson en 1966 avec *Et moi et moi et moi* que tout le monde attribue à Antoine... En fait, Dutronc et son parolier Jacques Lanzmann atteignent une efficacité d'écriture et une cohésion texte-musique remarquables. Les nombreuses occurrences de *Je* dans les textes font d'ailleurs oublier qu'il existe un Lanzmann : c'est, pour le public, *un* personnage qui s'exprime. Même lorsqu'il parle des autres (« dans leur slip il y a des cactus »), Dutronc parle de lui, et c'est peut-être là le secret de sa carrière : créer un personnage contre. Le « et moi et moi et moi » est de ce point de vue significatif : il y a moi et les autres. *Les Play-Boys* (1966) ou *Fais pas ci fais pas ça* (coll. A. Segalen) ont la même fonction. Dans tous les cas, Dutronc introduit une distanciation critique : *Les Play-boys* comme *Les Cactus* (1966) étaient des sujets scabreux... Lanzmann dans son texte évite soigneusement les écueils et Dutronc chante dans le même esprit. Cette ironie interne sera la caractéristique de l'œuvre : *J'aime les filles* (1967), *Il est cinq heures, Paris s'éveille* (coll. A. Segalen, 1968), *L'Hôtesse de l'air* (1969). C'est une époque de tournées effrénées (deux cents galas par an), de succès renversants (il vend un million d'exemplaires des *Cactus*), de délires scéniques. Puis Dutronc fait un long détour par le cinéma (*L'Important c'est d'aimer*, A. Zulawski, 1975, *L'État sauvage*, F. Girod, 1978, *Sauve qui peut (la vie)*, J.-L. Godard, 1980, etc.). Il revient à la chanson avec un répertoire en partie dû à S. Gainsbourg (*Guerres et pets*, 1980), obtient en 1992 un oscar du meilleur acteur (*Van Gogh*, M. Pialat), oscille entre chanson et cinéma. Gainsbourg est mort en 1991, et l'on peut croire un instant que Dutronc cherche à prendre la place laissée libre : lunettes noires, gros havane, son spectacle au Casino de Paris (1992) est un monument de provocation, et l'album live qui en découle (*Dutronc au Casino*) se vend à plus de 600 000 exemplaires. Il récidive au Printemps de Bourges de 1993 devant six mille spectateurs. Mais son esthétique de l'indolence le ramène à la raison : entre la Corse, les copains et la frénésie du show-biz, il a choisi depuis longtemps.

Aimé DUVAL

Le Val-d'Ajol (Vosges), 1918 – Nancy, 1984. Auteur-compositeur-interprète. Apprend à jouer de divers instruments pendant ses études. Malade, il compose des chansons, qu'il interprète lors de veillées de jeunes catholiques dont il est l'aumônier. Missionnaire en milieu ouvrier, il agrémente les causeries qu'il tient dans les cafés de chansons de son cru. La presse s'en empare. Disque, recueil de chansons, récital au Gaumont (1957), un titre, *La P'tite Tête*, qui passe sur les ondes : le « guitariste du bon Dieu » est né et accumule les succès avec des textes bourrés de références bibliques et des musiques conformes à la tradition du chant choral français (*Rue des longues haies*, *Le Ciel est rouge*, *Par la main...*). Le teint hâve, la soutane flottante, la voix cassée, le père Duval va sillonner le monde pendant plus de cinq ans, portant la bonne parole et ses chansons aux quatre coins de la terre. Puis le ressac et la maladie vont le rejeter dans l'obscurité. De cette étonnante équipée, il reste le souvenir d'une présence humaine authentique, un répertoire pour mouvements de jeunesse catholiques et le sentiment d'une tentative avortée : le premier mouvement de curiosité passé, le père Duval n'a plus touché que les convertis. Il disparaît après avoir publié un ouvrage sur son alcoolisme (*Au bout de l'alcool*). Sa tentative inspira de nombreux chanteurs en soutane ou en bure : le père Bernard, franciscain québécois qui connut dans son pays une vogue aussi impressionnante que brève, Jacqueline Lemay, québécoise elle aussi, le père Cocagnac, Noël Colombier et Sœur Sourire dont le tube, *Dominique*, est resté dans toutes les oreilles. Des laïcs – Pierre Selos, Michel Frenc, John Littleton, Marie-Claire Pichaud – creusèrent le même sillon. En vain : la chanson religieuse n'a pas, à ce jour, trouvé son Trenet.

E

Stephan Eicher

L'EAU VIVE

Chanson, par. et mus. Guy Béart (1958). Musique du film de François Villiers du même nom, c'est une des premières œuvres connues de Béart, d'abord sous forme d'air de guitare très simple (*mi-do mi-do mi-do ré*) au rythme de berceuse. Elle trace un portrait de femme-enfant insouciante et libre au milieu d'un cadre méditerranéen décrit à l'aide d'un vocabulaire et de rimes exceptionnellement conventionnels pour l'auteur (troupeaux, ruisseaux, pipeaux, chevreaux, hameaux...). Ne pas s'y fier : la chanson retrouve le mythe de l'eau, symbole érotique éternel exprimé tout au long du folklore par toutes les légendes de rivières et de fontaines.

L'ÉCHARPE

Chanson, par. et mus. Maurice Fanon (1963). Une belle chanson d'un bon auteur-compositeur qui n'a pas beaucoup de chance comme interprète, fondée sur une série de jeux de mots homophoniques (soie, soi) et sur la mémoire affective chère à Proust. La musique aux accents mélancoliques complète le tableau du souvenir qui ne peut plus se rattacher à autre chose qu'à un lambeau, « une écharpe de soie, qui se souvient de nous ». Elle a aussi été enregistrée par Pia Colombo.

L'ÉCHELLE DE JACOB

Cabaret, rue Jacob, Paris. Créé en 1948, d'abord animé par Guidon-Lavallée, puis par Pierre Arvay, ce cabaret, « rive gauche » par sa situation, diffère en fait beaucoup de ses voisins. Alors que le cabaret est généralement un tremplin où se produisent des débutants (parmi ceux-ci, Diane Dufresne, Marie-Paule Belle, Bruno Brel), l'Échelle de Jacob accueillit souvent des vedettes confirmées : Jacques Brel (1965), Hugues Aufray, Charles Trenet (1969), etc.

L'ÉCLUSE

Cabaret, quai des Grands-Augustins, Paris. Petite salle en longueur d'une trentaine de places, ouverte en 1947 par Legueltel (directeur de la Galerie 55) qui forme une équipe dirigeante : Léo Noël, Marc et André, Brigitte Sabouraud. L'Écluse démarre véritablement fin 1949. Léo Noël s'y consacre entièrement et tient jusqu'à sa mort (1966) le rôle de principal animateur des lieux. Mais la belle époque du « plus petit music-hall de Paris » se situe dans la période de l'après-guerre, à l'apogée du style rive gauche. L'Écluse, où viennent alors se produire Léo Ferré, Stéphane Golmann, Jacques Douai et Cora Vaucaire, donne le ton à tout le Quartier latin. Depuis, différentes vedettes y ont fait leurs débuts, en particulier Barbara qui reste cinq ans à l'affiche (de 1959 à 1964) sous le nom de la « Chanteuse de minuit ». Marie-Paule Belle, qui y resta elle-même un an et demi, sera la dernière à s'en servir comme d'un tremplin : en 1972, l'Écluse ferme ses portes. Elle se transformera quelques années plus tard en restaurant.

L'ÉCOLE BUISSONNIÈRE

Cabaret, rue de l'Arbalète, Paris. Créé en 1962 par René-Louis Lafforgue avec l'aide de ses amis (Jean Ferrat, Claude Vinci, etc.) qui mettent parfois la main à la pâte, le cabaret se veut multiforme : chanson, certes, avec Maurice Fanon, Henri Gougaud, Jean-Claude Annoux, Christine Sèvres..., mais aussi salle de théâtre pour jeunes compagnies, salle d'exposition, etc. À la mort de René-Louis Lafforgue, sa femme continue quelque temps à s'occuper de l'ensemble (1967-1969).

L'ÉCOLE EST FINIE

Chanson, par. André Salvet-Jacques Hourdeaux, mus. Claude Carrère. Mars 1963 : Guy Lux présente à la télévision une jeune fille à couettes, genre collégienne sage, qui chante avec entrain et application (play-back oblige), en dandinant la tête, cette chansonnette qui allait devenir célèbre :

Donne-moi la main
et prends la mienne
la cloche a sonné...

« Monsieur tout le monde » (c'est le titre de l'émission) et surtout Madame sont conquis : enfin un twist sage, des paroles saines, et une jeune fille si sympathique, si franche. Cette dernière, dénommée Sheila, est lancée. De douze à seize ans, on achète et on écoute *L'école est finie* : dix mille ventes par jour, pendant plusieurs semaines. Claude Carrère, l'auteur et l'imprésario de la chanteuse, a misé juste.

Stephan EICHER

Munchenbuchsee (Suisse), 1960. Auteur-compositeur-interprète. Suisse, germanophone, d'origine tzigane, fils d'un violoniste, il étudie d'abord dans une école d'art où il pratique la vidéo et la composition sur ordinateur, avant de participer au groupe les Noises Boys (1977), puis de créer avec l'un de ses frères le groupe Grauzone. Tourne un temps avec un autre groupe, Lilliput, et sort en 1983 son premier album, *Chansons bleues*. Il s'assure assez vite un succès d'estime : Printemps de Bourges (1984), deuxième album en 1985 (*I tell this night*), Olympia (1986), troisième album (*Silence*) et succès d'un titre, *Combien de temps*. Ayant jusqu'ici essentiellement travaillé sur ordinateur, il commence à s'entourer de musiciens, en particulier de cordes, et à collaborer avec le romancier Philippe Djian (1989, album *My Place*) qui lui donnera en 1991 l'un de ses plus grands succès, *Déjeuner en paix*, sur l'album *Engelberg* (vendu à plus de 2 millions d'exemplaires), où l'on trouve en outre un titre en dialecte bernois, *Hemmige*. Les albums se succèdent (*Carcassonne*, 1993, *1000 vies*, 1996, *Louanges*, 1999, *Taxi Europa*, 2003) et le succès perdure. Portant dans sa voix rauque la trace de ses différentes racines, menant un parcours atypique, de la musique électronique ou électrique à l'acoustique, du rock au folk, Stéphane Eicher mène ainsi une carrière qui, par certains aspects, rappelle celle de Bob Dylan. Il a aussi composé la musique du film *Monsieur N* (A. de Caunes, 2002).

ELLE ÉTAIT SI JOLIE

Chanson, par. et mus. Alain Barrière (1963). Grand succès de l'auteur. Un air de slow soutenu par des chœurs. Des paroles réduites à l'essentiel, passant d'une vision du passé à un sentiment présent sans ménager de lien, ce qui a pour effet de donner aux silences une importance égale à celle des mots. Le thème est celui de l'amour perdu et de l'automne, une recette infaillible, expérimentée en d'autres temps par Paul Delmet.

ELSA

[Elsa Lunghini] Paris, 1973. Interprète. Fille d'un musicien et d'une artiste peintre, elle débute à six ans au cinéma (*Garde à vue*, Claude Sautet) et continue à tourner dans quelques films. C'est *T'en va pas*, chanson du film *La Femme de ma vie* (Régis Wargnier, 1986), dans lequel elle interprète la fille de Jane Birkin, qui la lance dans la chanson (elle vend 1,3 million de simples). Premier album en 1988, deuxième en 1990 (*Rien que pour ça*), puis *Douce Violence* en 1992. Sa carrière musicale s'estompe ensuite, malgré un album (*De lave et de sève*, 2004) auquel collaborent Benjamin Biolay, Keren Ann et Étienne Daho, et elle revient vers les téléfilms.

Les ÉLUCUBRATIONS

Chanson, par. et mus. Antoine (1965). Première chanson d'Antoine en forme de manifeste. Le texte, sans doute inspiré par *I shall be free* de Bob Dylan, tourne autour de deux thèmes : opposition à une certaine société, à un certain conformisme (par l'intermédiaire des cheveux longs ou de la pilule que l'on prône et qui deviennent symboles d'anticonformisme), et opposition à une certaine forme de chanson alors en vogue (la vague yé-yé dont Johnny Hallyday est donné comme chef de file). L'intérêt de la chanson réside surtout dans l'ironie interne qui y règne : tout à la fois on accepte le mode de lancement des « idoles » (Antoine n'en est-il pas un produit ?) et on le conteste par une série de clins d'œil à différents niveaux. C'est à cela que correspondent les attaques contre Hallyday, l'aspect superficiel – volontairement sans doute – du texte, la mélodie quasiment inexistante... L'ensemble, par sa fadeur comme par son aspect parfois corrosif, était le miroir (fidèle ou critique et sans doute les deux) de la chanson yé-yé.

Michel ÉMER

Saint-Pétersbourg (Russie), 1906 – Paris, 1984. Auteur-compositeur. Quitte ses parents à 17 ans pour faire du jazz, et devient pianiste de cabaret, puis chef d'orchestre et producteur d'émissions radiophoniques. Ses premières chansons datent de 1931, pour Lucienne Boyer, Jean Sablon (*J'ai le béguin pour la biguine*, par. Jamblan), Lys Gauty, Ray Ventura, Maurice Chevalier. Puis ce sera la consécration avec Édith Piaf (1940) : *L'Accordéoniste*, qu'elle garde pendant vingt ans à son répertoire, *Le Disque usé*, *La fête continue*, *Bal dans ma rue*, *À quoi ça sert l'amour ?*. Il écrira également pour Montand, Patachou, Jacqueline François (*Trois fois merci*, mus. P. Dorsay), Odette Laure (*Moi j'tricote*) et pour sa femme, Jacqueline Maillan. « Son air, on le retient tout de suite, comme si on l'avait déjà entendu errer dans toutes les rues » (Piaf).

L'EMPIRE

Music-hall, avenue de Wagram, Paris (1924-1944). Construit sur les ruines de l'Empire-Théâtre, il entame, sous la direction d'Henri Varna et d'Oscar Dufrenne, une carrière éblouissante de music-hall des beaux quartiers, présentant à son public les meilleures vedettes du moment (Yvette Guilbert, Damia, Maurice Chevalier...). Devenu cinéma en 1931, il est ensuite repris par les frères Amar, propriétaires du cirque du même nom, et achève sa vie en alternant opérette et music-hall avant de céder la place au 7e art.

L'ENCRE DE TES YEUX

Chanson, par. et mus. Francis Cabrel (1979). Avec *Je l'aime à mourir*, l'un des fleurons de l'entrée en force de F. Cabrel dans la chanson française. « Et si malgré ça j'arrive à t'oublier, j'aimerais quand même te dire, tout ce que j'ai pu écrire aura longtemps le parfum des regrets. » La voix, le jeu de guitare, l'ambiance mi-folk mi-rock, les harmonies recherchées, l'écriture fine et efficace, tout était là, dans ce coup d'essai qui fut un coup de maître, annonçant la carrière que l'on sait. L'encre de Cabrel…

EN REVENANT DE LA REVUE

Chanson, par. Lucien Delormel-Léon Garnier, mus. L.-C. Désormes (1886). Créée par Paulus à l'Alcazar, cette chanson restée célèbre fut considérée, grâce à une opportune modification d'un couplet, comme une profession de foi en faveur du général Boulanger. Anatole France la considérait comme « *la Marseillaise* des mirlitons et des calicots ». Il est vrai que ses couplets ne visaient pas très haut :

Gais et contents
nous marchions triomphants
en allant à Longchamp
le cœur à l'aise
sans hésiter
car nous allions fêter
voir et complimenter
l'armée française.

Et l'on peut penser, en les écoutant, à ces lignes des écrits de jeunesse de Flaubert : « Le commis est enthousiaste de la garde nationale, son cœur s'allume au son du tambour et il court à la place d'armes en fredonnant… Ah ! quel plaisir d'être soldat. » La musique de Désormes, marche rapide et joyeuse, rappelle une ambiance de fête foraine sans doute assez proche de ce que pouvaient être à l'époque les revues militaires, et elle n'est pas étrangère à la pérennité du morceau. La chanson a été « recréée » par Roger Pierre et Jean-Marc Thibault.

L'ENTRECÔTE

Chanson, par. et mus. Marcel Zimmermann-Pierre Goupil (1927). Valse-rengaine « à hésitation », pastiche de la chanson réaliste. « C'est pour pouvoir acheter l'entrecôte » et nourrir ses cinq petits frères affamés que la trop généreuse héroïne se vend aux riches. Complément du mélodrame bouffon d'*Orion le tueur* joué par la compagnie Grenier-Hussenot, c'est le premier grand succès des Frères Jacques (1946). Georges Bellec l'a tirée du répertoire des Beaux-Arts qui comprend, entre autres merveilles, *Le Fils-Père* et *La Femme du roulier.*

ENZO ENZO

[Korin Ternovtzeff] Paris, 1960. Auteur-interprète. Travaille d'abord comme « road manager » puis crée un éphémère groupe rock, Lilli Drop, dans lequel elle joue de la basse. Passe alors à la chanson et enregistre, sous le nom de Korin Noviz, *Je veux jouer à tout.* Puis, sous le nom d'Enzo Enzo, elle s'essaie au flamenco-rock (en collaboration avec Roé). Ce n'est qu'en 1990 qu'elle rencontre le succès, avec *Les Yeux ouverts*, puis son passage aux Francofolies de La Rochelle en 1992. Sa collaboration avec Kent lui vaudra une Victoire de la musique en 1995 (*Juste quelqu'un de bien*) et se poursuivra jusqu'en 1999 (tournée à deux et album éponyme : *Enfin seuls !*). Essentiellement interprète, elle sait s'entourer de collaborateurs prestigieux et/ou habiles (François Bréant, Jean-Claude Vannier, Richard Galliano, André Ceccarelli), et chantera aussi des œuvres d'Allain Leprest et de Romain Didier (album *Le Jour d'à côté*, 2001), de Daniel Lavoie, Serge Lama ou Marie Nimier (album *Paroli*, 2004). Son évolution du rock vers la chanson, son hésitation entre le groupe et une formule piano-voix, témoignent d'une recherche permanente de la « bonne » formule : instabilité, incertitude ou constante remise en question ?

Leny ESCUDERO

[Joaquim Leny Escudero] Espinal (Espagne), 1932. Auteur-compositeur-interprète. Fils de bûcheron espagnol venu en France en 1939, Leny Escudero est tour à tour manœuvre, carreleur, dénicheur de nids, arracheur de pommes de terre, cantonnier. Ses ballades en poche, il est rejeté de tous les cabarets parisiens jusqu'au jour où Jacques Canetti le pousse sur la scène des Trois Baudets. Ses mélodies romantiques se propagent à contre-courant de la vague yé-yé (1962) : *Pour une amourette, Ballade à Sylvie, À Malypense.* Avec ses premiers droits d'auteur il fait le tour du monde, construit une école au Bénin, laissant les antennes l'oublier. On l'entend à nouveau en 1968 (*La Simone, Ballade de Mimille le mal-aimé, Je t'attends à Charonne*) puis en 1973 (*Vivre pour des idées*), en 1979 (*La Planète des fous*). Entre ses disques relativement espacés, il chante régulièrement, devant un public fidèle, mais rarement à Paris (Gaîté-Montparnasse, 1980) et fait du cinéma (*La Femme flic*, 1979). Des rythmes populaires, valse ou java (qu'il compose dans sa tête, ne connaissant ni la musique ni aucun instrument) et une voix au timbre voilé jouant sur son pouvoir d'émotion, alliés à une physionomie très particulière lui confèrent une personnalité indéniable, malgré un certain statisme sur scène. Le meilleur Escudero est à trouver aujourd'hui non dans ses chansons d'amour-ritournelles, mais dans ses poèmes dramatiques sur fond musical (*La Sainte-Farce*, *Le Cancre*). Il a enregistré en 1997 des chansons révolutionnaires (*Leny Escudero chante la liberté*) et, en 1999, ses chansons les plus récentes (*Le Tiers Amour*).

Giani ESPOSITO

Etterbeeck (Belgique), 1930 – Neuilly-sur-Seine, 1974. Auteur-compositeur-interprète. Comédien, il tente l'expérience de la chanson en 1954 (la Rose Rouge, l'Écluse) et enregistre *Les Clowns* (1957). Dix ans après, il y revient, enregistre plusieurs disques et se produit, rarement, en galas. Se situant en extériorité par rapport à toute la tradition de la chanson française, il aborde, par le biais de l'éthique, des thèmes traditionnels de l'idéalisme occidental ou oriental. L'atemporalité du discours le conduit à faire usage de genres musicaux anciens (mélopées, complaintes, valses lentes), à s'exprimer au travers de paraboles. Il se dégage de ses chansons un ton neuf, inédit, qui porte l'auditeur à la méditation, à un « retirement » du monde. Le regard qu'Esposito porte sur le siècle, duquel il se démarque, est fait d'ironie sarcastique (*Un noble rossignol à l'époque Ming*) ou de tendresse désenchantée (*Le Temps des fiançailles*). Mais l'usage du vocatif (« Ne riez pas… », *Les Clowns*) est signe aussi d'un appel à la transformation des cœurs, explicite dans certaines chansons à base de citations de saint Paul (*Parlerai-je*) ou de Krishna. Une conception aristocratique de la chanson, mais une voix unique.

ET MAINTENANT

Chanson, par. Pierre Delanoë, mus. Gilbert Bécaud (1962). Le désespoir amoureux d'une amie, immédiatement exploité au piano par Bécaud, qui appelle Delanoë à la rescousse pour terminer la chanson. C'est ainsi que naquit le plus grand succès de son créateur, qui fut interprété par quelque cinquante chanteurs français et qui connut, grâce à la version instrumentale de Herb Alpert (1967), une étonnante carrière aux États-Unis : *What now my love* y fut enregistrée par près de deux cents orchestres et interprètes, de Frank Sinatra à Judy Garland, et resta trente-sept semaines en tête du hit-parade. Succès redevable d'abord au compositeur (et à l'arrangeur Raymond Bernard) : deux notes répétées, *fa-la*, sur un discret roulement de tambour introduisent la mélodie ; celle-ci est un fox qui se développe sur un rythme de boléro espagnol, propre à donner cet effet lancinant traduisant musicalement l'état d'esprit de l'amoureux. Mais il ne faut pas oublier l'interprétation de Bécaud lui-même, tout en intensité, retenue au début (le moment le plus fort de la chanson) puis allant crescendo, jusqu'à la délivrance finale.

ÉTOILE DES NEIGES

Chanson, par. Jacques Plante, mus. Franz Winkler (1947). Adaptation française d'un standard américain, *Forever and Ever* (paroles anglaises de Malia Rosa). L'énorme succès de la version française reste un mystère : est-il dû au côté ritournelle de la musique, au style « carte postale 1900 » des paroles, à la légèreté de touche de l'ensemble ? Ou encore à l'interprétation séraphique de Patrice et Mario ? Mais la version mélo de Line Renaud, par exemple, a eu pour le moins autant de succès. *L'Étoile des neiges* est le genre de chanson à laquelle on ne croit pas (ou entièrement, au-delà d'elle-même) et à laquelle on se laisse pourtant prendre. Peut-être parce que renvoyant à un passé révolu : sa facture n'a-t-elle pas fait songer aux productions Bénech et Dumont ?

ET S'IL N'EN RESTE QU'UN

Chanson, par. Claude Moine, mus. Jean-Pierre Bourtayre (1965). Manifeste d'Eddy Mitchell. Alors que « le vent a tourné », que le « virage est dangereux » pour les jeunes du yé-yé, « Schmoll » affirme, paraphrasant Victor Hugo, que, pour enterrer le rock, il faudra passer sur son corps :

> *Si le rythme meurt,*
> *c'est moi qui serai tué.*

Et pour le proclamer, qu'y a-t-il de plus adapté qu'un vieux rock traditionnel ? Car la cause est sérieuse, Eddy en aura, apparemment, égaré son humour.

L'EUROPÉEN

Café-concert, rue Biot, Paris. Fondé en 1872, il voit les débuts de Max Dearly (1891), de Jeanne Bloch, de Fragson, à l'époque où ce dernier s'appelait encore Frogson, de Polaire (1893), etc. Yvette Guilbert et Mayol y chantèrent également et firent la fortune du lieu. En 1926, sous la direction de Castille père, l'Européen se transforma en music-hall. Outre Henri Poussigue, baryton et chef d'orchestre qui, baguette en main, chantait dos au public, on put y applaudir Damia, Georgius, Tino Rossi, Lys Gauty, Milton, puis Jean Lumière, Édith Piaf, Maurice Chevalier, etc. Castille fils ayant succédé à son père, la salle s'enrichit encore et se para de velours rouge. Mais, après la guerre, il devint de plus en plus difficile de faire vivre un music-hall de quartier. En 1967, l'Européen se transforma à nouveau en théâtre-vaudeville puis, en 1973, en Grand-Guignol.

F

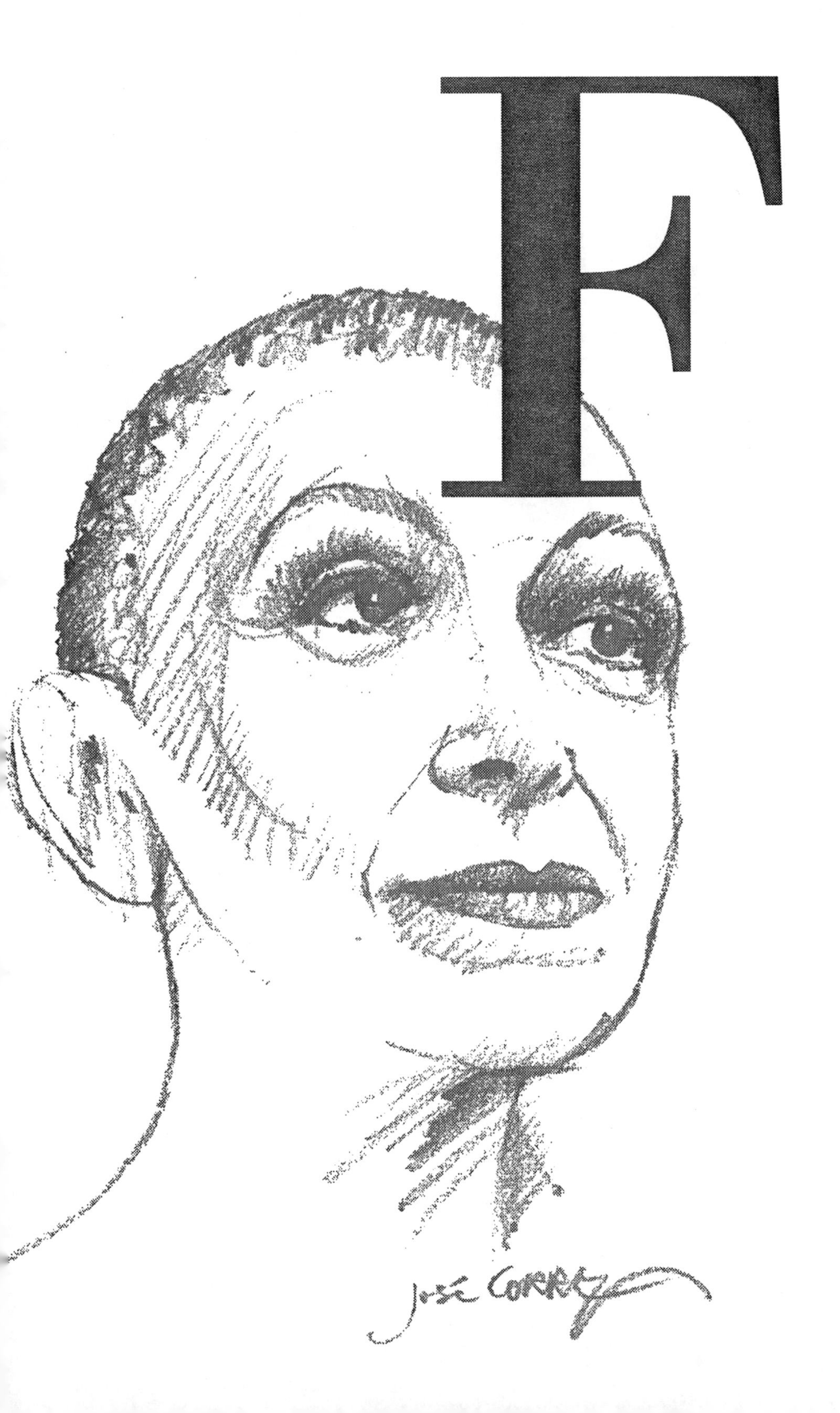

Brigitte Fontaine

Lara FABIAN

[Lara Crokaert] Bruxelles, 1970. Auteur-compositeur-interprète. Élevée d'abord en Italie avant de revenir à Bruxelles, fille d'un guitariste qui accompagna Petula Clark, elle étudie le piano au Conservatoire et enregistre en 1987 un hommage à Daniel Balavoine (*L'Aziza est en pleurs*). En 1988, elle chante *Croire* au festival de l'Eurovision de Dublin : elle termine quatrième mais vend 600 000 exemplaires du titre qu'elle enregistre aussi en anglais, *Trust*, et en allemand, *Glaub*. S'installe alors au Québec (1991) où elle entame une carrière dans un genre (la chanteuse à voix) où Céline Dion a déjà raflé la mise. C'est alors une inflation de décibels : Lara hurle plus qu'elle ne chante, ce qui ne l'empêche pas de recevoir en 1994 un disque d'or avec l'album *Carpe Diem*. Mais le Québec est bien peu peuplé pour une telle voix. Elle se produit en France en 1995, chantant en duo avec Serge Lama *Je suis malade*, puis investit le pays avec l'album *Pure* (1997). Victoire de la musique en 1998 (révélation de l'année), elle se produit avec Johnny Hallyday au Stade de France où elle continue de vociférer. Enregistre parallèlement en anglais (*I will love again*) et tourne dans le monde entier, enchaînant les albums (*Nue*, 2002, puis l'album *9*, en 2005, auquel collabore largement Jean-Félix Lalanne). En cours de route, elle semble avoir calmé sa glotte.

Maurice FANON

Auneau (Eure-et-Loir), 1929 – Paris, 1991. Auteur-compositeur-interprète. Professeur d'anglais (études à Rennes), il commence par écrire des chansons pour sa femme, Pia Colombo, puis les chante lui-même dans les cabarets de la rive gauche, particulièrement à la Méthode. Son premier disque obtient en 1963 le prix de l'Académie Charles-Cros (*L'Écharpe*, *Avec Fanon*, etc.). Un univers intimiste, des mélodies faciles à retenir et une volonté d'engagement politique (*La Petite Juive*, *Paris Cayenne*, *Tête de quoi*) caractérisent son inspiration, moitié Ferrat, moitié Ferré (auquel il rend hommage : *Léo de Hurlevent*) pourrait-on dire, à cheval entre le grand cœur universel et le grincement de dents du misanthrope. Est-ce pour cela que sa carrière, malgré de nombreux disques d'une qualité soutenue, est restée stationnaire ? Cet artisan de la belle chanson a écrit en 1979, autour de Pia Colombo, un spectacle original et parfois poignant : *Requiem autour d'un temps présent*.

FABULOUS TROBADORS

Duo fondé en 1987 par Claude Sicre et Jean-Marc Enjalbert (dit Ange Bofareu) à Toulouse. Entre raggamuffin et tradition orale, entre français et langue d'Oc, les deux compères distillent à une vitesse hallucinante, avec la virtuosité des « toasters » de rap, des textes ciselés, inspirés souvent des virelangues, à base de répétitions, d'allitérations ou d'oxymorons, de proverbes détournés, avec un accompagnement de percussions et de boîte à rythme. L'idée est de renouer avec une pratique ancienne, celles des joutes orales à base de questions-réponses. Succès d'abord local, puis des tournées françaises qui les font mieux connaître, mais c'est par le disque et la radio qu'ils vont trouver leur public : *Era pas de faire*, *Ma ville est le plus beau park* (1995), *On the linha imaginot* (1998). C'est parfois plein d'humour, parfois un peu donneur de leçons, au point que l'on peut hésiter : grand talent ou grande prétention ? Toujours est-il qu'avec le groupe Zebda, mais aussi les Femmouzes T., les Fabulous Trobadors ont affirmé un pôle toulousain dans la galaxie de la chanson hexagonale.

Tiken Jah FAKOLY

Odienné (Côte-d'Ivoire), 1968. Auteur-compositeur-interprète. Né dans une famille de griots, il s'intéresse au reggae et devient vite célèbre dans son pays natal pour ses dénonciations des dérives de la politique (*Mangercratie*, 1996). La France l'accueille à partir de 1998. Il passe au Printemps de Bourges (2000), signe un contrat chez Barclay, et les albums *Françafrique* (2002), reprenant des succès déjà diffusés en Afrique, puis *Coup de gueule* (2004) achèvent de le faire connaître en Europe. En Afrique, il est depuis longtemps une vedette. Chanteur de l'après-Houphouët-Boigny, dénonciateur (parfois simpliste) du post-colonialisme et des petits pouvoirs africains corrompus (il s'est lui-même défini comme « le griot du reggae »), il représente la relève musicale d'un pays tourmenté, le successeur d'Alpha Blondy.

Mylène FARMER

[Marie-Hélène Gauthier] Pierrefonds (Canada), 1961. Interprète. Études d'équitation au Cadre noir de Saumur, puis de théâtre au cours Florent de Paris. La rencontre avec Laurent Boutonnat (Paris, 1961) va être décisive. Il lui fait enregistrer en 1984 *Maman a tort* (L. Boutonnat-J. Dahan). Ce sera ensuite, en 1986, le succès de *Libertine* puis, en 1988, celui de *Ainsi soit je*, complétés par un passage au Palais des Sports et à Bercy en 1989. Derrière cette carrière fulgurante, il y a un pygmalion omniprésent (Laurent Boutonnat), rêvant depuis longtemps de longs métrages et qui, à travers elle, se fait connaître en se rabattant sur les formes les plus brèves, le clip et la chanson. Musique électronique, sampling, mise en scène, pochettes de disques, il réalise tout et compose ainsi un écrin précieux pour une Mylène Farmer brumeuse, mystérieuse, presque cachée derrière une œuvre à laquelle elle ne participe que par sa voix pointue. Cela sent le trucage, la frime à cent lieues, mais cela marche pourtant, jusqu'au moment où Boutonnat réalise enfin son premier long métrage, *Giorgino* (1992), qui donne du même coup à la chanteuse son premier échec commercial. Avec *Innamorento* (1999), elle retrouve les faveurs du public. Son refus des interviews, des photos (sinon floues) laisse à penser qu'elle aimerait (ou que quelqu'un aimerait pour elle) que l'on doute de tout, y compris de son existence. Suspense. Durera, durera pas ? Ce qui est sûr, c'est qu'elle est devenue pour un public fidèle une icône dont le succès dépasse l'entendement.

FAUDEL

[Faudel Bellula] Mantes-la-Jolie, 1978. Interprète. C'est l'histoire d'un petit prince né dans une lointaine banlieue (Mantes-la-Jolie) et dans un quartier mal famé (le Val-Fourré), de parents algériens immigrés, et dont la voix d'or (mais un peu sucrée) va changer le destin. Son premier album, *Baïda* (« La blanche »), se vend à 350 000 exemplaires et *Tellement N'brick* (*Tellement je t'aime*), en single, dépasse les 2 millions. Jouant sur le mélange des styles (raï, salsa, flamenco) et des langues (français, arabe), il est d'abord un peu boudé par les puristes de la musique chaabi (« populaire »). Ce qui ne l'empêche pas de récolter une Victoire de la musique en 1998. Le 25 septembre de la même année, *1 2 3 Soleils*, spectacle donné à Bercy avec Khaled et Rachid Taha, change un peu la donne : s'être produit avec le grand Khaled lui confère une sorte de légitimité raï. Une Victoire de la musique décrochée en 1999 vient compléter le tableau. Le « petit prince du raï » grandit et son deuxième album, *Samra* (2001), confirme sa maîtrise, mais *Un autre Soleil* (2002) tombe un peu à plat. Très populaire au Maghreb, ayant aussi tourné au Moyen-Orient, il s'est également essayé au cinéma (*Le Pion*, série télévisée).

LA FEMME DU VENT

Chanson, par. et mus. Anne Sylvestre (1962). Un des premiers textes d'Anne Sylvestre, dans lequel, pour illustrer un de ses thèmes favoris, l'amour qui déconsidère, qui viole la norme (*Madame ma voisine*, *Les Punaises*), elle utilisait une métaphore quasi surréaliste :

> *Maman, le vent me fait la cour*
> *le vent me trousse et m'éparpille*
> *... il ne veut plus coucher dehors*

La musique, à l'égal de celle de *Marieke* (J. Brel), se faisait vent, atteignant à des effets curieux.

FEMME LIBÉRÉE

Chanson, par. Joëlle Kopf, mus. Christian Dingler (1984). Ce titre vit le jour dans un environnement assez peu féministe. Il y avait eu un portrait au vitriol dressé par Renaud d'une décolorée ridicule et caricaturale (*Dans mon HLM*, 1980), MC Solaar dressera plus tard celui, plus sociologique mais toujours sans concession, de Dominique, adepte de jogging, de régime et de liposuccion, qui « emmagasine des magazines » (*Victime de la mode*, 1991). Entre les deux, le groupe strasbourgeois Cookie Dingler proposait une image moins machiste et plus bienveillante (peut-être parce que le texte était écrit par une main féminine) : « Elle est abonnée à *Marie-Claire*, Dans l'*Nouvel Obs* elle ne lit que Brétécher... », certes, mais : « Ne la laisse pas tomber, elle est si fragile, Être une femme libérée, tu sais, c'est pas si facile. » *Femme libérée*, qui faisait écho aux luttes féministes de l'époque, connut un énorme succès et devint une chanson emblématique de la femme des années 1980, pour des raisons aussi bien musicales (un balancement de reggae tout à fait acceptable) que textuelles (c'est finalement le macho qui est ici épinglé). Quant à Cookie Dingler, il n'a eu ensuite qu'une carrière régionale, essentiellement dans l'Est de la France.

Jean-Pierre FERLAND

Montréal (Canada), 1934. Auteur-compositeur-interprète. Comptable, puis speaker à Radio Canada, il fonde avec Claude Léveillée, Clémence Desrochers, Raymond Lévesque et Gilles Vigneault la première « boîte à chansons » du Québec, Chez Bozo. Il abandonne bientôt la radio pour colporter ses œuvres à travers le Québec où il devient rapidement une vedette. Débarque alors en France, passe au palais de Chaillot, à la Tête de l'Art, à Bobino, et tente de mener une carrière parallèle dans l'Hexagone. Mais, malgré quelques succès (*Je le sais*, *Je reviens chez nous*, 1968), il ne correspond pas à ce qu'on attend alors du chanteur québécois, une synthèse entre rocker et folkeux francophone, et lui-même ne se sent pas à l'aise dans le show-business français. À de rares exceptions près (*Swinguez votre compagnie*, mus. J.-P. Lauzon, 1975), voix et musique restent celles d'un chanteur à textes classique (*Le Petit Roi*, mus. M. Robidoux, 1975). À Montréal, où il est pleinement reconnu, il participe en 1976 au « temps des retrouvailles » qui réunit avec lui Léveillée, Charlebois, Vigneault et le diseur Yvon Deschamps (album *1 fois 5*). Il continue chez lui à chanter et à enregistrer (sa discographie comprend plus de vingt titres) puis, après un ultime album live (*Live, tournée 2000*) et trois mois de tournée à travers le Québec, au cours de laquelle il résume son œuvre en trois parties (*Trois fois Ferland*, février-mai 2005), il décide d'abandonner le métier.

FERNANDEL

[Fernand Contandin] Marseille, 1903 – Paris, 1971. Interprète. Son père était acteur de vaudeville. Lui, depuis qu'il a vu Polin, dont il connaissait tout le répertoire, sait qu'il sera comique troupier. D'abord chanteur amateur, il débute à l'Eldorado de Nice (1922) et se taille rapidement une solide réputation aux alentours de la Canebière. En 1925, il est vedette à l'Odéon et engagé par les tournées Paramount. Désormais pourvu de toutes ses dents, il fait un essai – concluant – à Bobino. Sa carrière parisienne commence vraiment au Concert Mayol en 1930. On le retrouve, vêtu du pantalon garance et de la redingote bleue, chantant les succès de Polin (*La Caissière du Grand Café*, *Ah Mademoiselle Rose*), au côté de Mistinguett. C'est le moment que choisit le cinéma pour le découvrir et lui apporter la renommée (*Ignace*, *Le Rosier de Madame Husson*). Ses atouts : sa diction, sa précision de gestes, l'« assent », et, bien sûr, véritable image de marque, son physique. Ses limites : l'utilisation qu'il en fait, par trop stéréotypée, et son répertoire, un peu trop à l'image du héros du film *Simplet, le bien-nommé*. Comparaison pour comparaison, ses succès (*Ignace*, *Barnabé*, *Félicie aussi*) ne valent pas ceux de Polin. Le public, ici, sera bon juge : c'est à ces derniers qu'il fait un triomphe lors de la rentrée de Fernandel à l'Étoile (1944) et à l'A.B.C. (1946). D'ailleurs, après Hiroshima, le moment est passé de chanter le tourlourou. Fernandel troque la tenue de pioupiou contre la soutane et se consacre désormais à sa carrière cinématographique.

Nilda FERNANDEZ

[Daniel Fernandez] Barcelone (Espagne), 1957. Auteur-compositeur-interprète. Arrivé à Lyon à l'âge de sept ans, il apprend le piano, la guitare, mais débute dans la vie comme professeur d'espagnol. Puis enregistre un premier disque sous son véritable nom, sans succès, avant de toucher le public en 1987 avec *Madrid Madrid* et sous le prénom de Nilda. Sa voix androgyne accroche l'oreille, comme ses textes un peu surréalistes. *Nos fiançailles*, en 1991, confirme son talent qui se nourrit des diverses influences musicales de la latinité. Personnage un peu atypique, en marge du show-biz (il fera une tournée en roulotte, vit depuis quelques années à Moscou…), il a consacré en 1999 un album au poète Federico García Lorca (*Castelar 704*), comme pour marquer ses racines ibériques, mais enregistre la même année *Révérences*, album de reprises de grands succès français, sur le modèle du *Récréations* de Claude Nougaro. Il y interprète Christophe et Léo Ferré, Frank Alamo et Barbara, Joe Dassin et Nino Ferrer... Daniel/Nilda ou le Janus de la chanson franco-espagnole.

Jean FERRAT

[Jean Tenenbaum] Vaucresson, 1930. Auteur-compositeur-interprète. Aide-chimiste, il commence à chanter, avec une voix ample et maîtrisée, dans les cabarets parisiens en 1954, à la Colombe notamment. Il atteindra le grand public quelques années plus tard, en trois temps qui sont caractéristiques de son œuvre : *Ma môme, Deux enfants au soleil, Nuit et Brouillard.* Trois succès, trois tendances. La chanson populaire, voire populiste, qu'aurait pu chanter Yves Montand (« ma môme elle joue pas les starlettes... elle travaille en usine »), la chanson poétique (« la mer sans arrêt roulait ses galets ») et la chanson politique (« ils voulaient simplement ne plus vivre à genoux... »). Le reste sera prolongement et approfondissement, avec de belles réussites (*La Montagne, On ne voit pas passer le temps*) et des chansons plus contestables (*Maria, Pauvres petits cons, Hou hou méfions-nous*).

Il a représenté à la fin des années 1960 le type même du chanteur engagé, avec ce que cela implique : des amis, des ennemis, des réussites, des échecs, des interdictions parfois à la télévision... Cet aspect sympathique du personnage est en même temps sa limite. Mélange de sécheresse et d'émotion, de constat sociologique et de sympathie partiale, ses chansons représentent l'achèvement d'une forme de chanson politique populaire. Mais l'engagement n'est que dans le texte et la forme, musique ou interprétation, reste très classique (*Potemkine*, par. G. Coulonges, est de ce point de vue caractéristique). Il semble en être conscient lorsqu'il écrit :

> *Je rêve de chansons trempées*
> *Tranchantes comme un fil d'épée*
> *Et ne manie qu'un sabre de bois* (Excusez-moi)

comme il est conscient de son absence de présence (ou de travail ?) scénique, « je ne sais quoi faire de mes bras », absence qui devient présence d'un autre type, « je préfère vous regarder droit ». Son importance tient en ce qu'il pose, sans le savoir, le problème de l'art et de la révolution : après Pottier, Montéhus, Lemarque et quelques autres, il marque la limite d'un genre en chantant (dans la mouvance du PCF) des pièces bien polies, à cent lieues des recherches formelles d'un Jimi Hendrix ou d'une Colette Magny. Il chante aussi les poètes (Aragon) ou leur rend hommage (Lorca, Brassens, Vian), avec la même sensibilité que lorsqu'il chante des joies simples (*Au point du jour*) ou la compréhension (*La Jeunesse*). Dans tous les cas, il se situe délibérément hors du système (*La Voie lactée*), jouant cartes sur table (*En groupe en ligue en procession*, sorte de réplique polémique au *Pluriel* de Brassens). Son récital de 1970 au Palais des Sports donne, par la qualité du public (essentiellement des jeunesses communistes) et l'atmosphère de meeting, une bonne image de la place qu'il occupait alors dans la chanson. Depuis lors, il s'est tenu éloigné de la scène, enregistrant cycliquement des textes écrits par ses paroliers préférés, Henri Gougaud ou Guy Thomas (*La Boldochévique*, 1972, *Le chef de gare est amoureux*, 1978, *Je ne suis qu'un cri*, 1985), ou des textes de sa plume (*Dans la jungle ou dans le zoo*, 1990), ne renouvelant guère le genre dans lequel il s'est illustré.

Léo FERRÉ

Monaco, 1916 – Castellina in Chianti (Italie), 1993. Auteur-compositeur-interprète. Études secondaires chez les frères de Bordighera, puis à Monaco (classe de philo). Vient à Paris en 1936 pour faire son droit et fréquente quelque temps les Camelots du roi. À la fin de la guerre, il est speaker et pianiste à Radio Monte-Carlo. Débute à Paris, dans les cabarets, où il a beaucoup de mal à atteindre le grand public : ses premières chansons (*L'Inconnue de Londres* puis *L'Homme*, *Le Piano du pauvre*), pourtant excellentes, ne passent pas interprétées par lui, alors qu'elles marcheront mieux chantées par Catherine Sauvage ou Juliette Gréco. Le succès s'annonce avec *Jolie môme*, *Merde à Vauban* (poème de P. Seghers). Quand il ne chante pas Jean-Roger Caussimon (*Comme à Ostende*, *Monsieur William*) ou les « poètes », il est alors assez inégal dans ses textes. Soucieux d'être compris du plus grand nombre et voulant en même temps s'inscrire dans un mouvement littéraire (il fréquente un temps André Breton), il évolue entre une langue un peu argotique et certaines recherches formelles, comme dans *L'Étang chimérique*. Sa musique est, à la même époque, tiraillée entre la valse musette ou le tango d'une part, Debussy ou Ravel de l'autre : agitez, il en sort parfois des merveilles, parfois des pièces moins réussies.

Mai 68 en France et la révolution pop vont subitement lui apporter une nouvelle inspiration et une nouvelle audience. Son disque

Amour anarchie et son récital *1970* marquent une évolution importante, à la fois aboutissement et rupture. Dans des morceaux comme *Les Anarchistes* ou *Conditionnel de variété*, il prend largement la mesure du moment politique et sera porté par des foules enthousiastes. Le hasard fera, parallèlement, qu'il dira un texte, *Le Chien*, au lieu de le chanter. Dans la foulée, Ferré va se faire déclamateur et aboutir à de longs textes un peu hermétiques d'une grande beauté : *Les Amants tristes* et surtout *Il n'y a plus rien*. Cette époque extrêmement productive pour lui culmine avec un double album enregistré en public à l'Olympia, *Seul en Scène* (1973). Les longs textes scandés, presque précurseurs du rap, alternent alors avec de longs poèmes à la limite de l'ésotérisme et d'une grande beauté (*La Mémoire et la Mer*).

Commence ensuite une nouvelle période dans son œuvre. Lui, dont les grandes réussites musicales reposaient surtout sur des descentes harmoniques simples, sur des lignes mélodiques pleines de clarté (*Avec le temps*, *C'est extra*), se lance dans des compositions beaucoup plus lourdes. Écrivant lui-même les orchestrations, il a tendance à alourdir les cordes et à utiliser de vieux « trucs » éculés. Dirigeant l'orchestre, il bat la mesure très lentement et fait traîner longuement ses interprétations. Sur scène, il se fait accompagner par quatre-vingts musiciens lorsque les conditions techniques le permettent (Montreux, Palais des Congrès, 1975), ou chante sur une bande orchestre en play-back : le public s'y perd dans les deux cas. C'est dire qu'une étude de l'œuvre dans le détail ne saurait être concluante : c'est l'homme et le projet qu'il nous faut apprécier dans son ensemble. Parmi tous ceux qui s'en réclament, Ferré est peut-être le seul à pouvoir être totalement défini par l'étiquette d'anarchiste (nous parlons ici de l'image publique). Depuis *Graine d'ananar* jusqu'à *Salut beatnik*, il y a une constante, avec ses facilités, ses côtés attachants, ses incohérences. La politique que l'on vomit, le militantisme que l'on réfute sauf lorsqu'il s'agit de la guerre d'Espagne, le refus de toute référence, avec par-dessus tout et malgré tout une immense tendresse pour l'homme sur lequel il déverse cependant des tonnes de crachats. Les meilleurs moments de son œuvre sont ceux où il fustige l'époque et les bassesses quotidiennes (*Ni Dieu ni maître*, les trois versions des *Temps difficiles*) : son outrance même, sa voix, le servent alors. Ses derniers disques en revanche (*La Violence et l'Ennui*, 1980, *Les Loubards*, 1985, *Les Vieux Copains*, 1990) sont d'accès plus difficile, musicalement un peu brouillon et, sur scène, il a tendance à pratiquer sur ses vieux succès une sorte de déconstruction, de dynamitage, qui correspond à une volonté de rompre avec son passé mais prend parfois le public à rebrousse-poil.

Il a été repris par de nombreux artistes de la génération suivante (Mama Béa, Bernard Lavilliers, Sapho, Zebda, etc.), qui ont chaque fois mis en valeur des facettes différentes de cette œuvre multiforme. Ultime pied de nez à la société, Léo Ferré est mort un 14 juillet.

Nino FERRER

[Nino Ferrari] Gênes (Italie), 1940 – La Taillade (Quercy), 1998. Auteur-compositeur-interprète. Étudiant en ethnologie et en archéologie, multi-instrumentiste, il joue de la basse dans des orchestres New Orleans (R. Bennet, Bill Coleman). C'est ainsi qu'il découvre le rhythm'n'blues, qu'il cherche à traduire en français. Il prend le parti de l'humour absurde avec des titres parfaitement recevables par les médias dans l'ambiance yé-yé d'alors (*Mirza*, *Les Cornichons*, 1965). Puis suivront *Oh hé hein bon*, *Alexandre*, *Mao*, *Le Téléfon*, qui classent définitivement Nino Ferrer dans la catégorie des amuseurs publics. Les tubes se succèdent. Il décide alors de s'installer en Italie, où il passe trois ans, enregistre l'album *Rats and Roll's*, avant de revenir en force à Paris avec *Le Sud* (1974), *La Maison près de la fontaine* (1977). Il entre alors dans une période de constante contradiction : on attend de lui des tubes humoristiques (dans la veine des *Cornichons*) ou poétiques (dans la veine du *Sud*), alors que ses recherches le poussent vers un rock somptueux (*Véritables variétés verdâtres*, 1977, *Blanat*, 1979) avec lequel il ne rencontre qu'incompréhension. Il se retire alors dans le Quercy, peint, collabore avec le guitariste Micky Finn, sort régulièrement des albums (*La Désabusion*, 1993, *Concert chez Harry*, 1995), mais ses musiques (superbes) ne parlent désormais qu'à ses fidèles, sans toucher le grand public. Il mettra fin à ses jours peu de temps après la mort de sa mère. Une dizaine d'artistes (Bashung, Miossec, M, Art Mengo, Arno, Tété…) lui ont rendu hommage en enregistrant chacun l'une de ses œuvres (*On dirait Nino*, 2005) et en leur redonnant parfois une nouvelle jeunesse (Arno avec *Mirza*, Art Mengo avec *La Maison près de la fontaine*).

Thomas FERSEN

Paris, 1963. Auteur-compositeur-interprète. Entame des études d'électronique tout en montant un groupe rock, UU, puis un autre, Figure of Fun. Voyage (Amérique latine, Scandinavie) et commence à écrire. C'est Vincent Frérebeau, guitariste, directeur artistique chez WEA, qui sort ses premiers 45 tours (*Ton héros Jane*, 1988, *Le Peuple de la nuit*, 1990) puis en 1993 son premier disque, *Le Bal des oiseaux*, suivi des *Ronds de carottes* (1995), révélant un mélange de poésie urbaine et de gouaille très « titi parisien », dont la voix éraillée n'est pas le moindre des charmes. Francofolies de La Rochelle puis de Montréal (1993), Victoire de la musique (1994), il est alors sur les rails, et enchaîne avec un troisième album (*Le Jour du poisson*, 1997). Son univers se situe entre les photographies de Robert Doisneau et celles de Jean-Baptiste Mondino (tous deux ont d'ailleurs réalisé des pochettes de ses disques), avec une pincée d'humour et une autre de mélancolie (*Dugenou*, 2000, album *Le Pavillon des fous*, 2005). Thomas Fersen cache soigneusement son véritable nom et laisse entendre que son pseudonyme est une référence au comte Fersen, amoureux de Marie-Antoinette, qui facilita en 1791 la tentative de fuite de la famille royale. Mais on peut se demander, de façon toute lacanienne, s'il faut y entendre un projet de carrière (Fersen, faire scène) ? Toujours est-il qu'il y est (sur la scène).

FÊTE DE LA MUSIQUE

Avec ce titre en forme d'impératif (on peut aussi l'entendre « faites de la musique »), le ministère de la Culture lançait en 1982, sous la baguette de Maurice Fleuret, un concept nouveau : chaque 21 juin, les Français étaient invités à descendre dans la rue avec leurs instruments et à jouer en public. L'énorme succès de la manifestation, qui perdure et sera également exportée à l'étranger, en fait l'une des réussites de Jack Lang au ministère de la Culture. En outre, et ce n'est pas négligeable, l'opération ne coûtait pratiquement rien au contribuable...

Les FEUILLES MORTES

Chanson, par. Jacques Prévert, mus. Joseph Kosma (1946). L'une des plus belles réussites de ce célèbre tandem auquel la chanson doit bien des chefs-d'œuvre. D'abord interprétée par Yves Montand, elle sera (avec *La Mer* de Charles Trenet) l'un des plus grands succès internationaux de la chanson poétique française. Sur la mélodie de Kosma, au tempo tantôt libre et tantôt marqué, au dessin subtil, mais avec une apparence de déjà entendu, voire presque de folklorique, le texte déclinait les principes de la mémoire affective mise à l'honneur par Proust (les feuilles d'automne remplaçant ici la madeleine, et l'amour perdu l'enfance). Signalons l'hommage que lui rendit Serge Gainsbourg (*La Chanson de Prévert*).

Le FIACRE

Chanson, par. et mus. Léon Xanrof (1892). L'auteur eut l'idée de cette chanson un jour que, rue Lepic, il faillit se faire renverser par un fiacre qui « allait cahotant, jaune avec un cocher blanc ». Créée par Félicia Mallet à l'Ambigu, reprise par Yvette Guilbert à l'Éden-Concert, l'œuvre devait avoir le succès que l'on sait. Elle fut interprétée par Barbara, et Marcel Amont, après Jean Sablon, en chante une version modernisée où le fiacre devient une Jaguar et le galant un play-boy (*La Jaguar*, adapt. J.-C. Massoulier).

FILE LA LAINE

Chanson, par. et mus. Robert Marcy (1949). Succès de Jacques Douai. Composée à l'époque contemporaine, mais au répertoire des groupes de jeunes au même titre qu'une chanson du folklore. Des tournures archaïques pour une mise en image d'Épinal d'un Moyen Âge mythique (Marlborough, la croisade, la dame à sa fenêtre, etc.) et un refrain à trois temps sur une mélodie non pas mineure mais modale, comme avant Jean-Philippe Rameau. Une réussite dans le genre.

Daniel FILIPACCHI

Paris, 1928. Producteur. Photographe à *Paris-Match*, puis animateur avec Frank Tenot de l'émission « Pour ceux qui aiment le jazz », et directeur artistique d'une marque de disques, il entre par la grande porte dans le show-business lorsqu'il crée en 1959 l'émission « Salut les copains » à Europe n° 1. Deux heures d'antenne tous les jours (17-19 heures), ensuite un journal du même nom (1962), puis d'autres (*Mademoiselle âge tendre, Chouchou, Super Hebdo*, etc.) contribuent pour une large part à lancer bon nombre de vedettes yé-yé. On les écoute à la radio, on découpe leurs photos dans le journal où l'on trouve aussi le texte de leurs chansons... Daniel Filipacchi est par ailleurs un exemple intéressant de la façon dont on peut bâtir en quelques années ce qui a du mal à ne pas ressembler à un trust de la presse. Mais ce qui nous intéresse ici est ce phénomène par lequel des centaines de milliers d'adolescents ont pu, grâce à (ou à cause de) lui, accéder à la noble fonction de consommateur : depuis le phénomène *Salut les copains* et ses « idoles », les teenagers n'ont eu aucun problème pour dépenser leur argent de poche...

Les FILLES DU BORD DE MER

Chanson, par. et mus. Salvatore Adamo (1965). « Z'étaient chouettes les filles du bord de mer » chante Adamo qui, dans cette première chanson à succès et à trois temps, annonce la couleur : langage familier, populaire, gentillesse, il a tout pour plaire. La valse neutralise en outre les oppositions : entre rock et jerk, toutes les générations peuvent être satisfaites par ce retour aux sources du populisme de fin de semaine. Arno en a donné une interprétation beaucoup plus déjantée.

FOLIES-BERGÈRE

Music-hall, rue Richer, Paris. Les Folies-Bergère ont connu trois carrières. De 1869 à 1885 d'abord, sous la direction de Léon Sari. C'est de cette période que date le célèbre promenoir, lieu d'élection des professionnelles du quartier venues là pour aguicher le chaland, et qui ne fut pas pour rien dans la réputation première de l'établissement. Puis, de 1885 à 1918, où, sous les directions successives du couple Allemand (1885-1901) et d'Édouard Marchand, des frères Isola (1901-1914, avec une interruption de quatre ans), de Clément Bannel, de Raphaël Beretta (1914-1918), on alterna revues (la première fut donnée en 1886), tours de chant (on y entendit Mistinguett, Chevalier, Yvette Guilbert) et attractions (Little Tich, Loïe Fuller et ses danses lumineuses, Liane de Pougy et la Belle Otero...). Enfin, en 1918, Paul Derval en prend la direction et leur donne ce style qui a fait la réputation des Folies dans le monde entier. Grâce aux décors de Roman Erté, de Max Wekly et, à partir de 1936, de Michel Gyarmathy, la revue à grand spectacle y est désormais synonyme de profusion, de luxe, de richesse. Jusqu'en 1949, année où Joséphine Baker y mena sa dernière revue, les grandes vedettes, Mistinguett, Joséphine, Jenny Golder, Jeanne Aubert, imposèrent leur marque aux spectacles. Mais, depuis, c'est le règne sans partage de la surenchère dans la répétition, avec ses accessoires obligatoires : bataillons de petites femmes peu vêtues, tableaux exotiques (de l'incendie de Rome par Néron au mariage chez les Lapons), escalier, plumes et strass. Seuls éléments variables, le titre de la revue (toujours en treize lettres, pour conjurer le sort, et comportant obligatoirement le mot folie) et le coût de la revue, en progression régulière. L'odeur de péché qui flottait autour de la rue Richer étant aujourd'hui bien éventée, l'attrait principal de ce type de spectacle réside dans « l'hypertrophie de la somptuosité » (R. Barthes), composante d'une esthétique petite-bourgeoise, propre à rassurer. « Il y a là un côté sécurisant... un côté "on manque de rien" qui renvoie à ces visions du paradis luxuriant, là [où] il y a enfin tout et de tout » (R. Demarcy). Après la mort de Paul Derval, en 1966, la succession fut assurée par sa femme, assistée par Michel Gyarmathy. Depuis 1974, c'est Hélène Martini qui préside aux destinées du dernier grand music-hall parisien de tradition.

Liane FOLY

[Éliane Folleix] Lyon, 1962. Interprète. De parents musiciens amateurs, elle chante très jeune dans leur orchestre, puis dans les piano-bars de la région lyonnaise, un répertoire de jazz. Rencontre en 1984 Philippe Viennet et André Manoukian, qui seront respectivement son parolier et son compositeur. En sortiront *Love me love moi* (1988) puis *Au fur et à mesure* (1990), qui lui assurent un succès quasi immédiat (Victoire de la musique, 1991). Après s'être séparée en 1995 du duo Viennet-Manoukian, elle se tourne vers des musiciens américains et enregistre en 1997 *Caméléon*, album qui n'aura guère de succès. Il lui reste sa voix, son sens du rythme, sa façon de bouger sur scène, différents atouts qu'elle utilise en se spécialisant dans les reprises.

Brigitte FONTAINE

Morlaix, 1940. Auteur-interprète. Elle chante en cabaret, joue au café-théâtre, signe avec Jacques Higelin, compositeur, la musique du film *Les Encerclés*, dont est tirée la chanson *Cet enfant que je t'avais fait*. Nous sommes en 1968 : un premier disque, arrangé par Jean-Claude Vannier, la rencontre décisive de Pierre Barouh (le créateur de la maison de disques Saravah), la formation du tripôle Higelin-Fontaine-Areski Belkacem, sont les étapes d'une démarche qui trouve son premier aboutissement avec le spectacle du Vieux-Colombier puis le disque *Comme à la radio* (1970). Entourée par les musiciens de jazz de l'AACM, elle fait délibérément éclater le cadre de la chanson « carrée » et renonce aux sécurités de l'ensemble redondant paroles-musique. Avec Areski, à partir de 1972, elle invente un chemin non balisé par le show-business, qui les mène à concevoir une sorte d'anti-spectacle. Par un savant montage de mélopées, de comptines, de gags et de dialogues à base de non-sens, qui sont autant de détournements du langage commun (langage des slogans politiques, *L'Auberge*, mus. J.-C. Capon, comme des locutions quotidiennes, *Le Ménage*), de projections de fantasmes, d'approches de l'imaginaire enfantin, ils font partager au spectateur un sentiment rare de liberté, un désir de dérèglement du quotidien. Cette expérience ludique (que l'on retrouve dans leurs albums, notamment *Je ne connais pas cet homme*, 1973, *Le Bonheur*, 1975, *Les églantines sont peut-être formidables*, 1980) s'appuie sur un langage parfaitement maîtrisé, où se fondent l'apport de la musique berbère et du jazz (Areski), des inventions verbales et du sens de la comédie (B. Fontaine). « Ne prenez pas vos désirs pour des banalités », chantent-ils. Duo dérangeant pour un monde dérangé, Brigitte Fontaine et Areski incarnent alors, avec quelques autres, cette « nouvelle » chanson française que d'aucuns appelaient de leurs vœux. Après une longue période de défaveur, ils reviennent en 2001 avec *Kékéland* (en particulier *Les Zazous*, avec M, aura un grand succès dans les médias). B. Fontaine, qui cultive de plus en plus son look et ses postures déjantées, confirme ce retour en 2004 avec *Rue Saint-Louis-en-l'Île*, un album dans la lignée de ses meilleures productions.

La FONTAINE DES QUATRE SAISONS

Cabaret rive gauche, rue de Grenelle, Paris. Considéré, après la Rose Rouge, comme l'autre cabaret de « la légende de Saint-Germain-des-Prés » (L. Rioux). Animé de 1951 à 1956 par Pierre Prévert, il se signala par la diversité des spectacles présentés, ordonnés autour du diptyque chansons-numéros ou sketches-projections (formule reprise depuis lors, notamment à l'Écluse). Côté chansons, on trouvait Mouloudji, les Garçons de la rue, Francis Lemarque, Germaine Montero, Eddie Constantine, Philippe Clay, Boris Vian. En dehors du tour de chant, signalons les productions de la compagnie Grenier-Hussenot (sketches), de Maurice Béjart (ballets), de Raymond Devos. Après un silence de dix ans, le cabaret transformé à rouvert ses portes en 1965, puis a été vendu aux enchères.

Louise FORESTIER

Montréal (Canada), 1946. Auteur-interprète. Fait son apparition sur les ondes françaises grâce à *Lindberg* (1969), qu'elle chante en duo avec Robert Charlebois. Mais alors que ce dernier perce très vite, elle ne gagnera la faveur du public qu'avec difficulté : spectacle au TNP en 1975 (avec Diane Dufresne) et un titre qui passe beaucoup en radio (*Aime mon cœur*, L. Lepage), Printemps de Bourges en 1978... Mais c'est essentiellement au Québec que se déroule sa carrière : elle chante dans *Starmania* en 1981, joue en outre dans des feuilletons télévisés ou présente des émissions documentaires sur le jazz. Quand elle ne chante pas ses textes (*Au bord de la mer*, *Les Bûcherons*, *La Saisie*...), elle interprète, avec une voix chaleureuse et un réel sens de la scène, les auteurs québécois, Jean-Claude Germain, Gilles Vigneault ou Daniel Lavoie.

Paul FORT

Reims, 1872 – Montlhéry, 1960. Poète. Le « prince des poètes » trouva en Georges Brassens un ami et un interprète fidèle. L'auteur du *Gorille* se sentait chez lui dans l'univers mi-argotique mi-médiéval des *Ballades françaises*. *Le Petit Cheval* comme *La Marine* eurent un grand succès. À la mort du poète, Brassens lui consacra un 45 tours où il dit certains de ses poèmes (*L'Enterrement de Verlaine*, *À Mireille*, *Germaine Tourangelle*) et en chante d'autres (les deux cités plus haut ainsi que *Comme hier* et *Si le bon Dieu l'avait voulu*).

Jean-Louis FOULQUIER

La Rochelle, 1943. Animateur radio à Royan, puis à France Inter, où il présente successivement « Studio de nuit » à partir de 1975, puis « Y'a d'la chanson dans l'air » (1979) et enfin « Pollen » à partir de 1984, trois émissions qui seront des références absolues pour ce qui concerne la chanson française, accompagnant en particulier ce que l'on a baptisé dans les années 1970 la « nouvelle chanson française ». En 1985, tout en poursuivant son activité à France Inter, il crée les

Francofolies de La Rochelle, festival qui fait pendant au Printemps de Bourges, en plus estival (les Francofolies ont lieu en juillet) et en moins fourni (moins de scènes, moins de spectacles en parallèle). Il en abandonne la direction en 2004. Il est également chanteur (un CD en 1993, avec des œuvres d'A. Leprest et de R. Didier) et acteur, mais il s'est surtout consacré à la promotion de la chanson qu'il aime et qui lui doit beaucoup.

FRANCOFOLIES DE LA ROCHELLE

Festival créé en 1984 par Jean-Louis Foulquier et qui sera, après le Printemps de Bourges, le second grand rendez-vous annuel de la chanson française (chaque année, début juillet). Plus tournées vers la confirmation que vers la découverte, au point que l'on a parfois dit que le Printemps de Bourges révélait de jeunes talents que les Francofolies programmaient ensuite, elles se sont cependant illustrées par des hommages (« la fête à... ») qui réunissaient autour d'une vedette une pléiade d'artistes. L'idée a essaimé, et Jean-Louis Foulquier a successivement créé les Francofolies de Montréal en 1989 (avec Alain Simard et Guy Latraverse) et les Francofolies de Spa en 1994 (avec Pierre Rapsat et Jean Steffens).

En juillet 2004, Jean-Louis Foulquier décide de prendre sa retraite et de passer la main à Didier Varrod. Mais les Francofolies seront en fait reprises par la société Morgane Production. La 22e édition (2005) ne sera pas très différente des précédentes, mais il est difficile de savoir ce que sera l'avenir.

Claude FRANÇOIS

Ismaïlia (Égypte), 1939 – Paris, 1978. Auteur-interprète. Arrivé à Nice en 1956, il commence sa carrière artistique comme batteur dans l'orchestre d'Aimé Barelli puis d'Olivier Despax. Son premier disque, un « twist arabe », paraît en 1961 sous le nom de Koko. Avec *Belles, belles, belles* (mus. P. Everley, 1962), *Marche tout droit* et *Si j'avais un marteau* (C. François, V. Buggy-P. Seeger, Hays, 1963) et des prestations remarquées à l'Olympia, il s'installe rapidement dans le peloton de tête des vedettes yé-yé. Mais, contrairement à celles-ci, qui seront contraintes d'évoluer pour suivre les goûts de leur public, Claude François sera d'emblée adopté par une tranche d'âge, les dix-seize ans, dont le renouvellement constant lui permet de rester fidèle à sa manière première. Avec ce public, « Clo-Clo » ne triche pas. Des musiques, souvent pêchées dans le hit-parade américain ou brésilien, choisies pour leur ligne mélodique simple, leur rythmique à toute épreuve. Des paroles qui rassurent et répondent au besoin de tendresse des pré-adolescents. Une image de grand frère, ni violent, ni sensuel, mais dynamique et compréhensif à la fois. Image qui, par la magie du strass, des « light shows » et du rythme, laisse entrevoir un personnage idéal, objet de toutes les projections. La performance physique du showman, véritable poupée de latex, et son apparence – cheveux blonds, yeux bleus, visage lisse, sans âge – viennent encore renforcer sa faculté à polariser l'affect de millions de jeunes. Peu de chanteurs ont été autant adulés par les enfants et les adolescents. Peu ont autant « donné » que Claude François : une production de disques à un rythme soutenu, une logistique hors pair, tant au niveau du spectacle (il tournait accompagné par une cinquantaine de personnes) que de la promotion (un fan-club, un journal, *Podium*, d'innombrables prestations télévisées...). Par ailleurs businessman sans tendresse, travailleur acharné, Claude François était véritablement devenu un phénomène, qui acquit une nouvelle dimension avec sa mort. La vente de ses succès au disque, de *Comme d'habitude* (G. Thibault, C. François, J. Revaux, 1968), dont l'adaptation anglaise (*My Way*) devint un énorme hit aux États-Unis, à *Alexandrie Alexandra* (É. Roda-Gil-J.-P. Bourtayre, 1978), sa dernière chanson, sans oublier *C'est de l'eau, c'est du vent* (P. Delanoë-A. *Dona*, 1970), *Chanson populaire* (N. Skorsky-J.-P. Bourtayre, 1974) ou *Le téléphone pleure* (F. Thomas-J.-P. Bourtayre, 1975) s'en trouva relancée : plus de 10 millions de 45 tours écoulés en trois ans. Sa résidence à Dannemois, en Seine-et-Marne, est devenue un lieu de pèlerinage. Aussi, par-delà la puérilité qui caractérise sa production, faut-il voir dans la constance de Claude François à vouloir écarter les démons de l'insuccès, dans sa hantise de ne pas être assez aimé, une des clés de son succès : comme une adéquation entre ses aspirations, ses rêves et ceux de son public.

Frédéric FRANÇOIS

[Francesco Barracatto] Sicile, 1950. Élevé en Belgique, il participe à treize ans au groupe les Éperviers, puis à quinze ans aux Tigres sauvages. S'inscrit alors au Conservatoire, enregistre, sans succès, un disque sous le nom de François Barra puis, en 1969, récidive sous celui de Frédéric François. C'est alors le début d'une carrière dans le genre « bel Italien susurrant des chansons d'amour » à destination d'un public féminin enthousiaste (*Laisse-moi vivre ma vie*, *Je t'aime à l'italienne*, etc.). Il a également enregistré des chansons traditionnelles italiennes.

Jacqueline FRANÇOIS

[Jacqueline Guillemautot] Neuilly, 1922. Interprète. Des études de piano, une famille « dans les brillantines » (Roja). Débute en 1945 au Petit Chambord avec des chansons de Roche et Aznavour. Malgré un certain succès sur les antennes, reste longtemps sans enregistrer. Son répertoire est alors réaliste, et ce n'est pas son genre. Le compositeur Paul Durand, qui la fait passer dans son émission « La kermesse aux chansons », devient son accompagnateur et la transforme en chanteuse de charme avec *C'est le printemps* (mus. J. Sablon), qui gagne le prix de l'Académie Charles-Cros 1948. Il lui constitue un orchestre de quarante musiciens dont dix-sept violons, ce qui est une innovation (*Mademoiselle de Paris*, P. Durand-H. Contet). Après une tournée aux États-Unis, Jacqueline François devient la première femme française « millionnaire du disque ». En 1954, elle passe à l'Olympia. Accompagnée par Michel Legrand, elle inaugure la tenue de scène courte. Elle fait des tournées de récitals de trente-cinq chansons et gagne en 1956 le prix de l'Académie du disque (*Les Lavandières du Portugal*, R. Lucchesi-A. Popp), premier microsillon sorti en France. À partir de 1957, elle se produit exclusivement à l'étranger.

« Une chanteuse à la mode de chez nous », dit André Halimi. « Sa voix s'exporte comme le champagne et les parfums. » Charles Trenet ne mâche pas ses mots : « Sa rencontre avec le microphone est une date dans l'histoire du disque. » Une voix, oui, mais un peu au service de n'importe quoi, depuis la chanson poétique (*Un jour tu verras*, Mouloudji-G. Van Parys, ou *L'Âme des poètes*, C. Trenet) jusqu'à la chanson exotique (*Boléro*, P. Durand-H. Contet, *La Samba fantastique*, etc.). La qualité esclave de la quantité, et, en même temps, la seule chanteuse de charme digne de ce nom depuis Lucienne Boyer.

FRÉHEL

[Marguerite Boulc'h] Paris, 1891-1951. Interprète. Enfant de la rue, d'origine bretonne (Primel-Trégastel, Finistère), elle poussait déjà la goualante à cinq ans en accompagnant un vieillard aveugle. Représentante en produits de beauté auprès des artistes du théâtre et du music-hall à l'âge de quinze ans, elle rencontre la Belle Otero qui, frappée par sa voix et son physique, l'envoie chez l'éditeur de musique Labbé. La jeune fille fera ses débuts, costumée en Carmencita, à la brasserie de l'Univers avec *La Petite Pervenche* (d'où son premier nom d'artiste) et des chansons de Montéhus. Elle épouse en 1910 un comédien qui est devenu son professeur de chant et de diction (et qui sera aussi celui de Damia), Roberty. Celui-ci obtient du compositeur Daniderff une chanson demeurée célèbre : *Sur les bords de la Riviera* (par. M. Bertal-L. Maubon). Le succès vient très vite, et le répertoire de Pervenche s'enrichit de Jean Lorrain, de Xanrof, de Maurice Donnay. La gouaille faubourienne la plus crue dans la manière de prononcer les mots alliée à une certaine distinction dans l'allure (« elle était, nous dit Maurice Chevalier, beaucoup plus que belle, avec un corps svelte dont la grâce toute naturelle lui donnait un peu l'air d'une juvénile beauté anglaise ») en fait une chanteuse très populaire.

Noceuse de tempérament, elle mène une vie brillante et mouvementée, sans lésiner sur l'alcool, jusqu'au jour où une violente déception dans sa vie sentimentale l'amène à une tentative de suicide, puis à un exil volontaire : la grande-duchesse Anastasia l'ayant réclamée, elle passe onze années hors de France dont cinq à Constantinople, après avoir séjourné en Russie et en Roumanie. Droguée et physiquement méconnaissable, elle revient à Paris en 1923 et fait sa rentrée à l'Olympia sous le titre de « l'inoubliable inoubliée ». En fait, elle est bel et bien oubliée et recommence sa carrière de zéro. Ceux qui l'ont connue autrefois ne la retrouvent plus dans cette femme massive et sans âge. Elle réussit pourtant à reconquérir son public et à reprendre son rang de vedette. On la voit sur les planches du music-hall jusqu'après la guerre avec un répertoire de Bénech et Dumont (*Cœur de lilas*), Vincent Scotto (*La Java bleue*, par. G. Koger), Michel Vaucaire et Georges Van Parys (*Sans lendemain*, *La Der des der*), Maurice Vandair (*Où sont tous mes amants ?*, mus. Charlys, *Tel qu'il est*, mus. M. Alexander). Usée prématurément par la drogue et la boisson, elle connaît une fin de vie misérable dans un hôtel de la rue Pigalle. Ceux qui l'ont applaudie se souviennent de sa voix « rauque, comme venant du ventre » (M. Chevalier) et de son regard, « le regard de quelqu'un qui a depuis longtemps perdu toute illusion sur le monde qui l'entoure » (R. Alain). Humaine et sans artifice, c'est une très grande figure de la chanson populaire.

Les FRÈRES JACQUES

Quatuor d'interprètes né en 1944 de la rencontre, par le biais de l'association Travail et Culture, d'un docteur en droit, d'un peintre breton, d'un employé des postes et d'un agriculteur provençal : André et Georges Bellec (Saint-Nazaire, 1914 et 1916), Paul Tourenne (Paris, 1923) et François Soubeyran (Dieulefit, 1919 – La Paillette-Monjoux, 2002). Après quelques tournées hasardeuses et un remplacement provisoire des Quatre Barbus dans *Les Gueux au paradis*, ils connaissent leur premier succès chez Agnès Capri dans *Orion le tueur*, mélodrame bouffon où apparaît leur première chanson mimée *L'Entrecôte* (1946). Ils passent à l'A.B.C. la même année. Pierre Philippe devient leur accompagnateur en titre, au piano, jusqu'à son remplacement en 1966 par Hubert Degex. Les Frères Jacques ont entre-temps adopté le costume dessiné par Jean-Denis Malclès : collants bicolores avec gilets, gants blancs, chapeaux claques et moustaches de différentes tailles. On les voit sur scène à l'ouverture de la Rose Rouge (*Sœur Marie-Louise*, *Le Général Castagnetas*, 1948). Sollicités par l'opérette (*La Belle Arabelle*) et par les tournées en province et à l'étranger, ils passent de temps à autre à Paris dans différentes salles (Daunou, 1952, Fontaine, 1969, les Champs-Élysées en 1980 pour leurs adieux). Le fait que les Frères Jacques préfèrent les théâtres aux music-halls est significatif : ils présentent un spectacle complet, où chaque entrée, chaque sortie, chaque éclairage est étudié. Les chansons sont autant de saynètes présentées comme telles, avec leur mise en scène particulière. Les gestes du corps empruntent au mime et à l'acrobatie ; l'impassibilité du visage au masque grec grimé en cyclomotoriste 1900. L'humour est partout, du familier à l'absurde en passant par le satirique (*Général à vendre*). « 3 416 tours Saint-Jacques – sans compter les coquilles », dit Prévert. Ils perdent à n'être qu'entendus, sauf peut-être dans certains morceaux connus (*La Saint-Médard*, *La Marie-Joseph*) car, sur scène, la drôlerie de *La Confiture* (qui dégouline) ou de *La Chanson sans calcium* (où ils étaient tous malades) confinait au délire. Une carrière exemplaire.

Les FRÈRES MARC

▶ Francis LEMARQUE.

Michel FUGAIN

Grenoble, 1942. Compositeur-interprète. Assistant metteur en scène puis élève comédien, il enregistre son premier disque en 1966 et se consacre alors à la chanson. Après le succès de *Prends ta guitare, chante avec moi* (par. M. Jourdan, 1966) et surtout de *Je n'aurai pas le temps* (par. P. Delanoë, 1967), sa carrière connaît une pause. Il revient au premier plan avec la comédie musicale filmée *Un enfant dans la ville* (1971) et la chanson *Fais comme l'oiseau* (mus. A. Carlos et Jocafi, 1972). Il forme alors le Big Bazar, troupe de treize comédiens, chanteurs et danseurs, qui connaîtra plusieurs fois les honneurs du hit-parade : *La Belle Histoire* (par. P. Delanoë, 1972), *La Fête* (par. M. Vidalin, 1974), *Les Acadiens* (par. M. Vidalin, mus. M. Fugain, 1975), *Viva la vida* (1986). En 1977, Michel Fugain dissout le Big Bazar, change de formule et forme une compagnie plus réduite de six personnes (*Michel Fugain et sa compagnie*, 1978). Il n'arrête alors pas de courir, de galas en Olympia (1978, 1988, 1990, 1992, 1998, 2001) ou en Printemps de Bourges (1992). Son sens de la mélodie, son goût dans le choix des textes en ont fait un chanteur populaire, dont tout le monde peut fredonner les airs et que l'on chante beaucoup dans les colonies de vacances.

G

Serge Gainsbourg

GABY OH GABY

Chanson, par. B. Bergman, mus. A. Bashung (1980). Vendu à un million d'exemplaires en 45 tours, c'est le titre qui révéla au grand public la voix rauque, le détachement un peu cynique, le rock pur et dur et le nom d'Alain Bashung. Au point que l'on ressortit l'album *Roulette russe* (1979) en y ajoutant *Gaby*... Avec Bergman, Bashung avait enfin trouvé, après dix ans de galère, celui dont les textes collaient le mieux à son univers et à sa personnalité. Mais l'introduction au saxophone valait bien le texte.

Serge GAINSBOURG

[Lucien Ginsbourg] Paris, 1928-1991. Auteur-compositeur-interprète. Élève des Beaux-Arts, peintre, pianiste de bar. À Milord l'Arsouille il devient accompagnateur de Michèle Arnaud et découvre la chanson (Boris Vian, Félix Leclerc, Léo Ferré). Il se met à composer, passe aux Trois Baudets grâce à Jacques Canetti et dans les cabarets de la rive gauche. Son premier disque (*Le Poinçonneur des Lilas*) obtient le prix de l'Académie Charles-Cros (1958). Connu et apprécié des seuls initiés, il produit quatre disques, laissant aux autres le soin de populariser ses chansons : Juliette Gréco (*La Javanaise*), Michèle Arnaud (*Les Goémons*), Patachou, Hugues Aufray, les Frères Jacques... Le personnage est curieux, gêné et gênant lorsqu'il est en présence du public. Pour se faire enfin entendre, il emprunte le détour équivoque du yé-yé : France Gall triomphe au Grand Prix de l'Eurovision 1965 avec *Poupée de cire, poupée de son.* Mais ses chansonnettes mystificatrices sont des bombes à retardement. Qu'importe puisque entre-temps, le public y a pris goût et permet à leur auteur de distiller son poison : musique de film (*Manon*, 1970), show télévisé (avec Brigitte Bardot, janvier 1968) et chansons à la demande pour Régine (*Pourquoi un pyjama*), Petula Clark (*La Gadoue*) et, bien sûr, France Gall (*Les Sucettes, Bébé requin*). À cela, il faut ajouter les œuvres que Gainsbourg réserve à son plaisir personnel : il enregistre ses disques comme des ensembles cohérents, soit qu'il y raconte une histoire (*Melody Nelson*, 1972, *L'Homme à la tête de chou*, 1976), soit qu'il y traite un thème (*Vu de l'extérieur*, 1973, *Rock around the bunker*, 1975). En 1979, en pleine vague du reggae, il publie un disque enregistré à la Jamaïque et dont le titre-locomotive, *Aux armes et caetera*, fera scandale : il s'agit d'une interprétation « reggaeisée » de *La Marseillaise.* Menaces et protestations des parachutistes se succèdent tandis que, pour la première fois depuis longtemps, il remonte sur scène pour une tournée qui le mènera du Palace (Paris, Noël 1979) à Bruxelles. À partir de 1980, alors que Jane Birkin le quitte, il théorise sa pratique autour de deux figures, Gainsbourg et Gainsbarre. L'alcool, la provocation, sont alors son lot quotidien. Il écrit cependant pour Catherine Deneuve (*Dieu est un fumeur de havanes*, 1985), pour Vanessa Paradis, pour Alain Bashung, toujours pour Jane Birkin (*Baby alone in Babylone*), se lance dans le cinéma comme réalisateur (*Équateur*), écrit encore pour sa nouvelle compagne, Bambou, enregistre lui-même (*Lemon Incest, Mon légionnaire, You are under arrest*). Jamais il n'aura été aussi productif qu'à l'approche de sa fin.

Célèbre, Gainsbourg n'en est pas pour autant mieux compris. Sa tentative, mystificatrice et démystifiante, est originale car elle se situe au niveau du matériau, la chanson elle-même, et non pas de ce qui est dit. Il brise les structures linguistiques, les restructure, perce les murs séparant les divers genres musicaux, s'amuse autant à écrire pour Jane Birkin (*Ex-fan des sixties*) que pour Régine, traque les mots pour arracher leur masque... Le personnage est un anti-message. L'amour est érotisme, amour physique sans issue (*Je t'aime moi non plus*). Derrière les masques, le vide. Dans cette mesure, la sensibilité de l'auteur aux fétiches de l'époque est à la fois cause et effet de l'efficacité de l'œuvre. Franglais, misogynie et culte de la femme-objet, décorum drugstorien, jazz et rythmes à la mode le portent. Voix décadente, sensuelle, tendance caméléonesque, physique et comportement le servent parfaitement. Le « Gainsbarre » provocateur qu'il a affiché semble cependant, avec le temps, s'effacer derrière Gainsbourg, et ses œuvres de la première heure (*La Javanaise*, *La Chanson de Prévert*...) marqueront sans doute l'histoire de la chanson plus que ses déconstructions ultimes. En définitive, son rapport essentiellement sensuel au langage le maintient dans son statut de chercheur : pas de synthèse à espérer, sa démarche est celle de Pénélope. Mais, comme l'écrit André Halimi, « il y a des angoisses qu'on a plaisir à supporter ».

La GAÎTÉ-MONTPARNASSE

Café-concert, rue de la Gaîté, Paris. Situé en face du théâtre Montparnasse et près du Bal des Mille Colonnes. Ouvert par Jamin en 1868, ce caf'conc' au public populaire, dont les représentations avaient lieu à sept heures du soir (avec collation à l'entracte), vit commencer les plus grands noms du music-hall de la Belle Époque : Fragson, Mayol, Dranem, Max Dearly (alors Roland Villani), Dréan, Bourgès, Libert, Dona, Bérard, Georgius, Amiati, et même Colette qui fréquenta le monde de la chanson avant de devenir l'écrivain que l'on sait. La Gaîté-Montparnasse devint un théâtre après la Seconde Guerre mondiale. Rendue à la chanson en 1978 par Daniel Colling, le créateur du Printemps de Bourges, elle abrite alors Caussimon, Escudero ou Rivard, en attendant sa démolition... et sa renaissance, qu'elle devra à sa façade classée monument historique.

La GALERIE 55

Cabaret rue de Seine, Paris. Ouvert en 1956 par René Legueltel, ancien comédien (qui fonda aussi l'Écluse). Il en fait d'abord un théâtre, qui devient cabaret quinze jours plus tard. Le spectacle est plus tourné vers les numéros de diseurs ou de comédiens que vers la chanson (« pour la chanson, je suis trop difficile », avoue le patron). Cependant, Colette Renard s'y produit avec succès en 1957, de même que Jacques Serizier, Jean Parédès, Joël Holmès, Pia Colombo, Caroline Cler, et Jean-Jacques Debout, qui y fait ses débuts.

France GALL

Paris, 1947. Interprète. Elle fut d'abord l'une des écolières-chanteuses lancées à l'époque du yé-yé triomphant. Ses atouts : un minois charmant, un filet de voix rendant une couleur originale et, surtout, un papa auteur de chansons à succès (*La Mamma*, mus. C. Aznavour), qui lui écrivit son premier tube, *Sacré Charlemagne* (1963). Son personnage change lorsqu'elle devient l'interprète innocente de Serge Gainsbourg : *N'écoutez pas les idoles*, *Les Sucettes*, petits chefs-d'œuvre de rouerie, qui la font glisser du côté des lolitas enrubannées. Sans dommage pour sa carrière, au contraire, *Poupée de cire, poupée de son*, Grand Prix de l'Eurovision 1965, est un hit international qui fait de France Gall une vedette au Japon, où elle vendra plus d'un million de disques. Puis le « bébé requin aux dents nacrées » connaîtra une période difficile avant de rencontrer son nouveau pygmalion en la personne de Michel Berger, qu'elle épouse en 1976. Grâce aux compositions de ce dernier, un écrin musical taillé sur mesure pour le talent gracile de France Gall, elle revient au premier plan et conquiert un nouveau public, sensible au climat bleu pastel de ses ballades rock. Les succès s'enchaînent : *La Déclaration d'amour*, 1975, *Musique*, 1977, *Viens, je t'emmène*, 1978, *Il jouait du piano debout*, 1980, *Tout pour la musique*, 1981, *Cézanne peint*, 1984, *Babacar*, 1987... Entre-temps, elle participe en 1979 à l'opéra rock de M. Berger et L. Plamondon, *Starmania*. Mais la mort de son compositeur et mari Michel Berger (1992) la laisse humainement brisée et artistiquement démunie. Elle enregistre encore du Berger (*France*, 1996), puis un album live (*Concert privé/Concert public*, 1997) avant de se retirer en douceur, après un nouveau drame, la mort de sa fille en 1998.

Henri GARAT

[Henri Garascu] Paris, 1902-1959. Interprète. D'abord boy au Casino de Paris, il tient ensuite de petits rôles au Moulin Rouge. Il fait ses véritables débuts, en même temps que Jean Gabin, dans la *Revue Mistinguett* (1924). Élégant imitateur de Chevalier, il remplace ce dernier dans la version bis de *Ça c'est Paris* (1926). Mais, ne possédant qu'un mince filet de voix, il passe difficilement la rampe. Le cinéma fut sa planche de salut : engagé en 1930 par la UFA pour être le partenaire de Lilian Harvey dans la version française du *Chemin du Paradis*, il y crée *Avoir un bon copain* (J. Boyer-Heymann), son premier grand succès. Avant d'être supplanté par Tino Rossi, il opéra des ravages dans le public féminin, grâce à son physique de jeune premier, modèle 1930. Au temps de sa gloire, chacun de ses disques, tirés de la musique de ses films, *Le Congrès s'amuse* (1931), ou *Un mauvais garçon* (1936, dans lequel il interprétait *C'est un mauvais garçon*, J. Boyer-G. Van Parys) se vendait à plus de mille exemplaires par jour, ce qui était un record pour l'époque. Henri Garat mourut complètement oublié.

GAROU

[Pierre Garand] Sherbrooke (Canada), 1972. Interprète. Initié très jeune à la guitare et au piano, il est successivement vendangeur, vendeur, déménageur, tout en se produisant dans un cabaret de sa ville natale. Luc Plamondon passe par là, l'écoute et pense avoir trouvé la voix qu'il cherche pour le rôle de Quasimodo dans *Notre Dame de Paris*, la comédie musicale qu'il vient d'écrire avec Richard Cocciante. C'est le départ de sa carrière, avec en particulier le succès de *Belle* (1998). Suivent un duo avec Céline Dion (*Sous le vent*) puis un premier album, *Seul* (2000), un deuxième, *Reviens* (2004), avec chaque fois les auteurs et compositeurs qui en général assurent le succès (Barbelivien, Goldman, Cocciante, Langolff). Le troisième, *Garou* (2006), ajoute Pascal Obispo à la panoplie, avec un titre, *L'Injustice*, qui évoque l'erreur judiciaire dont Patrick Dils fut la victime. La voix est là, belle et sûre, la maison de disques fait tout ce qu'il faut pour lui donner du matériau à chanter, et il chante, avec succès. Que dire de plus ?

Georges GARVARENTZ

[Georges Diram Wem] Athènes (Grèce), 1932 – Aubagne, 1993. Compositeur. Exilé de son pays avec sa famille, il mène une vie itinérante avant de se fixer à Paris et de se consacrer à la musique. Sa carrière est surtout liée à celle de Charles Aznavour dont il met les textes en musique : *La Marche des anges, Donne tes seize ans, Et pourtant, Les Plaisirs démodés*, et *La Plus Belle pour aller danser*, écrite pour Sylvie Vartan, en tout 106 chansons. Il a également composé des musiques de films (*Un Taxi pour Tobrouk*, 1960) et a aussi été chanté par Johnny Hallyday (*Retiens la nuit*) et par les Chaussettes noires (*Daniela*, par. A. Pascal).

Loulou GASTÉ

[Louis Gasté] Paris, 1908 – Rueil-Malmaison, 1995. Compositeur. Débute comme guitariste dans l'orchestre de Ray Ventura (1931), puis se lance dans la chanson pour Jacques Pills (*Avec son ukulele*, par. R. Carlès, J. Pills, 1941), Léo Marjane (*L'Âme au diable*, par. J. Larue, 1943), Yves Montand (*Luna Park*, par. J. Guigo, 1944), et surtout, à partir de 1947, pour sa femme Line Renaud : un énorme répertoire de style fantaisiste dont la première chanson, *Ma cabane au Canada* (par. M. Brocey, prix Charles-Cros 1949), est un grand succès. On peut citer également les chansonnettes enfantines écrites pour Lisette Jambel (*Le Petit Chaperon rouge*, par. F. Giroud) ou des morceaux de bravoure pour chanteurs à voix (*Du haut du Sacré-Cœur*, par. G. Bérard, 1953).

Lys GAUTY

[Alice Gautier] Levallois-Perret, 1908 – Monte-Carlo, 1994. Interprète. Issue d'une famille de garagistes où tout le monde pousse la romance, elle est lancée par son professeur de chant classique dans les concerts de banlieue. Elle abandonne peu à peu le répertoire traditionnel pour s'en constituer un très personnel, et épouse son manager qui lui fait franchir les différentes étapes de sa carrière : d'abord les cabarets (Boîte à Matelot, Folie de Lys Gauty), puis les grandes salles (Bobino, Alhambra, Empire) : en 1934, elle est la reine des six jours et, en 1935, elle fait le premier grand succès de l'A.B.C. que Mitty Goldin vient d'ouvrir. En 1939, elle part en tournée en Amérique du Sud. Après la guerre, victime de l'épuration, elle ne chante pas pendant quatre ans. La reprise sera difficile : Lys Gauty continue de chanter quelques années (*La Goualeuse*, opérette, 1950), puis abandonne la scène à contrecœur. Elle devient directrice d'un cabaret, puis du casino de Luchon (où elle monte avec Francis Cover le Festival national de la voix) et d'une école de voix à Nice. Elle avait entre-temps tourné quelques films (*La Goualeuse*, mus. de Glanzberg et Kosma). On associe toujours à son nom la chanson *Le chaland qui passe* (A. de Badet-C. A. Bixio, 1931) qui fut son plus grand succès. Mais l'étiquette de chanteuse réaliste que confirment les rengaines *Le bonheur n'est plus un rêve* (B. Colson, L. Poterat, L. Billaut) et *Le Bistrot du port* (B. Kaper, G. Groener-A. Saudemont), où « la servante est rousse », reste néanmoins un peu étroite pour définir cette interprète de belle allure, aux immenses yeux verts, dont la voix joue sur l'émotion que crée son tremblement à la fin des mots (si bien qu'elle paraissait pleurer en chantant). Au contact de jeunes musiciens étrangers, auxquels elle a donné leur chance en les prenant comme accompagnateurs (N. Glanzberg, J. Kosma, R. Marbot, P. Newman), son répertoire s'est souvent trouvé à l'avant-garde, et a inspiré les interprètes féminines de Saint-Germain-des-Prés. Elle a gagné le Grand Prix du disque 1938 avec l'*Opéra de quat'sous* (Brecht, Mauprey-K. Weill) et a chanté *Quatorze juillet*, du film de René Clair. Ses plus belles interprétations sont celles des poèmes de Magre (mus. Kurt Weill) : déclamation et chant y sont mêlés, et y atteignent une rare puissance tragique (*La Complainte de la Seine*).

Henri GENÈS

[Henri Chaterret] Tarbes, 1920 – Paris, 2005. Auteur-interprète. Première ligne de rugby à Tarbes, il aborde la carrière artistique par l'opéra et le cinéma (*Nous irons à Paris*). Il fait en 1945 ses débuts au cabaret, puis au music-hall dans des chansons fantaisistes de style exotique qui s'accordent à son physique de Méridional bien portant. Ses succès : *La Tantina de Burgos* (mus. E. Rancurel, 1956), *Le Facteur de Santa Cruz* (F. Bonifay-F. Barcellini, Grand Prix du disque 1957), *Fatigué de naissance* (G. Coulonges, H. Genes-R. Denoncin, J. Ledru, 1959). Il se tourne alors vers l'opérette (*La Route enchantée*) et le cinéma (*La Grande Vadrouille, Le Corniaud, Le Cerveau, Allez France,* etc.).

GEORGEL

[Georges Jobe] Paris, 1885-1945. Interprète. Ayant débuté vers 1903 à Belleville, il donne jusqu'en 1909 dans le répertoire Mayol. De 1910 à 1930, il est consacré chanteur populaire, c'est-à-dire, dans le langage de l'époque, chantre des midinettes. Petit et trapu, mais nanti d'une belle voix, chaude, et d'une excellente diction, le geste facile, il chantait à la manière de Bérard, de façon mélodramatique. À son répertoire, *La Vipère* (J. Rodor-V. Scotto, 1922), *L'Épervier*, *La Chouette* : un véritable « bestiaire chanté » (Romi). Comme il paraissait sur scène en habit, pour se rapprocher des personnages de son répertoire, il se couvrait d'une casquette au dernier couplet. Ses grands succès furent *Le Dernier Tango* (A. Foucher-E. Doloire,

1912) et surtout *Sous les ponts de Paris* (J. Rodor-V. Scotto, 1913). Il se produisit notamment aux Ambassadeurs, à l'Eldorado, et fit une dernière apparition à Drancy, en 1944.

GEORGIUS

[Georges Guibourg] Mantes-la-Ville, 1891 – Paris, 1969. Auteur-interprète. Commence à chanter en 1913 dans le répertoire sentimental de Dalbret. Engagé à l'année par Dorfeuil à la Gaîté-Montparnasse où on le pousse à chanter du comique. Il débute alors avec deux chansons trouvées à la hâte dans une agence : *Voyage à Saint-Sébastien* et *Elle est de Cuba*. Les conditions du spectacle le forcent à changer de répertoire chaque semaine : à ce rythme, le fonds disponible est vite épuisé et il se met à écrire lui-même ses textes. L'un des premiers, *Les Archers du roy*, aura un succès considérable. Georgius continue sur sa lancée : il écrira environ 1 500 chansons, dont certaines, comme *Le Lycée Papillon*, *La Plus Bath des javas*, sont mémorables, ainsi qu'un bon nombre de pièces en un acte qui terminaient la représentation. Sa carrière se poursuivra avec un succès constant jusqu'à la Seconde Guerre mondiale. Après l'armistice, il écrit pour la Série Noire une dizaine de romans policiers dont l'un, *Mort au ténor*, semble s'en prendre directement à un de nos chanteurs connus (« ses belles dents blanches et son air con »). Sur scène, Georgius se présentait en habit blanc, un chrysanthème à la boutonnière, et cette tenue recherchée tranchait sur celle des comiques de l'époque : la mode était aux maquillages voyants et à la vêture ridicule. Il s'agitait beaucoup, occupait tout le plateau, et ses mimiques, s'il faut en croire ses contemporains, ajoutaient beaucoup à des chansons que le disque nous rend déjà très distrayantes.

Son œuvre abondante a pour commun dénominateur le sens du trait comique, de la parodie, et bien des styles de chansons à la mode (chansons sentimentales, tangos, etc.) se trouveront mis au pilori dans ses vers où il ne craignait pas – recherchait peut-être – le mot cru ou l'allusion grivoise. *Les Archers du roy*, *Imprudente*, ne font aucune concession à la pudibonderie et c'est le plus souvent cette absence de mesure, « cette marge infime entre l'excessif et l'inadmissible, qui lui confère tout son pouvoir hilarant » (Patrick Walberg). Il est vrai que la crudité du terme est mise chez lui au service du lieu commun : il développe en fait les idées normales du Français moyen, et rien, dans le fond tout au moins, ne pouvait choquer son public.

Ses imitations parodiques de chansons atteignaient de tels sommets que le groupe surréaliste, Robert Desnos plus particulièrement, professa longtemps une grande admiration pour lui. Il semble même que nos contemporains n'aient pas hésité à s'en inspirer : *Je bois* de Boris Vian fait étrangement penser à *J'ai le bourdon*, *Jackie* de Brel à *Tango-Tango*, et *Le Tord-boyaux* de Perret à *Totor est un têtu*.

Outre ce culte de la parodie (dont *Le Fils-père* est le plus beau fleuron), ses thèmes tournaient le plus souvent autour d'une critique de la Belle Époque (*C'est un chicandier*), du snobisme (*Je suis blasé*) et des mœurs dites parfois spéciales, qu'il ne manque pas, en bon bourgeois, de fustiger (*Imprudente*, *Les Frères siamois*).

Frank GÉRALD

[Gérald Biesel] Paris, 1928. Français de père américain, diplômé des Arts déco, il compose d'abord sur des paroles de son beau-frère Pierre Lerroyer. Mais celui-ci, devenu Pierre Delanoë, est enlevé par Gilbert Bécaud. F. Gérald connaît quelques années plus tard un succès d'adaptation (*Tout doux, tout doucement*, chantée par Marcel Amont), et travaille dès lors à la commande pour les Djinns, les Parisiennes (*L'argent ne fait pas le bonheur*, *L'Amérique*, mus. C. Bolling), Petula Clark, Dick Rivers, Sylvie Vartan, Mike Brant, Nana Mouskouri, Michel Polnareff (*La poupée qui fait non*, *Love me, please love me*), Frank Fernandel, Régine, Herbert Léonard, Tino Rossi, Annie Cordy, etc. Il travaille en professionnel, base de données en main, en parolier-ordinateur qu'un sursaut de sensibilité détraque parfois (*Le Premier Bonheur du jour*, mus. J. Renard, chantée par Françoise Hardy).

Danyel GÉRARD

[Gérard Kherlakian] Paris, 1939. Auteur-compositeur-interprète. De parents arméniens, il passe son enfance au Brésil et, à Paris, chante dans la maîtrise de Notre-Dame. En 1958, Boris Vian lui écrit *D'où viens-tu Billy boy ?*, la première adaptation française d'un rock, qui passe inaperçue (Vian et Henri Salvador avaient déjà, en 1957, écrit deux rocks parodiques). Mais il part au service militaire et, à son retour, ils sont nombreux à s'être précipités dans la brèche. Il enregistre en 1961 *La Leçon de twist* (mus. J. Mengo) que vont reprendre Richard Anthony et les Chaussettes noires, *Il pleut dans ma maison*,

Memphis Tennessee, etc. Avec le recul du yé-yé, il cherche autre chose : *Petit Gonzalès* pour Dalida, *Les Vendanges de l'amour* (par. M. Jourdan) pour Marie Laforêt, assurent sa réputation. Il tente alors de relancer sa propre carrière, avec *Butterfly* (par. R. Bernet, 1971) ou *Marylou* (1979). Mais son grand échec aura été de ne pas avoir su profiter de la vague rock, dont il fut pourtant un précurseur.

GILLES ET JULIEN

[Jean Villard] Montreux, 1895 – Saint-Saphorin (Suisse), 1982, [Aman Maistre] Toulon, 1903. Duettistes. Élèves de Copeau, ils se rencontrèrent au Vieux-Colombier, firent partie des Copiaux et de la Compagnie des Quinze. Pour se distraire, ils chantèrent en duo dans un gala des artistes londoniens. Le succès venu, les dissensions nées dans leur troupe les incitèrent à se lancer dans la chanson avec la volonté d'y transposer l'esprit et la technique de Copeau. Appuyés sur leur formation théâtrale, ils concevaient la chanson comme une petite pièce en trois actes qu'il s'agissait de mettre en scène. S'écartant du modèle introduit par les duettistes américains Layton et Johnstone, et repris par Pills et Tabet, qui était basé sur l'harmonie des voix, ils chantaient alternativement. Gilles, au piano, assurait l'accompagnement musical, vocal, gestuel, Julien, debout ou appuyé contre l'instrument, assumait la part du mime. De l'opposition propre à un déploiement dramatique devait naître la synthèse. Cette volonté expressionniste orienta le choix du répertoire, qui réunissait compositions de Gilles (*La Marie-Jésus*, *Les Trois Bateliers*) et arrangements de chansons populaires, notamment de chansons de marins. Dans le même esprit, ils abandonnèrent l'habit pour le chandail de marin (1935). Leur carrière, commencée au théâtre de Montrouge (1932) et poursuivie à Bobino, à l'Empire, à l'Européen, à l'A.B.C., s'acheva avec leur séparation à la veille de la Seconde Guerre mondiale. Ces « pédagogues de la chanson » (J. Copeau) ont amorcé un mouvement qui, en se plaçant sous le triple signe de la qualité, des préoccupations sociales (*Dollar*, 1932), et du retour aux origines de la chanson française (*La Belle France*, 1936), annonce la chanson de Vichy, celle de la Résistance, sans oublier la part échue à Saint-Germain-des-Prés (les Frères Jacques notamment).

Après leur séparation, Julien se consacra à l'activité théâtrale, tandis que Gilles retournait à Lausanne. Il y fonda le cabaret du Coup de soleil, s'y produisit en duo avec Édith Burger, et en fit un centre d'opposition à l'hitlérisme. De cette période datent *Le Männerchor de Steffisburg*, reprise par les Quatre Barbus, *Les Trois Cloches*, qui eut le succès que l'on sait, et *Quatorze Juillet*. Au lendemain de la guerre, après avoir remonté un duo avec Albert Urfer, il revient à Paris pour ouvrir le cabaret Chez Gilles, et se retire en 1959 à Lausanne. Il est l'auteur d'un remarquable recueil de souvenirs : *Mon siècle et demi* (1970).

Hubert GIRAUD

Marseille, 1920. Compositeur. Il joue de l'harmonica au Hot Club de France puis dans l'orchestre de Ray Ventura, apprend la guitare avec Henri Salvador avant de rejoindre l'orchestre de Jacques Hélian. Sa première chanson, *Aimer comme je t'aime* (par. R. Lucchesi, chantée par Yvette Giraud en 1951), est un succès. S'ensuivent d'autres pour Jacqueline François, Jacques Hélian, Piaf (*Mea Culpa*, par. M. Rivgauche), Gloria Lasso (*Dolorès*, par. R. Bravard), Dalida (*Buenas noches mi amor*, par. M. Fontenoy), André Claveau (*Dors mon amour*, par. P. Delanoë), Sacha Distel (*Oui oui oui oui oui oui oui*, par. P. Cour, prix ORTF 1959), François Deguelt (*Je te tendrai les bras*, par. P. Dorsay, Coq d'or 1959). Organisé, il s'inscrit à tous les concours (et les gagne souvent). En 1964, il passe sans difficulté à Claude François (*Pauvre petite fille riche*, par. C. François), Line et Willy (*Pourquoi pas nous*, F. Dorin). Puis il compose sur mesure pour Nana Mouskouri (*L'Enfant et la Gazelle*, par. E. Marnay, 1968), Nicoletta (*Il est mort le soleil*, par. P. Delanoë, 1967, *Mamie Blue*, 1971), Nicole Croisille (*Il ne pense qu'à toi*, par. J.-P. Lange, 1974), Céline Dion (*Tellement j'ai d'amour pour toi*, 1982). Hubert Giraud s'est affirmé comme compositeur ouvert à tous les styles, pourvu que leur heure ait sonné.

Yvette GIRAUD

Paris, 1922. Interprète. Elle est d'abord speakerine à la radio (1946). Jacques Plante lui écrit des chansons, et une tournée à Rio en 1947 marque le début d'une carrière internationale. Yvette Giraud chante en sept langues et fait trois fois le tour du monde. On l'applaudit à Paris à Bobino et à l'Alhambra dans des chansons d'un style un peu plus recherché que celui du répertoire habituel de la chanteuse de charme, et auquel s'ajoute l'agrément de sa douceur et de sa simplicité personnelles (*Mademoiselle Hortensia*, *Un homme est un homme*, *Ma guêpière et mes longs jupons*).

Norbert GLANZBERG

Rohatyn (Pologne), 1910 – Paris, 2001. Compositeur. Venu à Paris en 1933 après des études au conservatoire de Wurtzbourg, en Allemagne, il doit renoncer pour des raisons de nationalité à une carrière de chef d'orchestre classique. Il se tourne alors vers les variétés, devient pianiste de l'orchestre de Jo Privat, puis accompagnateur de Lys Gauty, Rina Ketty, Charles Trenet, Tino Rossi, Édith Piaf, pour laquelle il compose le célèbre *Padam-padam* (par. H. Contet, 1948). Il a su adapter le style Mitteleuropa, qui l'a influencé dans sa jeunesse, pour entrer dans la tradition de la chanson française : *Grands Boulevards* (par. J. Plante, 1951), interprétée par Y. Montand, *Mon Manège à moi* (par. J. Constantin, 1958), interprétée par Montand et Piaf, *Ça c'est d'la musique* (1958), interprétée par Colette Renard, etc. Il a également écrit des musiques de films.

GLENMOR

[Émile le Scanv] Maël-Carhaix (Côtes-du-Nord), 1931-1996. Auteur-compositeur-interprète. Licencié en philosophie, ce nationaliste breton au visage de légende celtique tente, sur des accents de révolte dans la filiation de Ferré (*Dieu me damne*, *Sodome*) de perpétuer la tradition bardique de la complainte informative. Poète harangueur (*Princes, entendez bien*), il fait malheureusement trop peu appel à la musique. Et pourtant, en Bretagne…

GLOIRE AU 17e

Chanson, par. Montéhus, mus. R. Chantegrelet-P. Doubis (1907). Le 18 juin 1907, le 17e régiment d'infanterie de Béziers, déplacé à Agde, se mutine pour ne pas avoir à réprimer les manifestations des vignerons. Montéhus lui dédie ce texte :

> *Salut, salut à vous*
> *braves soldats du 17e*
> *…vous auriez en tirant sur nous*
> *assassiné la République.*

Il devient l'hymne de l'antimilitarisme, dans ces années marquées par la montée des périls et la croyance en la grève générale comme moyen de faire échec aux propensions guerrières des impérialismes. Son timbre fut utilisé à maintes reprises pour des chansons d'agitation, dans l'entre-deux-guerres : *Gloire aux marins de la mer Noire* (1919), *Vivent les jeunesses* (1924), *Fraternisation* (avec l'Armée rouge, 1929). Mais la plus étonnante adaptation est encore l'œuvre de Montéhus lui-même, en 1916, pour saluer la citation décernée au 17e RI :

> *Le 17e se couvre de gloire*
> *peuple français, tu peux encor chanter*
> *salut, salut à vous...*

Le GOLF DROUOT

Club situé à l'angle de la rue Drouot et du boulevard Montmartre, à Paris, ouvert en 1953, transformé en 1956 à l'usage de la clientèle jeune (seize à vingt et un ans) par le barman Henri Leproux. L'élément attractif est alors le juke-box : parmi les auditeurs les plus assidus, Jean-Philippe Smet (Johnny Hallyday), Claude Moine (Eddy Mitchell), Christian Blondiau (Long Chris). Le succès du premier nommé lance le club, en fait le « temple du rock » et le tremplin idéal de jeunes espoirs plus ou moins éphémères. Les maisons de disques y envoient leurs découvreurs de talents à la recherche de nouveaux Johnny. C'est là qu'on entendit pour la première fois les Chaussettes Noires et Eddy Mitchell, les Cyclones et Jacques Dutronc, Dany Logan et les Pirates, Sheila. En 1962, Henri Leproux officialisa la fonction en créant le « Tremplin » (audition publique pour débutants tous les vendredis). Il révèle les Surfs, Noël Deschamps (1963), les Champions, Michel Orso (1964), Ronnie Bird. De nombreuses émissions de télévision et de radio y ont installé leurs micros et caméras. Équivalent du Cavern de Liverpool ou du Star Club de Hambourg, il reçoit la visite des vedettes de la « pop music » de passage à Paris. Concurrencé par d'autres clubs, il a aujourd'hui perdu quelque peu de son importance.

Jean-Jacques GOLDMAN

Paris, 1951. Auteur-compositeur-interprète. Deuxième d'une famille de trois enfants, demi-frère de Pierre Goldman, assassiné en

1979, il apprend le piano et le violon, entame des études commerciales, puis fonde en 1975 le groupe Taï Phong (en vietnamien : « grand vent ») avec quelques succès (*Sister Jane*, 1975, *Windows*, 1977) avant d'entamer en 1981 une carrière solo dans un style plus « chanson ». Le succès (*Quand la musique est bonne*, 1982, *Entre gris clair et gris foncé*, 1987) arrive vite, malgré une presse qui l'assassine. Puis il change de formule et crée avec Carole Fredericks et Michael Jones le trio Fredericks, Goldman et Jones (1990). Il continue à sortir quelques disques solo (*En passant*, 1997, *Chansons pour les pieds*, 2001), tout en écrivant pour les autres : Johnny Hallyday (l'album *Gang* puis *Lorada*), Patricia Kaas (*Il me dit que je suis belle*), Céline Dion (*Pour que tu m'aimes encore*) ou Khaled (*Aïcha*), avec chaque fois ce talent rare d'entrer dans la peau d'autrui, d'oublier son personnage pour se mettre au service d'un interprète toujours différent. Abonné aux succès, il entretient soigneusement autour de lui un flou artistique, comme s'il se gardait de la notoriété, fuyait la reconnaissance. On lui reproche parfois une voix un peu haute, des mélodies faciles, mais le public qui lui fait régulièrement un triomphe s'inscrit en faux contre la critique... Ce qui ne l'empêche pas d'annoncer en 2005 qu'il quitte (momentanément ?) la chanson.

Stéphane GOLMANN

Montrouge, 1921 – Québec, 1987. Auteur-compositeur-interprète. Après des études de mathématiques et de lettres, il débute en 1946 Chez Agnès Capri comme guitariste et compose en même temps des chansons qu'il interprète (au Quod Libet, au Vieux-Colombier et à l'Écluse) et fait interpréter.

Son œuvre est jalonnée par deux succès commerciaux qui sont aussi deux belles réussites : *Actualités* (1950, par. A. Vidalie) et *La Marie-Joseph* (1951), la première interprétée par Yves Montand et la seconde par les Frères Jacques. Mais sa production comporte bien des titres moins connus et tout autant intéressants : fantaisiste (*Le Cheval dans la baignoire*), fabuliste (*La Cigale et la Coccinelle*), Golmann a souvent la dent dure (*L'Abus de confiance, La Cravate lavallière*). Interprète trop peu connu, il maniait le glissando comme un chanteur de blues (*Le Mineur*, *La Petite Existentialiste*). Il prend cependant ses distances avec la chanson et, à partir de 1956, entame dans les organismes internationaux (ONU) une carrière qu'il poursuivra en continuant à écrire et à composer.

Alain GORAGUER

Rosny-sous-Bois, 1931. Compositeur. Études de piano à Nice avant d'être pianiste à Paris. Son œuvre, placée sous le signe du jazz, le pousse à mettre son talent au service de Boris Vian (1953), pour lequel il écrit les musiques de *Je bois*, *La Java des bombes atomiques*, *Ne vous mariez pas les filles*... puis la bande musicale du film *J'irai cracher sur vos tombes*. On retrouve sa signature à côté de celle d'un certain Henri Cording (Henri Salvador) pour des rocks parodiques, toujours avec Vian. Collabore ensuite avec Serge Gainsbourg, travaille pour Nana Mouskouri (*L'amour est pareil*, par. C. Lemesle, disque d'or en Allemagne) et Jean Ferrat (*La femme est l'avenir de l'homme*). Il a aussi composé de nombreuses musiques de films (*L'Eau à la bouche*, *L'Affaire Dominici*, *Le Silencieux*) et restera comme un de ceux qui ont le plus œuvré au renouvellement de l'orchestration dans la chanson française.

Le GORILLE

Chanson, par. et mus. Georges Brassens (1952). Participe au lancement de Brassens avec son antithèse, *La Chasse aux papillons*. Bâtie sur deux accords très simples (*ré*, la septième) et sur une mélodie très plate qui ne se réveille que pour lancer un cri d'alarme (« gare au gorille »), la chanson résume déjà deux tendances de l'œuvre à venir, anarchisme souriant et gauloiserie, celle-ci étant évidente, celui-là ressortant surtout de la pointe finale :

> *Car le juge au moment suprême*
> *criait maman pleurait beaucoup*
> *comme l'homme auquel le jour même*
> *il avait fait trancher le cou.*

Henri GOUGAUD

Carcassonne, 1936. Auteur-compositeur-interprète. « Fait » les cabarets de la rive gauche à l'issue d'une licence de lettres. Prix de l'Académie de la chanson française 1965 (*À Carcassonne*). Mis en musique par Jean Bertola (*Le Musicien*) et par Jean Ferrat, dont il est un des paroliers préférés (*Hop là nous vivons*, *Cuba si*, *La Matinée*). Mais c'est à Serge Reggiani qu'il a confié une de ses plus belles œuvres, *Paris ma rose.* Il publie un recueil de *Poèmes politiques des troubadours* (1969), dont il a tiré un 30 cm, puis enregistre en 1974 *Lo Pastre de paraulas*, ensemble de neuf chansons en languedocien, écrit pour Juliette Gréco. Il change ensuite de voie (de voix ?) : il fait de la radio et se lance dans l'écriture de contes.

Chantal GOYA

Viêt-nam, 1946. Interprète. Ancienne chanteuse yé-yé, elle trouve à la fin des années 1970 un créneau à exploiter, la chanson pour enfants, et se constitue grâce à son mari Jean-Jacques Debout et à Roger Dumas un répertoire sans risque fondé sur les mythes traditionnels de l'enfance (*Bécassine*, *Guignol*, *Cendrillon*, etc.). Elle prend ainsi un marché qu'occupait, avec plus de talent, Anne Sylvestre, devient une vedette de la télévision, présente des shows où se presse le premier âge (*Le soulier qui vole*, 1980, *Le Mystérieux Voyage de Marie-Rose*, 1985), puis disparaît de la scène et des écrans, laissant nos jeunes têtes blondes en errance.

Le GRAND CHAMBARDEMENT

Chanson, par. et mus. Guy Béart (1967). Premier succès sur le thème de la bombe atomique dans l'histoire de la chanson française. Guy Béart n'est pas pour autant militant du *« no nuke »* : comme d'habitude, il écrit sans prendre position. Cependant, il y a des descriptions qui valent une dénonciation, et ce sera encore le cas pour *La Bombe à Neu-Neu*, œuvre plus tardive, plus claire aussi. Quant au succès du *Grand chambardement*, il est surtout dû à sa mélodie, qui suit bêtement la gamme ascendante dont elle reprend six fois chaque note.

GRAND JACQUES

Chanson, par. et mus. Jacques Brel (1954). Le Jacques Brel première manière, qui tente d'étouffer en lui une révolte latente. Dieu, l'amour, la guerre, trilogie que le Jacques au naturel est tenté de réfuter ou de critiquer, ce dont l'empêche la voix de la raison : « Tais-toi donc, Grand Jacques, que connais-tu… » La suite de l'œuvre montre que cette voix-là n'eut pas longtemps droit à la parole.

Le GRAND MÉTINGUE DU MÉTROPOLITAIN

Chanson, par. Mac-Nab, mus. Camille Baron (1890). Mac-Nab, l'un des hôtes du Chat noir, et d'opinion conservatrice, avait parfois la dent dure (témoin *L'Expulsion*). À la fin du XIXe siècle, chaque meeting s'achève par de violents affrontements avec la police. Mac-Nab campe la scène sur le ton humoristique : « À la faveur de c'que j'étais brindzingue, On m'a conduit jusqu'au poste voisin... » Curieusement, l'aventure de ce poivrot, plus propre à inspirer un Daumier qu'un Lénine, aura un grand succès chez les militants révolutionnaires. On l'entend encore aujourd'hui lors de certaines manifestations.

La GRANDE SOPHIE

[Sophie Huriaux] Port-de-Bouc, 1969. Auteur-compositeur-interprète. Élevée dans une famille fan de musique (père ouvrier et batteur), elle fonde son premier groupe à treize ans (Entrée interdite). Baccalauréat et beaux-arts à Marseille, puis Paris où elle hante les cafés et les lieux alternatifs avec sa guitare et ses chansons. Un passage aux Francofolies de La Rochelle et un premier album (*La Grande Sophie s'agrandit*) en 1996, un deuxième album (*Le Porte-bonheur*) en 2001, sur lequel elle reprend un succès de Nancy Sinatra (*These boots are made for walking*, Lee Hazlewod), et son personnage est campé. Le succès vient avec l'album suivant (*Et si c'était moi*, 2003, disque d'or), confirmé en 2005 par *La Suite*. Entre rock et chanson (en fait au cœur de ce qu'elle appelle la « kitchen miousic », définie négativement : ni pop, ni *soul*, ni funk, ni rock), avec une présence scénique ludique et parfois foldingue, la Grande Sophie excelle dans les croquis du quotidien sur lequel elle jette un regard tendre ou amusé, suggérant des solutions aux problèmes de notre temps, entre *Du courage* (2003) et *Psy psy chanalyse* (2005).

GRANDS BOULEVARDS

Chanson, par. Jacques Plante, mus. Norbert Glanzberg (1951). Yves Montand incarna à ses débuts un type d'homme nouveau dans la chanson française : l'ouvrier conscient et fier de sa condition. Comme celui-ci n'escompte pas, dans l'immédiat, un bouleversement de sa situation (par promotion individuelle ou par une révolution sociale), il prend les choses (la ville, les filles, les loisirs) comme elles viennent, du bon côté. Chanson fraternelle, optimiste, dans la lignée populiste qui caractérisa les années de la Libération. Un des grands succès de son interprète.

Juliette GRÉCO

Montpellier, 1927. Sa mère arrêtée par la Gestapo, elle connaît à quinze ans la prison, le Paris de la guerre. À la Libération, elle fait partie du groupe qui, autour d'Anne-Marie Cazalis, anime le Tabou. Cette silhouette noire aux longs cheveux attire les journalistes en mal de copie : sa photo paraît dans *Samedi Soir*, elle devient la « muse de Saint-Germain-des-Prés ». Mais elle ne sait que faire de cette célébrité. Sur les conseils d'amis, elle opte pour la chanson. Ses deux parrains sont des paroliers débutants, Jean-Paul Sartre (*La Rue des Blancs-Manteaux*, mus. J. Kosma) et Raymond Queneau (*Si tu t'imagines*, mus. J. Kosma). Débute au Bœuf sur le toit (1949) et s'impose au public connaisseur de la Rose Rouge. Mais les bourgeois l'exècrent, les ouvriers restent distants. Un passage à l'Olympia (1954) ne rencontre que peu d'écho. Puis, insensiblement, la haine du public bien-pensant s'efface et fait place à l'admiration, à la louange : Saint-Germain-des-Prés n'est plus considéré comme un foyer de subversion. Gréco elle-même a changé (physiquement), a élargi aussi son répertoire. Cette image nouvelle de grande dame de la chanson française est confirmée par l'accueil du TNP où elle passe en même temps que Brassens (1966). À l'étranger, elle triomphe dans le rôle d'ambassadrice de la chanson française, attirant par exemple des milliers de personnes à Berlin (1967). Le cinéma l'avait un temps détournée de la chanson, mais elle y revient toujours, par le disque ou par la scène (deux fois au Théâtre de la Ville, à Paris, dans les années 1970).

Le répertoire de Juliette Gréco, très varié, met au premier plan la femme, un certain type de femme, contemporaine du *Deuxième Sexe* de Simone de Beauvoir, qui affirme son droit à la libre disposition d'elle-même. De *Je suis comme je suis* (Prévert-Kosma) à *Je suis bien* (Brel-Jouannest), c'est le même thème sous des facettes changeantes. Les auteurs et compositeurs qu'elle a chantés et qu'elle a parfois contribué à lancer, sont garants de la qualité de son répertoire : outre Prévert et Kosma (*Les Feuilles mortes*, bien sûr), il faut citer Léo Ferré (*Jolie môme*), Guy Béart (*Il n'y a plus d'après*), Serge Gainsbourg (*La Javanaise*), Charles Aznavour (*Je hais les dimanches*), Robert Nyel (*Déshabillez-moi*, mus. G. Verlor), Leny Escudero (*Je t'attends à*

Charonne), etc. Elle publie en 1982 son autobiographie, *Jujube*, mais la vie ne s'arrête pas pour autant. Elle continue à chanter, à l'étranger comme en France (Olympia, 1991, Théâtre de l'Europe, 1999, Olympia, 2004), à enregistrer des textes et des musiques de créateurs plus jeunes (Julien Clerc, Caetano Veloso, Bernard Lavilliers, Benjamin Biolay, Gérard Manset, Art Mengo...), bref, elle vit.

Ce qui frappe avant tout dans cette longue carrière, c'est l'interprétation, le goût et le respect des mots, la voix d'alto et la façon expressionniste d'en jouer ; l'humour, le regard distancié porté sur les choses, et enfin ce visage, ces mains qui parlent, redondants jusqu'à la caricature, ce corps immobile devant le micro, moulé dans sa robe noire. Une chanteuse classique, dans tous les sens du terme, mais aussi une chanteuse politique, ô combien !

Georges GUÉTARY

[Lambros Worlou] Alexandrie (Égypte) 1915 – Mougins, 1997. Interprète. Égyptien d'origine grecque envoyé en France pour étudier le commerce, il change de voie sur le conseil du violoniste Jacques Thibaud : cours de chant chez Ninon, harmonie et piano chez Thibaud-Cortot, comédie chez Simon. Il débute à l'Européen en 1937 comme chanteur d'orchestre de Jo Bouillon. Remarqué par Mistinguett, il joue alors dans la revue du Casino de Paris (1938). Fredo Gardoni le tire en 1941 du restaurant toulousain où il est devenu maître d'hôtel en attendant des jours meilleurs. Il enregistre en 1942 sous un pseudonyme qui scandalise les chanteurs authentiquement basques dont il devient le rival. Tour de chant à l'Alhambra et à l'ABC en 1944 (*Robin des bois*). Sacré meilleur chanteur d'opérette à Broadway en 1950, sa célébrité se fait au travers de *La Route fleurie* (1952), *Pacifico* (1960), *La Polka des lampions* (1961), *Monsieur Carnaval* (1965), etc., mais aussi du film *Un Américain à Paris*, dans lequel il est partenaire de Gene Kelly. Reprenant les succès que se disputent tous les interprètes à accent exotique (*Bambino*, *Ciao ciao bambina*, etc.), Georges Guétary est devenu le chanteur de charme classique, le nouveau Carlos Gardel, beau garçon au type méditerranéen, aux yeux de velours et au sourire éclatant, qui devient avec l'âge chanteur familial (*Papa aime Maman*, *Dis Papa*, etc.) et chantera à Bobino en 1996, un an avant sa mort. Boris Vian fournit l'explication (dans *En avant la zizique*) : « Si le texte était bon, ce serait le desservir que d'en distraire l'attention sur la voix [...]. Cela choquerait l'oreille habituée à ne chercher qu'un timbre et surprise par une signification... » On peut trouver cela désespérant. Mais il faut bien admettre que ce chanteur à voix a une bien belle science du « mezzo voce ».

Daniel GUICHARD

Paris, 1948. Auteur-compositeur-interprète. À l'origine, un titi parisien encore vert que découvre Léo Missir et qui commence à enregistrer du Bruant et des musiques musettes d'aujourd'hui (*C'est parc'que j'suis né à Paname*). Le succès vient avec *La Tendresse* (par. J. Ferrière, mus. P. Carli, 1972), suivi de *Faut pas pleurer comme ça* (mus. J.-P. Kernoa, Christophe, 1973) et de *Mon vieux* (mus. M. Senlis, par. J. Ferrat, 1974), qu'il interprète avec une voix pleine de gouaille. Puis l'ancien titi grandit, prend une voix bien placée et adopte un conformisme d'homme mûr : la pavé et le ruisseau s'éloignent, et il se consacre désormais aux *best off* (*Faut pas pleurer comme ça*, 1988) et aux reprises (*Daniel Guichard chante Édith Piaf*, 1990).

Jean GUIDONI

Toulon, 1952. Auteur-interprète. D'abord coiffeur à Marseille, il débute dans la chanson en 1977 et trouve son ton trois ans plus tard. En 1980, avec *Je marche dans les villes*, il entame une longue marche, s'attachant à témoigner sur le monde de l'homosexualité, les amours difficiles, la détresse. S'essayant à différents types de musique (en particulier au tango, sur des compositions d'Astor Piazzolla), il cherche sa voie artistique et la trouve surtout sur scène, parfois fardé ou portant des talons aiguilles. Les albums se succèdent (*Crime passionnel*, 1982, *Tigre de porcelaine*, 1988, *Vertigo*, 1985, *Trapèze*, 2004, avec l'aide des écrivains Marie Nimier et Jean Rouaud pour les textes), mais la reconnaissance du métier (deux prix Charles-Cros) ne s'accompagne pas de celle du public. Univers trop désespérant ? Détresse répulsive ? Tendance communautariste ? Ou insuffisance vocale ? Toujours est-il qu'à cinquante ans passés, il n'a pas encore obtenu le succès qu'il était en droit d'espérer.

Yvette GUILBERT

Paris, 1867 – Aix-en-Provence, 1944. Interprète. Orpheline de père, pour gagner sa vie, elle doit travailler tôt dans la couture. La rencontre d'un critique dramatique la pousse à dix-neuf ans vers le théâtre. Aussi abordera-t-elle la chanson comme « tout l'art du comédien au service d'une chanteuse sans voix qui demande au piano et à l'orchestre de chanter à sa place » (*La Chanson de ma vie*). Ses débuts sont difficiles : manquant de coffre et de rondeurs, elle se fait siffler au casino de Lyon et pratiquement renvoyer de l'Eldorado au bout de deux mois (1889). Son premier succès, *La Pocharde* (mus. L. Byrec, par. L. Laroche), écrit par elle dans un moment de désespoir, lui apporte un surnom : « la comique à rallonges ». Riche de la découverte des *Chansons sans-gêne* de Xanrof, elle cultive alors un genre tragico-comique et une silhouette : « la dame rousse aux gants noirs, vêtue de satin vert » immortalisée par Toulouse-Lautrec. Elle lance ce personnage au Pavillon de Flore à Liège, puis à Bruxelles, mais, à Paris, elle doit rompre son contrat avec l'Éden-Concert, où elle demeure incomprise. Sous le pseudonyme de Nurse Valery, elle se fait un peu connaître au Moulin Rouge (1890) : on l'y voit costumée en nourrice au caf'conc' d'hiver de la salle du Bal. Elle passe en même temps au Divan japonais où elle trouve, autour du poète Jehan Sarrazin, son premier vrai public. On l'y baptise « la diseuse fin de siècle » ; elle y chante *Les Vierges et les Fœtus* de Mac-Nab. Exploitée quelque temps par Musleck au Concert Parisien (1891), elle fait enfin salle comble à la Scala de 1892 à 1895. Elle y poursuit son contrat, mais doit le rompre en 1900 à cause d'une maladie des reins. Elle se produit entre-temps à l'Horloge et « fait traverser les Champs-Élysées au Tout-Paris » qui les retraverse dans l'autre sens pour la suivre l'année suivante aux Ambassadeurs. Tous les salons littéraires se l'arrachent.

Pendant seize ans (à partir de 1899), Yvette Guilbert sera malade. Six interventions chirurgicales seront nécessaires pour lui permettre de poursuivre sa carrière. Fatiguée de « broder d'or des grivoiseries, même littéraires », elle passe de « dix ans de répertoire boulevardier et graveleux à vingt-six ans de beaux chants de France ». Elle entame cette seconde carrière au casino de Nice en 1913, habillée de pourpre et d'or, après avoir fait de longues recherches sur la chanson ancienne.

Pendant plus d'un demi-siècle au total, Yvette Guilbert aura mené une carrière internationale (France, Allemagne, États-Unis) en chantant un très grand nombre de poètes (Baudelaire, Fagus, Jammes, Laforgue, Montherlant, Richepin, Rollinat, Verlaine) ainsi que quantité d'auteurs inconnus du Moyen Âge. Mais on se souvient surtout de l'Yvette Guilbert première époque, celle du *Fiacre* de Xanrof et de *Madame Arthur* de Paul de Kock. Et « lorsque l'on veut glorifier le caf'conc' devant quelques esprits chagrins, on dit : Yvette Guilbert », écrit M. Georges-Michel. Malgré son « spectre de voix » (l'expression est de Gounod), elle a laissé le souvenir d'une diction impeccable et d'un sens unique de la mise en scène qui faisaient de chaque chanson un condensé d'une pièce en un acte. « Je pense toujours en l'entendant, a dit Henri Lavedan, à quelque troublant automate, à une dame en cire d'Edgar Poe qui aurait un phonographe dans le ventre. »

H

Jacques Higelin

Arthur H

[Arthur Higelin] Paris, 1966. Auteur-compositeur-intepretre. « Fils de » (Jacques Higelin), il étudie la musique à Boston (États-Unis) puis débute en 1988 à la Vieille Grille, accompagné par le contrebassiste Brad Scott, bientôt rejoint par le batteur Paul Jothy. Les choses vont alors très vite : premier disque en 1990 (*Arthur H*), deuxième en 1992 (*Bachibouzouk*), Olympia en 1993, puis les tournées et les albums (*Trouble-fête*, 1996, *Pour Madame X*, 2000, *Piano solo*, 2002, *Adieu tristesse*, 2005) se succèdent. Entre Gainsbourg et Tom Waits pour la voix, éraillée, nocturne, il met en place son univers musical enrobé de cordes (alto, violoncelle, violon) qui dessine comme un soupçon de mélopée orientale que la partie jazzy des musiciens ramène à l'ordre. Ses musiques, parfois trop luxuriantes, ne parviennent pourtant pas toujours à masquer certaines faiblesses dans les textes. Mais sa façon d'écrire, toute de retenue, est peut-être la traduction littéraire de la timidité. Il s'est également essayé au cinéma (*Maman*, de R. Goupil).

François HADJI-LAZARO

Paris, 1956. Auteur-compositeur-interprète. Ancien instituteur, multi-instrumentiste spécialisé dans le traditionnel acoustique (violon, dulcimer, mandoline, cornemuse, guitare, vielle à roue, accordéon...), il a d'abord un groupe folk, Pénélope, puis fonde en 1982 le groupe

Pigalle avec Daniel Hannion, très vite remplacé par Henri Escudié et ensuite rejoint par quatre autres musiciens, qui sort son premier disque en 1986. Le deuxième album (1990) détaille « la morne et pitoyable existence de Benjamin Tremblay » et l'un de ses titres, *Dans la salle du bar-tabac de la rue des Martyrs* fait un succès. Le groupe sort son cinquième disque en 1997. À la question d'Eddie Mitchell, « où sont mes racines, Nashville ou Belleville ? », Hadji-Lazaro répondrait sans hésitation Nashville *et* Belleville, et, pour mieux l'affirmer, il crée en 1985 un second groupe, les Garçons Bouchers (*La Saga*, 1990, *Vacarmelita ou la Nonne bruyante*, 1992), plus nettement rock, avec section de cuivres, un certain nombre de musiciens intervenant dans les deux groupes. Il crée ensuite le label Boucherie Productions, qui, outre ses disques, produit la Mano Negra et Los Carayos (*Au prix où sont les courges*, 1989), groupe rock dans lequel on retrouve Hadji-Lazaro et Manu Chao. Parallèlement, il fait du cinéma (*J'ai vu tuer Ben Barka*, S. Le Péron, 2005), sort un disque consacré aux textes de Roland Topor (*François détexte Topor*, 1996), puis un album solo (*Et si que*, 2002). Si l'aventure de Boucherie Productions a pris fin en 2002, François Hadji-Lazaro semble poursuivre sa route sinueuse et inventive (*Aigre-doux*, 2006).

Johnny HALLYDAY

[Jean-Philippe Smet] Paris, 1943. Auteur-interprète. Enfant, il est confié à une tante, puis à une cousine, future épouse d'un danseur acrobatique américain, Lee Halliday. Il parcourt ainsi l'Europe au gré des engagements du couple. C'est le premier acte d'un destin exemplaire. Le deuxième s'ouvre sur le juke-box du Golf Drouot : Johnny, qui a quinze ans, est devenu un fan des rockers américains. Il n'est pas le seul, mais il est le premier à tenter sa chance en dehors du « temple ». Les adeptes sont rares : aucune maison de disques n'est intéressée, les spectateurs des cabarets dans lesquels on l'autorise à se produire ne le sont guère davantage. Une occasion s'offre à lui : il passe à l'émission publique « Paris-cocktail », enregistrée au cinéma Marcadet (1959). Les paroliers Jil et Jan lui proposent leur collaboration, et surtout un contrat chez Vogue. En mars 1960 sort son premier 45 tours (*T'aimer follement*, A. Salvet, J. Plait-Robinson). En septembre, il est au programme du spectacle de Raymond Devos à l'Alhambra. C'est sa bataille d'*Hernani* : tandis que le parterre le siffle, le balcon, c'est-à-dire les jeunes des quartiers populaires, l'acclame. Comme l'acclament les jeunes de Montbéliard, de Marseille... C'est le raz-de-marée, inattendu. Et pourtant ! Des millions d'adolescents, les enfants du baby-boom de l'après-guerre, arrivent sur le marché, ouverts à toute forme de langage leur permettant de s'affirmer, de se reconnaître. Le rock d'abord, le yé-yé ensuite, qui en est la version normalisée et aseptisée, seront ce langage, et Johnny leur porte-drapeau, frayant la voie à une pléiade de chanteurs et de groupes.

Un an après l'Alhambra et ses sifflets, l'Olympia le reçoit en vedette. C'est le début du troisième acte : l'apôtre se mue en prêtre du nouveau culte. Au Hallyday « graine de violence » et « rage de vivre », se roulant par terre, succède un Johnny copain, plus accessible. Deux changements manifestent cette transformation : celui de la maison de disques (Philips) et le passage du rock de *Souvenirs souvenirs* (Bonifay-Coben) au twist, qu'il lance sur la scène de l'Olympia (*Viens danser le twist*, G. Gosset-K. Mann, D. Appel). Son audience ne peut qu'augmenter, et il est tout naturellement la vedette de la Nuit de la Nation, qui réunira le 22 juin 1963 quelque 150 000 jeunes. Fin 1966, il aura vendu 18 millions de disques. C'est un sommet, c'est aussi le début d'un certain reflux, parallèle à la dégringolade du yé-yé. En septembre 1966, il fait une tentative de suicide. Puis ses tournées en Afrique, en Amérique du Sud, une rentrée triomphale avec Sylvie Vartan à l'Olympia en 1967, plusieurs super-shows au Palais des Sports de Paris le réinstallent sur le devant de la scène. Il inaugure alors une nouvelle phase dans sa carrière, marquée par l'élargissement de son public et la recherche de salles de plus en plus vastes, allant jusqu'au gigantisme (en 1979), le Pavillon de Paris, dix mille places, remplace le Palais des Sports, mais il se produit ensuite au Zénith (1984, 1985), à Bercy (1987, 1990), au Parc des Princes (1993), à Las Vegas (1996), au Stade de France (1998, quatre-vingt mille spectateurs chaque soir), puis devant la tour Eiffel et six cent mille personnes (2000). Chaque fois, le lieu donne naissance à une mise en scène impressionnante dont la somptuosité ne le dispute qu'à l'ego de l'artiste. Car c'est sur scène que l'interprète Hallyday prend toute sa dimension. Le disque pourrait n'exister que comme préparation au spectacle, ou comme relique.

Le travail de scène est conçu comme un quasi-culte : le spectateur est un terme actif, qui vient participer et non pas seulement écouter. Connaissant les chansons par cœur, il réagit aux stimulations du célébrant et l'accompagne dans sa montée vers le paroxysme. Usant de toutes les techniques scéniques mises au point par les rockers américains, Johnny mène le public vers un offertoire, qui est aussi une communion : événement à chaque fois unique et pourtant renouvelé chaque soir. Son authenticité sur scène tient précisément au fait qu'il opère ce passage au-delà des apparences. Officiant, il devient la victime offerte aux rêves des foules : « je suis seul, il n'y a personne qui m'aime », clamait-il à une époque, prostré et à bout de souffle ; « si Johnny, on t'aime », répondait le public. Suit alors la consommation symbolique : chemise, tricot lancé à la foule... Ce qui est ainsi jeté en pâture au public n'est que pâle reflet. Comment pourrait-il en être autrement ? La projection narcissique de la solitude du dieu-prêtre n'est pas pain vivant. Et les fidèles, à la sortie du temple, repartent peut-être saouls de rythme, mais sages. Celui qui, sur scène, apparaît comme habité par le démon de la violence n'est à la ville qu'un gentil garçon.

Ses succès, qui furent d'abord presque exclusivement des adaptations de standards américains du rock ou du rhythm'n'blues, mais qui, progressivement, ont fait une large place aux compositions originales, observent l'alternance chansons à tempo rapide-ballades ou slows, comme dans un tour de chant. Ainsi, *Que je t'aime* (G. Thibault-J. Renard, 1969) succède à *À tout casser* (G. Aber-J. Hallyday, T. Brown, 1968), *Oh ma jolie Sarah* (P. Labro-T. Brown, 1971) à *On me recherche* (P. Labro-E. Vartan, 1970), *Ma gueule* (G. Thibault-P. Nacabal, 1979) à *J'ai oublié de vivre* (P. Billon-J. Revaux, 1977), etc. Une telle carrière nécessitant sans cesse du sang neuf, il fait régulièrement appel à des auteurs ou compositeurs dans l'air du temps : Michel Berger (*Rock'n'roll attitude*, 1985), Jean-Jacques Goldman (*Gang*, 1986), Pascal Obispo (*Ce que je sais*, 1998), Muriel Robin et le groupe Ministère Amer (sur l'album *Ma vérité*, 2005), ou son fils David Hallyday (*Sang pour sang*, 1999). Balançant en permanence entre le rock et les variétés, entre la solitude désenchantée et les certitudes de l'amour, Johnny poursuit sa route et ses rêves, pavés de millions souvent dilapidés et d'une désarmante bonne volonté. Il a également été acteur au cinéma, de *D'où viens-tu Johnny* (1963) à *L'Homme du train* (2003, P. Leconte) en passant par *Détective* (1983, J.-L. Godard).

Françoise HARDY

Paris, 1944. Auteur-compositeur-interprète. Inscrite à l'université pour préparer une licence d'allemand, elle enregistre à dix-huit ans son premier 45 tours (*Tous les garçons et les filles*). Daniel Filipacchi la fait passer en juillet 1962 dans l'émission « Salut les copains », et les téléspectateurs la découvrent en novembre en guettant les résultats du référendum. Grand Prix de l'Académie Charles-Cros en 1963, elle passe à l'Olympia et prend la tête des hit-parades européens.

Son personnage va alors évoluer à travers plusieurs périodes, passant de l'adolescente mal-aimée (trop grande pour son âge et qu'on imagine volontiers avec des traces d'acné) au mannequin rêveur et hiératique puis à l'interprète raffinée et distante. Cette évolution est soulignée par divers styles de chansons : une première vague signée presque exclusivement Françoise Hardy, qui raconte des flirts d'adolescence sur des rythmes de rock lent ou de twist (*J'suis d'accord*) ; une deuxième vague poétique avec des ballades signées le plus souvent par d'autres (*L'Amitié*, G. Bourgeois-J.-M. Rivière, *Des ronds dans l'eau*, P. Barouh-F. Lai, *Ma jeunesse fout l'camp*, G. Bontempelli, *Comment te dire adieu*, S. Gainsbourg) ; une troisième vague fondée sur la recherche du climat, sur la mise en valeur de cette couleur « blue » qu'elle est la seule à apporter à la chanson... Dans cette évolution, elle saura s'appuyer sur des auteurs de talent. Michel Berger d'abord, qui la produit en 1971 (*Message personnel*, M. Berger), revêtant cette Ophélie de savantes brumes musicales, puis Michel Jonasz (*J'écoute la musique saoule*, M. Jonasz-G. Yared) qui, avec Gabriel Yared, compositeur et arrangeur, créera ce climat propice « aux abandons du soir dans le bar du grand hôtel » (L. Nicolas). Elle continue son parcours clair-obscur avec une élégante distance en choisissant avec soin ses auteurs ou ses compositeurs (Louis Chedid, *Moi vouloir toi*, 1983, Étienne Daho, *Et si je m'en vais avec toi*, 1985...), enregistre aussi des duos (*Puisque vous partez en voyage*, avec J. Dutronc, 2000), tout en s'intéressant à l'astrologie (à laquelle elle consacre quelques ouvrages). Françoise Hardy, qui a définitivement abandonné la scène en 1968, a ainsi mené depuis près de quarante ans une carrière uniquement discographique qui ne peut laisser indifférent.

Loulou HÉGOBURU

Bordeaux, 1898 – Paris, 1947. Interprète. Après avoir débuté en 1920 au Concert Mayol, passe Chez Fysher, où elle détaille pour la clientèle aisée de ce cabaret les succès du jour ou plus anciens : *Le Voyage à Robinson*, *Ay ay ay*. Sa chance sera de créer le rôle principal de *No no Nanette* (1926) : malgré sa taille menue, sa voix un peu enrouée, elle parvient à tenir la scène et à imposer son personnage de petite fille fantaisiste. Elle continuera désormais dans l'opérette (*L'Eau à la bouche*, 1928), interprétant vaille que vaille les filles de 16 ans, alors même qu'elle était quadragénaire (*Ma petite amie*, 1937).

Jacques HÉLIAN

Paris, 1912-1986. Chef d'orchestre. Étudiant à l'École dentaire, il joue dans l'orchestre de Roland Dorsay avant de monter sa propre formation. Fait prisonnier pendant la guerre, il prépare sa rentrée en 1944 avec *Fleur de Paris* (M. Vandair-H. Bourtayre). Il se produit deux ans au Magellan et, après la Libération, prend la succession de Fred Adison, de Jo Bouillon, de Raymond Legrand sur les ondes (« Musique en tête », 1951). Il introduit dans l'orchestre à sketches un chœur féminin, les trois « Hélianes » (Claude Évelyne, Suzanne Day, Rita Castel), puis un chanteur de charme dont la voix est très remarquée : Jean Marco, d'origine grecque, qui se tue dans un accident de voiture en 1953.

Deuxième millionnaire du disque en France (après Tino Rossi), Jacques Hélian connaît une très grande popularité jusqu'en 1956 en reprenant tous les succès. Prix du disque en 1949, sa formation est la dernière du genre « orchestre à sketches » répandu en Europe dans les années 1930.

Johnny HESS

Engelberg (Suisse), 1915 – Paris, 1983. Auteur-compositeur-interprète. Johnny, dix-neuf ans, rencontre Charles (Trenet), dix-sept ans, au College Inn : c'est le coup de foudre ! Vestes rouges et pantalons blancs, les collégiens swing commencent en 1933 par rater leurs débuts au Palace, où ils passent inaperçus. Mais le succès de *Vous qui passez sans me voir*, créée par Jean Sablon, les lance. Ils passent alors à l'A.B.C., à l'Européen, à l'Alhambra. Puis Charles est appelé au service militaire et, à son retour, décide de voler de ses propres ailes. C'est donc la fin du duo Charles et Johnny. Hess se consacre alors à la direction d'un cabaret à Montparnasse, le Jimmy's, où débute Henri Salvador, tout en continuant à écrire : *Je suis swing* (par. A. Hornez, 1938), *Ils sont zazous* (par. M. Martelier, 1943). Mais, à la Libération, le swing est remplacé par le be-bop, et la carrière de Johnny Hess n'y résiste pas.

Marc HEYRAL

[Marc Herschkovitch] Levallois-Perret, 1920. Compositeur. Issu d'une famille d'ouvriers, il écrit ses premières chansons à la Libération avec Eddy Marnay pour Renée Lebas. Pianiste du Quod Libet, il compose pour Yves Montand : *Mon pote le gitan* (par. J. Verrières), *La Marie Vison* (par. R. Varnay) seront ses deux plus grands succès. Il écrit également pour Édith Piaf (*Le Noël de la rue*, par. H. Contet), pour Aznavour, Francis Lemarque, Danielle Darrieux et Jean-Claude Pascal.

Pierre HIÉGEL

Paris, 1913-1980. Homme de radio. Le discothécaire de Radio-Paris devient peu à peu le présentateur le plus écouté de France ; on l'embauche même sur Luxembourg et Monte-Carlo. Directeur artistique chez Pathé-Marconi, il a découvert et imposé des chanteurs de tous les styles, de Mathé Althéry à John William en passant par Barbara, à une époque où, pourtant, on ne mélangeait pas la chansonnette et la grande musique.

Jacques HIGELIN

Brou-sur-Chantereine (Seine-et-Marne), 1940. Auteur-compositeur-interprète. Après de multiples apprentissages et expériences dans tous les domaines (cinéma, théâtre, café-théâtre), il s'oriente vers la chanson. Après une phase Canetti (album *12 chansons d'avant le déluge*), il devient vers 1968 l'un des piliers de l'équipe Saravah et travaille avec Brigitte Fontaine et Areski à recréer la chanson française. De cette période *underground*, marquée par un foisonnement de tentatives variées, il faut retenir la volonté de quitter les chemins battus de la chanson traditionnelle, une contestation permanente des valeurs établies, et quelques pépites que l'on découvre au hasard des sillons (*Cet enfant que je t'avais fait*, par. B. Fontaine, *Remember*, mus. Areski, *Je suis mort qui dit mieux ?*). Mais aussi un sentiment diffus d'inaccomplissement, comme un regret face à tant d'inventivité dispersée.

Après avoir disparu deux ans, il effectue un virage inattendu et, en février 1975, publie un disque 100 % rock, *BBH 75*, qui renouvelle et élargit considérablement son public tout en modifiant radicalement son image. Cette conversion à l'électricité et au hard-rock s'accompagne d'une appropriation de l'univers banlieusard, mélange détonnant d'inventivité verbale à base de franglais et d'argot parisien, et de dérision envers une société glissant doucement vers la barbarie normalisée. Avec sa gueule de décavé, sa voix gouailleuse et un étonnant sens du spectacle – où il déploie un jeu narcissique de grand style –, il règne sur le rock français, figure charismatique dont la carrière sert d'exemple. Ses tournées en province, ses récitals parisiens (de la Pizza du Marais, 1975, au Pavillon Baltard, Nogent, 1979), ses chansons (*Paris-New York, New York-Paris* – S. Boissezon, *Alertez les bébés, Banlieue boogie blues*) sont autant d'événements qui polarisent l'attention de milliers de jeunes. Mais, alors que l'habitude commence à s'installer, Higelin, plus loup solitaire que jamais, reprend sa marche à l'étoile. Dans ses deux disques *Champagne pour tout le monde... Caviar pour les autres* (1979), il renoue avec un art théâtralisé qui lui permet de mettre en place sa mythologie personnelle faite de démesure contrôlée, d'accès de tendresse rauque et de miroirs aux multiples facettes. Il est alors la seule star de la chanson française. Les disques suivants déçoivent un peu (*Higelin 82, Aux héros de la voltige,* 1994), malgré le succès de *Tombé du ciel* (1988). Au début des années 2000, remercié par sa maison de disques pour cause de ventes insuffisantes, il se produit avec un groupe restreint de musiciens (essentiellement le percussionniste Dominique Mahut) et rebondit en se lançant en 2004 dans une tournée (*Higelin enchante Trenet*), dans laquelle il met son talent au service du grand Charles qui a toujours été sa référence.

Joël HOLMÈS

[Joel Corvigaru] Tighina (Roumanie), 1928. Auteur-compositeur-interprète. Parents tailleurs, venus en France en 1934 et déportés en 1942. Électricien, Joël Holmès travaille en usine. Puis il apprend le théâtre au cours Jean-Louis Barrault et la chanson chez Mireille (*La Pierre,* J.-M. Rivière), remporte les « Numéros 1 de demain » (1958). Prix Charles-Cros 1962, le style d'écriture classique et raffiné de *À tout choisir* est sans défense devant l'assaut du yé-yé. Manquant peut-être de combativité, Joël Holmès doit à regret transférer ailleurs que dans la chanson une veine créatrice attachante (*Jean-Marie de Pantin,* par. M. Fanon).

L'HORLOGE

Café-concert, avenue des Champs-Élysées, Paris. Agrandi par Mme Picolo (mère de la chanteuse Théo), qui y fit passer des artistes dès 1867, l'Horloge ne devint café-concert qu'en 1870 environ sous la direction d'un Viennois, Stein. On y entendit Bourgès, Libert et Marie Lafourcade. Stein avait pris soin d'organiser la « claque », si bien que ses artistes eurent toujours du succès. L'apogée de l'Horloge se situe en 1891, date à laquelle Mme Vve Stein engagea Yvette Guilbert. Celle-ci « fit traverser au Tout-Paris les Champs-Élysées ». Persuadé de faire alors une bonne affaire, un certain De Basta acheta l'Horloge, Yvette Guilbert quitta aussitôt les lieux pour aller chanter aux Ambassadeurs, et le Tout-Paris « retraversa » les Champs-Élysées avec elle, mais dans l'autre sens... De Basta revendit alors l'Horloge à Joseph Oller. Pour reconquérir la clientèle, celui-ci fit des transformations. L'Horloge devint le Jardin de Paris, endroit cher, fréquenté par les snobs, où le spectacle était en trois parties : des « petites femmes inconnues », puis Max Dearly (dans *L'Anglais obstiné*), et enfin le quadrille du Moulin Rouge. On fréquentait le Jardin de Paris jusqu'au Grand Prix, date à laquelle on se disait adieu jusqu'à la rentrée. Les soirées en 1900 y furent très habillées, les messieurs venaient en haut-de-forme. Le Jardin de Paris ferma ses portes en 1914.

André HORNEZ

Lens, 1905 – Le Perreux-sur-Marne, 1989. Auteur. D'abord destiné à l'architecture, il se met à écrire à Lille les livrets des revues de Saint-Granier dont il est le secrétaire, et à Hollywood les scénarios des films de la firme Paramount. Ses premières chansons sont pour Maurice Chevalier, mais il écrira également pour l'orchestre de Ray Ventura (*Ça vaut mieux que d'attraper la scarlatine*, 1936), Tino Rossi (*Tant qu'il y aura des étoiles*, 1936), Yves Montand (*C'est si bon*, *Du soleil plein la tête*), sur des musiques de P. Misraki, V. Scotto ou H. Crolla, faisant chaque fois preuve d'une très grande adaptabilité. Il a aussi écrit des scenarii pour le cinéma français (*Quai des orfèvres*) et a inventé un mot qui eut sous l'Occupation une fortune inattendue : « zazou zazou zazou zé » (*Je suis swing*, mus. J. Hess, 1938).

L'HYMNE À L'AMOUR

Chanson, par. Édith Piaf, mus. Marguerite Monnot (1949). Très atteinte par la perte de Marcel Cerdan, mort accidentellement en avion le 28 octobre 1949 alors qu'il venait la rejoindre, Édith Piaf n'eut de cesse de composer une chanson pour lui. Aidée, dit-on, par sa demi-sœur « Momone », elle écrit :

Peu importe, si tu m'aimes,
car moi je mourrai aussi...

Cette chanson allait remporter un grand succès lors du récital unique, en janvier 1950, salle Pleyel, où Édith Piaf la créa, et demeure un modèle de structure mélodique grâce à l'inspiration quasi wagnérienne de Marguerite Monnot.

IJ

Juliette

IAM

Groupe marseillais (Philippe Fragione *alias* Akhnaton, Éri Mazet *alias* DJ Khéops, Geoffroy Mussard *alias* Shuriken, Pascal Perez dit Imhotep, Abdelmalek Sultan, Divin Kephren), qui s'est constitué par degrés. Ils sont d'abord deux, sous le nom de Lively Crew en 1986, puis trois sous le nom de B Boy Stance en 1988, et enfin six sous le nom d'IAM en 1990, année de leur premier enregistrement, *Concept* (sous forme de K7). Suivent un passage à Bercy en première partie de Madonna (1990), un CD, *De la planète Mars* (1991), et un énorme succès en 1993 avec *Je danse le mia* (sur l'album *Ombre est lumière*). Sur le même disque, *Le Feu* (« Ce soir on vous met, ce soir on vous met le feu ») qui va devenir l'hymne de l'Olympique de Marseille et faire les beaux soirs du Stade vélodrome. Meilleur groupe de l'année aux Victoires de la musique en 1994, IAM, désormais reconnu, confirme en 1997 avec *L'École du micro d'argent*. Les piliers de cette réussite exceptionnelle sont sans aucun doute le talent de sampler de Pascal Perez, la tchatche et l'humour de Philippe Fragione (qui, sous son pseudo d'Akhenaton, sort en 1995 un album solo, *Métèque et mat*), mais aussi les sentiments identitaires du public marseillais, toujours prêt à s'enflammer pour les productions de la « planète Mars », qu'il s'agisse du pastis, d'une équipe de football ou de Massilia Sound System... Mais IAM va bien au-delà du folklore, il est le premier vrai groupe de rap français, dans tous les sens de l'adjectif « premier ». Et le fait qu'il s'agisse d'un groupe de Blancs ajoute à la performance.

ICI L'ON PÊCHE

Chanson, par. et mus. Jean Tranchant (1933). Créée par Germaine Sablon, interprétée par Jean Sablon et l'auteur. Mêlant goût retrouvé de la nature et épicurisme, cette célèbre romance évoque un tableau de Manet ou le film de Jean Renoir *Une partie de campagne.* Qui ne s'est laissé charmer par les attraits de ce lieu géométrique du bonheur, l'auberge au bord de l'eau pour amoureux ?

> *La patronne est une amoureuse*
> *le patron est un amoureux*
> *le vin est bon l'auberge heureuse*
> *et les repas sont plantureux.*

L'élégance d'écriture de l'auteur, le zeste de modernité qu'introduit l'accompagnement jazz de Django Reinhardt et Stéphane Grappelly rendent sensible la différence avec les chansons de veine populaire écrites sur le même thème (*Le Petit Vin blanc*) : ce n'était certes pas la même auberge ni le même monde.

L'IDOLE DES JEUNES

Chanson, par. Ralph Bernet, mus. Jack Lewis (1963). La solitude de l'idole, son mal de vivre, sa vie double... Héritière abâtardie de la tradition romantique, la mythologie du héros a abondamment servi, entre 1930 et 1950, à l'apogée du « star system ». À l'époque du yéyé, elle appelait une toilette : pour concilier le double caractère de « copain » et d'« idole » de Johnny, il était nécessaire de réduire l'écart entre ces deux termes. D'où la dénaturation du second, et une certaine prosaïsation du thème. À ce prix, cette « confession d'un copain du siècle » pouvait « opérer ». En 1967, Johnny Hallyday, plus idole que jamais, réattaque avec *Je suis seul* (G. Aber-B. E. King). La solitude du héros a donc encore gagné en profondeur, et, signe des temps, le blues remplace le slow. Mais le processus identification-projection continue à fonctionner avec, semble-t-il, autant d'efficacité que par le passé.

IGNACE

Chanson, par. Jean Manse, mus. Roger Dumas (1935). Tirée de l'opérette puis du film *Ignace*, et interprétée par Fernandel. On aurait pu prendre Barnabé, *On m'appelle Simplet*, ou Hector : on y retrouve les mêmes auteurs, ou presque (Oberfeld pour la musique d'*Hector*), la même gratuité du thème – autour d'un prénom, quelques effets verbaux –, un motif musical, simple, jouant la même fonction :

Ignace, Ignace
c'est un petit petit nom charmant
Ignace, Ignace
qui me vient tout droit de mes parents.

Chanson idiote ? Certes. Et conçue comme telle : c'est ce qu'on appelle une scie. Enfin, n'ayons garde d'oublier les mimiques, ô combien efficaces, de Fernandel : elles ne sont pas pour peu dans le succès passager de ces rengaines.

IL EST CINQ HEURES, PARIS S'ÉVEILLE

Chanson, par. J. Lanzmann-A. Segalen, mus. J. Dutronc (1968). Sans doute inspiré du *Tableau de Paris à cinq heures du matin* du chansonnier Marc-Antoine Désaugiers (1772-1827), ce texte est un chef-d'œuvre d'allitérations (travestis/traversins), de jeux de mots (« les journaux sont imprimés les ouvriers sont déprimés ») et de sous-entendus sexuels : « les boulangers font des bâtards », « l'obélisque est bien dressé entre la nuit et la journée »... La musique alerte de Dutronc, la flûte ironique de Jean-Pierre Rampal font le reste. *Il est cinq heures, Paris s'éveille* est l'une des plus grandes réussites du couple Lanzmann-Dutronc.

IL TAPE SUR DES BAMBOUS

Chanson, par. Didier Barbelivien, mus. Michel Héron (1982). Avec cette œuvre, l'homme à tout faire de la chanson française donnait à Philippe Lavil un succès qu'il attendait depuis longtemps et qu'il ne retrouvera qu'une fois, en 1994, avec *Kolé serré*. « Il tape sur des bambous et ça lui va bien, sur radio Jamaïque il a des copains... » Orchestré de façon efficace, le morceau connut de très nombreux passages radio et, suprême hommage, sera enregistré par Julio Iglesias.

INCH'ALLAH

Chanson, par. et mus. Salvatore Adamo (1966). Parue au moment où la crise du Moyen-Orient s'exacerbait, elle connut un succès qui n'est pas étranger à la prise de position politique. Elle a attiré à elle les auditeurs qui, comme Adamo, préféraient admirer les « six millions d'hommes qui ont fait pousser six millions d'arbres ». À cet égard, le fait qu'il n'y eut pas de pendant proarabe ou propalestinien est significatif du climat de conformisme dans lequel baigne toujours la chanson de grande diffusion. Grand succès à Jérusalem, elle a suscité, en France, quelques controverses dans les salles de music-hall. Au demeurant, c'est, esthétiquement parlant, une réussite.

INDOCHINE

Groupe formé en 1981 par Nicola Sirkis (voix, synthétiseurs), Stéphane Sirkis (claviers, guitare), Dominik Nicolas (guitare) et Dimitri Bidianski (saxo). L'ambiance juvénile et musicalement approximative des premiers disques (*L'Aventurier*, 1981, *Le Péril jaune*, 1982) ne laissait pas espérer un avenir brillant... Pourtant, le groupe profite de la dissolution de Téléphone (1986) pour investir le terrain laissé vacant : *7000 danses*, leur album de 1987, bat tous les records de vente, suivi de *Le Baiser* (1990), *Un jour de notre vie* (1993). Indochine est alors le groupe rock préféré des adolescents. Mais le succès est éphémère et la mort de Stéphane Sirkis (1999) met presque fin à l'aventure du groupe, qui se survit cependant, vaille que vaille (*Paradize*, 2002, *Alice & June*, 2005).

L'INTERNATIONALE

Chanson, par. Eugène Pottier (1871), mus. Pierre Degeyter (1888). Écrite en juin 1871 alors que Pottier, caché, voyait la ville livrée aux forces de la répression, elle témoigne de la foi, raisonnée mais inébranlable, de l'ancien élu de la Commune dans la cause de la classe ouvrière. D'abord inconnue, même des proches du poète, elle fut publiée pour la première fois dans le recueil *Chants révolutionnaires* (1887). Tombée entre les mains du guesdiste G. Delory, futur maire de Lille, elle est recommandée à Pierre Degeyter, un des animateurs de la chorale socialiste la Lyre des travailleurs, qui met le poème en musique (1888). Adoptée par la chorale, elle est propagée par les militants de la fédération lilloise du Parti ouvrier français, notamment lors de son congrès de Lille (1896). Mais ce n'est qu'au congrès de Japy (1899) que *L'Internationale* devient l'hymne du mouvement ouvrier français et supplante définitivement *La Marseillaise* et *La Carmagnole*. Son essor international date du congrès de la IIe Internationale tenu à Stuttgart (1910). Ayant reçu le baptême du feu lors des grandes luttes ouvrières du début du siècle (révolte du *Potemkine*, 1905 ; mutinerie du 17e de ligne, 1907 ; révolution d'Octobre 1917 ; mutineries de la mer Noire, 1919), elle s'est définitivement imposée comme le chant par excellence du mouvement socialiste mondial.

Comment expliquer cette extraordinaire destinée ? Nul doute que la musique entraînante, parfaitement conforme aux fonctions d'un chant de combat, ait joué un rôle dans son adoption (signalons à ce propos que, selon certains, Pottier aurait écrit son texte pour le faire chanter sur l'air de *La Marseillaise*). Cependant, ce sont les paroles de Pottier qui ont assuré sa pérennité. En elles sont inscrites les principales lignes de force idéologiques transmises par les communards à l'ensemble du mouvement ouvrier : strates babouvistes (« le monde va changer de base », « égaux pas de devoirs sans droits »), saint-simoniennes (« si les corbeaux, les vautours, un de ces matins disparaissent, le soleil brillera toujours »), thèses de l'adresse inaugurale de l'*Internationale* et du *Manifeste* de 1848 (« producteurs sauvons-nous nous-mêmes »), thèmes de combat de la Commune (« l'oisif ira loger ailleurs », tout le cinquième couplet, celui des généraux). Cette richesse de substance permit à toutes les tendances révolutionnaires d'y trouver leur dû. « Elle couronne leurs controverses, leurs luttes intestines, tout autant que leurs grandes batailles communes » (M. Dommanget). Traduite en toutes les langues (en russe, dès 1902, par A. Kotz), *L'Internationale* prend parfois d'étranges consonances. Mais, sous ses différents visages, elle reste liée au communisme, beaucoup plus d'ailleurs qu'au communard Pottier, son auteur, qu'elle rejeta injustement dans l'ombre.

Émile et Vincent ISOLA

Blida, 1860 – Paris, 1945, et Blida, 1862-Paris, 1947. Directeurs de théâtres. Après avoir quitté l'Algérie pour Marseille puis Paris, ils s'initient à la prestidigitation et débutent sur scène en 1882. Ils finissent par acquérir une certaine notoriété et s'installent au théâtre des

Capucines. En 1887, ils achètent Parisiana et abandonnent la prestidigitation pour la direction de salle : une astuce typographique dans la présentation de l'affiche, faisant croire que la direction était assurée par Paulus, assure la relance de l'établissement. On les verra alors acheter et diriger successivement l'Olympia (1898), les Folies-Bergère (1901), la Gaîté-Lyrique (1903), l'Opéra-Comique (1913-1925), les théâtres Mogador (1926-1936) et Sarah-Bernhardt (1926-1934). Ce dernier est un gouffre financier et les mène à la faillite : ils sont obligés de reprendre leur métier d'illusionnistes pour assurer leurs vieux jours. Grands directeurs amoureux du travail bien fait, ils s'entendaient parfaitement. Ils se firent un devoir de maintenir dans chacun des établissements qu'ils dirigèrent l'esprit qui lui était propre, quitte à renouveler certaines formes : ainsi imposèrent-ils la revue à grand spectacle aux Folies-Bergère, qui n'ont pas cessé, depuis lors, de donner ce genre de représentation. Léon Volterra, Jacques-Charles et d'autres personnages moins illustres leur doivent leurs premiers emplois.

JACNO

[Denis Quillard] Paris, 1957. Après des études secondaires tumultueuses, il apprend la guitare et la batterie. Muni de ce bagage minimum et de beaucoup de culot, il va déambuler dans la musique et la chanson française en dandy distant ou en « pochtron sidéral » (B. Deniel-Laurent). Collaboration avec Elli Medeiros (Les Stinky Toys, 1976-79, puis Elli & Jacno, 1979-1985 : album *Tout va sauter*, 1981), détour vers le synthétiseur, la musique techno, la production de Lio, Higelin et É. Daho... Il enregistre en 1989 son premier album solo, *T'es loin t'es près*, suivi par *Une idée derrière la tête* (1991), *Faux Témoin* (1995), *French Paradoxe* (2000) avec Miossec aux textes et enfin *Tant de temps* (2006) dont il est le principal auteur. Tout cela porté par une voix languide qui ne sert guère ses provocations (*Le Sport*) ou ses tentatives sentimentales (*T'es mon château*).

JACQUES-CHARLES

[Jacques Charles] Paris, 1882-1971. Auteur revuiste et directeur de music-hall. Né de parents commerçants, il s'est très tôt intéressé au monde du spectacle : après avoir débuté dans le journalisme mondain, il fait ses premières armes en devenant un des nègres du revuiste Paul-Louis Fiers, puis en assistant les frères Isola dans la direction des Folies-Bergère. En 1910, il devient directeur de l'Olympia, et le restera jusqu'à la déclaration de guerre. Les spectacles qu'il y monte attirent l'attention sur lui, malgré leur relatif insuccès financier. De retour du front, il reprend du service au Casino de Paris, puis au Moulin Rouge, et à nouveau au Casino, comme auteur et producteur de revues. C'est notamment lui qui décida Gaby Deslys à quitter Londres et à conduire la revue *Laissez-les tomber*, et c'est lui qui engagea la Revue nègre, permettant ainsi à Paris de découvrir Joséphine Baker. Auteur d'une centaine de revues, il donnait cependant la priorité aux exigences de la production : pour lui l'expression « revue à grand spectacle » devait être prise au pied de la lettre. Citons *Ça c'est Paris* avec Mistinguett, *Avec le sourire* avec Maurice Chevalier. Il introduisit le nu au music-hall et le regretta, mais beaucoup plus tard. Sa carrière de producteur le mena en Amérique du Sud, aux États-Unis, à Londres, et même, à la veille de la guerre, à San Remo. Membre de l'équipe Willemetz-Yvain-Saint-Granier, il signa, en tant que parolier, quelques-uns des succès de Mistinguett : *Mon homme*, *En douce*, *La Java*, *Ça c'est Paris*. Depuis la fin de la dernière guerre, Jacques-Charles s'est attaché à faire connaître « l'âge d'or du music-hall » en consignant ses souvenirs personnels dans de nombreux ouvrages : *Cent ans de music-hall* (1956), *La Revue de ma vie* (1958), *Le Caf'conc'* (1966), etc., ou en les égrenant sur les ondes : émission télévisée « Du caf'conc' au music-hall » (1960-1964) et émissions radio.

J'AI QUITTÉ MON PAYS

Chanson, par. et mus. Enrico Macias (1963). Exemple typique de produit d'une mode et d'un moment politique. Le texte ne fait pas de référence explicite à l'Algérie qui vient d'acquérir son indépendance, mais la publicité, la biographie de l'auteur (qu'on présente comme le « pied-noir de la chanson ») font savoir à tous qu'il s'agit d'un rapatrié qui pleure sa patrie, et la proximité de l'événement fit beaucoup pour le succès du morceau. Les thèmes du texte eurent l'approbation immédiate du public : ils étaient en effet d'un conformisme indéniable (amour du pays natal, fidélité, et aussi attrait de l'exotisme). La chanson lança donc un chanteur (Macias), un genre (la chanson pied-noir), en même temps qu'elle ouvrait un marché vierge et productif, celui des rapatriés politiques : mouvement de population et gros sous convergeaient, une fois de plus, pour le bien de tous…

JARDIN DE PARIS

▶ L'HORLOGE.

Maurice JAUBERT

Nice, 1900 – Azerailles (Meurthe-et-Moselle), 1940. Compositeur. Dans sa quête d'une musique réellement populaire et en même temps profondément novatrice, ce « classique » a souvent rencontré la chanson : harmonisations de pièces du folklore, « chants de métiers » composés sur des textes de Jean Giono (*L'Eau vive*, 1938), musiques de scène (la célèbre *Chanson de Tessa*, 1934, pour la pièce de Giraudoux), et surtout musiques de films. La chanson du camelot de *L'Atalante* (Jean Vigo, 1934), la complainte interprétée par Agnès Capri dans *Drôle de drame* (M. Carné, 1937), enfin, la valse *À Paris dans chaque faubourg* (dans *Quatorze Juillet*, de René Clair, 1932) restent des modèles pour les genres qu'elles illustrent.

Zizi JEANMAIRE

[Renée Jeanmaire] Paris, 1924. Interprète. Rat de l'Opéra, puis danseuse dans la compagnie Roland-Petit, elle chante pour la première fois sur scène, dans le ballet *La Croqueuse de diamants*, une chanson du même titre (R. Queneau-J.-M. Damase, R. Petit, 1950). Cela la décide à entamer une carrière de music-hall. Pour son répertoire, elle fait appel à un inconnu, Guy Béart (*Il y a plus d'un an*, *Je suis la femme*) et se produit à l'Alhambra. Elle poursuit sa carrière en alternant productions sur scène (Olympia, 1968, Bobino, 1977) et à l'écran, interprétant toujours Guy Béart, mais aussi Jean Ferrat et Bernard Dimey, qui lui écrit son plus grand succès, *Mon truc en plumes* (B. Dimey-J. Constantin, 1957). Chanson fétiche, mais aussi morceau de bravoure de son show, qui en définit bien l'esprit : un mélange de gouaille et de chic parisien harmonisé à la tradition du music-hall. Lors de la reprise par Roland Petit du Casino de Paris (1970), elle peut enfin réaliser son rêve et mener une revue. Elle a enregistré en 2003 des textes de Marcel Aymé et de Raymond

Queneau mis en musique par Michel Legrand et Marcel Aymé (*La liberté est une fleur*).

JE CHERCHE APRÈS TITINE

Chanson, par. M. Bertal-B. Maubon-Henri Lemonnier, mus. Léo Daniderff (1917). Léo Daniderff était l'ami de Gaby Montbreuse, et c'est pour elle que fut composée cette rengaine :

Je cherche après Titine
Titine oh ma Titine.

Ce fut un succès, certes, mais sans plus. Nous étions à la veille de l'entrée en guerre des États-Unis. Alors que les poilus avaient adopté *Quand Madelon*, les sammies ramenèrent chez eux Titine, démontrant, une nouvelle fois, qu'il n'est pas de guerre victorieuse sans chanson, celle-ci étant elle-même révélatrice du « moral des troupes » qui l'adoptent. La vogue aux États-Unis en fut telle que Chaplin dut l'insérer dans son film *Les Temps modernes*. Léo Daniderff, à la poursuite de cette poule aux œufs d'or, récidiva avec *J'ai retrouvé Titine* (Bertal, Maubon, Ronn, 1926). Par la suite, elle devint, en quelque manière, un symbole des années 1920 : Jacques Brel reprit son thème, accolé à celui du burlesque de Charlot, dans sa chanson *Titine*.

JE DANSE LE MIA

Chanson, 1993. Le groupe IAM exprimait une sorte de nostalgie des années 1980, des discothèques et de la frime marseillaise dans un morceau un peu atypique, entre rap et musique de danse, avec une structure rythmique déséquilibrée. Pour des raisons de promotion (un clip et un maxi-CD), *Je danse le mia* est remixée en janvier 1994 avec quelques mesures de basse samplées d'un succès des années 1980 de George Benson, *Give me the night*, passant du même coup de 3 min 50 à 4 min 30. C'est le succès immédiat (600 000 exemplaires vendus) qui fait du *Mia* l'égal des grands tubes de la chanson et le concurrent de *Caroline* (MC Solaar, 1991) : le rap accède maintenant aux hit-parades. Succès durable aussi, qui fera la réputation du groupe et le malheur des linguistes : mais d'où peut bien venir ce mot, le *mia*? Anagramme d'IAM, bien sûr, mais de nombreuses autres explications s'affrontent…

JE HAIS LES DIMANCHES

Chanson, par. Charles Aznavour, mus. Florence Véran (1950). Présentée d'abord à Piaf qui l'avait refusée, cette chanson servit Juliette Gréco qui obtint par son intermédiaire le prix d'interprétation au concours de la chanson de Deauville (1950) et le prix de la SACEM. *Je hais les dimanches*, comme son titre l'indique, est une chanson peu conventionnelle, en harmonie avec l'air du temps, en ces années de vogue « existentielle » et de mal de vivre. Mal de vivre que semble partager son auteur, Charles Aznavour, qui y parle des « honnêtes gens » en des termes proches de ceux de Georges Brassens :

Et qui vont à l'église
parce que c'est la coutume
et qui changent de chemise
et mettent un beau costume.

JE M'VOYAIS DÉJÀ

Chanson, par. et mus. Charles Aznavour (1961). Charles Aznavour décrit dans cette chanson un artiste du genre de ceux qu'il a connus étant enfant : « Tous ces acteurs au talent arrêté dans la gorge, remisé dans le cœur, enfoncé dans les souvenirs... »

J'étais le plus grand
des grands fantaisistes

fait allusion à la première vocation d'Aznavour, au temps de son duo avec Pierre Roche, quand il chantait *Le Feutre taupé*. Pour le reste, *Je m'voyais déjà* est l'histoire de ce qui a failli arriver à Aznavour : être un artiste raté qui attend toute sa vie un succès qui ne vient jamais et qui accuse son public de ne pas l'avoir compris. Écrire et chanter cette chanson lui a servi en quelque sorte à conjurer le mauvais sort. Au demeurant, une de ses meilleures créations.

JE SUIS POUR

Chanson, par. Michel Sardou, mus. Jacques Revaux (1976). En février 1976, l'assassin présumé d'un enfant, Patrick Henry, manque d'être lynché par la foule rassemblée devant le tribunal de Troyes. Dans le même temps, une violente campagne de presse appuyait le courant favorable à la peine capitale pour l'accusé. Michel Sardou se porta au-devant de ce courant d'opinion et s'en fit le chantre :

Tu as tué l'enfant d'un amour
je veux ta mort
je suis pour.

Consensus fondé sur l'appel à la vengeance, à la haine, annihilant tout recours à la raison (significativement Sardou assimile dans la chanson *philosophes* et *imbéciles)* : *Je suis pour* exprime, peut-être de manière exacerbée, l'idéologie qui sous-tend toute l'œuvre de Sardou. Et l'intensité de l'interprétation, l'orchestration très rythmée, à base de guitares, percussions et cuivres, servent parfaitement l'intention de l'auteur. La chanson déclencha une importante campagne anti-Sardou, qui obligea ce dernier à abréger une tournée en province. Peut-être avait-il « poussé le bouchon un peu trop loin » (M. Sardou à *Télé-Star*).

JE SUIS SEULE CE SOIR

Chanson, par. R. Noël-J. Casanova, mus. Paul Durand (1942). Créée sous l'Occupation par Léo Marjane, cette chanson eut un énorme succès. Il y avait, à ce moment, deux millions de prisonniers ; d'un côté comme de l'autre, en France ou dans les stalags, on connaissait par cœur :

Je suis seul ce soir
avec mes rêves.
Je suis seul ce soir
sans ton amour

et on le ressentait, ô combien ! Dans sa version masculine, cette chanson allait être aussi un succès d'André Claveau et un tremplin dans la carrière du compositeur Paul Durand.

Lucien JEUNESSE

Paris, 1924. Interprète. Fait ses débuts comme chanteur dans l'orchestre de Ray Ventura (*La Mi-août*, du film *Nous irons à Paris*). Lucien Jeunesse est ensuite jeune premier de revues. Son grand succès du disque : *Je vais revoir ma blonde* (J. Planet-Don George).

Il devient producteur et animateur à Radio Luxembourg (1959), puis à France-Inter.

JOLIE MÔME

Chanson, par. et mus. Léo Ferré (1960). À côté de sa production de combat dont le militantisme voulu nuit à la diffusion, Léo Ferré a toujours eu, cycliquement, de grands succès populaires : *Paris-canaille* (1952), *C'est extra* (1969), etc. *Jolie môme* est de ceux-là. On retrouve la prédilection du compositeur pour le musette, mais surtout son habileté d'écriture qui fait passer sans en avoir l'air un érotisme en avance sur l'époque :

> *T'as qu'une source au milieu*
> *qu'éclabousse du Bon Dieu*
> *jolie môme...*

Signalons, outre celle de l'auteur, l'interprétation de Juliette Gréco.

JOE LE TAXI

Chanson, par. Étienne Roda-Gil, mus. Frank Langolff (1987). La « petite » Vanessa Paradis avait déjà interprété à huit ans une chanson (*Émilie jolie*) dans une émission de télévision (« L'école des fans »), enregistré à treize ans un titre qui ne sera pas commercialisé (*La Magie des surprise-parties*) mais c'est à quinze ans, en 1987, qu'elle se fait connaître avec *Joe le taxi*, dont les références musicales devaient lui passer très au-dessus de la tête (Xavier Cugat, Yma Sumac...). D'autres titres suivent (*Marilyn et John*, *Maxou...*), des mêmes auteurs, pour aboutir à son premier album en 1988 et au succès que l'on sait. Entre-temps, elle aura enregistré *Joe le taxi* en anglais, japonais, espagnol... « Vas-y Joe, vas-y fonce, dans la nuit, dans l'Amazone... » Un tour du monde en taxi.

Les JOLIES COLONIES DE VACANCES

Chanson, par. et mus. Pierre Perret (1966). Satire des institutions du même nom, que l'auteur lui-même a beaucoup fréquentées. Chanson très représentative de Pierre Perret par la manipulation du souvenir personnel (il dit « je » et il s'agit d'une lettre à ses parents) et par le procédé musical, très efficace, comme ce refrain type de tous les cars d'enfants, soutenu par un chœur de voix éraillées.

Michel JONASZ

Drancy, 1947. Auteur-compositeur-interprète. D'ascendance hongroise (ses grands-parents ont été chanteurs d'opérette à Budapest), il forme avec Alain Goldstein le groupe King Set et se fait connaître comme interprète (*Apesanteur*, 1972) tout en approvisionnant en chansons différents interprètes dont Gérard Lenorman et Alain Souchon. En 1973, il aborde une carrière solo et s'impose peu à peu, d'abord avec des chansons écrites pour lui par Jean-Claude Vannier (*Super nana*, 1974, *Les Vacances au bord de la mer*, 1975), ou en collaboration avec Frank Thomas (*Dites-moi*, 1974) ou Pierre Grosz (*Changez tout*, 1975). Une chanson, *Du blues, du blues, du blues*, et un récital au Théâtre de la Ville en 1977, puis, l'année suivante, à l'Olympia, marquent son accession au statut de vedette. Succès dans lequel entrent pour une bonne part une voix et une intonation originales, un sens du rythme et un *feeling* accordés à une sensibilité à fleur de peau. Sa chanson est parfois d'une impudeur totale (*J'veux pas qu'tu t'en ailles*), à la fois tendre et déchirée :

> *Y'a des jours où j'éclabousse*
> *Tous les gens avec mes larmes*
> *Je parle du goût pamplemousse*
> *Que j'ai gardé d'une femme* (Golden Gate, *1978)*

Mais, comme chez les bluesmen, l'humour arrive à se glisser entre les larmes (*La drogue m'a mis la main d'ssus, j'suis foutu*), bouée de sauvetage dans cet océan d'angoisse et de mal-être. D'année en année, de disque en disque, son talent se confirme et s'affine (albums *Les Années 80 commencent*, 1979, *Unis vers l'uni*, 1985, *Pôle ouest*, 2000, et *Où vont les rêves*, 2002). Il s'essaie également, avec succès, au cinéma (*Qu'est-ce qui fait courir David*, Élie Chouraki, 1982, *Le Testament d'un poète juif assassiné*, Frank Cassenti, 1988).

Avec Michel Jonasz, la chanson française s'est découvert plus qu'un mélodiste et un interprète de premier ordre : son premier violon pleureur, unissant dans une même voix et un même sanglot l'esprit du blues et l'âme slave.

JULIE LA ROUSSE

Chanson, par. et mus. René-Louis Lafforgue (1957). La musique entraînante (temps de 3/4) et le côté « populo » de ce morceau contribuèrent à lancer Lafforgue qui, malgré son *Poseur de rails*, ne connaissait pas encore le succès. L'auteur la chantera dans un film du même titre, de brève carrière, et ne connaîtra plus, malgré une production de qualité, un tel succès.

Pauline JULIEN

Trois-Rivières (Canada), 1928 – Montréal (Canada), 1998. Auteur-interprète. Apprend le métier de comédienne à Québec, Montréal et Paris où elle débute dans la chanson et se produit dans les cabarets rive gauche en interprétant Léo Ferré, Brecht et Boris Vian. Puis elle retourne au Québec où elle s'impose comme grande vedette et lance, avec Gilles Vigneault, la deuxième vague de la chanson québécoise (après Félix Leclerc). Revient en France, notamment en 1966 (Bobino), 1972 (Récamier) puis, à partir de 1974, régulièrement, interprétant presque exclusivement des auteurs québécois (Gilles Vigneault, Michel Tremblay, Réjean Ducharme, Raymond Lévesque, Georges Dor...). Puis elle se met à écrire ses propres textes, *L'Âme à la tendresse*, *L'Étranger*, *Fille*, etc., tout en revenant parfois à Brecht (tournée française de 1976) ou en chantant Anne Sylvestre (*Une sorcière comme les autres*).

Pauline Julien est surtout une chanteuse de scène et représente le summum de l'art de la dramatisation : chaque chanson est prise à bras-le-corps, torturée, puis restituée, habitée par la flamme de l'interprète. Son tour de chant ressemble toujours à une sorte de combat, et elle a d'ailleurs manifesté une prédilection pour les chansons à résonances socialistes et nationalistes (*Bozo-les-culottes*, R. Lévesque, *Les Gens de mon pays*, G. Vigneault), puis féministes (son spectacle *Femmes de parole*, 1979). Militante du Québec libre, des droits de la femme et de ceux de tous les hommes, Pauline Julien le fut aussi, avec ferveur, de la chanson québécoise.

JULIETTE

[Juliette Nourredine] Paris, 1962. Auteur-compositeur-interprète. Enfance à Paris, adolescence à Toulouse où son père rejoint l'orchestre du Capitole. Études de musique classique, tout en s'amusant à interpréter pour les copains Brel ou Boby Lapointe. Chante ensuite Brel ou Piaf dans les piano-bars, avec un accordéonniste puis seule au piano. Découverte du Printemps de Bourges (1985), elle enregistre une cassette en public (1987), rode son spectacle dans diverses salles de France, d'Allemagne ou du Québec, enregistre à nouveau en public (*Qué tal ?*, 1991) puis en studio (*Irrésistible*, 1993), et obtient en 1994 une Victoire de la musique (révélation féminine de l'année). Après dix ans de galère, elle est prête pour la rencontre avec le grand public et son quatrième album, *Rimes féminines* (1996), confirme son talent d'interprète, peut-être plus à l'aise sur scène que dans les studios. Jusqu'ici, Pierre Philippe signait tous les textes, et elle, les musiques, mais elle se sépare de son parolier et se met progressivement à écrire : sur l'album *Mutatis mutandis* (2005), elle signera l'ensemble des textes et sera sacrée « artiste féminine de l'année » aux Victoires de la musique 2006. Sa culture musicale classique et son goût pour la chanson française tout aussi classique font d'elle une mélodiste de talent. Tout en rondeur, avec sa voix profonde et ample, elle rappelle physiquement Colette Magny, mais joue surtout sur l'humour et la séduction avec, sur scène, un abattage surprenant et réjouissant.

Patrick JUVET

Montreux (Suisse), 1950. Auteur-compositeur-interprète. Atteint le grand public en 1972 avec *La Musica* (J.-M. Rivat, F. Thomas-P. Juvet), chanson qui utilise tous les ingrédients du succès facile : texte insipide, orchestration léchée, voix plate et asexuée. Mais Juvet valait mieux que ce premier titre qui lui rapporte un grand succès à l'Olympia en 1973. Collabore avec Pierre Delanoë (*Écoute-moi*) et surtout avec Jean-Michel Jarre (album *Paris by night*, 1977), avec qui il affirme son univers musical. Sa voix, placée de plus en plus haut au fil des ans, atteint une certaine originalité, et son évolution vers les rythmes disco tend à faire oublier que ses textes ne sont pas toujours absents (*Megalomania*). Avec l'album *Lady night* (1979), il espère entamer une carrière internationale (les textes sont en anglais), mais il sombre lentement dans l'oubli, malgré quelques tentatives de retour avortées.

K

Kent

Patricia KAAS

Forbach, 1966. Interprète. Fille de mineur de fond, de mère allemande, elle débute très jeune dans les cabarets. Son premier album, *Mademoiselle chante*, 1988, lui vaut une Victoire de la musique (catégorie révélation). La voilà lancée, et pour longtemps. Son album *Je te dis vous* (1993) se vend à 2,5 millions d'exemplaires, et ses nombreuses tournées à l'étranger ont fait d'elle une artiste aussi connue que les grands Brel, Brassens, Piaf ou Moustaki. Pourtant, la machine se grippe un peu. En 1997, son album *Dans ma chair*, qu'elle supervise largement, faisant travailler des grands du métier (Barbelivien, Goldman…) et chantant en « je » ou en « moi » passe un peu à côté de la cible. Elle chante à l'économie, sa voix semble fatiguée, fragile, et le personnage en est modifié. On se rend alors compte qu'on a peut-être bâti sa carrière uniquement sur sa voix, dont elle a un peu abusé. On a aussi usé et abusé à son propos de comparaisons avec Piaf ou Marlène Dietrich, mais c'était tenter de la confiner dans un genre qui n'est pas nécessairement celui pour lequel elle est faite. En 2004, l'album *Sexe fort* symbolise bien son problème : elle a abandonné Barbelivien, jusque-là son parolier de prédilection, et Cabrel, Renaud, Goldman, Obispo, Roda-Gil, Bertignac et quelques autres fées du tube se sont penchés sur le berceau de ces seize titres. Mais le CD ne convainc pas. Patricia Kaas attend en fait toujours l'auteur qui saurait révéler sa personnalité plutôt que de rechercher le tube à tout prix. Mais le sait-elle ?

KATERINE

[Philippe Blanchard] Chantonnay, 1968. Auteur-compositeur-interprète. Entreprend des études d'art plastique à Rennes, et écrit en même temps les chansons qui constitueront son premier album (*Le Mariage chinois* et *La Relecture*, 1992), suivi en 1994 de *L'Éducation anglaise*. Dans les deux cas, il reste en retrait, s'abritant derrière des voix féminines. Avec *Mes mauvaises fréquentations* (1996), il change de genre et assume ses textes d'une voix fatiguée. Printemps de Bourges la même année, nouveau disque en 1999 (*Les Créatures*) suivi en 2002 de *8e ciel*. Dans tous les cas, l'ambiance est pop variante BCBG, à l'artificialité un peu inutile, les textes sont parfois inconsistants, et la voix intemporelle, perdue dans la boîte à rythmes. Son message semble se résumer à « je suis dans la merde et je vous emmerde » (*Je vous emmerde*, 1999). Mais, par son style décalé, inclassable, Katerine séduit un public avide de sophistication. Il a collaboré avec Anna Karina (spectacle *Les Voix si, les voix là*, 1999), et a également écrit des musiques de films.

KAT ONOMA

Ancien professeur de philosophie, Rodolphe Burger crée en 1981 le groupe La Dernière Bande (Rodolphe Burger, guitare et chant, Pascal Benoit, basse, Guy Bickel, trompette et Philippe Poirier, saxophone, guitare), qui devient en 1986 Kat Onoma (en grec : « comme son nom l'indique ») et pratique un rock brut de décoffrage, avec des textes majoritairement en anglais, puis en anglais, français et espagnol (*Happy birthday public*, double CD, 1997). Après un long silence, le groupe se retrouve en 2001 pour un album et une tournée, puis annonce sa dissolution après la sortie de *All the best from Kat Onoma* (2004). Entre-temps, Rodolphe Burger avait entamé une carrière solo en 1998 (*Météor show*, prix de l'Académie Charles-Cros), tout en écrivant des chansons pour Françoise Hardy ou Alain Bashung et en produisant les disques d'autres artistes (Jacques Higelin, 2006). Crée ensuite son propre label, La Dernière Bande. Il a également mis en musique, pour Bashung, le *Cantique des cantiques*. De son côté, Philippe Poirier a lui aussi publié un album solo en 2004.

KENT

[Hervé Despesse] Vénissieux, 1957. Auteur-compositeur-interprète. En 1967, encore lycéen, il crée un groupe qui devient en 1975 Starshooter. Première partie de Jacques Higelin en 1977, premier disque en 1978, entre punk et rock, suivi de trois autres, avec un écho mitigé : le groupe se dissout en 1982. Hervé Despesse, qui avait pris le pseudonyme de Kent Hutchinson, devient alors Kent Cokenstock (son précédent pseudo était une marque déposée...) et entame une carrière solo de dessinateur de BD et de chanteur. Son album *Le Mur du son* (1987), avec de nombreux morceaux composés par le guitariste Jacques Bastello, qui l'accompagne aussi sur scène, passe pratiquement inaperçu, et c'est en 1990, avec l'album *À nos amours*, et le titre *J'aime un pays* (« Dans ce pays... y'a surtout un paquet de beni-oui-oui ») qu'il se fait vraiment connaître, sous le nom de Kent. Son deuxième grand succès sera *Juste quelqu'un de bien*, qu'il interprète en duo avec Enzo Enzo en 1994. Il mène alors plusieurs carrières de front : chanteur (album *Cyclone*, 2000), auteur (pour J. Hallyday, M. Fugain, Enrico Macias, Enzo Enzo), romancier (*Les Nouilles froides*, 1989, *Des gens imparfaits*, 1995, *Quelque chose de beau*, 1998)... En 2005, son album *Bienvenue au club*, avec de nombreuses participations (Voulzy, M, Mickey 3D), semble marquer un retour au rock.

KEREN ANN

[Keren Ann Zeidel] Césarée (Israël), 1974. Auteur-compositeur-interprète. D'origines ethniques (Russie, Java, Pays-Bas) et musicales diverses, elle fait ses premiers pas dans la chanson par le biais d'un album, *La Biographie de Luka Philipsen* (2000), dont le titre est un véritable jeu de piste. Luka est en effet une allusion au morceau de Suzanne Vega, dans lequel celle-ci raconte la vie d'un enfant martyrisé, et Philipsen est le nom d'une des grands-mères de Keren Ann. Derrière le succès du disque, il y a aussi Benjamin Biolay. Dans la foulée, les deux complices assurent une grande partie de *Chambre avec vue*, l'album qui va relancer la carrière d'Henri Salvador (deux Victoires de la musique en 2001). Son deuxième album, *La Disparition* (2002), confirme son talent. Voix fragile, à la limite de la rupture (*Sur le fil*, 2001, *Ailleurs*, 2002), timbre agréable, textes délicats, ambiance élégante qui rappelle un peu l'univers de Françoise Hardy.

En 2004, *Nolita*, son quatrième album, a encore un titre en forme de jeu de piste, renvoyant au Nord de Little Italy, le quartier de New York dans lequel elle habite. Malgré des talents multiples et évidents, il lui faudra cependant s'imposer dans un genre où la concurrence est rude.

Serge KERVAL

Brest, 1939 – Nantes, 1998. Compositeur-interprète. Disciple de Jacques Douai, il chante dans les cabarets de la rive gauche, puis sur les campus des universités américaines (en particulier en Louisiane) et dans les Instituts français à l'étranger des *Complaintes et ballades de France* ainsi que des poètes et des chanteurs de différents pays (entre autres *Serge Kerval chante Bob Dylan*, 1971, qui fut très discuté). Il compose également du néo-folklore sur des textes de Jacques Durand-Desjeux, et a enregistré des chansons révolutionnaires (*Chansons révolutionnaires ou l'esprit de 1789*, 1988). Travail honnête de collectionneur et de représentant à l'étranger d'une certaine conception de la chanson, il a résumé son parcours dans *35 ans de chansons, 35 ans de passion* (1996).

Rina KETTY

[Rina Picchetto] Turin (Italie), 1911 – Cannes, 1996. Interprète. Enfance italienne. Venue à Paris pour retrouver ses tantes, elle découvre Montmartre, où elle participe à la Commune libre. De 1934 à 1938, elle chante au Lapin à Gill les classiques du début du siècle : Delmet, Botrel, Couté. Enregistre ensuite des succès italiens adaptés en français (*Rien que mon cœur*, Grand Prix du disque 1938). Mais c'est avec *Sombreros et mantilles* (Chanty-J. Vaissade) et *J'attendrai* (L. Poterat-D. Olivieri, 1938) qu'elle accède au vedettariat. À la Libération, il lui faut reconquérir sa place et son public. Elle y parvient avec un passage à l'Alhambra et une tournée de cinq mois (1945). Mais elle incarne déjà l'avant-guerre. Dix ans plus tard, elle quitte la France pour un long séjour au Canada. Elle rechantera épisodiquement, sans retrouver les faveurs du public. Elle a cependant été l'une des premières chanteuses de charme dans le genre latino-exotique : tango, paso doble, rumba et valse lente, pigmentés d'une pointe d'accent italien, ouvrant la voie à celles qui l'ont poussée dehors, Gloria Lasso et Dalida.

KHALED

[Khaled Hadj-Brahim] Oran, 1960. Auteur-compositeur-interprète. Très tôt attiré par la musique, influencé par les groupes marocains Nass el Ghiwane et Jil Jilala, il crée à Oran le groupe Noudjoum el Khams (les cinq étoiles) puis enregistre *Trig el Lici* (« Le chemin du lycée ») qui lui confère une certaine réputation en Algérie. Cheb Khaled (« le jeune Khaled ») produit alors plusieurs cassettes de raï diffusées aussi bien en Algérie que dans le quartier parisien de Belleville. Installé en France, Cheb Khaled devient Khaled lorsque l'âge rend un peu ridicule l'adjectif « cheb » (jeune). Il élargit considérablement son public avec *Aïcha* que lui écrit J.-J. Goldman (1996), et se produit avec Faudel et Rachid Taha au Zénith en septembre 1998 (*1 2 3 Soleils*), mais son œuvre est très majoritairement en arabe algérien.

Joseph KOSMA

[Jozsef Kosma] Budapest (Hongrie), 1905 – Paris, 1969. Compositeur. Boursier de l'Opéra de Berlin en 1929, il abandonne la direction d'orchestre pour suivre le théâtre ambulant de Bertolt Brecht. Il travaille alors avec Hans Eisler et Kurt Weill, qui l'influencent profondément. Il vient à Paris en 1933 et devient l'accompagnateur de Lys Gauty. De sa rencontre avec Jacques Prévert vont naître quatre-vingts chansons qui, avant de connaître une édition tardive (J. Enoch, 1946), seront adoptées par les Auberges de jeunesse, puis par les groupes de la Résistance. Jusqu'en 1945, elles ne seront chantées en public que dans de petits cabarets (Chez Agnès Capri).

À la Libération, Kosma est l'un des animateurs de Saint-Germain-des-Prés. Après Marianne Oswald et Agnès Capri, qui les ont devancés sur cette voie, les Frères Jacques, Yves Montand, Germaine Montero, Cora Vaucaire mettent du Prévert-et-Kosma à leur répertoire. Kosma collabore également avec Desnos (*La Fourmi*) et Queneau (*Si tu t'imagines*), tous deux chantés par Gréco. Il compose aussi des musiques de films (chanson *Les enfants qui s'aiment*, extraite des *Portes de la nuit*), des musiques de théâtre et de ballet, des chœurs, des œuvres instrumentales et des opéras modernes (*Les Canuts*, créée à Berlin en 1959, joué à Lyon en 1964).

Joseph Kosma se définit lui-même comme un musicien engagé, cherchant consciemment à introduire dans la chanson autre chose qu'une idée de divertissement. Il a donc pris parti pour un genre de musique nécessairement destiné à un texte qui se suffit à lui-même, en faisant en sorte que celui-ci ne soit jamais étouffé, jamais faussé non plus par la ritournelle. C'est ce qui explique sans doute un genre de composition très fluide, que l'absence de rimes ou l'irrégularité du vers n'a pas gêné, et que d'aucuns pourraient dire difficile. Si l'insertion habile de bribes de refrains populaires à l'intérieur des *Feuilles mortes* a fait chanter cette chanson dans le monde entier, la plus grande partie de l'œuvre de Prévert et Kosma (*Barbara*, *En sortant de l'école*, *La Pêche à la baleine*, etc.) n'a connu, peut-on dire, qu'un succès d'estime. Mais ce répertoire est passé aujourd'hui au rang des classiques et constitue, pour le compositeur Henri Dutilleux, des « chansons d'un charme absolument personnel, d'un style inimitable ».

L

Boby Lapointe

Gilbert LAFFAILLE

Paris, 1948. Auteur-compositeur-interprète. Dès le premier album (1977), on remarque l'humour oblique et la lucidité caustique de ce chanteur au style jeune cadre de gauche (*Le Président et l'Éléphant*). Sur des airs de bossa-nova, il décrit à sa manière son enfance bourgeoise (*Neuilly blues*) ou son professorat de français (*Interrogation écrite*) aussi bien que la politique internationale (*Trucs et Ficelles*). Révélation du Festival de Cazals (1977), il remporte celui de Spa (1979) et se produit au Théâtre de la Ville (1979, 1981), devenant l'un des exemples les plus cités d'un retour à la chanson à texte, baptisée pour l'occasion « nouvelle chanson française ». Mais, malgré une production de disques très régulière (*L'Année du rat*, 1985, *Travelling*, 1988, *Ici*, 1994, *Tout m'étonne*, 1996, jusqu'à *Dimanche après-midi*, 2003), il restera dans l'ombre de la réussite d'artistes comme Alain Souchon.

Marie LAFORÊT

[Maïtena Doumenach] Soulac (Gironde), 1940. Interprète. Débute en 1960 comme actrice (*Plein soleil*, René Clément) et profite d'une maladie qui interrompt momentanément sa carrière pour réapprendre à gratter la guitare de son enfance. Sur les traces de Jeanne Moreau, autre actrice qui vient de faire un succès du disque, « la fille aux yeux d'or » sort un album et les passages radio sont nombreux

(*Les Vendanges de l'amour*, M. Jourdan-D. Gérard, 1964). Les titres qui suivent, adaptations de succès étrangers ou créations originales (*Manchester et Liverpool*, *Viens sur la montagne*, *Mon amour mon ami*, *Ivan, Boris et moi*, *Que calor la vida*) lui assurent un impact considérable, au point que la chanson semble prendre le pas chez elle sur le cinéma. Ce n'est plus sa beauté qui l'emporte (bien qu'elle soit soigneusement mise en valeur sur les pochettes des disques) mais le charme d'une voix étrange, rauque et cassée dans les graves (*El Polo*), naïve et enfantine dans les aigus (*L'air que tu jouais pour moi*), nasillarde et sensuelle dans le mezzo (*Viens viens*). « Chanteuse en conserve », elle finit cependant par se produire sur scène (Montréal, 1968, Bruxelles, Olympia et Bobino, 1970). Elle y révèle un personnage envoûté par les rythmes sud-américains. C'est néanmoins par le disque, les chansons de films et les adaptations un peu faciles qu'elle continue de se faire connaître. À la fin des années 1970, Marie Laforêt quitte la chanson, travaille un temps comme commissaire-priseur en Suisse, tandis que ses disques continuent à se vendre régulièrement. Elle est remontée sur scène en 2005.

René-Louis LAFFORGUE

San Sebastian (Espagne), 1928 – Albi, 1967. Auteur-compositeur-interprète. Réfugié en France après la guerre civile espagnole, il touche à plusieurs métiers avant de faire du théâtre (1948), puis de la chanson (1951) et du cinéma. *Le Poseur de rails* et surtout *Julie la rousse* sont ses premiers grands succès mais, malgré une carrière qui s'étendra encore sur dix ans, il n'atteindra plus jamais l'audience de cette dernière œuvre. Il ouvre aussi un cabaret, l'École buissonnière, que sa femme vendra quelque temps après sa mort. Ses chansons (*À bouche que veux-tu*, *Monsieur le peintre du dimanche*, *Les Enfants d'Auschwitz*, etc.) oscillent entre un populisme bon enfant et une humanité révoltée par l'injustice.

Francis LAI

Nice, 1932. Compositeur-interprète. Il apprend très tôt l'accordéon, qu'il transforme en instrument de jazz. Accompagnateur de Claude Goaty, il rencontre Bernard Dimey et écrit avec lui pour Jacqueline Danno, Juliette Gréco, Yves Montand ou Mouloudji. Sa collaboration avec Pierre Barouh marque une deuxième époque. Le succès vient avec la chanson du film de Lelouch *Un homme et une femme* (1966). Sa musique, fondée sur des cadences harmoniques, fait la synthèse d'un certain jazz moderne et de la bossa-nova, et il est bientôt réclamé pour tous les films à succès et les interprètes de charme : Nicole Croisille, Françoise Hardy (*Des ronds dans l'eau*, par. P. Barouh), Mireille Mathieu... Il tente d'interpréter lui-même ses œuvres, d'une voix discrète et, dans son premier album (*Paris New York*, 1979), remplace l'accordéon par le synthétiseur. Mais c'est surtout dans la musique de films qu'il trouve le succès, ceux de Claude Zidi (*Les Ripoux*, 1983) et, surtout, de Claude Lelouch (*Les Uns et les Autres*, 1981, *Édith et Marcel*, 1983, *Tout ça pour ça*, 1993, *Les Parisiens*, 2004, etc.).

Francis LALANNE

[Francis Manzor] Bayonne, 1958. Auteur-compositeur-interprète. Passe une partie de son enfance en Uruguay, où son père est fonctionnaire des Nations unies. Pianiste et guitariste, il fonde avec ses frères Jean-Félix et René le groupe Bibi-folk. Cours d'art dramatique à Marseille, puis quelques études de lettres à la Sorbonne, et il enregistre en 1979 *La Maison du bonheur*, avec un succès immédiat. Passage au Printemps de Bourges en 1980, puis au Théâtre de la Ville à Paris en novembre de la même année : sa carrière semble lancée. Les albums se succèdent (*Toi mon vieux copain*, 1981, *Avec toi*, 1989...), le public fait un triomphe à ses prestations scéniques parfois interminables (il peut chanter quatre ou cinq d'heures d'affilée). Mais il se disperse un peu, dans l'écriture, le théâtre, la production cinématographique, et son album *D'une vie à l'autre* (2003) ne confirme pas les succès précédents.

Serge LAMA

[Serge Chauvier] Bordeaux, 1943. Auteur-interprète. Sa vocation est influencée par une carrière ratée, celle de son père, artiste lyrique, qu'il décrira dans *Le Temps de la rengaine* (mus. Y. Gilbert), prix Charles-Cros 1968 et premier succès. Il débute en 1964 à l'Écluse, où l'on remarque sa force de conviction. Après un premier disque, *Les Ballons rouges*, il est victime en 1965 d'un grave accident de la route qui l'immobilise pendant deux ans. Il continue à enregistrer, couché, puis remonte sur scène (Bobino, 1968) au moment où

Jacques Brel vient de la quitter. C'est alors une course folle de gala en gala, de disque en disque, de succès en succès, comme s'il fallait vivre doublement ces moments gagnés sur la mort. Chaque année les radios matraquent son ou ses tubes du moment : *C'est toujours comme ça la première fois* (mus. Y. Gilbert) en 1970, *Superman* (mus. R.-D. Davies) en 1971, *Les P'tites femmes de Pigalle* (mus. J. Datin) en 1973, *Je suis malade* (mus. A. Dona) en 1974, etc. Il doit en partie son succès aux mélodies très répétitives, mais construites pour être efficaces, de ses deux principaux compositeurs, Yves Gilbert (spécialiste des montées paroxystiques) et Alice Dona (spécialiste du 2/4). Sa façon très « français moyen » de traiter les thèmes qu'il aborde ne l'y préparait guère, mais beaucoup le comparent à Brel, et lui-même s'y croit tellement que l'on prête au « grand Jacques », du fond de sa retraite aux îles Marquises, le trait suivant : « Dites à Lama de ne plus tousser, j'ai arrêté de fumer... » Et il consacre un disque au disparu (*Lama chante Brel*, 1979), comme pour souligner la filiation.

Mais il n'y a pas de filiation, sinon dans l'esprit d'une partie du public. Lama avait simplement devant lui, après le départ de Brel, un créneau qu'il détourna lentement, en passant d'une certaine authenticité (*D'aventure en aventure*, mus. Y. Gilbert, 1968) et d'une certaine poésie (*Une île*, mus. Y. Gilbert, Rose d'or d'Antibes 1969) à la facilité. Sur scène, il montre une rage de chanter qui emporte l'adhésion de publics de plus en plus nombreux. Et dans ses chansons, il semble ne pouvoir se présenter que comme un mâle dominateur lui-même dominé par sa volonté de puissance : problème d'enfance mal digérée (*Mon frère*, mus. Y. Gilbert) ? En tout cas, le pauvre Brel n'a rien à voir dans cette galerie de Tarzan, Superman et autres Napoléon qui sont alors ses modèles. Après un passage par le théâtre, il revient à la chanson, accompagné à l'accordéon par Sergio Tomasi, dans une formule un peu moins débordante (*Feuilles à feuilles*, 2001, *Accordéonissi-mots*, 2005), pratiquant le duo avec des voix féminines (*Plurielles*, 2003). Mais le public ne suit pas, et les tubes ne sont plus au rendez-vous, comme s'il avait du mal à faire passer une image légèrement adoucie de lui-même.

Robert LAMOUREUX

Paris, 1920. Interprète. Comédien, acteur de cinéma, de père et mère conducteur et receveuse de tramway, le héros de *Papa, maman la bonne et moi* a parfaitement représenté le Français moyen des années 1950. Ses chansons apportent la même note humoristique et tendre (*Viens à la maison*) que ses monologues. Il a par ailleurs joué dans des films médiocres (*Mais où est donc passée la septième compagnie ?*, 1973), mais s'est surtout illustré sur les scènes de théâtre.

Daniel LANOIS

Hull (Canada), 1951. Auteur-interprète, arrangeur, producteur de disques. Lorsqu'il est révélé en France en 1989 par *Jolie Louise*, il a alors déjà derrière lui une carrière multiforme. Élevé à Hamilton, il y a joué de la guitare dans différents groupes, construit et dirigé un studio célèbre (le Grant Avenue Studio), puis il a travaillé en Angleterre ou en Louisiane, produisant aussi bien Peter Gabriel, U2 ou Bob Dylan, que ses propres disques, *Acadie* (1989) et *For the beauty of Wynona*. Mais il choisira d'être plutôt au service des autres artistes, laissant en jachère sa propre carrière.

Simone LANGLOIS

Paris, 1936. Interprète. Les conditions de son entrée en chanson (elle chante à onze ans aux terrasses des cafés, et paraît sur une scène à quatorze ans), son registre vocal, font penser à Édith Piaf : pendant dix ans, on essaiera de faire de cette enfant prodige une seconde Piaf, dont elle chante d'ailleurs les succès. Lorsque, devenue majeure, elle s'apercevra de l'erreur, il lui sera difficile de reconvertir personnage, technique d'interprétation et répertoire (où l'on trouve des chansons de Gilbert Bécaud, Jacques Brel, Jacques Debronckart). Elle est notamment passée à Bobino (1965), et a fait une tournée, *Tour de France*, avec Gilbert Bécaud (1962).

Jacques LANZMANN

Bois-Colombes, 1927 – Paris, 2006. Après avoir combattu dans le maquis avec son frère Claude, il voyage à travers le monde, s'essaie à la peinture puis à l'écriture. Tour à tour journaliste, écrivain (du *Rat d'Amérique*, 1955, à *La Tribu perdue*, 2000), animateur de radio (Europe 1), scénariste, rédacteur en chef de *Lui*, il a constitué un double indissociable avec Jacques Dutronc dont il a écrit les meilleures chansons : *Les Play-boys, Et moi et moi et moi, Il est cinq heures, Paris s'éveille, L'Aventurier*, etc. Ces chansons ont parfois irrité, certains n'y ont vu qu'une idiotie à ras de terre. Qu'on ne s'y trompe pas : il écrit en fait de très fins gadgets qui fournissent un matériel de choix à la sociologie des temps modernes et que Dutronc interprète avec une ironie distanciée très efficace.

Le LAPIN À GILL

Cabaret, rue des Saules, Paris. Située sur la Butte, cette masure partage avec le Chat noir le privilège d'avoir été un des temples de l'esprit montmartrois ; et pourtant, on n'y venait pas essentiellement pour chanter, mais pour célébrer ce « grand bien d'être ensemble ». Il est vrai que les familiers de la maison sortaient du Bateau-Lavoir ou de la Maison de Mimi Pinson, et avaient nom Toulouse-Lautrec, Max Jacob, Mac Orlan, Picasso, Francis Carco, etc. Le patron, « Frédé » (cf. la chanson du même nom de Michel Vaucaire), interprétait lui-même à la guitare les œuvres de Bruant (qui était propriétaire des lieux). Parfois, cette « magnifique bohème » se trouvait en concurrence avec d'authentiques apaches : le fils du patron en mourut. C'est au Lapin à Gill que Lolo, l'âne du maître, peignit en se servant de sa queue le tableau exposé au Salon des Indépendants sous le titre *Soleil couchant sur l'Adriatique* et dont le critique du journal *La Lanterne* détecta la « précoce maîtrise ». C'est également là que naquit en 1920 la commune libre de Montmartre. Avant d'être Lapin à Gill, du nom du peintre de l'enseigne représentant un lapin s'échappant d'une casserole, le lieu était connu sous le nom de Cabaret des Assassins, rendez-vous de chansonniers.

Boby LAPOINTE

[Robert Lapointe] Pézenas (Hérault), 1922 – Paris, 1972. Auteur-interprète-compositeur. Monté à Paris en 1951, il écrit des textes qui ne sont pas particulièrement destinés à être mis en musique, tout en exerçant les professions de représentant, d'électricien, d'installateur d'antennes de télévision. En 1956, Bourvil interprète *Aragon et Castille* dans le film *Poisson d'avril* : sans succès. En 1959, Jean-Pierre Suc le pousse sur la scène du cabaret rive gauche Le Cheval d'or. L'année suivante, il chante *Framboise* dans le film de Truffaut, *Tirez sur le pianiste*, qui le révèle. Il passe dès lors dans les grandes salles parisiennes, de l'Alhambra à Bobino (souvent en première partie des spectacles de Brassens), tout en continuant à régaler de ses chansons-gags (*Le Papa du papa*, *Ta Katie t'a quitté*, *Le Tube de toilette*) les spectateurs venus le voir et l'entendre au Cheval d'Or. L'irremplaçable contribution de Boby Lapointe à la chanson française se situe à deux niveaux. D'abord, l'interprétation : il chantait en tressautant et en scandant le rythme avec ses bras, exécutant « une espèce de branle qui prenait tout le corps, une sorte de moulin à prières, un numéro de derviche tourneur » (G. Béart). Irrésistible ! Ensuite et surtout, le langage. Il était roi du calembour comme d'autres sont rois de la frite : avec le naturel que confère la quotidienneté. Mais ses jeux de mots, son délire verbal, assez proches de ceux de Raymond Queneau, limitèrent son audience à la seule frange intellectuelle du public, comme si, passé une certaine borne, l'écart linguistique était mal reçu. Ce n'est qu'après sa mort que Boby Lapointe commence à être reconnu à sa juste valeur. Philips sort en 1976 un coffret de son œuvre, et une série d'hommages posthumes lui sont rendus par la radio, la TV, le café-théâtre (*Aubade à Lydie* par le groupe « Nous chantons ne vous déplaise », 1977).

Catherine LARA

Poissy, 1945. Compositeur-interprète. Premier prix de violon à treize ans et de musique de chambre à vingt et un, elle fonde le Quatuor Lara qui accompagne Nougaro en tournée. Poussée par Denise Glaser, elle se met à écrire des chansons avec le parolier Daniel Boublil. Enregistrées par Claude Dejacques, les premières (*Morituri*, 1972, *Marche dans le temps*, 1973) sont façonnées comme des cathédrales dans lesquelles se promène une voix-instrument dont l'interprétation se limite à la musique : *fortissimo* ici, *pianissimo* là, nuancée ailleurs selon la modulation... Le texte, malgré quelques trouvailles poétiques (*La Craie dans l'encrier*, 1974) semble ne pas exister, et Lara n'a donc pas de visage. Elle va cependant s'en chercher un avec acharnement au cours de différentes expériences : folk (*Le Square des Innocents*), orientales (*Nil*, 1975), variétés-rock (*Jeux de société*, 1976), polyphoniques (*Vaguement*, 1977). Au cours de ces aventures, l'architecture néo-classique du départ se fissure puis s'écroule, libérant le tempérament de la chanteuse : « Il faut faire un pont entre mon imagination latine et mon *feeling* américain. » En 1980, l'album *Géronimo* (sur des textes d'É. Roda-Gil) met enfin à parité le talent du compositeur rock de grande classe et des textes qui n'ont plus rien d'anodin. Elle confirme avec *La Rockeuse de diamants* (1983), puis *Nuit magique* (1986), et ses albums se succèdent alors régulièrement, entre recherche musicale (*Aral*, 1999) et chansons plus classiques (*Mélomanie*, 1996, *Passe-moi l'ciel*, 2005). Mais derrière la voix belle et maîtrisée et les orchestrations soignées, on regrette un peu l'absence de corps, comme on dit d'un vin rouge un peu léger.

Jacques LARUE

[Marcel Ageron] Paris, 1906-1961. Auteur. Il est souvent cité comme le plus classique des paroliers (son pseudonyme même est révélateur). Son premier grand succès date de 1939 (*Mon village au clair de lune*, mus. J. Lutèce). Il écrira notamment pour Maurice Chevalier (*Ça sent si bon la France*, mus. Louiguy), Édith Piaf, Yves Montand, Lucienne Delyle (*Le Rififi*, mus. Philippe-Gérard), Tino Rossi, André Claveau (*Cerisiers roses et pommiers blancs*, mus. Louiguy), Dalida et Miguel Amador (*Bambino*, mus. G. Fanciulli). Sa chanson *Venezuela* (mus. F. Freed) fera une carrière internationale.

Gloria LASSO

Barcelone (Espagne), 1922 – Cuernavaca (Mexique), 2005. Interprète. Avant de venir à Paris en 1954, elle avait acquis une certaine notoriété en Espagne. Francis Lopez compose pour elle *Le Pauvre Muletier* et *Valse mexicaine.* S'engageant dans la voie ouverte par Rina Ketty, celle de la chanson exotique de charme, elle obtient un succès rapide, net et sans bavure avec *Tu n'as pas très bon caractère* ou *Je t'aimerai, t'aimerai*, devient millionnaire du disque avec *L'Étrangère au paradis* et prend la tête des hit-parades..., au grand dam des gens sérieux, défenseurs-de-la-chanson-de-qualité. Puis arrive Dalida et le combat entre l'accent espagnol ou italien, entre *Bambino* et *Cuando calienta el sol*, entre la pin-up et la bonne dame sympathique. Le public choisit la nouvelle venue et Gloria Lasso, moins combative ou peut-être satisfaite de son œuvre, abandonne le champ de bataille. Un retour à l'A.B.C. (1962), où elle tente de changer de style (interprétant Gainsbourg : *La Chanson de Prévert*) et le prix de l'Eurovision 1962 obtenu pour *Un premier amour* font espérer, à tort, une troisième mi-temps. Elle se retire au Mexique où elle continue à chanter, se produisant même assise peu de temps avant sa mort.

Plume LATRAVERSE

[Michel Latraverse] Central City (Colorado, États-Unis), 1946. Auteur-compositeur-interprète. Fonde d'abord avec Pierre Léger et Pierre Landry le groupe la Sainte Trinité avant d'entamer une carrière solo en 1976. Ce Québécois hors pair est découvert en France au Printemps de Bourges de 1979. À Montréal, il se produisait alors devant dix mille personnes et avait imposé son personnage de grand cow-boy hirsute tirant en joual et en dissonance des pétards sulfureux dans les coulisses de la bonne chanson. Rockeur à la voix taverneuse, il pratique un sarcasme joyeux et désespéré (*Les Pauvres*, sa chanson la plus forte), jetant aux orties toutes les conventions et tous les héritages. Il se consacre depuis quelques années à la peinture et à la littérature (*Pas d'admission sans histoire*, 1993), revenant cycliquement à la chanson (*Chansons pour toutes sortes de monde*, 1990).

Odette LAURE

[Odette Dhommée] Paris, 1917-2004. Interprète. Fait ses débuts à quatre ans au Café des Arts tenu par ses parents. Gagnante d'un concours de chant amateur sur le Poste parisien, elle passe en 1945 chez Suzy Solidor, se fait entendre à la radio dans les émissions de Jean Nohain (*Le P'tit Officier de marine*), fait la revue des Capucines en 1949 et un tour de chant à l'A.B.C. (*Moi j'tricote*). Parallèlement au théâtre et à l'opérette, elle se produit en cabaret (Chez Gilles, Liberty, Drap d'Or). Dans les années 1950, elle lance le personnage de Marie-Chantal dans *Surprise-party chez Lily* (« Gérard était coincé dans l'ascenseur… »). Ses succès : *Le Tango immobile*, *Ça tourne pas rond dans ma p'tite tête*, *Allô mon cœur* (reprise par Petula Clark) et *Tout ça parc' qu'au bois de Chaville*, Grand Prix du disque 1954. À partir de 1959, elle se consacre au théâtre.

Philippe LAVIL

[Philippe de la Villejégu du Fresnay] Fort-de-France, 1947. Auteur-compositeur-interprète. Né dans une plantation de bananes, imprégné de culture créole, il vient en France en 1960, entame après son bac des études de commerce tout en enregistrant en 1969 *À la califourchon*, son premier 45 tours et son premier tube, enchaîne l'année suivante avec *Avec les filles je ne sais pas*, et abandonne ses études pour se consacrer à la chanson. Mais les choses ne sont pas aussi simples que pouvaient le laisser croire ces débuts : suivent dix années de galère, et il est sur le point d'abandonner la chanson et de retourner aux Antilles lorsque en 1982 *Il tape sur des bambous* (D. Barbelivien) lui apporte le succès attendu depuis longtemps. Les disques suivants ne laisseront pas un souvenir impérissable (*Nonchalances*, 1986, *De Bretagne ou d'ailleurs*, 1990, *Y'a plus d'hiver*, 1992), mais il revient en force en 1994 en duo avec Jocelyne Beroard (du groupe Kassav) avec *Kolé serré*.

Bernard LAVILLIERS

[Bernard Ouillon] Saint-Étienne, 1946. Auteur-compositeur-interprète. Comme le chat, Bernard Lavilliers a plusieurs vies, réelles ou rêvées : ouvrier, boxeur, comédien (chez Jean Dasté), il fait différents métiers avant de se consacrer à la chanson poétique dans les cabarets de la rive gauche. Son goût pour le Brésil marque pour longtemps son univers musical : *Brazil 72*, *La Samba* (1975), *Fortalezza* (1970), etc., mais il s'intéresse parallèlement au blues (*C.I.A.*, 1975), au rock (*Haute surveillance*, 1976), puis au reggae et à la salsa (*Stand the ghetto*, *La Salsa*, 1980), se constituant ainsi des références musicales cosmopolites qui participent de son image de grand voyageur. Ses textes évoluent d'un exotisme politisé (*San Salvador*, *La Samba*) vers une politique exotique à ceux pour qui le tiers-monde débute aux frontières du périphérique (*Les Barbares*, *Fench vallée*, *Sœur de la zone*). Chante d'abord dans les MJC, les fêtes politiques (PSU, *Politique Hebdo*, etc.) puis, après un passage aux Blancs-Manteaux (1975), les choses se précipitent : Théâtre de la Ville en 1977, Olympia en 1978, Hippodrome de la porte de Pantin en 1979, Palais des Sports en 1980 et, parallèlement à ces passages parisiens, tournées en province sous des chapiteaux pouvant accueillir cinq à six mille personnes… Le public de Bernard Lavilliers, à l'image du personnage et de l'œuvre, est alors divers : loubards en blouson de cuir, militants de gauche désenchantés ou libertaires, tous attirés par son réel sens politique animé par des racines ouvrières (*French vallée*, *Saint-Étienne*), par une certaine mythologie de la violence (*Bats-toi*), et surtout par l'expression exaltée de l'espoir critique (*Utopia*).

Marqué pour certains du sceau de la démagogie, jouant trop pour d'autres de son pouvoir charismatique, Lavilliers a su se créer un univers inimitable : sous la musique rythmée, on oublie parfois les textes, d'une écriture exigeante, sous les coups de gueule, on oublie la voix, belle et maîtrisée, et sous les déchaînements de la salle, on oublie aussi le sens de la scène, chose assez rare dans la chanson française d'aujourd'hui. Sa carrière connaît un passage à vide dans les années 1990, malgré le succès de *On the road again* (1990), puis il revient en force avec *Les Mains d'or* (2001) et l'album *Carnets de bord* (2004), sur lequel il apparaît plus voyageur que jamais (*Voyageur, Marin*), plus politique aussi (*État des lieux, Question de peau*), nous donnant deux duos inspirés, l'un avec Cesaria Evoria (*Elle chante*) et l'autre avec Tiken Jah Fakoly (*Question de peau*). Sans doute désireux de marquer ses racines, il a présenté en 2006 un spectacle consacré à l'œuvre de Léo Ferré, avec des orchestrations inattendues et décoiffantes.

Daniel LAVOIE

[Gérald Lavoie] Vancouver (Canada), 1949. Auteur-compositeur-interprète. Étudie le piano chez les jésuites (il apprendra plus tard la guitare, le bandonéon, le saxophone...). Participe à quelques groupes avant de s'installer au Québec (1970), où il enregistre ses deux premiers albums (1973 et 1974). C'est son troisième album (*Nirvana bleu*, 1979) qui le fait connaître au Québec et en France (trois semaines au Petit Montparnasse, 1979, puis Théâtre de la Ville, 1981, Bobino et Printemps de Bourges, 1982). Mais c'est *Ils s'aiment* (1983) qui déclenche véritablement sa carrière (le disque se vendra à plus de 2 millions d'exemplaires). Distingué par plusieurs prix au Québec, en Belgique ou en France (Victoire de l'album francophone de l'année avec *Vue sur la mer*, 1987), il a aussi chanté dans les comédies musicales *Sand et les romantiques* (L. Plamondon-C. Lara, 1991) et *Notre-Dame de Paris* (L. Plamondon-R. Cocciante, 1997), enregistré en anglais (*Here in the heart*, 1992, *Woman to man*, 1994), publié des albums pour enfants (*Le Dragon bébé 1* et *2*, 1996, 1997), et produit différents albums d'autres artistes canadiens (Louise Forestier, Marie-Jo Thério...).

Marc LAVOINE

Longjumeau, 1962. Auteur-interprète. Débute dans la figuration à la télévision, puis s'illustre dans les années 1980 par quelques tubes marquants : *Le Parking des anges, Les Yeux revolver* (1985, mus. Fabrice Aboulker), etc. Il a également mis en musique, après Léo Ferré, Guillaume Apollinaire (*Le Pont Mirabeau*), sans que la nécessité de cette nouvelle mélodie s'impose, et collaboré avec J.-J. Goldman (*J'écris des chansons*). Mais, malgré son physique de beau ténébreux, son avenir dans la chanson semble incertain. Il a également joué dans quelques films.

Renée LEBAS

Paris, 1917. Interprète. Elle pratique plusieurs métiers avant de remporter un concours de chanson à Radio-Cité. Vedette à l'Étoile en 1946, sa carrière, qui s'étendra sur une quinzaine d'années (Bobino, 1959), sera en définitive entravée par un répertoire souvent trop proche de celui de Piaf. La discrétion, la finesse, le côté « savant » de son jeu, sont une autre limite à la réceptivité de son personnage par le grand public. Outre des chansons de Piaf, elle a chanté Boris Vian, Francis Carco, Robert Marcy. Son principal succès : *Où es-tu, mon amour*? (H. Lemarchand-E. Stern, 1946).

Félix LECLERC

La Tuque (Canada), 1914 – Île d'Orléans, 1988. Auteur-compositeur-interprète. Après des études à Ottawa il pratique un peu tous les métiers, bûcheron, speaker à la radio, fermier, écrivain… Jacques Canetti le fait débuter à Paris en 1950. Pour la chanson française, c'est un renouveau, un second temps après Charles Trenet, Leclerc annonçant Brassens, Brel, d'autres encore, face aux roucoulades exotiques de Luis Mariano ou de Tino Rossi. Pour la chanson québécoise, c'est une porte ouverte dans laquelle s'engouffreront dix ans plus tard Gilles Vigneault, Pauline Julien, Jean-Pierre Ferland, Claude Léveillée… En ce début des années 1950, la France ignore tout du Québec, parle plutôt de « Canada français », lointaine contrée enneigée, et le public français s'approprie immédiatement ce cousin d'Amérique. Avec *Le P'tit Bonheur*, il s'assure d'une double renommée : celle de poète et celle d'homme simple, rude, proche de la nature. Il se lance alors dans un va-et-vient constant entre la France et son pays natal. Paris le redécouvre en 1964 aux Trois Baudets, puis en 1966 à Bobino. Il chante toujours *Le P'tit Bonheur*, *Bozo*, *Moi mes souliers*, mais aussi *Le Roi heureux*, *La Prière bohémienne* et bien d'autres nouveautés, faisant la preuve d'une créativité qui ne se dément pas au fil des années. Quand il ne chante pas en public avec Vigneault et Charlebois (Francofête, 1974), il continue d'enregistrer des œuvres marquantes : *Le Tour de l'île* (1975), *La Complainte du phoque en Alaska* (Michel Rivard), montrant qu'il n'a rien perdu de son talent et affirmant aussi des positions indépendantistes (*L'Encan*, 1975). Le Canada français est devenu en France le Québec, dont le général de Gaulle a laissé entendre qu'il pourrait être libre, et Félix Leclerc est alors le chef de file d'une chanson florissante, ayant ouvert en raquettes des chemins neigeux que ses successeurs parcourent aujourd'hui en limousine.

Sur scène, il est tout le contraire de ce que laissent supposer ses chansons et son image. Ce « rude bûcheron » semble timide, gracieux, presque précieux : le rapport homme-guitare est chez lui une sorte de cour, au contraire de Brassens par exemple qui brutalise la sienne. Au sortir, on est un peu déçu, comme si cet homme sous les projecteurs faisait mentir l'idée qu'on a de lui, c'est-à-dire une mythologie un peu exotique. Encore une fois, le Québec des années 1980 ne correspond guère à l'idée qu'en avaient les Français des années 1950... Un an après sa mort, la maison Philips publie ses œuvres complètes en six CD, lui dressant un monument mérité. Et le chanteur français Jacques Bertin lui a consacré une biographie (*Le Roi heureux*, 1987).

Maxime LE FORESTIER

Paris, 1949. Auteur-compositeur-interprète. Né dans une famille de musiciens (une de ses sœurs enseigne le piano au Conservatoire, l'autre, Catherine, chante), il apprend le violon, le piano, la guitare, et commence à se produire avec sa sœur (« Cat et Max ») avant de faire, au début des années 1970, une remarquable percée dans le monde de la chanson (il est encore inconnu lorsque Joan Baez interprète son *Parachutiste* à la Fête de l'Humanité en 1971.) Tout d'abord très influencé par Georges Brassens et le folk-song, entre lesquels il opère une sorte de synthèse (*San Francisco*, *Ça sert à quoi*), il va peu à peu élargir son univers musical en collaborant avec Julien Clerc (*Amis*, 1976) ou avec les Québécois Michel Rivard (*L'Enterrement du Père fouettard*, 1978) et François Cousineau (*Ma ville est morte*, 1978), tout en continuant à travailler régulièrement avec ses musiciens de scène, le bassiste Patrice Caratini (*Chanson du jongleur*, 1976) et le guitariste Alain le Douarin (*Le Mot amour*, 1978). À Bobino en 1972 (première partie du spectacle de Brassens), au Théâtre de la Ville en 1974, au Palais des Congrès en 1975, au Cirque d'Hiver en 1977, il confirme sa maîtrise de la scène et élargit son public, à l'origine essentiellement composé d'adolescents. Imposant aux organisateurs de ses spectacles de ne pas avoir de service d'ordre ni de place à plus de 10 francs, chantant *Parachutiste*, prônant la non-violence, il est alors le chantre d'une génération de jeunes qu'on n'a pas encore baptisés « babas cool » et que certains considèrent comme des boy-scouts. Sur scène, il donne l'image de celui qui refuse le pouvoir conféré par les projecteurs et la sonorisation, ou transforme les rapports de force en rapports fraternels, se situant ainsi aux antipodes d'un Michel Sardou qui, à la même époque, cristallise le public de droite. En 1974, la France électorale se partage à égalité entre Giscard d'Estaing et Mitterrand comme le public jeune se partage entre Sardou et Le Forestier.

Dans les années 1980, il s'intéresse à des formes de musique un peu différentes, s'essaie à l'électricité, aux ordinateurs, mais son public ne le suit pas et il connaît une véritable traversée du désert qui prend fin avec deux coups de maître, *Né quelque part* (1987) et *Ambalaba* (1988). Dans un univers désormais différent, entre musiques du monde et jazz-rock, il retrouve sa place et se livre à des expériences diverses (dont une comédie musicale, *Gladiateur*, mise en scène par Élie Chouraki, 2004), tout en restant fidèle à ses inspirations d'origine : il tourne parfois seul avec sa guitare pour chanter Georges Brassens dont il a tenu à enregistrer l'ensemble de l'œuvre (comme, dit-il avec humour, Glenn Gould a enregistré tout Bach). Auteur de textes à l'écriture précise et raffinée (il faut apprécier les allitérations et les échos phonétiques de *Né quelque part*), de mélodies populaires et faciles à retenir (*Parachutiste*, *San Francisco*, *Comme un arbre*, par. Catherine Le Forestier, *Je veux quitter ce monde heureux*), ouvert à toutes les expériences musicales, doté d'une voix à la fois fragile et précise, Maxime Le Forestier a débuté comme un artisan de la chanson, dont il considère qu'elle est une profession. Artisan, il l'est toujours, mais un artisan qui a suivi les progrès de la technologie et ne fabrique plus ses meubles avec un couteau de poche. Il a été chanté entre autres par

Serge Reggiani (*Ballade pour un traître*) et Julien Clerc (*Double Enfance*).

Michel LEGRAND

Paris, 1932. Chef d'orchestre, compositeur-interprète. Au conservatoire de Paris, où il fait presque toutes les classes en remportant tous les prix, il est l'élève de Nadia Boulanger. À domicile, il est celui de son père, Raymond Legrand (cf. *La Musique à papa*). Pianiste, chef d'orchestre de jazz aussi bien que de classique (il a dirigé Samson François et Miles Davis), il se met une nuit à l'orchestration de variétés pour dépanner son père : il a vite fait d'y tracer sa voie. Considérant que le chanteur ne doit pas être nécessairement l'élément prépondérant, il arrange en partant du principe que la voix est un instrument fondu aux autres, que l'orchestre n'est pas uniquement un accompagnateur décoratif ou redondant. Jacqueline François, Henri Salvador, Claude Nougaro vont profiter des trouvailles de Michel Legrand, ainsi que lui-même en tant qu'interprète des chansons qu'il compose sur des paroles d'Eddy Marnay (*La Valse des lilas*, *La Lune*) ou de Jean Dréjac (*Comme elle est longue à mourir ma jeunesse*).

Ayant enrichi son bagage musical en faisant le tour du monde, il garde un pied aux États-Unis où l'on apprécie le « new french sound » de « Big Mike ». Hollywood lui réserve ainsi un accueil chaleureux, il y obtient plusieurs oscars, composant les musiques de *L'Été 42* (1972), de *Yentl* (1984) et d'un James Bond, *Jamais plus jamais* (1983). De la même façon, il s'est surtout fait connaître du public français par ses musiques de films (*Cléo de 5 à 7*, Agnès Varda, 1961, plusieurs films de Jean-Luc Godard et, surtout, *Les Parapluies de Cherbourg* et *Les Demoiselles de Rochefort* de Jacques Demy).

Raymond LEGRAND

Paris, 1908-1974. Compositeur-arrangeur, chef d'orchestre, éditeur. Sorti du conservatoire de Paris, travaille quelques années aux États-Unis avec Paul Whiteman, et devient à son retour l'« arrangeur américain » de l'orchestre de Ray Ventura et ses Collégiens. Éditeur de ce dernier, Raymond Legrand diffuse ses succès : le « format » de *Tout va très bien, madame la marquise* se vend dans toute la France par camions entiers. Tout en faisant des compositions et des arrangements pour les orchestres de Fred Adison, Jo Bouillon, Jacques Hélian, Raymond Legrand monte lui-même son propre orchestre à sketches qui remplace pendant la guerre celui de Ventura. Irène de Trébert (*Mademoiselle Swing*) et Colette Renard en sont les vedettes successives. À la Libération, Raymond Legrand doit cesser ses activités de chef d'orchestre. L'édition du « format » est par ailleurs fortement concurrencée par l'édition du disque. Raymond Legrand entre à la direction artistique de Decca (1948). Accompagnateur de Maurice Chevalier, Fernandel, André Dassary, Georges Guétary, Léo Marjane, Édith Piaf, Colette Renard, Tino Rossi, conseiller musical de Vincent Scotto, Raymond Legrand est en même temps un théoricien dont l'enseignement a été profitable à son fils Michel. Et pour compléter le portrait de famille, Christiane Legrand, sa fille, fut la soprano des Swingle Singers.

Francis LEMARQUE

[Nathan Korb] Paris, 1917-2002. Auteur-compositeur-interprète. Quitte l'école à onze ans et exerce plusieurs métiers, tout en militant au parti communiste. Touche à la chanson dès 1935 (il crée avec son frère le duo des Frères Marc) puis au théâtre en 1936 (groupe Octobre), jouant devant les ouvriers qui occupent leurs usines. Mais c'est après la guerre qu'il entre vraiment dans le métier, lorsque Jacques Prévert le présente à Yves Montand (1946) qui, enthousiasmé, l'interprète immédiatement (*Ma douce vallée*). Ce mélodiste-né va alors accumuler les succès : *À Paris*, *Marjolaine* (mus. R. Révil), *Bal petit bal*, *Mathilda*... Paris a été au centre de son inspiration, jusqu'à l'exalter dans un oratorio écrit avec Georges Coulonges (*Paris populi*, 1977). Conte de fées bon enfant (*La Grenouille*, *Le Petit Cordonnier*, mus. R. Révil), exaltation de l'amour unique (*Toi tu ne ressembles à personne*), dénonciation de la guerre (*Quand un soldat*), c'est la chanson militaire telle que la conçut et la pratiqua la génération militante de l'après-guerre, en forme de tableau un peu naïf. Comme interprète, il ne fait d'abord que du cabaret (Trois Baudets, 1948) ou des tournées dans les pays de l'Est : l'auteur-compositeur s'efface alors devant son interprète prestigieux, Yves Montand. Il réapparaît en 1974 (Théâtre de la Ville, prix Charles-Cros), et se produit alors régulièrement sur scène (Déjazet, Printemps de Bourges, 1988, Olympia, 1989, Casino de Paris, 1994, Théâtre de l'Est parisien, 1998). En 1996, à l'Auditorium des Halles, il participe à une émouvante rencontre avec la jeune génération (Allain Leprest, Romain Didier, Alain Souchon...) qui lui rend hommage.

Lynda LEMAY

Portneuf (Canada), 1966. Auteur-compositeur-interprète. Commence des études de lettres mais passe vite à la chanson. Célèbre au Québec mais inconnue en France, malgré un passage aux Francofolies de La Rochelle (1995), elle se produit en 1996 au Festival de Montreux. Venu en voisin, Charles Aznavour est frappé par son talent et la prend sous son aile protectrice. Sa carrière européenne est alors assurée par les éditions Raoul Breton (Aznavour et Gérard Davoust), et les choses vont très vite. Son sens du croquis (elle est à la chanson ce que Daumier était à la caricature) et son humour dévastateur font merveille (*La Visite*, *Les Souliers verts*), et elle distille ses photographies de la vie quotidienne dans une ambiance musicale folk, essentiellement acoustique. Véritable stakhanoviste de la chanson (elle en aurait écrit plus de cinq cents), elle sort en 2005 son huitième album (*Un paradis quelque part*) en même temps qu'un opéra-folk, *Un éternel hiver*, avec lequel elle tourne à travers la France.

Claude LEMESLE

Paris, 1945. Auteur-interprète. Après des études de lettres et une licence d'histoire, il remporte en 1966 le Relais de la Chanson et fréquente le Centre américain où il rencontre Joe Dassin. Leur collaboration sera fructueuse, et *L'Eté indien* (par. P. Delanoë, mus. J. Dassin, 1975) place le nouvel auteur sur orbite : il écrit alors pour M. Sardou (*Une fille aux yeux clairs*, mus. M. Sardou, J. Revaux), Serge Reggiani (*Le Barbier de Belleville*, mus. A. Dona), Dalida, Nana Mouskouri, Isabelle Aubret, Gérard Lenorman ou Julio Iglesias (*Je n'ai pas changé*, *Le monde est fou*). S'il ne remporte, comme interprète, qu'un succès d'estime, il est ainsi devenu un auteur tous azimuts, qui a par ailleurs pris des responsabilités au Syndicat national des auteurs-compositeurs et à la SACEM.

Gérard LENORMAN

Bénouville (Calvados), 1948. Compositeur-interprète. Débute dans les bals campagnards avant de venir à Paris où il enregistre sans grand succès (*Le Vagabond*, 1968). En 1970 il remplace Julien Clerc dans le rôle principal de *Hair* puis remporte l'année suivante la Rose d'or d'Antibes. C'est le grand départ pour le « petit prince » de la chanson qui jalonne alors sa route, année après année, de succès comme *Si tu ne me laisses pas tomber* (P. Delanoë-P. Boussard, 1973), *Soldats ne tirez pas* (M. Vidalin-G. Matteoti) et surtout *La Ballade des gens heureux* (P. Delanoë-G. Lenorman, 1975) et *Si j'étais président* (1980). Avec son triomphe en 1983 au Palais des Congrès, sa carrière semble avoir atteint son apogée et commence à décliner : le « petit prince » a pris ses premières rides. Ses chansons très traditionnelles dans leur facture, mais colorées par une voix originale, haut placée et légèrement voilée, rappellent par leur flou artistique les photographies de David Hamilton, diffusant un éternel message de gentillesse un peu naïve. Gérard Lenorman aura été l'un des hérauts de la France de Giscard d'Estaing, et il survit avec difficulté à son septennat.

Allain LEPREST

Lestre, 1954. Auteur-interprète. Fils d'ouvrier, il prépare un CAP de peintre en bâtiment tout en écoutant Ferré ou Brassens et en écrivant des poèmes qui deviendront des textes de chansons pour Isabelle Aubret, Romain Didier, J. Gréco, Karim Kacel, F. Solleville... Un passage en 1985 au Printemps de Bourges le fait connaître comme interprète. Premier album (*Mec*) en 1986, puis *Ton cul est rond* (1988), *Nu* (1998), *Donne-moi de mes nouvelles* (2005). Ses textes peaufinés, d'une écriture très rive gauche, rappelant parfois la véhémence de Jacques Brel, sont le plus souvent mis en musique par Romain Didier. Il a aussi travaillé un temps avec l'accordéoniste de jazz Richard Galliano, et parfois avec Kent ou Higelin.

Claude LÉVEILLÉE

Montréal (Canada), 1932. Auteur-compositeur-interprète. Il fait du théâtre après des études de droit et d'économie politique, puis se convertit à la chanson (1953). Remarqué par Édith Piaf, il vient à Paris et compose pour elle (*Le Vieux Piano*). Le grand public le découvrira grâce à *Frédéric*, qui reste à ce jour sa plus belle réussite. Compositeur avant tout, ce pianiste sait donner à ses musiques une ampleur mélodique et une richesse que n'atteignent pas toujours ses paroles. Chantre du tourment et des incertitudes de la vie (*Ne me parlez plus de vos chagrins*) et du sentiment national (*Ce matin un homme*, *Les Filles de l'Acadie*, 1976), Claude Léveillée touche par son éloquence poétique, sa tendresse et sa force, que sa voix multiplie. Auteur de plusieurs comédies musicales (*Il est une saison*, 1965, *Posters*, 1968) et d'un *Concerto pour Hélène* (1978), il s'est éloigné de la scène dans les années 1990, laissant une œuvre désormais classique au Québec.

LES UNS CONTRE LES AUTRES

Chanson, par. L. Plamondon, mus. M. Berger (1978). Depuis les opérettes de Francis Lopez dans lesquelles Luis Mariano puisait des titres à succès pour sa carrière solo (*La Belle de Cadix*, *Mexico*, etc.), il n'y avait pas eu en France de réussites populaires issues d'œuvres du même genre. L'opéra rock *Starmania* sera la source d'un grand nombre de standards (*Le Blues du businessman*, *Le monde est stone*, *Quand on arrive en ville...*) interprétés par différents artistes. Parmi eux, *Les Uns contre les autres* constitue une bonne illustration de la collaboration entre Berger à la composition (avec ici un univers en mineur) et Plamondon aux textes (avec une écriture en petites touches impressionnistes), proposant en même temps une philosophie minimaliste : « Mais au bout du compte on se rend compte qu'on est toujours tout seul au monde. »

Raymond LÉVESQUE

Montréal (Canada), 1928. Auteur-compositeur-interprète. Comédien, clown, il débute à Montréal. Interprète rive gauche à Paris (1954-1959), il écrit et compose pour Eddie Constantine (*Quand les hommes vivront d'amour*, chanson qui connaîtra une nouvelle fortune grâce à l'émouvante interprétation donnée à la Francofête, en 1974, par Félix Leclerc, Gilles Vigneault et Robert Charlebois), Jean Sablon. De retour au Canada, il écrit pour Pauline Julien (un disque 30 cm) et s'interprète lui-même à la Boîte à Chansons, la Butte à Mathieu, etc. S'inscrivant dans le courant de réaction culturelle et politique à la domination anglo-saxonne, Raymond Lévesque prend parti : ses chansons sont des chansons « contre ». Sa veine est essentiellement chansonnière, et il lui arrive de placer des paroles sur des airs de Félix Leclerc, Jacques Brel ou Aristide Bruant. La chaleur et l'humour de l'interprète, l'efficacité sans apprêt de l'auteur font oublier les limites vocales du chanteur et celles du mélodiste. Parmi ses compositions propres, citons *Québec, mon pays*, *La Grenouille*, et cet émouvant hommage à un militant séparatiste condamné pour terrorisme, *Bozo-les-culottes*.

LIO

[Vanda Ribeiro de Vasconcelos] Mangualde (Portugal), 1962. Interprète. En 1979, en pleine vague « lolita », elle explose avec *Banana split*, vendu à deux millions d'exemplaires. Le succès, énorme, ne reviendra vraiment qu'une fois (*Les brunes comptent pas pour des prunes*, 1986). Lio poursuit une carrière honorable au cinéma en faisant quelques allers-retours vers la chanson. Mais la mode des chanteuses à peine nubiles à la voix acidulée, ressuscitée des années 1960 (la première France Gall), est passée, et elle n'a d'ailleurs plus l'âge. Elle ne parvient pas à imposer des disques pourtant plus ambitieux (*Wandatto*, 1996, *Dites au prince charmant*, 2005).

Francis LOPEZ

Montbéliard, 1916 – Paris, 1995. Compositeur. Sa production importante (musiques de films, opérettes, chansons) est essentiellement liée à trois noms, ceux de ses principaux interprètes : Luis Mariano, Georges Guétary, Tino Rossi. Mélodiste d'inspiration facile, pour ne pas dire vulgaire, teintée de folklore pseudo-typique (*La Samba brésilienne*, par. R. Vincy, A. Willemetz, 1948), il n'avait pas appris la musique. Mais, « que Lopez ait l'esprit agile et qu'il sache se plier aux exigences d'une situation, sa vie le prouve. Il a été dentiste, et c'est un boulot de précision » (B. Vian). Ses chansons (*Robin des Bois*, par. F. Lienas, chantée par G. Guétary, 1943 ; *Avec son tralala*, par. A. Hornez, 1947, par Suzy Delair ; *Rossignol de mes amours*, par. R. Vincy, 1952, par Maria Candido) et surtout ses airs d'opérettes (*La Belle de Cadix*, par. Marc Cab, R. Vincy, M. Vandair, 1946 ; *Méditerranée*, par. R. Vincy, M. Lehmann, H. Wernert, 1956 ; *L'amour est un bouquet de violettes*, par. M. Brocey, 1946) deviendront de redoutables succès.

LOUIGUY

[Louis Guigliemi] Barcelone (Espagne), 1916 – Vence, 1991. Compositeur. Il se destinait à une carrière de pianiste classique quand il découvrit la rumba et se mit à en composer (au point d'être cité comme compositeur cubain). Dès lors, lancé dans la variété (*Ça sent si bon la France*, par. J. Larue, 1941, pour Maurice Chevalier), il devient l'accompagnateur de Piaf, pour laquelle il transcrit la célèbre *Vie en rose* (par. Piaf, 1945) et compose *Bravo pour le clown* (par. H. Contet, 1953). Toute la France fredonne *Mademoiselle Hortensia* (par. J. Plante, 1946) avec Léo Marjane et Yvette Giraud, et *Cerisiers roses et Pommiers blancs* (par. J. Larue, 1950) avec André Claveau.

LOUISE ATTAQUE

Ils sont quatre, Gaëtan Roussel (chant, guitare et textes), Arnaud Samuel (violon), Robin Feix (basse) et Alexandre Margraff (batterie). Le groupe se construit lentement une carrière, tournant depuis 1992 dans de petites salles (prenant souvent en première partie le groupe Dyonisos), sans soutien médiatique, avant d'éclater avec *J't'emmène au vent* (1997), vendant 2,5 millions d'albums alors que personne dans le métier ne sait d'où ils sortent. S'ensuit une Victoire de la musique en 1999. Leur réussite constitue une véritable leçon de choses : un groupe peut s'imposer grâce au bouche à oreille. Leur musique essentiellement acoustique, dans laquelle les cordes sont très présentes, contraste avec la tendance électrique et techno du moment. Leur second disque (*Comme on a dit*, 2000), plus électrique, plus rock, a « moins de succès » (tout de même 800 000 exemplaires !). En 2001, le groupe se scinde : les quatre musiciens s'unissent séparément pour former Tarmac (Gaëtan Roussel, Arnaud Samuel) et Ali Dragon (Robin Feix et Alexandre Margraff). Ils se retrouvent en 2005 et reviennent avec un troisième CD (*À plus tard crocodile*, meilleur album pop-rock aux Victoires de la musique 2006, qui fait écho à Bill Haley et son *See you later alligator*) et un titre en forme de question au public, *Dis, est-ce que tu m'aimes encore ?* Louise Attaque (comme Dyonisos) est à situer dans la lignée de Noir Désir : même volonté de marier des textes poétiques et un son rock.

Nicole LOUVIER

Paris, 1933-2003. Auteur-compositeur-interprète. Entrée dans la chanson en 1952, elle y obtient très vite un succès mérité Tournées, récitals lui permettent de faire entendre sa poésie et sa voix un peu voilée, sophistiquée, qui semble annoncer celles d'Anne Sylvestre et de Marie Laforêt. De *Mon p'tit copain perdu* (1953) à *Chanson pour la fin du monde* (1961), ses textes sont travaillés, polis, ses musiques agréables. Mais Nicole Louvier arrive trop tôt : il n'y a pas encore de place pour le mot « femme » dans le show-business. Marie-José Neuville, éliminée à l'âge critique, le saura à ses dépens, Anne Sylvestre se réfugiera dans un univers symbolique puis se battra dans l'ombre, Gribouille réglera la question par un suicide. Et malgré un Prix du disque en 1964, les portes se ferment devant Nicole Louvier. Elle s'en explique dans une autobiographie à peine voilée, *Les Marchands* (1959), qui reste, avec *En avant la zizique* de B. Vian, un des ouvrages les plus corrosifs sur le monde de l'industrie du disque.

Jean LUMIÈRE

[Jean Anezin] Aix-en-Provence, 1907 – Paris, 1979. Interprète. D'une famille de négociants en vins et cafés qui aiment la musique et reçoivent chez eux les chanteurs d'opéra, Jean Anezin fait d'abord du théâtre (premiers prix de comédie et de tragédie au Conservatoire) puis commence à chanter dans les cinémas à Nice et à Marseille. Esther Lekain l'entend dans un gala : « Votre voix est claire, vous êtes du Midi, vous vous appellerez Jean Lumière. » Elle le présente à Castille, directeur de l'Européen où il fait ses débuts en 1930. Son répertoire est celui d'un chanteur de charme plus volontiers tourné vers la romance déjà ancienne : *Visite à Ninon* (Gaston Maquis), *Chanson d'automne* (Maurice Rollinat), *Un amour comme le nôtre* (Borel-Clerc), *Maman*, *Le Chaland qui passe*, etc. Son grand succès est, en 1934, *La Petite Église* (Charles Fallot-Paul Delmet). Grand Prix du disque, Jean Lumière poursuit une carrière sans heurts en France et à l'étranger (tournées en Europe, Amérique du Sud et du Nord, Moyen et Proche-Orient de 1948 à 1952). Il quitte la scène en 1960 pour devenir professeur de chant. Auteur d'une thèse de phonétique sur la voix, ayant lui-même travaillé le chant avec Ninon Vallin, l'interprétation avec Yvette Guilbert et la respiration par la méthode yoga que lui a enseignée un brahmane de Pondichéry, il compte parmi ses élèves Marcel Amont, Gloria Lasso, Édith Piaf, Cora Vaucaire, Mireille Mathieu. Il leur apprend la méthode dite « de Lily Lehmann », grâce à laquelle il a lui-même chanté « très simplement, sans un geste et de tout mon corps ». Classé sept fois premier au Concours des voix les plus radiophoniques, Jean Lumière succède ainsi au chanteur de romance et est un chanteur de charme avant que le micro ne soit devenu un accessoire obligatoire. Il a repris les succès de Paul Delmet, jetant de la sorte un pont entre deux générations.

La LUNE ROUSSE

Cabaret, boulevard de Clichy, Paris (1904-1964). Fondé par Dominique Bonnaud, le cabaret passe ensuite sous la direction conjointe de Bonnaud et Numa Blès, changeant en même temps de nom : le Logiz de la Lune Rousse. La fine fleur de la chanson montmartroise s'y produit : Jacques Ferny, Vincent Hyspa, Xavier Privas, Jehan Rictus, etc., ainsi que Léon Michel, qui deviendra par la suite le troisième codirecteur du cabaret. En 1907, la Lune Rousse déménage pour s'installer rue Pigalle dans un local laissé libre par Fursy. Léon Michel restera seul directeur de 1934 à 1941 (avec une interruption d'un an : 1937). On y entend alors notamment Pierre Dac, Jean Breton. Le cabaret est ensuite dirigé par Augustin Martini (1941-1944) et Jean Marsac (1945-1964), date à laquelle on détruisit le pâté d'immeubles dans lequel il se trouvait.

Le LYCÉE PAPILLON

Chanson, par. Georgius, mus. Juel (1936). Tout le monde l'a fredonnée, et son idiotie n'est plus à démontrer :

On n'est pas des imbéciles,
on a même de l'instruction
au lycée papa, au lycée papi,
au lycée Papillon.

Cette « scie » reste un des plus grands succès de Georgius grâce à l'utilisation annuelle qu'en font les kermesses des écoles. C'est l'hymne du droit à l'inculture, le chant de résistance des cancres.

Guy LUYPAERTS

Paris, 1917. Compositeur et chef d'orchestre. D'abord pianiste-arrangeur de Richard Blareau et de Jo Bouillon, il va devenir l'accompagnateur de Piaf. Mais c'est entre-temps qu'il a composé ses plus célèbres chansons : *Rêver* (par. R. Rouzaud, R. Thoreau) pour

Lucienne Boyer (1942), *Libellule* (par. R. Rouzaud) pour Jean Sablon (1944), *Pigalle* (par. G. Ulmer, G. Koger) pour Georges Ulmer (1947). Compositeur de musiques légères, il gagne le Grand Prix de musique symphonique, décerné par la SACEM en 1970.

M

M

Georges Moustaki

Enrico MACIAS

[Gaston Ghrenassia] Constantine (Algérie), 1938. Auteur-compositeur-interprète. « Le pied-noir de la chanson », c'est ainsi que se présente en 1962 cet ancien instituteur venu de son pays natal et qui fait d'abord pleurer les nostalgiques de l'Algérie française. Son répertoire, dû le plus souvent à Jacques Demarny, est marqué par l'événement qui marque ses concitoyens, l'exil (*J'ai quitté mon pays*) puis l'assimilation (*Les Gens du Nord*). Ses thèmes s'élargissent ensuite : il chante l'amour, l'amitié, le soleil, les enfants, la joie de vivre (*Enfants de tous pays, La Musique et moi*...). Formé dans son adolescence à la musique andalouse par son futur beau-père Cheikh Raymond Leyris, il compose des mélodies de type méditerranéen, un peu andalouses, en utilisant souvent l'oud (luth arabe) dans ses orchestrations. Finie la nostalgie, il recentre son personnage autour d'un portrait-robot sociologiquement plausible : non plus le pied-noir, mais le Français moyen à l'accent pied-noir (*Les Millionnaires du dimanche*). Le « pied-noir de la chanson » est devenu un chanteur de charme de plus, prenant la place des anciens chanteurs à voix, basques ou corses, qui alliaient le régionalisme exotique à la nationalité française... Paradoxe politique, son succès est grand en Afrique du Nord, et même en Égypte où l'a mené une tournée de réconciliation entre Juifs et Arabes, à l'ombre des entretiens Sadate-Begin (1979). C'est que ce Juif arabophone se révèle être un humaniste, qui devient ambassadeur itinérant de l'Unesco en 1997 (chargé de missions de paix, de fraternité et d'aide aux enfants). Sa carrière se poursuit en douceur, ponctuée de disques réguliers au succès discret. Puis il ressent le besoin de revisiter ses racines, la musique andalouse dans laquelle il excelle, et revient au malouf en 1999, enregistrant au Printemps de Bourges un double album, *Hommage à Cheikh Raymond*, chanté uniquement en arabe. Quatre ans plus tard, avec *Oranges amères*, il prouve qu'il peut revenir en force, avec la complicité de son fils Jean-Claude et d'auteurs ou de compositeurs de talent (Kent, Art Mengo, Jean-Loup Dabadie, Marc Estève…)

Pierre MAC ORLAN

[Pierre Dumarchais] Péronne, 1882 – Saint-Cyr-sur-Morin, 1970. Orphelin, il délaisse les études et Rouen pour la peinture et Paris. Habitué de Montmartre et du Lapin à Gill, il épouse la belle-fille du patron Frédé, Marguerite, qui fut son inspiratrice (*Marguerite de la nuit*). Certains de ses poèmes furent mis en musique par Marceau, Georges Van Parys et Philippe-Gérard. Mac Orlan nous y plonge dans une atmosphère de cabaret de quartier louche, d'ambiance de port, où rôdent les aventuriers et les filles. Ses succès : *La Fille de Londres* (mus. Marceau, 1953) et *La Chanson de Margaret* (mus. Marceau), toutes deux créées par Laure Diana. Il fut servi par de grandes interprètes : Germaine Montero, Juliette Gréco (*Gréco chante Mac Orlan*) et Monique Morelli.

MADEMOISELLE CHANTE LE BLUES

Chanson, par. D. Barbelivien, mus. D. Barbelivien-B. Medhi (1987). C'est avec ce titre en forme de carte de visite que Patricia Kaas touche pour la première fois le public : « Mademoiselle boit du rouge, mademoiselle chante le blues, elle a du gospel dans la voix et elle y croit. » On n'aurait su mieux dire, à l'époque. Sur l'album qui suivra, au titre éponyme, Didier Barbelivien sera omniprésent, parfois secondé par le compositeur François Bernheim. Quant à Patricia Kaas, elle chante toujours le blues, entre autres…

MADEMOISELLE DE PARIS

Chanson, par. Henri Contet, mus. Paul Durand (1947). Créée par Jacqueline François, cette chanson allait être un des premiers succès de l'après-guerre. Elle sort en France en même temps que *Boléro* (même auteur, même compositeur, même interprète, même succès) et traduit le sentiment de joie et de délivrance de la Libération. La « petite Parisienne » qu'elle décrit devint vite, pour les étrangers, la Parisienne telle qu'ils se la représentaient. Elle fut pour Jacqueline François ce que *Parlez-moi d'amour* avait été, en 1930, pour Lucienne Boyer.

Colette MAGNY

Paris, 1926-1997. Auteur-compositeur-interprète. Elle quitte à trente-six ans une situation stable dans un organisme international pour faire de la chanson. Se produit à la Contrescarpe, fait une apparition à la télévision grâce à Mireille, et passe avec Sylvie Vartan à l'Olympia, où elle séduit de façon inattendue le public venu entendre la jeune chanteuse yé-yé. Mais c'est la première et dernière fois qu'elle monte sur une grande scène parisienne. Un étrange mur de silence semble en effet l'entourer. On ne l'entend pratiquement jamais sur les ondes nationales, on ne la voit pas à la télévision : elle est considérée comme dangereuse par tout le monde. Par le pouvoir (elle chante Cuba, le socialisme, la révolution) comme par les communistes (elle a critiqué le rôle du Parti en Mai 68). Entre ces différents écueils, elle poursuit cependant une œuvre remarquable, avec un engagement politique explicite (*Viêtnam 67*, *Les Cages à tigre*) mais surtout une recherche formelle poussée aussi loin qu'il est possible. La voix, le mot, la musique, tout est travaillé à l'extrême, et la chanson devient un tout qui ne doit plus rien à la bonne vieille structure carrée du couplet classique, même lorsqu'elle chante les poètes anciens (Louise Labé, *Baise m'encor*; Olivier de Magny, *Aurons-nous point la paix ?*). Elle écrit ainsi une sorte de chronique en blues de la France d'aujourd'hui, faisant intervenir des acteurs réels (*À Saint-Nazaire*, *Chronique du Nord* avec des grévistes, *Pipi caca story* avec des enfants d'un IMP). Sur scène, sa présence (elle est ronde, énorme, immobile, « un pachyderme de sexe féminin », dit-elle) laisse pantois. Elle a inauguré un genre nouveau, le montage (le mot est faible, il y a là quelque chose des collages surréalistes). Mai 68 lui inspire en effet sa fresque sonore (*Mai 68*). En 1970, elle radicalise encore ses positions esthétiques avec *Feu et Rythmes*, allant jusqu'à chanter un article du dictionnaire (*La Marche*) : résultat indescriptible. Elle s'est entourée de complices chercheurs en sonorités : le Workshop free jazz pour *Transit*, le groupe Dharma pour *Visage-village...* Il y a loin de ses débuts (*Melocoton*, fort belle chanson, son seul tube) à ses dernières œuvres, une route qu'elle a suivie sans détour et sans modèle, se frayant résolument son chemin, dans l'indifférence presque générale du show-biz. Elle a eu des héritières putatives (Catherine Ribeiro, Mama Béa...), mais la lignée semble être éteinte.

MALICORNE

Groupe folk, Gabriel Yacoub (guitare, banjo, dulcimer, psalténon, épinette des Vosges) et Marie Yacoub (cuillers, dulcimer, vielle à roue), après avoir accompagné Alan Stivell sur scène et sur disque (*Chemins de terre*, 1973), créent, le temps d'un 33 tours, le groupe Pierre de Grenoble, puis, en 1974, le groupe Malicorne avec Hughes de Courson (guitare, basse, cromorne) et Laurent Vercambre (violon, alto, harmonium, mandoline). Au programme, musique folklorique empruntée à divers ouvrages de référence et généralement remis en musique par Gabriel Yacoub, interprétée avec la voix nasillarde de rigueur. À l'exception du couple Yacoub, le groupe connaîtra des changements de personnel fréquents. Il se caractérise par un rapport ambigu à la tradition, fait de respect un peu ostentatoire et de grande liberté (en particulier dans les arrangements). De festival en festival, cette musique de « folkeux » connaîtra un grand succès auprès d'un public partagé entre l'écologie et le désengagement. Il faut à ce propos citer d'autres groupes se situant dans le même courant : Mélusine, la Chiffonnie, le Grand Rouge et la Bamboche (à certains égards, le plus intéressant d'entre eux)...

MA MÔME

Chanson, par. Pierre Frachet, mus. Jean Ferrat (1960). Il y a six ans que Ferrat chantait en cabaret lorsque *Ma môme* le révèle enfin au grand public. Poésie simple, familière, musique populaire, la chanson en annonce bien d'autres : *La Montagne*, *La Fête aux copains*, etc. Les paroles de Pierre Frachet sont curieusement « ferratiennes » :

> *Ma môme elle joue pas les starlettes,*
> *elle porte pas des lunettes de soleil...*

Influence de l'auteur sur le compositeur et futur auteur? Peut-être. Il demeure que c'est là plus qu'une promesse, une chanson belle et sincère.

La MANO NEGRA

Groupe de sept musiciens, qui empruntent leur nom à celui d'un groupe de guérilleros d'une bande dessinée, créé par Manu Chao (guitare, chant), son frère Tonio (trompette), Santiago Casariego (batterie), Roger Cageot (guitare), Jo (basse), Helmut Krumar (claviers) et Garbancito (percussions). En six ans (1988-1994) et six disques (*Patchanka*, 1988, *Puta's Fever*, 1989, *King of Bongo*, 1991, *Amerika perdida*, 1992, *In the hell of Patchinko*, 1992, *Casa Babylon*, 1994), ils font le tour de tous les possibles, mêlant le rock alternatif, le reggae, les influences espagnoles ou moyen-orientales, les langues aussi (français, anglais, espagnol...), accumulent les tournées et connaissent un succès mondial, fait rare pour une musique francophone. Leur carrière culmine en 1992, lors d'une tournée en Amérique latine, à bord d'un cargo affrété par le service culturel du ministère des Affaires étrangères français. Après la dissolution du groupe, Manu Chao entreprendra une carrière solo.

MANO SOLO

[Emmanuel Cabut] 1963, Châlons-sur-Marne. Auteur-compositeur-interprète. Fils d'une journaliste et d'un dessinateur (Cabu). Passe par le Conservatoire (1974-1975) puis par une école parallèle, et débute dans la chanson en 1991, après des années d'errance, alors qu'il se sait séropositif depuis quatre ans. Son premier disque, *La Marmaille nue* (1993), un énorme succès, puis *Les Années sombres* (1995) révèlent un talent fait de révolte noire, de désespoir face à une mort annoncée : il semble faire un bras d'honneur à la mort, avec une violence corrosive qui rappelle un peu Léo Ferré. Les albums suivants (*Dehors* en 2000, *La Marche* en 2002) sont plus lumineux, et il confirme à la fois son talent et ses espérances revenues avec *Les Animals* en 2004, album dans lequel il diversifie son univers musical (flamenco, chœurs africains...). Entre ces deux phases de son œuvre, la première désespérée et la seconde apaisée, l'arrivée de nouvelles thérapies a changé la condition de beaucoup de malades : entre la vie et l'œuvre, il y a parfois des liens directs. Pourtant, ayant d'abord semblé jouer de sa maladie vis-à-vis des médias (« Je n'ai jamais voulu parler au nom des sidéens. J'ai toujours parlé d'un sida : le mien », *Le Nouvel Observateur*, 23 janvier 1997), il leur reproche ensuite avec amertume d'en parler (« Chaque article n'est plus qu'un exercice de style autour d'une matrice-mère qui sert à tout : Mano Solo a le sida = Mano Solo chante le sida », *Chorus*, printemps 2005), dans les deux cas avec une agressivité un peu excessive. Ce qui n'enlève rien à son écriture, ni à son aspect « bête de scène », où il donne toute sa mesure, celle d'une révolte incommensurable.

Gérard MANSET

Saint-Cloud, 1945. Auteur-compositeur-interprète. Faute de biographie, qu'il occulte soigneusement (il n'apparaît pratiquement jamais à la télévision et refuse même les photographies), il a une légende : celle de l'alchimiste de studio travaillant en autarcie complète. Il débarque sur les ondes en 1968 avec *Animal on est mal*, classé pop music ; un détail d'importance : il y a des paroles et elles sont françaises. Son rock symphonique se mâtine légèrement de folk (*Celui qui marche devant*, 1972) puis de hard rock (*Y'a une route*, 1975) ou de musique non occidentale (*Royaume de Siam*, 1979). Dès le départ il emprunte largement à l'électro-acoustique : il s'agit d'impressions, d'images, autant que de musique, le peintre ou le cinéaste ne sont pas loin. Si les mots sont souvent choisis pour leur seule sonorité (rimes successives un peu faciles), les thèmes ne sont cependant pas communs : philosophie de l'existence (*Les Vases bleus*, *Rien à raconter*), mysticisme (*Golgotha*) mêlé parfois de science-fiction surréaliste (*La Mort d'Orion*, opéra rock avec les voix d'Anne Vanderlove et de Giani Esposito), le désir de création ne s'embarrassant d'aucun calcul (« *La Toile du maître* ne convient peut-être qu'à celui qui l'a faite »). La voix doublée parce que tremblotante (de la famille de celle d'un Giani Esposito) ajoute une humanité assez étrange à une entreprise musicale glacée à force de perfection. Incapable de se produire sur scène (ses morceaux sont de purs produits de studio, minutieusement agencés), il se condamne à une sorte d'autisme qui ne facilite pas la rencontre avec le public. Il a pourtant trouvé le succès en 1975 avec *Il voyage en solitaire*, récidivé avec *Solitude des latitudes* ou *Marin bar*, et ses disques (tous les quatre ans en moyenne) sont attendus avec passion par des admirateurs dont il est le gourou involontaire. S'adaptant aux nouvelles technologiques, en particulier au numérique, il poursuit sa route en faisant preuve d'une belle continuité dans un changement permanent (*Le Langage oublié*, 2004, *Obok*, 2006). En 1996, un album d'hommage (*Route Manset*) réunissant J.-L. Murat, Bashung, Cheb Mami, Nilda Fernandez, Françoise Hardy, Cabrel, Salif Keita, Brigitte Fontaine et quelques autres a démontré que ses chansons pouvaient exister sans lui et que leur appropriation vocale et instrumentale leur donnait une nouvelle dimension.

MA POMME

Chanson, par. Georges Fronsac-Lucien Rigot, mus. Borel-Clerc (1936). Un des grands succès de Maurice Chevalier qui, à l'époque où Charles Trenet commençait de chanter la griserie de la route des vacances découvertes sous le Front populaire, faisait pour sa part l'apologie du farniente faubourien. La voix traînante du grand Maurice mit à la mode pour longtemps ce qui reste le plus pur pléonasme de l'histoire de la chanson :

Ma pomme, c'est moi
j'suis plus heureux qu'un roi

(*Cf.* le *Dictionnaire de l'argot moderne* : « Pomme, ma ou sa, moi-même ou lui-même ».) Ma pomme reste un grand moment des succès populaires et s'inscrit dans une tradition de Chevalier qui bâtit une grande partie de ses tubes autour d'un personnage exemplaire : *Prosper*, *Valentine*, *Mimile*, etc.

Rolf MARBOT

[Albrecht Marcuse] Breslau (Allemagne), 1906 – Paris, 1974. Compositeur, éditeur. D'origine juive autrichienne, licencié en droit, il devient conseiller juridique d'une maison d'édition musicale puis s'installe à Paris (1932) où il rachète plusieurs fonds. Il diffuse ainsi *Parlez-moi d'amour*, *Les Trois Cloches*, et produira plus tard Michel Polnareff (éditions Meridian). Un éditeur, donc, mais qui connaît la musique, a signé quelques airs populaires (*On chante dans mon quartier*, *Vive le vent*, par. F. Blanche, *Qu'il fait bon vivre*, par. P. Delanoë, G. Aber) et a collaboré avec des gens aussi différents que Francis Lopez, Léo Ferré ou Charles Dumont.

MARÉCHAL, NOUS VOILÀ

Chanson, par. André Montagard, mus. Charles Courtioux (1941). Sous Vichy, on la faisait chanter aux enfants des écoles, on pouvait l'entendre quotidiennement à la radio. Il n'en est plus de même aujourd'hui. Aussi est-il intéressant d'en citer quelques extraits :

Une flamme sacrée monte du sol natal
et la France enivrée te salue, Maréchal !
Tous tes enfants qui t'aiment et vénèrent tes ans
à ton appel suprême ont répondu : présent !
Maréchal, nous voilà !
devant toi, le sauveur de la France,
nous jurons, nous tes gars,
de servir et de suivre tes pas.
Maréchal, nous voilà !
Tu nous as redonné l'espérance
la patrie renaîtra...

On ne sait quelle est la part exacte tenue par cet hymne dans la renaissance susdite, mais il semble que l'enivrement de l'auteur, qui ne devait pas encore être revenu de sa « divine surprise », ne l'ait pas spécialement inspiré. Quoi qu'il en soit, une chanson, même officielle, témoigne pour son époque, et un régime a généralement les chansons qu'il mérite. Lorsqu'on songe à cette autre œuvre, louant *La Jeunesse de France* (J. Rodor, Gitral-V. Scotto, 1941), « unie derrière le Maréchal », on constate une réelle adéquation entre fond et forme, entre idéologie et production artistique officielles...

Lina MARGY

[Marguerite Verdier] Bort-les-Orgues, 1914 – Paris, 1973. Interprète. Fit de la chanson à la suite d'un pari avec ses camarades de bureau et dut son surnom de « Miss Midinette » à sa voix légèrement gouailleuse, au timbre nasillard, et à un répertoire où *Voulez-vous danser grand-mère ?* (J.-L. Baltel, A. Padou-J. Lenoir, 1947) et *Une boucle blonde* (J. Dutailly, 1951) voisinaient avec *Le Petit Vin blanc* (J. Dréjac, 1943).

Luis MARIANO

[Gonzalès Luis] Irún (Espagne), 1920 – Paris, 1970. Interprète. Installé en France depuis 1937, il suit les cours de chant du conservatoire de Bordeaux tout en poursuivant des études d'architecture. À Paris, il s'oriente vers l'opérette (1944) et la revue et obtient son premier triomphe au Casino Montparnasse dans *La Belle de Cadix* de Francis Lopez (par. M. Vandair, 1945). À partir des salles d'opérette, relayées par le disque, la radio et plus tard l'écran, Luis Mariano allait en quelques années se hisser au rang de grande vedette de la chanson : à l'époque du *Chanteur de Mexico* (*Mexico*, mus. F. Lopez) et de *Violettes impériales* (*L'Amour est un bouquet de violettes,* M. Brocey, F. Lopez, 1952), ses admiratrices s'écrasent sur son passage, et le Club Luis-Mariano annonce seize mille adhérents (et 800 000 photos distribuées). En 1954, il fête la sortie de son millionième disque. Le paradoxe de cette carrière est d'avoir été fondée sur l'opérette. D'ailleurs, la transposition de certains effets de voix au tour de chant caractérise toute une génération de chanteurs de charme auréolés d'une origine plus ou moins exotique : Georges Guétary, André Dassary, Miguel Amador, Rudy Hirigoyen. Attirance envers une virilité proclamée, dont on se contenterait des signes apparents ? Ou attrait du vide (les arguments à l'appui de cette thèse pouvant être résumés en deux formules : « tout est dans les dents », A. Halimi, et « être con comme un ténor ») ? Si la première hypothèse permet d'expliquer, pour une part, le succès d'un Mariano, nous nous rangerions par contre au côté de Boris Vian pour estimer qu'« un garçon aussi doué physiquement, scéniquement et vocalement, est condamné à chanter des chansons idiotes. Et ceci pour une raison bien simple : il n'existe pas de répertoire intelligent correspondant aux moyens vocaux de Mariano » (*En avant la zizique*). Jusqu'à sa mort, Luis Mariano continuera à accumuler sereinement les succès.

MARINELLA

Chanson, par. René Pujol-Émile Audiffred-Géo Koger, mus. Vincent Scotto (1936). Cette « rumba d'amour » est tirée d'un film médiocre dont Tino Rossi est la vedette (*Marinella*). Les paroles ont pu frapper par la franchise du propos : il est si rare de voir exprimé dans la chanson de grande diffusion un sentiment amoureux basé sur l'attirance physique ! Mais, portées par la voix de zéphyr du divin Tino, un anesthésiant dont on connaît l'efficacité, elles perdent tout caractère provocant. La chanson sera un des très grands succès de son créateur.

Léo MARJANE

[Thérèse Gérard] Boulogne-sur-Mer, 1918. Interprète. Destinée à la profession d'acrobate, elle débute dans la chanson au Schéhérazade et enregistre pour Pathé-Marconi. Dotée d'une voix de contralto au timbre chaud et envoûtant, elle crée en France *Begin the Beguine*. Une tournée de cinq ans aux États-Unis (où elle gagne l'oscar de la TV américaine) achève de faire d'elle un parfait crooner féminin. Son tour de chant (*Pacra*, 1941) apparaît, en France, dépouillé de la gestuelle traditionnelle ; on parle de « l'immobilité géniale de Piaf » et de « l'immobilité mélodieuse de Marjane » (F. Holbane). Grande vedette pendant la guerre (*Je suis seule ce soir*), elle chante entre autres sur Radio-Paris ; les officiers allemands, dit-on, sont nombreux dans les cabarets où elle se produit (notamment L'Écrin). « Je suis myope », répondra-t-elle devant la Chambre civique et au Comité d'épuration en 1945. Par la suite, elle tentera de reprendre sa carrière (*Mademoiselle Hortensia*, Étoile, 1949) mais ne tiendra pas longtemps sous le feu de la critique.

Eddy MARNAY

[Edmond Bacri] Alger (Algérie), 1920 – Paris, 2003. Auteur-interprète. Il faisait partie du petit groupe Quod Libet, avec Léo Ferré, Stéphane Golmann et Francis Lemarque. Mais c'est chanté par les autres qu'il trouve le succès, en particulier grâce à Yves Montand (*Planter café*, mus. É. Stern). Avec Émile Stern, il écrit *La Ballade irlandaise*, chantée par Bourvil, *Java, qu'est-ce que tu fais là ?* par Patachou… Sa collaboration avec André Popp (*Manchester et Liverpool*, *Mon amour mon ami* pour Marie Laforêt) et avec Michel Legrand (*La Valse des lilas*, *La Lune*) amène cet auteur délicat à être de tous les coups, de Claude François (*Il fait beau il fait bon*) et Mireille Mathieu (*Mille colombes*) à Serge Reggiani (*Ma fille*). Il écrira même les premières chansons de Céline Dion : *D'amour et d'amitié* (1982), *Du soleil au cœur* (1983). Il a par ailleurs enregistré quelques disques.

Les MAROUANI

Jacques Brel disait que, pour s'endormir, il comptait les Marouani. Qu'est-ce qu'un Marouani ? Par définition, il ne peut s'agir que d'un imprésario membre d'une célèbre dynastie d'origine tunisienne. C'est un peu avant la guerre que les frères Félix et Daniel Marouani, les pionniers, ont créé l'un à Paris, l'autre à Monte-Carlo, la première agence française du spectacle, Tavel et Marouani, en assurant la promotion publique de Tino Rossi, Luis Mariano, Piaf et Chevalier. Leurs cousins germains, Eddy et Maurice (frères également), leur feront concurrence en fondant l'Office parisien du spectacle. Un des fils de Félix, Jacques, est devenu l'imprésario de Nino Ferrer et de Maurice Fanon, laissant à son cousin de la même génération et du même patronyme, Charley, la charge de la plus grosse « écurie » qui comprend Jacques Brel, Salvatore Adamo, Joe Dassin, Régine, Barbara, Françoise Hardy, Marie Laforêt, Richard Anthony, etc. D'autres Marouani (Alain, Gilbert, Roger, Marcel) se partagent des secteurs d'édition et de promotion chez Pathé ou chez Barclay. D'autres, cousins plus ou moins directs, et toujours frères, Georges et Maurice Olivier, ainsi que Vic et Régis Talar, sont eux-mêmes soit imprésarios, soit éditeurs, soit tourneurs (c'est-à-dire organisateurs de tournées). Il ne manquait plus qu'un Marouani chanteur : ce sera Didier. Est-ce un trust familial ? Il paraît que non. Mais être Marouani, c'est être prédestiné.

La MARSEILLAISE

Chanson, par. et mus. Claude Rouget de Lisle (1792). Les circonstances de sa création sont connues : le lendemain de la déclaration de guerre aux princes germaniques, un officier du génie, Rouget de Lisle (1760-1836), est invité par le maire de Strasbourg, De Dietrich, à composer un chant exaltant les soldats, stimulant les citoyens. Dans la nuit du 25 au 26 avril, ce chant est composé. Intitulé *Chant de guerre pour l'armée du Rhin*, il est interprété pour la première fois le soir même par De Dietrich, scène immortalisée par le tableau de Pils. Publié par *Les Affiches de Strasbourg*, il est colporté à Montpellier, d'où un recruteur aux armées l'emmène à Marseille. Il est adopté par les recrues marseillaises qui le chantent lors de leur marche sur Paris : à Paris, il est entonné par le ténor Lays le 4 août. Sa diffusion, largement facilitée par la Convention (en septembre, le chant est imprimé à cent mille exemplaires), est rapide : « Ce fut comme un éclair du ciel ; tout le monde fut saisi, ravi ; tous reconnurent ce chant entendu pour la première fois » (Michelet). À Jemmapes, les sans-culottes chargèrent en le chantant. Devenu l'*Hymne des Marseillais*, il prit après le 10 août une portée antiroyaliste, et s'identifia désormais à la cause révolutionnaire. Arrangé par F.-J. Gossec, augmenté d'un couplet (le 7e : « Nous entrerons dans la carrière... ») dont le journaliste Louis Dubois et l'abbé A. Peyssonneaux se disputèrent la paternité, il connut à partir de 1815 une vie souterraine et marginale. Jusqu'à la chute du Second Empire : en juillet 1870, il est entonné en public par la Bordas qui récidivera le 4 septembre, coiffée d'un bonnet phrygien. Proclamé hymne national en 1879, il reçut une version définitive en 1889. L'attribution de l'hymne retint longtemps l'attention des historiens. S'il y eut accord sur les paroles (Rouget de Lisle fut certainement inspiré par les affiches posées à Strasbourg : « Aux armes citoyens »), en ce qui concerne la musique, certains allèrent jusqu'à parler de plagiat. Ainsi, on mit en rapport certains thèmes mélodiques de *La Marseillaise* avec d'autres pièces musicales : un credo de Holzmann, une musique de scène de J.-B. Grison, une marche d'A. Bouché, un air de Dalayrac. Cette thèse semble aujourd'hui abandonnée, et on préfère parler de réminiscences, d'influences, plutôt que de démarquage pur et simple. Le débat sur la signification idéologique et symbolique de l'hymne, lui, garde toute son actualité. Jusqu'en 1870, tous les courants d'opposition s'approprièrent *La Marseillaise.* Mais à mesure que le prolétariat accédait à l'autonomie de pensée, d'action et d'organisation, il tendait à rejeter les symboles (chants, drapeaux) qui n'exprimaient pas sa situation et ses espoirs. En effet, une analyse même rapide du contenu de l'hymne fait apparaître que ce qui était révolutionnaire en l'an II (affirmation nationale, appel à la lutte contre les tyrannies royalistes et étrangères) non seulement ne pouvait plus l'être en une période où la lutte tend à se situer entre bourgeoisie et classe ouvrière, mais s'inscrit en faux contre l'internationalisme du mouvement ouvrier (ainsi les références au sol, au « sang impur », etc.). Aussi n'est-il pas étonnant que les gouvernants aient utilisé le chant pour les causes d'« Union sacrée » contre l'ennemi extérieur (juillet 1870, août 1914, 1939-1940), de « dépassement des conflits de classe » par l'identification aux symboles nationaux (dans les cérémonies, manifestations sportives), ou dans les périodes de crises sociales et politiques (Commune de Paris, Vichy, mai-juin 1958, 30 mai 1968). Considéré comme l'hymne des Versaillais par les socialistes français, il n'en garda pas moins, pendant un certain temps, son prestige révolutionnaire à l'étranger (il fut chanté à Saint-Pétersbourg en 1917, bien que sur un autre rythme, plus proche de l'original) avant d'y être à son tour supplanté par *L'Internationale.* Mais, depuis l'adoption par le parti communiste français de la politique de Front populaire (1936), on vit apparaître dans ses rangs l'idée du « mariage des deux hymnes », *Marseillaise* et *Internationale.* « Sœurs ennemies... ? Quel mensonge ! Toutes deux sont filles, nées à des dates différentes, de la Révolution » (E. Tersen). Alors : *Marseillaise* contre *Internationale* ? ou *Marseillaise* et *Internationale* ? En fait, la question ne se pose guère sur le terrain : lors des grèves, des manifestations ouvrières ou d'opposition à celles-ci, on ne marie pas, on choisit. Ainsi, près de deux siècles après sa création, chanter ou ne pas chanter *La Marseillaise* reste un acte chargé de sens politique.

Félix MARTEN

Remagen (Allemagne), 1919 – Paris, 1992. Interprète. De père hollandais, il est élève de Charles Dullin. En 1945, de retour du STO, il se produit en cabaret mais attendra dix ans avant d'enregistrer (1955) et de passer à Bobino où il obtient un vif succès (*La Marie Vison*). Mais sa carrière de chanteur cède le pas devant celle d'acteur (*Les Raisins de la mort*, *Le Pacha*, *Dans la gueule du loup*, *Délit de fuite...*), même s'il a continué quelques années à se produire dans les cabarets de la rire droite.

Hélène MARTIN

Paris, 1928. Auteur-compositeur-interprète. Après des études aux Arts décoratifs et un essai au théâtre, elle entre dans la chanson comme on entrait jadis au couvent, avec la certitude d'œuvrer pour la bonne cause : la poésie, le service des poètes. Elle débute dans les cabarets de la rive gauche (Écluse, 1956) et ne les quittera guère, si ce n'est pour se produire dans les Maisons de la culture. Elle a mis en musique Aragon, Raymond Queneau, Jean Giono, René Char ou Paul Géraldy (*Toi et moi*, 1980). Il faut faire dans sa production une place de choix au *Condamné à mort* de Jean Genet, une réussite qui a fait dire à son auteur : « Chantez-le... tant que vous voudrez et où vous voudrez... grâce à vous il est rayonnant. » Pourtant, dans ses compositions, elle dépasse rarement le cadre d'une litanie épousant la phrase, et comme interprète, elle ne laisse sortir sa voix, de façon systématique, qu'à la fin des vers. Elle a également écrit ses propres textes (album *Par amour*, 1991) mais reste cependant avec fidélité au service des autres (*La Douceur du bagne*, 2000).

MARTIN CIRCUS

Groupe fondé en 1969 par un ancien musicien de Johnny Hallyday, Gérard Pisani, et composé à l'origine de quatre autres musiciens, Bob Brault, Paul-Jean Borowski, Patrick Dietsch et Jean-François Leroi. Après un premier album prometteur, *En direct du Rock'n'Roll circus* (1970), orienté vers la recherche d'une pop music française, Martin Circus se hasarde dans le domaine de la chanson pour hit-parades. Bien ou mal lui en a pris, selon le point de vue, car le succès remporté par *Je m'éclate au Sénégal* (G. Pisani-B. Brault, 1971), une aimable parodie, pousse le groupe à suivre la ligne de plus grande pente, c'est-à-dire celle de la facilité, et à enterrer ses ambitions novatrices. Conséquence logique : les départs, en 1972, de Gérard Pisani et de Bob Brault entraînent un remodelage du groupe, désormais formé de Gérard Blanc, Sylvain Pauchard, René Guérin et Alain Pewzner. Martin Circus devient alors une sorte de « sous-Big Bazar », obtenant un succès considérable auprès du public jeune sensible aux rythmiques simples et aux constructions répétitives (*Les Indiens du petit matin*, 1972), avant de se reconvertir, autre conséquence logique, dans le disco (*Shine, baby, shine*, 1979). Des collaborations sporadiques avec Serge Gainsbourg ou Daniel Balavoine ne parviendront pas à inverser la tendance vers le déclin : Martin Circus est désormais entré dans l'ère des compilations.

MASSILIA SOUND SYSTEM

Groupe marseillais fondé en 1984 par Papet J et Tatou, autour desquels s'agrège une équipe à dimension variable, réunie autour d'un principe commun : le reggae est à la Jamaïque ce que la bourrée est à l'Auvergne et ce que leur sound system donc sera à Marseille, une affirmation de racines qui seront d'autant plus universelles qu'elles sont locales. Après des débuts difficiles et deux albums autoproduits et diffusés sous forme de K7, ils accèdent à la dignité du CD avec un titre en forme de slogan, *Parla patois !* (1992). Les albums se succèdent (*Chourmo*, 1993, *On met le oai partout !*, 1996, *Occitanista*,

2002) et la notoriété, d'abord locale, devient peu à peu régionale (liens avec les groupes toulousains Fabulous Trobadors et Zebda). Leur percée, conjuguée avec le succès foudroyant de l'autre groupe marseillais d'envergure, IAM, contribue à créer une « école marseillaise » et à faire des émules (par exemple Dupain). Caractérisé par un mélange de gouaille (et de langue) provençale et de reggae, de pastis et de *ouaille* (mot d'origine italienne qui a remplacé le *pati* local avec le même sens de « désordre », « bordel ambiant »), Massilia Sound System est devenu une composante ludique du mouvement occitaniste. Après l'album *Massilia fait tourner* en 2004, le groupe prend un peu de recul pour tenter momentanément d'autres expériences sous d'autres horizons. Leur principale qualité est de ne pas se prendre au sérieux. Pourvu que ça dure.

Mireille MATHIEU

Avignon, 1947. Interprète. Héroïne d'un célèbre conte de fées moderne, toutes les étapes de sa vie sont connues grâce à l'attention vigilante de la presse. On sait donc comment la fille d'un tailleur de pierre d'Avignon, faisant la lessive et la vaisselle de ses douze frères et sœurs, briquant le sol de son HLM et collant des enveloppes à la fabrique du coin, remporte à dix-huit ans le premier prix d'un concours de chant et monte à Paris pour participer à une émission télévisée ; comment elle gagne, devant Georgette Lemaire, un concours organisé à la mémoire de Piaf par *Télé Dimanche* (1965). Comment tonton Johnny (Stark), ex-manager de Johnny Hallyday, se dépêche de l'adopter. Comment le public, croyant retrouver la grande Inoubliable, morte deux ans avant, pleure en entendant *Mon credo.* Comment Mireille Mathieu est accueillie par l'Amérique. Comment elle divorce peu à peu de Piaf et abandonne son premier public (vite déçu) pour un second, déjà conquis par Sheila : il y a de la place pour deux petites filles de Français moyens qui, d'ailleurs, ne sont pas vraiment concurrentes : Sheila est un produit de la vague yé-yé, Mireille est une chanteuse à voix apparentée au musette ressuscité. Les tubes succèdent aux tubes, après *Mon Credo, Paris brûle-t-il* puis *J'ai gardé l'accent*, les tournées succèdent aux tournées.

Ce qui étonne chez cette nouvelle chanteuse populaire, c'est sa neutralité, et ce qui frappe chez cette meneuse de revue à l'américaine, c'est son côté absent (Olympia, 1967, 1973). Des idées d'émotion passent sur son visage et dans ses gestes, comme une succession de commandes mal exécutées. Son unique pouvoir de séduction est la gentillesse de l'élève appliquée, le travail. Un travail technique sans faille, une perfection qui donne le vertige : celui qu'on éprouve au-dessus du vide. Cette valeur sûre est rentabilisée à fond par son manager, ses auteurs, compositeurs, attachés de presse. On invente chaque année de nouvelles opérations : Mireille et les Chœurs de l'Armée rouge, Mireille chante dans la lune, Mireille et Paul Anka (*Romantiquement vôtre*, 1979), etc. On peut alors se demander, tout en connaissant la réponse : « Pourquoi a-t-on fait cela à cette petite fille qui a une belle voix mais que rien ne dévore ? » (*Les Lettres françaises*). La mort de Johnny Stark (1989) met en partie fin à l'histoire. Mireille a toujours la même frange, le même accent, la même bonne volonté de bien faire, mais il manque désormais quelque chose à l'entreprise. Elle chante à travers le monde en neuf langues (dont le chinois, la japonais, le russe), elle est reçue partout comme l'ambassadrice du pays de la tour Eiffel, ce qui lui évite peut-être de voir qu'en France, elle n'existe plus. Elle fête cependant, après quinze ans d'absence, ses quarante ans de chanson et son 38e album à l'Olympia (novembre 2005). Dans une indifférence quasi générale.

MAURANE

[Claudine Luypaerts] Ixelles (Belgique), 1960. Auteur-compositeur-interprète. Fille de musiciens, elle étudie le violon, puis le piano et la guitare, et chante dans différents festivals. Remarquée par Pierre Barouh, elle enregistre son premier 45 tours (1980) mais court après la reconnaissance jusqu'à un spectacle à Paris, au Sentier des Halles (1985), dont le succès lui permet d'enregistrer son premier album, *Danser* (1986). Voix généreuse, sens du swing, elle a désormais trouvé sa voie : une sorte de Nougaro belge et féminin qui sait faire sonner les mots de la langue française. En 1988, elle reprend dans *Starmania* (Plamondon-Berger) le rôle de Marie-Jeanne qu'avait créé Fabienne Thibault dix ans plus tôt. Puis *Toutes les mamas* (1989) la fait connaître du grand public. Elle enchaîne la même année un passage à l'Olympia (elle y reviendra en 1992 et 1993), une tournée internationale. Elle est couronnée par les Victoires de la musique en 1994, se dépense sans compter pour les Restos du Cœur, Sol en si, faisant preuve dans la vie de la même énergie que sur scène. Les disques se succèdent (*Ami ou Ennemi*, 1991, *Différente*, 1996, etc.) et confirment qu'elle est une des grandes voix de la francophonie.

Félix MAYOL

Toulon, 1872-1941. Interprète. C'est en 1895, au Concert Parisien, que ce jeune Méridional commence sa carrière parisienne, carrière qui ne s'achèvera que quarante-trois ans plus tard. Engagé par Dorfeuil pour trois ans, il s'impose rapidement, grâce au succès de *La Paimpolaise*, une chanson de Botrel. Passé en 1900 à la Scala, il s'installe au premier rang avec *Viens poupoule* (1902), une des plus fortes ventes de petits formats. Sa silhouette – habit, muguet, toupet –, popularisée par l'affiche, la photo, est reconnaissable entre toutes. Son jeu de scène, copié tant et plus : Mayol est alors « le » chanteur en vogue, celui par qui le caf'conc' a acquis quelques lettres de noblesse. C'est qu'une chanson interprétée par lui donnait lieu à une véritable démonstration de mimes, pas de danses, mises en scène d'accessoires divers (on parlera de « chansons de gestes »). Les effets étaient souvent gros, mais grâce à eux, et à une diction exemplaire, Mayol se faisait entendre de partout, jusqu'au promenoir. Son répertoire, moins limité que celui de ses confrères, est assez bien défini par le qualificatif de « chanteur de charme comique » qu'on attribua à l'interprète. Si l'on fait la part de la grivoiserie, du racisme (écoutons *À la Martinique*, de Cohen-Christiné, ou *À la cabane bambou*, de Paul Marinier, un grand succès) et du chauvinisme, constantes de la production caf'conc' de l'époque, les chansons de Mayol sont généralement de bonne tenue. Il est vrai que ses fournisseurs se nomment Christiné, Botrel, Lucien Boyer, Scotto. La sentimentalité facile de *Lilas blanc* (T. Botrel, 1904) ou la gaieté de *Elle prend l'boulevard Magenta* (Gitral-Scotto) correspondaient à la sensibilité du public populaire et petit-bourgeois qui lui faisait fête. Mais, tête d'affiche du caf'conc', Mayol ne sera jamais vraiment adopté par la bourgeoisie, au contraire de ses pairs Fragson et Max Dearly, et ne paraîtra guère au music-hall. Malgré, ou à cause de cette réserve de l'élite, ses succès de chanson ne se comptent plus : de *Cousine* (L. Boyer-V. Scotto, 1911) à *La Polka des trottins* (Trebitsch-Christiné, 1902), de *Mains de femmes* (D. Bemiaux-E. Herbel, 1906) à la célèbre *Matchiche* (L. Lelièvre, P. Briollet-C. Borel-Clerc, 1905) ou à *Elle vendait des petits gâteaux* (J. Bertet-V. Scotto, 1919), aucun autre chanteur, entre 1900 et 1914, ne peut aligner une telle série. Il n'en sera plus de même après la guerre : avec l'âge, son tour de taille devenu imposant, ses traits empâtés et son obstination à jouer les tendrons amoureux en font une proie facile pour les chansonniers. Georges Van Parys verra, dans le Mayol qui se produit à l'Empire en 1931, un personnage devenu « sa propre caricature en vieillissant ». Il y a surtout que sa manière et son répertoire datent. « Ses grâces et jusqu'à ses minauderies composent une silhouette d'autrefois... Mayol fait "1900" ; il fait Exposition universelle », écrit, en 1928, Louis Léon-Martin. Après sept adieux au public parisien, il se résout à se retirer définitivement en 1938. Sa fin fut triste : un seul artiste, Georgel, suivit son cercueil. Mais, grâce à la salle qu'il avait rachetée en 1909 et à laquelle il donna son nom, il resta présent dans ce quartier de Paris où il incarna un moment de la chanson française.

David Mc NEIL

New York (États-Unis), 1946. Auteur-compositeur-interprète. Américain, fils du peintre Marc Chagall, il vient en France à l'âge de quatre ans, apprend en même temps le jazz (trompette, saxo, guitare), le cinéma et la bande dessinée. Il enregistre quelques disques en anglais tout en tournant ses premiers métrages. Pierre Barouh le fait enregistrer en français (*Hollywood*, 1972, reprise par Montand en 1980), et les albums se succéderont tous les deux ans. Cinéaste, David Mc Neil l'est dans son écriture, qui est une succession de flashes. Musicien de film, il l'est par le jeu sur les sonorités des noms propres, anglais surtout, ou des noms de marques qui lui inspirent des rimes aussi imprévues que les rebondissements de ses scenarii, sorte d'épopées mâtinées de gags façon *Helzapoppin*... Il a été chanté par Julien Clerc (*Melissa*), Alain Souchon (*J'veux du cuir*), Yves Montand, Jacques Dutronc... David Mc Neil apporte dans la chanson française le sens anglo-saxon du récit : humour absurde et réalisme fantastique (*Au bar du Styx*). Il a aussi le regard du peintre (*Couleurs*). Il a ainsi renouvelé le genre folk-rock, peu porté sur l'imaginaire. Après avoir promené dans le show-business sa silhouette de cow-boy tranquille et dégingandé, ce véritable romancier de la chanson a décidé d'abandonner la musique pour la littérature (*Lettre à Mademoiselle Blumenfeld*, 1991). Le titre de son troisième roman est presque un autoportrait : *Si je ne suis pas revenu dans trente ans, prévenez mon ambassade* (1996). Il a aussi raconté ses souvenirs d'enfance avec son père (*Quelques pas dans les pas d'un ange*, 2003).

MC SOLAAR

[Claude M'barali] Dakar (Sénégal), 1969. Auteur-compositeur-interprète. Né au Sénégal de parents tchadiens, il arrive en France à l'âge d'un an et poursuit une scolarité qui le mène jusqu'à l'université (études de langues). Mais son environnement social et culturel le pousse vers autre chose. Son premier disque (*Qui sème le vent récolte le tempo*, 1991) est une révélation : *Caroline*, *Bouge de là* ou *Victime de la mode* font connaître un rappeur à la française, entre Brassens, Gainsbourg et les grands modèles américains. Mais est-il vraiment rappeur ? En 1990, le rap français s'était manifesté par une compilation-manifeste (*Rapattitude*) regroupant une dizaine de débutants, dans laquelle il ne figurait pas, mais qui traçait son portrait en négatif : ce qu'il ne serait pas. Chez lui, les frontières entre chanson et rap, entre mélodie et scansion sont abolies, et ses albums successifs (*Prose combat*, 1994, *Paradisiaque*, 1997, *Cinquième as*, 2001, *Mach 6*, 2003) témoignent d'une recherche originale. Rap commercial disent ses détracteurs, retour au texte disent les autres. On est en fait frappé chez lui par la dialectique créée entre l'oralité (propre au rap) et le goût de l'écrit. Face à l'expression simpliste, voire simplificatrice, du rap moyen, MC Solaar ne se dérobe pas devant la complexité sociale, et tente au contraire d'en rendre compte. Il ne recherche pas les facilités de l'insulte, de la dénonciation ou du repli ethnique (façon NTM), il veut regarder de haut, et plus loin. En cela, il apparaît face à son public comme un grand frère plein de sagesse qui pourrait muer en vieux sage africain, celui qui est dépositaire de la mémoire sociale et la transmet dans une langue recherchée, épurée. Un sage qui aurait écouté Boby Lapointe ou Serge Gainsbourg.

Art MENGO

[Michel Armengot] Toulouse, 1961. Compositeur-interprète. Né dans une famille de Valenciens ayant fui le franquisme, il s'amuse très jeune à mettre en musique des poèmes de Baudelaire ou de Verlaine. D'abord attiré par le son de Led Zeppelin ou des Beatles, il met son talent musical au service des textes de Patrice Guirao, Marc Estève, Marie Nimier, qu'il interprète ou donne à d'autres : Johnny Hallyday (*Ça ne change pas un homme*), Philippe Léotard, Jane Birkin, Henri Salvador (*Il fait dimanche*), Enrico Macias (*Oranges amères*), Juliette Gréco. Sa carrière solo débute en 1990 avec l'album

Un 15 août en février. Il connaît le succès en 1995 avec *La mer n'existe pas* mais peine à atteindre le grand public, malgré des albums qui montrent sa maîtrise vocale en constant progrès et une grande finesse mélodique (*Live au Mandala*, 1995, *Croire qu'un jour*, 1998, *La Vie de château*, 2003, *Entre mes guillemets*, 2006).

La MER

Chanson, par. et mus. Charles Trenet (1939). La légende veut que Trenet ait composé cet hymne à la Méditerranée (celle « qu'on voit » depuis la plage de La Nouvelle près de Narbonne, où il passait ses étés d'enfance) dans le rapide Toulouse-Paris. La guerre l'empêche de la faire éditer. Il se décide à la sortir de ses tiroirs en 1942 : c'est un échec, qu'il explique, rétrospectivement, par le désir du public de le voir chanter du jazz, et non des romances. Poussé par son éditeur, Raoul Breton, il la mettra définitivement à son répertoire en 1945. Traduite dans toutes les langues, ou presque, jouée, chantée partout, elle s'est pour ainsi dire rendue autonome par rapport à son auteur, et poursuit sa propre carrière. On peut mettre son succès au crédit de l'art d'aquarelliste de Trenet, des harmonies dont les effets sont amplifiés par l'orchestration d'Albert Lasry, enfin, de la prégnance de l'image archétypale de l'élément liquide.

Armand MESTRAL

[Armand Zelikson] Paris, 1917-2000. Interprète. Fils de sculpteur, il se destine lui-même à la peinture et entre aux Beaux-Arts tout en suivant des études de chant (soliste à seize ans à l'église Saint-Roch). Entame une carrière dans l'opérette, mais son registre de basse le condamnant à jouer les personnages âgés, il s'intéresse au tour de chant et enregistre les classiques de la chanson, de la *Chanson des blés d'or* aux chants de la Commune (*La Commune en chantant*, 1970). Une carrière qui connaît des hauts (*Grandeur et décadence de la ville de Mahagonny*, de Brecht-Weill, TNP, 1967) et des bas. Il a aussi tourné dans plusieurs films.

Le MÉTÈQUE

Chanson, par. et mus. Georges Moustaki (1969). Déjà remarqué sur les antennes avec *La Dame brune* (en duo avec Barbara) et *Il est trop tard*, Georges Moustaki fait une entrée décisive dans le monde des interprètes avec *Le Métèque*, qui tient sans discontinuer le hit-parade pendant deux ans. Dans la maison de disques qu'il vient de quitter, on s'arrache les cheveux : que s'est-il donc passé ? Simplement, Moustaki a cessé d'être celui qui composait pour les autres et impose sa propre image : sur le disque, un sourire heureux et une barbe hirsute. Un métèque ? Soit. Mais un « juif errant », un « pâtre grec », ça n'effraie pas, c'est dans la bonne tradition. Et puis, il a les yeux bleus, l'âge idéal pour séduire, et il parle un si bon français...

Jules MÉVISTO

[Jules Wisteaux] Paris, 1857-1918. Interprète. Employé de la Compagnie générale transatlantique, acteur, chanteur de caf'conc' (Horloge, 1891), enfin chansonnier : dans les cabarets montmartrois, il interpréta surtout Montoya (*Le Macchabée*). Acteur de pantomime, créateur du *Testament de Pierrot* de Xavier Privas, sa silhouette a été popularisée par la lithographie d'Ibels Pierrot en habit mauve et culotte courte. En fin de carrière, il dirigea avec son frère Auguste, dit « l'Assassin », le théâtre Mévisto (ex-Bodinière).

Mick MICHEYL

[Paulette Michey] Lyon, 1922. Auteur-compositeur-interprète. Très influencée par un grand-père photographe, elle fait les Beaux-Arts de Lyon, fonde un atelier de publicité, puis gagne un concours de chanson à l'A.B.C. (1947). Passe en 1949 dans les émissions de Jean Nohain et remporte en 1950 le prix de la chanson de charme (*Marchand de poésie*). On la voit au théâtre Fontaine, à Bobino, à l'Alhambra, à l'Olympia. Prix Charles-Cros 1953 pour *Ni toi ni moi* (mus. J. Ledru), elle abandonne le tour de chant pour prendre au Casino de Paris la relève de Line Renaud. Voix grave, costume de scène masculin, interprétation intelligente et désinvolte : ses grands succès sont *La Joconde*, *Je t'aime encore plus* (1955), *Cano... canoë* (1954) et, surtout, *Un gamin de Paris* (mus. A. Marès, 1952). Ayant quitté la scène et la chanson, elle se consacre à la sculpture sur acier.

MICKEY 3D

[Mickaël Furnon] Saint-Étienne, 1970. Auteur-compositeur-interprète. Très jeune, il fonde le groupe 3dk, dont il gardera une partie du nom pour son pseudonyme lorsqu'il se lance en 1996 dans une carrière solo, accompagné d'Aurélien Joanin et de Najah El Mahmoud. Les disques se succèdent à un rythme étonnant : *Mistigri Torture* (1999), *La Trêve* (2001), *Tu vas pas mourir de rire* (2002), *Matador* (2005). La reconnaissance arrive très vite : Printemps de Bourges et Vieilles Charrues (2001), trois Victoires de la musique en 2003. Alternance de côtés sombres, voire suicidaires, et d'éclairs de lumière ou de nostalgie de l'enfance (*Quand on avait 7 ou 8 ans*, 2005), cette tendance « no future » baignant dans une ambiance musicale variée, sur fond de rock, avec des incursions vers la musique orientale (*Rodeo*, 2005) ou le flamenco. Mickey 3D a par ailleurs écrit pour Indochine (*J'ai demandé à la lune*, 2002) et pour Jane Birkin (*Je m'appelle Jane*, 2003).

Le MIDEM

Fondé en 1967 par Bernard Chevry, le Marché international du disque et de l'édition musicale, à l'image de la Foire du livre de Francfort, rassemble chaque année à Cannes les professionnels du monde entier, venus présenter leurs nouvelles productions, acquérir des droits sur des produits étrangers et lancer les artistes sur lesquels ils misent. Les galas, qui se tiennent chaque soir, ont pour fonction de présenter les chanteurs qui font l'objet d'une campagne de promotion. Ainsi, le MIDEM de 1979 a vu la consécration du disco et celui de 1980, celle de la « nouvelle chanson française » (Francis Cabrel, Gilbert Laffaille, Isabelle Mayereau). En 2004, la 38e édition a réuni pendant cinq jours dix mille professionnels de quatre-vingt-quatorze pays autour de trois cents stands. Signe des temps, et résultat des téléchargements de plus en plus fréquents de musique pour les sonneries de téléphones portables : les plus gros annonceurs y sont Microsoft, Nokia, Alcatel, Apple et quelques autres. C'est dire que le MIDEM, reflétant les tendances du marché international, rappelle à tous que la chanson n'est pas seulement un art et un mode d'expression mais aussi une industrie.

Georges MILLANDY

[Maurice Nouhaud] Luçon, 1871 – Meudon, 1964. Auteur-interprète. Pour passer des bocaux de la pharmacie paternelle aux cabarets littéraires du Quartier latin, il aura fallu les essais poétiques de l'adolescent, la tournée du Chat noir à La Roche-sur-Yon, et une correspondance avec le poète René Ghil. Après s'être fait entendre au Caveau du Soleil d'Or, il s'installe au Procope où il organise les soirées chansonnières. En 1894, il participe au lancement du cabaret des Noctambules, avant de devenir le parolier « valse-lentier », auteur à succès. Sa chance fut de rencontrer l'interprète rêvé, Henri Dickson, dont le charme distingué s'accordait parfaitement aux lois du genre. *J'ai tant pleuré*, *Quand l'amour meurt* (Crémieux) firent pleurer une génération. *Tu ne sauras jamais* (J. Rico), le premier succès de Damia, et cent autres chansons le désignèrent aux yeux du public comme « le poète des amours incomprises et des vaines espérances ». Les fins pastiches qu'il tenta, notamment de *Mon homme* (dans *Pavane inattendue*), ne suffirent pas à entamer cette réputation. Après la guerre, en réaction contre la chanson « nègre », il mit son talent de propagandiste au service de la « bonne chanson », la chanson « de sincérité » : il reprit la formule de la conférence-audition tentée à la Bodinière, et lança le Théâtre de la Chanson (1921), puis les déjeuners chantants à la Coupole, avec son interprète Dickson. On lui doit en outre le concours de chanson de Comœdia, qui révéla Noël-Noël, l'élection du prince des poètes à la Closerie des Lilas, la création de l'Association syndicale des auteurs lyriques, et un ouvrage, *Au service de la chanson* (1939), dans lequel il résume ses conceptions. En 1953, la SACEM lui attribue son Grand Prix.

MILORD

Chanson, par. Georges Moustaki, mus. Marguerite Monnot (1958). Faite sur mesure pour Édith Piaf lors d'une tournée aux États-Unis où l'accompagne son auteur, alors âgé de vingt-quatre ans, et dont ce sera le premier succès. Cette chanson doit sa popularité internationale à plusieurs données : un mythe, celui de la prostituée au grand cœur, consolatrice des maux du jeune bourgeois (anglais en l'occurrence) ; une structure musicale empruntant à deux genres différents : la valse lente pour le couplet, le charleston pour le refrain, suivant en cela d'une façon totalement adéquate l'opposition dans le texte entre le quotidien et la fête. La façon dont Piaf passait de l'un à l'autre en hurlant lentement : « A-llez-ve-nez, Milord… » donnait le frisson et devait inspirer à Jacques Brel la même structure pour certaines de ses chansons (*Jeff*).

MILORD L'ARSOUILLE

Cabaret fondé et animé par Francis Claude (1951). Situé près du Palais-Royal, il prit la suite du Quod Libet. Il joua un rôle important dans la diffusion et la popularisation au-delà de la rive gauche, des artistes et de l'esprit Saint-Germain-des-Prés. On y entendit notamment Michèle Arnaud, la vedette maison, Léo Ferré, Stéphane Golmann, etc. Serge Gainsbourg, après avoir été, pendant quatre ans, guitariste de Michèle Arnaud, y fit ses débuts.

Georges MILTON

[Georges Michaud] Puteaux, 1888 – Paris, 1970. Interprète. Ayant quitté sa famille à dix-sept ans par amour des planches, il connut d'abord quelques déboires : refusé ici, bombardé de petits pois là (Casino de Montmartre), il finit par se frayer un chemin à force de ténacité, de travail. Aidé par Chevalier, il décroche un engagement au Casino Saint-Martin et connaît le succès : à partir de ce moment, toutes les portes du caf'conc' s'ouvrent devant lui. Après la guerre, il se tourne vers l'opérette, puis le cinéma, et y connaîtra ses succès les plus populaires : *La Fille du bédouin* (A. Barde-R. Moretti, 1927) tirée de l'opérette *Le Comte Obligado* ; *Pouet-Pouet* (A. Barde-M. Yvain, 1929), de l'opérette *Elle est à vous* ; *J'ai ma combine* (R. Pujol, P. Colombier-R. Erwin) et *C'est pour mon papa* (C. Pothier, R. Pujol-C. Oberfeld, 1930), issues d'un des premiers films parlants, *Le Roi des resquilleurs.* Ayant abandonné le genre Dranem qu'il avait adopté à ses débuts, Milton a imposé auprès du public sa silhouette courtaude, sa « grosse tête de gnâfron lyonnais » (Jacques-Charles) grâce à une vulgarité bon enfant, un dynamisme et une activité de tous les instants. En donner aux spectateurs pour leur argent était une règle de conduite pour « Bouboule ». L'affection que le public lui témoignait montre bien qu'il était payé de retour.

MIOSSEC

[Christophe Miossec] Brest, 1964. Auteur-compositeur-interprète. Débute à quatorze ans avec un groupe à l'esthétique minimaliste, le Printemps Noir. Il entame parallèlement des études d'histoire à l'université, puis part pour Paris où il travaille comme concepteur à la télévision. Revient en Bretagne et réalise en 1995 son premier album, *Boire*. Suivent en 1997 *Baiser* et, en 1998, *À prendre*, collaborant au passage avec Hallyday, Birkin ou Gréco, jusqu'à *L'Étreinte* (2006). La voix est au premier plan, portant les textes avec respect, sans effets particulier : Miossec ne déclame pas, il livre simplement ses mots, et nous force à les écouter. Et ses mots parlent du quotidien, de choses toutes simples. On croit retourner à une chanson épargnée par les orchestrations envahissantes. Le temps qui passe, la séparation, l'âge sont partout, de façon parfois subliminale (les rimes en -age abondent dans ses textes). Significativement, Miossec a baptisé sa maison de disques *Play it again Sam*, référence au film *Casablanca* et à sa bande sonore, *As time goes by*. Nostalgie, nostalgie...

MIREILLE

[Mireille Hartuch] Paris, 1906-1996. Compositeur-interprète. De parents musiciens, Mireille est poussée très jeune dans la voie artistique et musicale. Cependant, à quatorze ans, elle a déjà abandonné l'idée de devenir concertiste – sa main est restée trop petite –, elle se tourne alors vers le théâtre. Gémier l'engage à l'Odéon pour jouer les travestis du répertoire. Le décorateur de l'Odéon, Claude Legrand (futur Claude Dauphin), lui fait rencontrer son frère, un avocat qui écrit des poèmes et des contes à ses moments perdus : Jean Nohain a vingt-huit ans, elle vingt-deux ; il devient son parolier : « Comme nous étions jeunes, dit-il, nous composions des chansons jeunes et uniquement pour notre plaisir et sans aucune intention commerciale. » D'ailleurs, leur première opérette américaine, *Fouchtra*, est refusée par les éditeurs. Mireille, partie à Londres, est engagée pour créer un rôle à Broadway. Elle reste trois ans aux États-Unis, jouant, composant, et faisant la connaissance de musiciens américains. Raoul Breton, en 1931, la rappelle en toute hâte : *Couchés dans le foin*, chanson extraite de leur opérette, fait un énorme succès avec le duo Pills et Tabet. Mireille revient pour enregistrer des opérettes « disquées », à quatre personnages (Pills, Tabet, Jean Sablon et elle-même). Il s'agit d'une série d'histoires racontées en chansons : *Le Vieux Château*, *C'est un jardinier qui boite*, *Un petit chemin*, *Une partie de bridge*, *Les Trois Gendarmes*, etc. Une chanson d'enfant, *Papa n'a pas voulu*, est créée par Dranem à un gala de Benjamin ; Maurice Chevalier contribue depuis 1928 à répandre la production Mireille-Nohain (*Quand un vicomte*) ; Jean Sablon fait son premier succès avec *Puisque vous partez en voyage*. En 1934, Mireille enregistre seule et passe en vedette à l'A.B.C., à l'Alhambra, à Bobino. Derrière son piano blanc, elle chante d'une voix pointue, acide, en « miniature », pourrait-on dire, à son image (elle mesure un mètre cinquante), *Le Pot au lait*, *Le Joli Pharmacien*, *Les Trois Petits Lutins*, etc. Elle détaille les mots, picore les syllabes : « Elle a la chance, dit Sacha Guitry, de ne pas être desservie par une grande voix. » On l'entend quand même de très loin sans micro, car la diction est parfaite. À la guerre, Mireille doit s'arrêter de chanter. Par la suite, ses plus grands succès seront repris ou créés par Yves Montand (*Une demoiselle sur une balançoire*, par. J. Nohain, *Le Carrosse*, par. H. Contet). La musique composée par Mireille est une musique « descriptive » en rapport étroit avec le sujet du texte. Cette façon de composer rompt avec la rengaine traditionnelle par sa liberté, sa désinvolture, sa fuite devant les schémas tout faits, son tempo qui n'hésite pas à faire au jazz un appel discret : la porte est ouverte à Charles Trenet et à son vagabondage musical. « Mireille, dit Nohain, ce n'est pas une mode, c'est un style. » En 1954, le Petit Conservatoire de la chanson créé par Mireille (et retransmis par la radio, puis par la télévision) débute rue de l'Université. C'est la première tentative d'enseignement organisé de la chanson. Pour la circonstance, Mireille se transforme en professeur et passe au vitriol les présumées futures vedettes. Hugues Aufray, Françoise Hardy, Colette Magny y font leurs premières armes. Sa fermeture provisoire permet à Mireille de réenregistrer, poussée par Michel Berger (*Aujourd'hui*, 1976). Elle remonte sur scène (Bobino, Cour des Miracles, Bourges) à soixante-dix ans. En 1980, elle fête à la SACEM ses cinquante ans de chansons et passera au théâtre de Chaillot en 1995, un an avant sa mort.

Le MIRLITON

Cabaret montmartrois, boulevard Rochechouart, Paris (1885-1958). À l'emplacement du premier Chat noir. De 1885 à 1895, il est entièrement lié à la carrière de son animateur et principal (pour ne pas dire unique) interprète, Aristide Bruant. En 1895, il est repris par Marius Hervochon (sauf pour les bénéfices, qui sont partagés avec Bruant). Devenu le Cabaret Bruant, il inaugure la formule du remake, en présentant des doublures (médiocres) du maître. Aucun intérêt sur le plan chansonnier, mais excellente affaire commerciale et intéressant témoignage sur l'exploitation d'un moment de l'histoire de Montmartre.

Paul MISRAKI

[Paul Misrachi] Constantinople (Turquie), 1908 – Paris, 1998. Auteur-compositeur. Destiné aux assurances maritimes, il préfère entrer dans l'orchestre de Ray Ventura comme pianiste orchestrateur. Ses premières compositions sont pour les Collégiens : *Tout va très bien, madame la marquise* (par. Bach, Laverne, 1935), *Qu'est-ce qu'on attend pour être heureux* (1937), *Sur deux notes* (1938), *Ça vaut mieux que d'attraper la scarlatine* (par. A. Hornez, 1936). Autant de succès, sur des rythmes irrésistibles, suivis de compositions plus langoureuses (*Insensiblement, Le Petit Souper aux chandelles,* 1942) pour les chanteurs de charme du moment. Compositeur de toutes les musiques des films tournés par les Collégiens, il poursuit dans cette spécialité aux États-Unis pendant l'Occupation et après son retour en France. Mais il continuera dans la chanson : *Maria de Bahia* (par. A. Hornez, 1947), *À la mi-août* (1950), *Tu peux pas t'figurer* (1951) créée au cinéma par Suzy Delair et reprise par Jacqueline François, *Chiens perdus sans collier* (par. E. Marnay, 1956), etc. Il a également publié des romans (*De la boue sur les yeux,* 1950, *L'Éclat de verre,* 1960) et des ouvrages ésotériques.

MISTINGUETT

[Jeanne Bourgeois] Enghien-les-Bains, 1873 – Bougival, 1956. Interprète. Née de parents commerçants, elle eut très tôt le désir de « s'évader de sa condition ». Le moyen le plus accessible lui semble être le spectacle : elle prend des leçons de violon, de chant classique, d'art dramatique. Mais elle s'y ennuie. Baptisée Miss Helyett, Miss Tinguette, enfin Mistinguett par le revuiste Saint-Marcel, elle débute en 1885 au Trianon-Concert avec *Max ah c'que t'es rigolo.* Puis effectue un « long stage » à l'Eldorado (1897-1907) : « Entrée comme gigolette, j'en sors prête à être vedette. » Elle a appris à tenir la scène, et à suppléer à son insuffisance vocale par un jeu de mimiques vigoureux. Elle découvre alors la forme de spectacle qui lui sied : « C'est parce que je voulais échapper au tour de chant que je me suis lancée dans la comédie. Il se trouve que, mon tempérament aidant, le mélange des deux a fini par donner le music-hall. » Le succès de la valse chaloupée, qu'elle crée avec Max Dearly au Moulin Rouge (1909), fait d'elle une vedette, que celui de la valse renversante jouée aux Folies-Bergère avec Maurice Chevalier (1912) consacre définitivement. Après une halte due à la guerre, elle fait sa rentrée en 1917 avec Chevalier : ils deviennent « le couple ». Les exigences de Chevalier, qui aspire à voler de ses propres ailes, vont bientôt entraîner leur séparation. Et pourtant, Chevalier restera « son homme », qu'elle s'efforcera de retrouver dans chacun de ses partenaires (Earl Leaslie, Lino Carenzio, Georges Guétary...) : « J'ai toujours pensé que pour réussir un bon spectacle de music-hall, il fallait un couple. » De 1919 à 1923, féconde période, elle crée successivement les revues *Paris qui danse*, *Paris qui jazz*, *Paris en l'air*, *En douce*, avant de jouer aux États-Unis, où elle était connue comme l'interprète de *My man*, et en Amérique du Sud. De retour l'année suivante, elle lance son « bonjour Paris » : « bonjour la Miss », lui répond le public du Casino de Paris. La revue *Ça c'est Paris* (1926) est un sommet de sa carrière. À partir de ce moment, devenue « propriété nationale » (Colette), elle put tout se permettre, sans craindre de n'être pas suivie : en 1948, à l'A.B.C., à soixante-treize ans, elle jouait encore les petites marchandes de fleurs. Pour comprendre et apprécier cette constance dans le succès, il faut avoir vu l'artiste en scène. En effet, les chansons prises hors de leur contexte perdent de leur pouvoir de suggestion : la voix nasillarde, l'interprétation pas toujours convaincante n'auraient pas suffi à les imposer. Mistinguett n'en avait cure :

> *On dit que j'ai la voix qui traîne*
> *en chantant mes rengaines,*
> *c'est vrai,*
> *lorsque ça monte trop haut, moi je m'arrête*
> *et d'ailleurs on n'est pas*
> *ici à l'Opéra* (C'est vrai).

Tous ses succès sont des rengaines issues de ses revues : *Mon homme* (1920), *J'en ai marre* (1921), *En douce et la Java* (1922), *Ça c'est Paris* (1926), *C'est vrai* (1935), etc., écrites et composées par Jacques-Charles et Albert Willemetz pour les paroles, José Padilla et

Maurice Yvain pour la musique. Qu'elles se rattachent à la tradition de la chanson réaliste ou qu'elles participent de la vogue exotique du moment, elles ont pour fonction d'illustrer une des facettes du personnage : môme de Paris à la bourse plate mais à l'esprit bien accroché, femme meurtrie, accorte soubrette ou grande dame triomphante. Ce personnage, très vite, est identifié à la Parisienne : « Cette tragédienne qui résume notre ville parce que sa voix poignante tient des cris des marchands de journaux et de la marchande de quatre-saisons » (J. Cocteau). À moins que ce ne soit le contraire : incarnant la ville, elle lui prête son visage. Coqueluche des caricaturistes, qui s'acharnaient à mettre en valeur « son nez en trompette », « ses jolies gambettes » et son dentier inattaquable, produit d'exportation, valeur sûre à la Bourse des chansons, Mistinguett était d'abord et avant tout une reine du music-hall. Elle donnait toute sa mesure comme meneuse de revue, empanachée ou en loques, charlestonnant d'une manière endiablée ou hurlant sa douleur. Surtout, elle avait le sens du public, le don de le mettre en joie par ses reparties gouailleuses : c'est avec lui qu'elle jouait, qu'elle aimait. Sa maîtrise sur scène était le résultat d'un travail de longue haleine : « À force d'assiduité, je suis devenue nature », aimait-elle à répéter. Elle avait fini par symboliser, avec Chevalier, toute une époque du music-hall et de la chanson. Mais pour elle, jusqu'au dernier de ses jours, cette époque n'était pas encore à l'imparfait : ses mémoires, rédigés en 1954, finissent ainsi :

« Soudain le téléphone sonne :

— Allô Miss, que dirais-tu d'un petite tournée en Amérique du Sud ?

Ma voix se brise. Je ne peux plus parler. Allons, on pense encore à moi, on ne m'a pas trouvé de remplaçante. J'étrangle quelques larmes et je réponds :

— D'accord, je suis prête, quand est-ce qu'on répète ? »

Eddy MITCHELL

[Claude Moine] Paris, 1942. Auteur-interprète. Employé au Crédit Lyonnais et mordu de rock, il devient un pilier du Golf Drouot. Avec quatre copains, il forme un groupe dans lequel il occupe la place de chanteur soliste : pendant trois ans, c'est pour « Schmoll » et ses amis la folle aventure des Chaussettes noires (1961-1964). À son retour de l'armée, Eddy décide de faire cavalier seul et s'impose rapidement. Ses tours de chant (Bobino, 1966, Olympia, 1967) sont l'occasion pour son public, essentiellement composé de jeunes ouvriers, de lui faire un triomphe. Adaptant des hits américains, sous son vrai nom, il fait la preuve d'un réel talent de parolier : *Et s'il n'en reste qu'un* (mus. J.-P. Bourtaye, 1965), *L'Épopée du rock* (av. P. Christian-J.-P. Bourtaye, 1966), *Société anonyme* (R. Bernet-G. Magenra, 1966), *Alice* (mus. P. Papadiamandis, 1967), etc. Le rock, concurrencé par la vague pop, connaît alors une légère défaveur, mais Mitchell est remis en selle par un disque, *Rocking in Nashville* (1974), enregistré avec les meilleurs musiciens (en particulier Charlie Mc Coy) de la capitale du country et western, et illustré l'année suivante par un spectacle à l'Olympia. On ne change pas une formule qui marche et ses disques enregistrés aux États-Unis se succèdent alors, avec en particulier des adaptations pleines d'humour des grands succès de Chuck Berry (*À crédit en stéréo*, *Johnny B. Goode*, *C'est un rocker*, etc.), mais il sait aussi trouver d'autres tonalités avec le même succès (*Couleur menthe à l'eau*), évoquer des problèmes sociaux (*Il ne rentre pas ce soir*, 1978) ou s'amuser en duo avec Serge Gainsbourg (*Vieille canaille*).

Une voix pleine et souple de crooner, un jeu de scène efficace, un évident sens de l'humour et un répertoire élargi qui va de la ballade au rythm and blues : tout en restant fidèle à ses premières amours (le rock : « et s'il n'en reste qu'un je serai celui-là »), Eddy Mitchell a atteint les dimensions d'un vrai chanteur populaire. Passionné par la musique et le cinéma américains, il s'est fait trait d'union entre deux cultures (« Où sont mes racines, Nashville ou Belleville ? », et il sort en 2003 un album intitulé *Frenchy*). Il a également été acteur au cinéma (*Coup de torchon*, Bertrand Tavernier, *À moi l'arbitre*, Jean-Pierre Mocky), et il a animé pendant plusieurs années à la télévision une émission consacrée au septième art (« La Dernière Séance », également titre d'une de ses chansons, 1977). En bref, le petit « Schmoll », rebaptisé « Monsieur Eddy », a su devenir et rester un grand de la chanson.

MON HOMME

Chanson, par. Jacques-Charles-Albert Willemetz, mus. Maurice Yvain (1920). Chanson créée par Mistinguett au Casino de Paris, dans la revue *Paris qui jazz*. Née à partir d'une idée de Jacques-Charles – rappeler l'atmosphère d'une pièce de Francis Carco qu'on donnait alors à Paris – et d'un air de fox-trot composé par Maurice Yvain et arrangé pour l'occasion, elle fut acceptée par Mistinguett sur le conseil de Maurice Chevalier. Celle-ci n'eut pas à le regretter : le succès fut immédiat, et total. Imposée aux États-Unis, sous le titre de *My man*, la chanson fit le tour du globe et accompagna sa créatrice pour le restant de sa carrière. Comment expliquer un tel succès ? Il y a d'abord la rengaine lancinante, l'interprétation traînante et surchargée de Mistinguett qui la dotèrent de cette charge émotive, si trouble et équivoque : l'érotisme qui refuse de se nommer n'est pas le moins efficace. Mais il y a aussi les paroles :

Je l'ai tell'ment dans la peau
qu'j'en suis marteau
dès qu'il s'approch'c'est fini
je suis à lui.

Souffrance et rédemption, par et pour l'amour, telle est la condition féminine. Le péché d'Ève est la source de ce sentiment de culpabilité, et justifie l'infériorité de sa condition :

Mais je n'suis qu'une femme.

L'amour seul fait pardonner : c'est la porte ouverte au mythe (le grand amour). Ce thème obscurantiste et réactionnaire, porté par une tradition millénaire, a trouvé une large place dans la chanson réaliste, courant auquel il faut rattacher *Mon homme.* Comment s'en étonner ? Le recours à l'opium est d'autant plus fréquent que la frustration est plus forte. « Pour moi, *Mon homme*, grâce au souvenir de Maurice qui la pénètre, aura toujours été ma chanson fétiche, "ma chanson". C'est du vécu » (Mistinguett).

MON LÉGIONNAIRE

Chanson, par. Raymond Asso, mus. Marguerite Monnot (1936). Créée par Marie Dubas, cette chanson doit sa célébrité à Piaf. En effet,

J'sais pas son nom, je n'sais rien d'lui,
il m'a aimée toute la nuit,
mon légionnaire !

c'était bien l'histoire de Piaf… Raymond Asso, qui avait écrit cette chanson avant de la connaître, la lui confie, pour son premier récital à l'A.B.C., en 1937. Deux vers sont restés célèbres :

Il était mince, il était beau,
il sentait bon le sable chaud

qui résument toute la puissance d'évocation du style de Raymond Asso à l'aide des mots les plus simples. Poursuivant dans la même veine, il écrivit peu de temps après *Le Fanion de la Légion*, également interprétée par Piaf et Marie Dubas.

MON PAYS

Chanson, par. et mus. Gilles Vigneault (1965). Écrite pour le film d'Arthur Lamothe *La Neige a fondu sur la Manicouagan*, elle prend son départ dans la réalité québécoise :

Mon pays, ce n'est pas un pays
c'est l'hiver.

Comme pour suggérer l'étendue poudreuse, le refrain se fait litanie, la musique, valse, épousant le mouvement inexorable de l'élément naturel. Le couplet-récitatif, en contrepoint, affirme la présence de l'homme :

Dans la blanche cérémonie
où la neige au vent se marie
mon père a fait bâtir maison.

Son effort est conquête, appropriation : de la nature d'abord, de son identité ensuite, gage d'une humanité aux dimensions de l'universalité :

Ma chanson, ce n'est pas une chanson
c'est ma vie.

Cette quête, qui sous-tend toute son œuvre, Gilles Vigneault l'approfondira dans plusieurs chansons : *Mon pays II*, qui s'ouvre au monde de la ville, et *Il me reste un pays*. Mais par-delà son auteur, *Mon pays* est peu à peu devenue l'un des emblèmes de la surrection québécoise, le drapeau d'une nation en marche. Son succès fut tel que, par réaction, Robert Charlebois éprouva le besoin de rappeler quelques réalités plus triviales dans *Mon pays, ce n'est pas un pays, c'est un job* (par. R. Ducharme).

Marguerite MONNOT

Decize (Nièvre), 1903 – Paris, 1961. Compositeur. Destinée à la musique depuis toujours (père organiste), travaille le piano avec

Alfred Cortot et l'harmonie avec Nadia Boulanger. Donne des récitals jusqu'à l'âge de dix-huit ans mais, vaincue par la fatigue et le trac, abandonne la carrière de concertiste à la veille de son départ pour les États-Unis. Elle se consacre alors à la composition et obtient son premier succès : *L'Étranger*, Prix du disque par Annette Lajon. Marguerite Monnot se fait peu à peu connaître par des chansons chantées par Édith Piaf à ses débuts sur des textes de Raymond Asso (*Mon légionnaire*, créée par Marie Dubas). Elle collabore avec Piaf elle-même (*L'Hymne à l'amour*), avec Charles Dumont (*Les Amants d'un jour*), Georges Moustaki (*Milord*), René Rouzaud (*La Goualante du pauvre Jean*), Henri Contet (*Ma gosse ma p'tite môme*, chantée par Yves Montand), etc. Bref, elle compose une foule de chansons qui ne sont pas près de s'effacer : une musique signée Marguerite Monnot est pour longtemps une garantie de qualité et de succès. Elle compose également des musiques de films et de comédies musicales (*Irma la douce*, interprétée par Colette Renard, livret d'Alexandre Breffort), et l'on a pu dire que pour les Américains des années 1950, la comédie musicale française idéale aurait réuni les noms de Marguerite Monnot (pour la musique), Françoise Sagan (pour le texte) et Zizi Jeanmaire (pour l'interprétation et le pas de danse).

La MONTAGNE

Chanson, par. et mus. Jean Ferrat (1966). Ce tube (5 millions de disques vendus dans l'année) achève de faire de Jean Ferrat un interprète connu de tous les publics. Par rapport à *Nuit et Brouillard*, son premier succès (1963), *La Montagne* draine en effet un public nouveau, peu porté vers la chanson politique classique, mais touche par cet hommage à la vie rustique des gens du « haut pays ». Ce qui est en cause dans cette opposition ville-campagne (thème traditionnel s'il en est), c'est le dépérissement d'une certaine forme de sociabilité, la mort d'une culture, en regard de laquelle la pauvreté de la société de consommation apparaît dans toute sa réalité. Mais dans la mesure où Ferrat refuse le présent sans laisser entrevoir sa transformation possible, ne se condamne-t-il pas à un repli nostalgique sur les valeurs perdues ? La célébration du passé – une des constantes de son œuvre, de *Potemkine* à *La Commune* – est, par nature, ambiguë. La facture, classique, de la chanson ne contribue pas à lever cette ambiguïté.

Yves MONTAND

[Ivo Livi] Monsumano (Italie), 1921 – Senlis, 1991. Interprète. Sa famille fuit le régime mussolinien pour s'installer à Marseille, où le jeune Livi touche à tous les métiers (livreur, manœuvre, coiffeur, ouvrier métallurgiste). Très influencé par Fred Astaire, il débute en 1938 chez un imprésario de quartier, Berlingot, qui le pousse jusque sur la scène de l'Alcazar où il interprète, outre les succès de Trenet, Chevalier et Fernandel, *Dans les plaines du Far West*, que Charles Humel a composée pour lui. Arrive la guerre, il est à Paris, fuit le STO, se produit dans les cabarets et rencontre Édith Piaf, qui l'aide à renouveler son répertoire et le fait passer en première partie de son spectacle à l'Étoile en novembre 1944. Un an plus tard, il est sur la même scène pendant sept semaines, mais en vedette cette fois. Commence alors une triple carrière : la chanson (avec pour auteurs et compositeurs préférés Francis Lemarque, Jacques Prévert et Joseph Kosma, Henri Crolla, Bob Castella, Philippe-Gérard), le théâtre (*Les Sorcières de Salem*), et surtout le cinéma (des *Portes de la nuit* à *Police Python* en passant par *Z*, *L'Aveu* ou *La guerre est finie*).

Il frappe autant par la qualité des chansons qu'il choisit que par le travail scénique qu'il présente. Des joies saines et simples de « l'ouvrier sur scène » à l'interprète de poèmes difficiles (*Sanguine*, *Barbara*), il a assumé plusieurs visages : celui du militant politique (*C'est à l'aube*, *Quand un soldat*), du joyeux dilettante du « sam'di soir après l'turbin » (*Grands Boulevards*, *Luna Park*), de l'amoureux (*Les Feuilles mortes*, *J'aime t'embrasser*), du fantaisiste (*Une demoiselle sur une balançoire*, *Le Fanatique de jazz*...), etc. Entre ces différentes facettes, un homme sur scène. On a tout dit sur son travail. Il était, pour André Halimi, « l'interprète le plus talentueux et le plus respectueux du public de la chanson française ». On sait qu'il préparait avec soin ses récitals, s'entraînait physiquement, répétait devant une glace, allant jusqu'à se faire filmer pour mieux voir et corriger ses défauts. On sait moins qu'il s'en défendait, le niait, comme si l'effort était déshonorant. On sait aussi qu'il fut l'un de nos rares chanteurs à pouvoir tenir six mois à Paris sur une grande scène (Étoile : 1953-1954, 1959, 1962), qu'il chanta huit semaines d'affilée à Broadway en 1961. Le résultat était parfait. Pas une hésitation, pas une erreur. Le prix à payer, en contrepartie, était l'absence de surprise et de chaleur communicative. La voix, précise et traînante, manquait parfois de sensibilité, l'homme ne se livrait pas : comme l'acteur Montand, le chanteur était sur scène l'instrument d'une volonté qui le dirigeait. Aussi l'émotion ne parvenait-elle au spectateur que filtrée, épurée, intellectualisée. Mais c'est sans doute du côté du fantaisiste amoureux, du prolo sympathique, qu'a penché le cœur du public, plus que de celui du militant de gauche, proche du parti communiste et des intellectuels. Après une longue absence, il revint sur scène en 1981 à l'Olympia, tel qu'en lui-même, et il se préparait à se produire au Palais omnisports de Bercy, la plus grande salle de la capitale, avant sa mort.

Gaby MONTBREUSE

Tours, 1885 – Paris, 1943. Interprète. Se fait connaître en 1914 en embrassant un poilu à la fin de son tour de chant. Le succès de *Je cherche après Titine* (1917), que son ami Léo Daniderf écrivit pour elle, lui valut de passer à l'Olympia en 1919. Elle fera ensuite l'essentiel de sa carrière au cabaret Chez Fysher, où elle était entrée en 1924, non sans se produire de temps en temps au music-hall (Empire, 1925, Olympia, 1928). Une tête énorme, une mèche rousse sur laquelle elle soufflait sans arrêt, une voix faubourienne éraillée par l'alcool, une vulgarité étudiée, exagérée, un abattage sans pareil, le tout au service de refrains réalistes ou burlesques, tels *Le Petit Bouquet de réséda*, *Dans un taxi* ou *Eh ! youp ! ça ira très bien*, un de ses gros succès : c'était Gaby Montbreuse en scène, insupportable et « follement drôle » (J. Sablon). À aimer ou à laisser.

MONTÉHUS

[Gaston Brunschwig] Paris, 1872-1952. Auteur-interprète. Pendant près de quarante ans, il n'a cessé de « lancer dans le peuple » ses chansons d'inspiration anarchiste et dont certaines (de fait, le meilleur de son œuvre) font partie de la tradition chansonnière du mouvement ouvrier : *Le Chant des jeunes gardes* (mus. Saint-Gilles, 1912), *La Butte rouge* et *Gloire au 17e*. Cette dernière, écrite alors que les événements du Midi rouge étaient encore dans toutes les mémoires, établit sa renommée. Mais sa production habituelle relève davantage du populisme que de l'anarcho-syndicalisme, et son succès auprès des couches populaires était surtout fondé sur l'exploitation de stéréotypes (gars à casquette opposé au monsieur à chapeau…), et une explication moralisante du sort réservé à la classe ouvrière (*Ils ont les mains blanches*, mus. R. Chantegrelet).

Aussi, dans le tourbillon d'août 1914, qui en emporta de plus solides, le retournement du chantre du pacifisme ne surprendra pas. Durant quatre ans, il proclamera :

> *Nous chantons* la Marseillaise,
> *car dans ces terribles jours,*
> *on laiss' l'*Internationale,
> *pour la victoire finale,*
> *on la chant'ra au retour.*

Cette *Lettre d'un socialo* (1914) était chantée sur l'air du *Clairon* de Déroulède : un comble ! Après la guerre, il reviendra à ses convictions premières. Mais certains soirs, les ouvriers crevaient les pneus de sa voiture pendant qu'il chantait devant les bourgeois. La démagogie de son attitude sur scène (il apparaissait avec une casquette et une ceinture rouge, ordonnait au bourgeois du premier rang de laisser sa place à un ancien poilu mutilé, etc.), passait de plus en plus difficilement la rampe, et la classe ouvrière se reconnaissait de moins en moins dans ce type de chanson. Il fut un des derniers représentants de la lignée des chansonniers anarchistes.

Germaine MONTERO

[Germaine Heygel] Paris, 1909 – Orange, 2000. Interprète et comédienne. Débute au théâtre à Madrid sous la direction de Federico García Lorca et se révèle en 1938 au public parisien dans la création d'auteurs espagnols (Lorca, Lope de Vega). Elle travaille alors avec Jean Vilar, mais chante en même temps des chansons espagnoles en cabaret (Grand Prix du disque avec *Paseando por España*, treize chansons populaires d'Espagne). Sa voix est puissante mais sans recherche de l'effet, son style est d'une grande pureté, très respectueux de musiques et de textes offerts dans leur nudité et leur grandeur tragique. L'atavisme n'y est pour rien : elle est née d'un père alsacien et d'une mère normande.

Outre le répertoire espagnol, elle joue Claudel, Pirandello, Brecht, et chante des auteurs français : Prévert, Ferré, Aristide Bruant (*Rose blanche*), Béranger et surtout Pierre Mac Orlan (*Ça n'a pas d'importance*, *La Fille de Londres*), qui l'a lui-même définie comme étant sa meilleure interprète.

Jeanne MOREAU

Paris, 1928. Auteur-interprète. Actrice de cinéma et de théâtre, elle est révélée brusquement à la chanson par le film *Jules et Jim* dans lequel elle chantait *Le Tourbillon* de Cyrus Bassiak (alias Rezvani, 1963). Jacques Canetti lui fait alors enregistrer d'autres chansons du même auteur. Prix de l'Académie Charles-Cros en 1964 (*J'ai la mémoire qui flanche, J't'ai dans la peau Léon*). Après un nouveau disque, *Les Chansons de Clarisse* (1968, écrit par Guillevic sur le thème du roman d'Elsa Triolet *Les Manigances* et composé par Philippe-Gérard), elle se fait auteur de ses chansons (*La Célébrité, La Publicité*, mus. J. Datin, 1970) puis enregistre un cinquième disque (*Jeanne Moreau chante Norge*). Sur des orchestrations de jazz très souples, elle a interprété un répertoire original avec une voix naturelle aux inflexions graves, d'une distinction un peu canaille. Mais, malgré son talent et la rare qualité de son répertoire, elle n'a pas dépassé un succès d'estime.

Monique MORELLI

Béthune, 1924 – Paris, 1993. Interprète. Débute au théâtre (Vieux-Colombier) et au cirque (Cirque d'Hiver), puis fait l'ouverture de la Rose Rouge (1949) et tout le circuit des cabarets de Montmartre et de la rive gauche. Elle a appris à chanter, sans le secours du micro, à l'école des grandes dames de la chanson réaliste, comme Fréhel à qui elle rend hommage dans un premier disque. Son répertoire s'oriente ensuite vers les poètes : Francis Carco, Mac Orlan ou Aragon lui fourniront l'essentiel de son répertoire. Sa rencontre en 1958 avec le compositeur Charles (dit Lino) Leonardi est à l'origine de succès durables et classiques, même s'ils ne passent guère en radio (*Maintenant que la jeunesse, Un air d'octobre*, Aragon-Leonardi). Tenancière d'un cabaret à Montmartre (Chez Ubu) puis à Saint-Germain (Au temps perdu), elle s'est aussi produite à Bobino (1969).

Dario MORENO

[Dario Drugete] Smyrne (Turquie), 1921 – Istanbul (Turquie), 1968. Interprète. Turc par son père, Mexicain par sa mère, il fit sa carrière en France : adaptations françaises de rythmes sud-américains, mambo, calypso, cha-cha-cha, succès des Compagnons de la Chanson (*Si tu vas à Rio, Marianne, Eso es el amor, Coucou roucoucou, La Bamba*) étaient à la base de son répertoire. Sa voix, qu'il pouvait à la fois ténoriser ou rendre grave, était originale, et exotique. Mais tout cela serait peu, s'il n'y avait le physique, et la manière de s'en servir. Qu'on en juge : « Il est gras, un peu visqueux comme du nougat. Il a tout du crémier enrichi... Il n'est pas érotique, mais pornographique. Il remue son corps comme une jeune danseuse. S'il ne paraissait pas sur scène, il serait beaucoup mieux. » Ce jugement sans détour d'André Halimi rend compte de la situation de Dario Moreno : un corps étranger dans la chanson française. Son baroque de nouveau riche ne passait pas, du moins auprès des « gens de goût ». Et auprès du grand public ? Il semble que celui-ci vit en lui essentiellement un chanteur de charme, bardé du prestige de l'exotisme. Dario avait beau danser comme une guêpe, lancer force œillades et roulades, se caricaturer lui-même à force d'excentricités, rien n'y faisait, il restait le métèque de la chanson française. En fin de compte, il quitta la chanson et se réfugia, non sans succès, au cinéma. Il mourut alors qu'il allait revenir à la scène pour y interpréter Sancho Pança, au côté de Jacques Brel, dans *L'Homme de la Mancha*.

Raoul MORETTI

Marseille, 1893 – Vence, 1954. Compositeur. Pianiste, il compose des airs à Zurich dans un orchestre de brasserie en 1916. Salabert lui achète *Quand on aime, on a toujours 20 ans* (par. E. Deyrmon, F. Gandera, Max-Eddy, 1923), qui sera un immense succès dans l'interprétation de Perchicot, et *Quand on est deux* (1924), chantée par Dranem, qui marque le début de sa collaboration avec Albert Willemetz. À citer également (entre autres), *La Fille du bédouin* (par. A. Barde, 1928) et de nombreuses chansons d'opérettes et de films, dont *Sous les toits de Paris* (par. R. Nazelles, R. Clair, 1930).

Le MOULIN DE LA CHANSON

Cabaret, boulevard de Clichy, Paris (1913-1930). D'abord Petit Théâtre, puis théâtre Rabelais (1903), la salle est transformée en cabaret en 1913 par les chansonniers Émile Wolff et Roger Ferréol. Elle devient pendant la guerre de 1914-1918 le refuge de tous les chansonniers montmartrois : Dominique Bonnaud, Vincent Hyspa,

Martini, Paul Marinier, Georges Baltha, etc. Puis, à la suite de déboires financiers, elle est transformée en dancing. Lucien Boyer ramène la chanson à son Moulin en 1920 mais, partant pour l'Amérique, est remplacé par Meer, puis par Jean Marsac, enfin par Eugène Héros. Celui-ci reprend le cabaret pour le compte des chansonniers de la Lune Rousse qui veulent fonder l'Odéon du cabaret. Fursy, qui est au programme, devient lui-même directeur en 1923 avec Mauricet, charge Rapin du décor, et fait entendre Paul Marinier, Noël-Noël et Georges Chepfer en première partie du spectacle, la seconde étant désormais constituée par une revue. En 1929, le cabaret repasse entre les mains de Roger Ferréol, le « Napoléon des cabarets ». Il s'assure la collaboration du revuiste Rip et réexploite avec lui la formule des anciennes Capucines (opérette et comédie légère).

MOULIN ROUGE

Café-concert puis music-hall, place Blanche, Paris (1889-1947). Autrefois appelé Bal de la Reine Blanche, le Bal du Moulin Rouge fut construit par Zidler et Joseph Oller. Ce n'était encore qu'une salle de danse populaire, dont l'attraction principale était constituée par le french cancan du Quadrille naturaliste, immortalisé par Toulouse-Lautrec. Vers 1900, l'on pouvait sortir de la salle de bal pour se promener dans un grand jardin ouvert l'été et garni de plusieurs pavillons : il y avait là « l'éléphant », acheté par Oller à l'Exposition universelle de 1889, où l'on exécutait la danse du ventre, et le moulin, qui était un caf'conc' d'été. Oller, devant le succès de ce dernier, fit installer au fond de la salle du bal un caf'conc' d'hiver. Y débutèrent Henri Dickson, Moricey, Max Dearly, Yvette Guilbert (alors costumée en nourrice et portant le nom de Nurse Valéry) et... le célèbre Pétomane, dont l'art n'eut aucun rapport avec la chanson, mais beaucoup avec la joie de vivre de l'époque. C'est sur sa scène que Max Dearly créa, avec sa partenaire Mistinguett, la « valse chaloupée » (1913). Détruit dans un incendie en 1914, il ne fut reconstruit qu'après la guerre. Réouvert en 1921, il se consacre alors aux revues à grand spectacle, dont les premières furent montées par Jacques-Charles. On put y voir et y entendre Mistinguett, Jeanne Aubert, Elsie Janis et les Hoffmann Girls, ce bataillon de dix-huit Américaines dont les évolutions rappelaient que le terme revue était d'origine militaire. Puis, sous la direction de Foucret, le Moulin se transforme peu à peu en music-hall à attractions, avant de fermer peu après la Seconde Guerre mondiale. Unique rescapé de la Belle Époque, le french cancan demeure la principale attraction du cabaret à grand spectacle, dirigé par Jean Bauchet puis par Jacki Clerico, qu'est le Moulin Rouge d'aujourd'hui.

Marcel MOULOUDJI

Paris, 1922 – Neuilly-sur-Seine, 1994. Auteur-compositeur-interprète. De père maçon et de mère aide-ménagère, Mouloudji est un poulbot de Belleville qui vend des journaux et des oranges après l'école pour améliorer l'ordinaire de la famille. En 1936, il joue une pièce de théâtre avec le groupe Octobre, puis il est engagé par Carné pour son premier film (*Jenny*). Il aborde ainsi une carrière artistique qui sera extrêmement variée : il tournera enfant puis adulte, notamment dans *Nous sommes tous des assassins* (1949), jouera diverses pièces de théâtre, en écrira, exposera ses peintures à Paris et à Alger, publiera des poèmes et des romans (dont un prix de la Pléiade en 1945 : *Enrico*). Enfin, il sera, par ordre de fréquence, interprète, auteur et compositeur.

En 1950, il chante au Gypsy's pendant les changements de décor : Bernard Dimey, Boris Vian, Raymond Queneau et Jacques Prévert lui fournissent un répertoire qui s'enrichit peu à peu de ses pauvres œuvres (*Le Mal de Paris, Méfiez-vous fillettes*). Grand Prix du disque 1953 avec *Comme un p'tit coquelicot* (R. Asso-C. Valéry), qui sera son grand succès avec *Un jour tu verras* (par. G. Van Parys). Quand, le jour même de la chute de Diên Biên Phu, le 7 mai 1954, il interprète *Le Déserteur* (B. Vian) au Théâtre de l'Œuvre, cela provoque un scandale : la chanson est interdite sur les antennes, le disque retiré du commerce. Un coup dur pour la carrière de Mouloudji, qui n'aura pas le temps de s'en relever avant le déferlement de la vague yé-yé... Il faudra dix ans pour le voir réapparaître (*Les Beatles de 40*, mus. G. Wagenheim). D'une ancienne chanson, toujours antimilitariste, du même Boris Vian (1952), il fait alors un succès en 1971 (*Allons z'enfants*). C'est sa revanche. Les temps ont changé, lui pas. Prix Charles-Cros 1974, l'ancien goualeur de *La Complainte des infidèles* (S. Guitry-G. Van Parys) est revenu avec sa voix frêle (*Comme une chanson de Bruant*), juste un peu plus mordante (*Comme le dit ma concierge, J'ai mes papiers, Autoportrait*) dans des chansons signées le plus souvent avec Chris Carol. On croit toujours entendre derrière lui un orgue de barbarie. C'est le chantre d'un romantisme des faubourgs très pur, d'un musette très noble. Un musicien saute-ruisseau d'une espèce disparue : gosse de Paris qui aurait mûri, parlant plutôt qu'il n'écrit, faisant des élisions, employant le « on » plus souvent que le « nous », bref, chantant le français populaire. Un poète du pavé de la même race que les poètes du terroir, en accord parfait et tenace avec son décor.

Nana MOUSKOURI

[Ioana Mouskouri] La Canée (Chypre), 1934. Interprète. Son père, projectionniste, et sa mère, ouvreuse de cinéma, s'installent à Athènes où elle commence très jeune à étudier la musique, avant d'entrer en 1951 au Conservatoire. En 1958, elle découvre le jazz, chante dans un orchestre et passe à la radio : elle est immédiatement chassée du Conservatoire. Rencontre alors Manis Hadjidakis (futur compositeur de la musique du film *Jamais le dimanche*) qui lui écrit des chansons. En 1959 et 1960, elle remporte le premier prix du Festival de la chanson hellénique. Affronte alors l'Allemagne, où son disque *Weisse Rosen aus Athen* (*Rose blanche de Corfou*) se vend à 1 200 000 exemplaires, puis les États-Unis, où elle fait avec Harry Belafonte quatre longues tournées, la France enfin où chacun de ses passages (Olympia, 1967, 1969... 1997, Palais des Congrès, 1984, Salle Pleyel, 1995) est un succès.

Accompagnée par un orchestre grec (dirigé par son mari, Georges Petsilas), elle interprète d'une voix pleine de douceur et de nuances des chansons grecques (*To fengari inè kokkino*, « la lune est rousse »), allemandes, anglaises et, bien sûr, françaises (*Celui que j'aime*, ou encore des classiques de la chanson d'amour, *Le Temps des cerises*, *Plaisir d'amour*). Elle a également chanté le gospel (*Couleur gospel*, 1990), interprété des compositions de Michel Legrand, des chansons de Charles Aznavour, des textes de Jean-Loup Dabadie, milité pour la paix (ambassadrice de l'Unicef, 1993), été élue députée au Parlement européen (1994). Chantant en plusieurs langues, ayant vendu près de 400 millions de disques, vivant entre les avions et les scènes, elle accomplit une carrière internationale qui laisse pantois.

Georges MOUSTAKI

[Joseph Mustacchi] Alexandrie (Égypte), 1934. Auteur-compositeur-interprète. Études au lycée français d'Alexandrie. Vient à Paris en

1951, où il travaille un temps dans l'édition. Journaliste occasionnel, puis pianiste de bar, il collabore avec Henri Salvador (*Il n'y a plus d'amandes*, 1955). Il est chanté par Jacques Doyen (*Gardez vos rêves, Eden blues*), Catherine Sauvage, Irène Lecarte, et se produit lui-même à la Colombe, au Port du Salut et au College Inn. Sa rencontre en 1957 avec Édith Piaf est décisive : il la suit en tournée aux États-Unis et lui écrit *Milord* (mus. M. Monnot). Il enregistre lui-même en 1960, sous son nom mais aussi sous le pseudonyme d'Eddie Salem, sans succès, et se met en 1961 à l'étude de la composition musicale. Dix ans après Piaf, une seconde consécration est donnée à son œuvre par Serge Reggiani, auquel il s'est en quelque sorte substitué pour écrire *Sarah* (« la femme qui est dans mon lit »), *Ma liberté*, *Ma solitude*. Il a entre-temps été chanté par Juliette Gréco (*Votre fille a vingt ans*, 1965), Pia Colombo, Catherine et Maxime Le Forestier, Tino Rossi (*Le Pinzutu*, 1963), Colette Renard (*Les Musiciens*, 1960). Mais si certaines de ses chansons sont célèbres, il reste inconnu du grand public : tout le monde a entendu *Milord*, *Les Musiciens*, *Sarah*, ou *Ma solitude*, mais peu de gens savent qui en est l'auteur.

En 1968, après avoir enregistré un duo inattendu avec Barbara (*La Dame brune*), il se fait entendre, seul enfin, sur les antennes (*Il est trop tard*, *Joseph*). C'est la troisième consécration. Le succès du *Métèque* est énorme. La barbe hirsute, les yeux bleus, la voix douce et le côté oriental de Moustaki ont conquis le public. Profondément marqué par les cultures méditerranéennes, il découvre alors d'autres musiques qu'il va agréger à son bagage : *Les Eaux de mars* (1973) ou *Bahia* (1977) témoignent de l'apparition du Brésil dans ses sources d'inspiration (et il se révèle pour l'occasion comme un traducteur intuitif de talent) tandis qu'*En Méditerranée* (1971) ou *Alexandrie* (1976) marquent au contraire la permanence de ses origines. Empruntant aussi à la musique grecque, au folksong, il a su créer un univers musical attrayant derrière une apparente monotonie mélodique. Quant à son écriture (dans une langue qui n'est pas pour lui maternelle), elle est marquée par un grand respect de la métrique classique et par un sens poétique évident. La séduction du personnage fait le reste. Devenu une légende de la chanson française, il tourne dans le monde entier, aussi connu à l'étranger que Piaf, Brassens ou Brel, négligeant du même coup sa carrière en France, où l'on pense parfois qu'il ne chante plus. Il revient en force avec *Tout reste à dire* (1996) et surtout un disque sans titre (2003), grâce auquel il renoue avec le tube (*Quand j'étais un voyou*). Il a également été acteur (*Mendiants et orgueilleux*, 1970), a exposé maintes fois ses peintures et a publié quelques ouvrages, les uns consacrés à son métier (*Questions à la chanson*, 1973), les autres relevant du genre roman autobiographique (*Les Filles de la mémoire*, 1988, *Petite Rue des bouchers*, 2001).

Jean-Louis MURAT

[Jean-Louis Borgheaud] La Bourboule, 1954. Auteur-compositeur-interprète. Débute dans le groupe Clara, puis enregistre son premier album en 1982, avec dès l'origine un ton et une ambiance musicale très particuliers. Un pied dans la chanson et l'autre dans sa montagne, il poursuit une carrière distanciée, l'air de ne pas y toucher, de ne pas y croire ou de ne guère attacher d'importance à ce qu'il fait. Pourtant, les albums se succèdent (*Si je devais manquer de toi*, 1987, *Cheyenne autumn*, 1989, *Le Manteau de pluie*, 1991...), se bousculant même parfois, en particulier au début du siècle : *Le Moujik et sa femme* (2002), *Lilith*, puis un DVD avec 16 titres inédits, *Parfum d'acacia au fond du jardin* (2003), *A bird on a poire* (2004), *Moscou* (mars 2005) et *1829* (mai 2005, sur lequel il interprète le chansonnier du XIXe siècle, Pierre-Jean de Béranger), *Taormina* (2006). Vingt-quatre albums en tout, comme une urgence, ponctuant une carrière en dents de scie, qui se heurte à une certaine incompréhension face à une œuvre originale et exigeante. Derrière la nonchalance musicale et textuelle et l'indolence vocale, qui pourraient s'apparenter à de la provocation ou du mépris, le ton se durcit parfois pour fustiger l'extrême droite et rappeler qu'on peut camper sur son Aventin sans oublier les problèmes du monde (*Les Gonzesses et les Pédés*, 1999). Quelques succès de radio viennent heureusement ponctuer cette production torrentueuse et mal comprise, comme *Au mont du sans souci* sur l'album *Mustang* (1999), ou *Ce que tu désires*, en duo avec Carla Bruni (2005).

MUSIC-HALL DU MARAIS

▶ PACRA (Concert).

Claude Nougaro

Gustave NADAUD

Roubaix, 1820 – Paris, 1893. Auteur-compositeur-interprète. D'une famille de marchands, il touche d'abord aux tissus paternels puis abandonne Roubaix pour Paris et le tissu pour la rime. Auteur prolifique (romans, opéras, poèmes, chansons), se définissant lui-même comme « modéré, très modéré », il a les faveurs du Second Empire et sera le premier chansonnier à être décoré à ce titre de l'ordre national. Spirituel, aimable, il écrit (paroles et musique) des chansons légères et amusantes. *Le Roi boiteux*, *Adèle*, *Le Docteur Grégoire*, témoignent des différentes tendances de son œuvre, mais c'est surtout *Pandore ou les Deux gendarmes* que la postérité a retenue :

> *Brigadier, répondit Pandore,*
> *Brigadier, vous avez raison.*

Ajoutons que le très conservateur Nadaud fut le principal instrument de la publication du recueil de chansons du communard Eugène Pottier (*Quel est le fou* ?, 1884), ce qui est tout à son honneur.

NANTES

Chanson, par. et mus. Barbara (1965). Ce rendez-vous funèbre dans une ville pluvieuse et inconnue est une sorte de suite à *Dis, quand reviendras-tu* ? qui présentait déjà l'homme aimé comme un voyageur insaisissable et un éternel absent. Ici, son identité reste ambiguë jusqu'au dernier couplet qui, nous apprenant qu'il s'agit d'un père, apporte brusquement une dimension autobiographique à une œuvre peu banale : l'événement y est relaté chronologiquement, sans que soit utilisé aucun mode de répétition habituel à la chanson, sinon un rythme de valse lente interrompue et reprise sur des tons différents.

Les NÉGRESSES VERTES

Groupe créé en 1987 (Noël Rota, chant, Stéphane Mellino, chant et guitare, Matthieu Canavese, chant et accordéon, Abraham Sirinix, trombone, Pailo, basse, Michel Ochowiak, trompette, Jo Roz, piano, Zé Verbalito, batterie, Iza Mellino, percussions). Mélange des genres, des styles, des instruments et des rythmes, les Négresses vertes sont une illustration parfaite de ce qu'on appelle dans les années 1980 les « musiques plurielles », avec un zeste de folie communicative en plus. Premier disque en 1989, avec un premier succès, *Voilà l'été*. Confirmation en 1991 avec *Famille nombreuse* et un passage au Printemps de Bourges. Le groupe tourne alors dans le monde anglophone, mais la belle aventure est frappée en plein vol lorsque Noël Rota meurt d'une overdose en 1993. L'album *Zig-Zague* (1994) semble annoncer un retour qui ne sera que temporaire, malgré une intéressante participation au disque de Jane Birkin, *Versions Jane* (1995), sur le titre *La Gadoue*.

NÉ QUELQUE PART

Chanson, par. et mus. Maxime Le Forestier (1987). Un texte bref, bourré d'allitérations non dénuées de sens (« est-ce que les gens naissent égaux en droits à l'endroit où ils naissent »), un collage musical inattendu (avec des chœurs sud-africains chantant dans une langue bantoue, à une époque où l'Apartheid dominait encore), cette chanson qui marque le grand retour de Maxime Le Forestier à la fin des années 1980 connotait un antiracisme de bon aloi. Mais elle constitue aussi une leçon de choses : quels sont les facteurs qui expliquent le succès ? Dans ce cas d'espèce, comme la voile d'un navire se gonfle soudain du vent qui se lève, la chanson a profité du mouvement SOS Racisme, du slogan « touche pas à mon pote » : des dizaines de milliers de jeunes militants ont trouvé dans *Né quelque part* une sorte d'hymne et ont assuré sa pérennité. Rencontre fortuite, certes, mais le hasard prend parfois les couleurs de la nécessité.

Marie-Josée NEUVILLE

[Josée de Neuville] Paris, 1938. Auteur-compositeur-interprète. La révélation de l'année 1955. Lycéenne (elle préparait son baccalauréat), fraîche et naïve, elle proposait des chansons où se reconnaissait la jeunesse. La camaraderie, la famille, les amours juvéniles étaient au centre d'*Une guitare, une vie*, de *Gentil camarade*, du *Petit Danois*, sortes de pages de journal intime mises en musique. Mais « la lycéenne de la chanson », dont les nattes (que son contrat lui interdisait de couper) firent merveille, a joué parfois sans le savoir sur un registre plus trouble (*Le Monsieur dans le métro*, 1956) et, comme le souligne L. Rioux, s'est peut-être attiré aussi un public de candidats aux ballets roses. Quoi qu'il en soit, devenue femme, elle n'a plus intéressé le show-business et, si elle continue aujourd'hui d'écrire ou de préparer des émissions de télévision, elle a, semble-t-il, définitivement quitté le music-hall à vingt ans.

NICOLETTA

[Nicole Grisoni] Vongy (Haute-Savoie), 1944. Interprète. L'histoire de son enfance et de son adolescence a été rapportée abondamment par la presse (orpheline, placée en foyer de liberté surveillée, puis au Bon Pasteur, et enfin renvoyée à sa grand-mère avec la mention « irrécupérable »). Elle en fait un des atouts de son jeu. L'autre, c'est sa voix : pas très puissante, mais d'une tessiture exceptionnelle. Engagée par Barclay, où elle est prise en main par Léo Missir, elle est livrée pendant un an aux gens du métier qui travaillent à mettre au maximum en valeur son instrument vocal. Résultat : *La Musique* (A. Gregory-B. Mann, 1968), *Il est mort le soleil* (P. Delanoë-H. Giraud, 1968), *Ma vie c'est un manège* (A. Gregory, Y. Dessca-L. Reed, J. Worth, 1970), *Mami blue* (H. Giraud, 1971). Le public marche à fond. Puis, malgré quelques retours (*Fio Maravilla*, adaptation du succès de Jorge Ben, *Idées noires*, duo avec Bernard Lavilliers, 1983) et de bonnes prestations scéniques (Olympia, 1975, Bobino, 1979), sa carrière connaît une certaine stagnation. Un album paru en 1995, *J'attends, j'apprends*, malgré les signatures de Pierre

Delanoë, William Sheller et Richard Cocciante, n'inverse pas la tendance. Sans doute parce qu'entre la chanteuse de rythm and blues, genre qu'elle affectionne, et la chanteuse réaliste, où l'attend un vaste public, elle n'a pas su, ou pas voulu, choisir.

Yannick NOAH

Sedan, 1960. Interprète. Né d'un père camerounais, footballeur, et d'une mère française, qui s'installent en 1963 à Yaoundé où il s'initie très jeune au tennis. Remarqué par le champion Arthur Ashe, il intègre la formation sports-études de Nice et entame une carrière professionnelle qui le mène à remporter Roland-Garros (1983) avant de se tourner vers la musique (*Saga Africa*, Y. Noah-D. Mac Neels-M. Zdravkovic, 1990), tout en entraînant pendant un temps l'équipe de France de Coupe Davis. Les disques se succèdent (*Black & What, 1991*, *Urban Tribu*, 1993, *Yannick Noah*, 2000, *Pokhara*, 2003), entrecoupés d'actions humanitaires (Les Enfants de la Terre), de concerts tennis-chanson. Dans tous les cas, il fait preuve de la même énergie que celle qu'il avait déployée sur les courts. Tout cela ne révolutionne pas l'histoire de la musique, mais reste bien sympathique.

Les NOCTAMBULES

Cabaret, rue Champollion, Paris (1894-1939). En 1892 s'ouvre un café chantant, Chez Chopinette, qui, repris deux ans plus tard par Martial Boyer, devient les Noctambules. Xavier Privas, Marcel Legay, Jules Mévisto y chantent le vendredi soir. Les séances sont ensuite étendues au week-end, puis à toute la semaine. L'endroit devient très vite célèbre, et Jean Bastia peut écrire : « Qui connaîtrait Champollion s'il n'existait les Noctambules ? » C'est en effet Montmartre qui descend au Quartier latin, avec Paul Delmet, Vincent Hyspa, Jules Jouy, et amorce ainsi (avec le Procope qui a aussi lancé la chanson rue de l'Ancienne-Comédie) un renversement total dont nous voyons aujourd'hui le résultat : les cabarets qui, il y a soixante-quinze ans, se trouvaient pratiquement tous sur la Butte, se trouvent maintenant presque tous sur la rive gauche. Martial Boyer reste le maître des lieux, fidèle au poste, jusqu'en 1937, date à laquelle il cède les Noctambules à Maurice Roget.

Léo NOËL

1914-1966. Interprète d'un style de chanson poétique populaire (*Le Piano du pauvre*, *Paris-canaille*), il est découvert par Agnès Capri et débute à la Gaîté-Montparnasse en 1945. À la fondation de l'Écluse (1951), il devient l'un des quatre responsables de l'établissement et y chante Francis Lemarque, Francis Carco, Pierre Mac Orlan en s'accompagnant à l'orgue de barbarie. Il meurt accidentellement en 1966.

NOËL-NOËL

[Lucien Noël] Paris, 1897-1989. Auteur-compositeur-interprète et chansonnier. Ancien employé à la Banque de France, il débute aux Noctambules en 1920 en s'accompagnant lui-même au piano. Il passera au Moulin de la Chanson, à la Lune Rousse, au Théâtre de Dix Heures et dans tous les cabarets de Montmartre avant d'être la vedette de l'A.B.C. (1940). Comme interprète, il tire parti de son trac de la meilleure façon possible : en l'avouant, en l'intégrant à son personnage de malchanceux, d'amoureux timide, d'incompris (*Le Gaffeur*, et le héros d'une revue de 1926, *Adémaï*). Il trouve son inspiration dans les petits faits de la vie quotidienne (*Le Coiffeur*, *Chez le photographe*, *L'Album de famille*, *La Soupe à Toto*) et en tire une philosophie souriante. Mais il peut aussi donner dans la satire féroce, au second degré (*La Valse industrielle*, *Réception mondaine*). « Noël-Noël porte en lui, écrit un journaliste, le fardeau précieux d'une enfance qui ne veut pas mourir et ne cesse de balbutier des saines et grandes vérités. » Des vérités qu'il saura assener sur la tête de l'occupant en 1941 avec l'air le plus candide. Parallèlement à son activité de chansonnier, il a fait, à partir de 1931, la carrière que l'on sait au cinéma.

Jean NOHAIN

[Jean-Marie Legrand] Paris, 1900-1981. Auteur. Il commence à écrire pour les enfants sous le nom de Jaboune. Fils du poète Franc-Nohain, auquel il empruntera son second pseudonyme, il apprend le métier d'avocat, qui ne lui plaît guère, mais qu'il poursuit néanmoins jusqu'à l'âge de trente-cinq ans, malgré ses premiers succès d'auteur de chansons en 1930 (*Couchés dans le foin* à la suite d'une collaboration engagée – et poursuivie – avec Mireille). Jean Nohain se refuse à écrire du « triste ou du prétentieux » et c'est ainsi qu'il devient, sans l'avoir voulu, en compagnie de Jean Tranchant, de Mireille, de Pills et Tabet, le pionnier d'une révolution dont Charles Trenet sera le héros. Il s'agit d'un nouveau genre de création : tandis que des soupçons de jazz viennent remplacer la valse-rengaine, la chanson écrite devient une histoire qui s'inspire d'un quotidien ensoleillé, lui-même observé d'un œil malicieux. *Une demoiselle sur une balançoire*, *Quand un vicomte*, *Le Vieux Château*, *Un petit chemin qui sent la noisette*, etc. racontent, au travers de sensations fugitives, des situations communes, auxquelles la musique fondamentalement descriptive de Mireille adhère parfaitement. Inventeur des premiers jeux radiophoniques, Jean Nohain poursuit, parallèlement à sa carrière d'auteur, celle de réalisateur à la radio et à la télévision dès 1932 (« En correctionnelle », « Reine d'un jour », « 36 chandelles », etc.). Spécialiste d'émissions enfantines, il y manifeste la bonhomie d'un grand-papa gâteau. Il est également auteur d'opérettes (*Plume au vent*) et de mémoires (*J'ai cinquante ans*, *La Traversée du XXe siècle*).

NOIR DÉSIR

Groupe rock né au début des années 1980 de la rencontre à Bordeaux de quatre lycéens, Bertrand Cantat (voix), Denis Barthe (batterie), Frédéric Vidalenc (basse), remplacé en 1997 par Jean-Paul Roy, et Serge Teyssot-Gay (guitare). Leur premier album, sorti en 1987, *Où veux-tu que j'regarde ?*, donne le ton : mélange assez rare de textes durs, pessimistes et poétiques à la fois (signés Cantat) et d'une musique résolument rock (signée collectivement par le groupe). Noir Désir pratique un « rock à texte », comme on parle de chanson à texte. Le succès viendra en 1989 avec l'album *Veuillez rendre l'âme à qui elle appartient* (avec un titre phare, *Aux sombres héros de l'amer*). Le public découvre alors un groupe se méfiant des médias, des interviews, et renouant avec une pratique un peu tombée en désuétude, celle des galas de soutien. Les albums se succèdent, *Du ciment sous les plaines* en 1991, *Tostaky* (pour « todo esta aquí ») en 1993, *Dies irae* en 1994, *666667 Club* en 1997, et le rock se fait de plus en plus dur, le groupe de plus en plus incontournable. Deux Victoires de la musique viennent couronner le tout en 1998 (meilleur groupe, meilleure chanson : *L'Homme pressé*), mais ils bouderont la cérémonie. Les reprises témoignent parfois mieux d'un style que les œuvres originales, et il faut écouter ce que Noir Désir a fait de *Ces gens-là* (sur l'album collectif d'hommage à Jacques Brel *Aux suivants*, 1998) ou de *Working class hero* de John Lennon (lors du gala de soutien au Groupe d'information et de soutien aux immigrés, en 1999) pour apprécier l'âpreté de leur univers musical. Suivent *Long box* en 2000, *Des visages des figures* en 2002 (avec encore une fois un titre fort, *Le vent l'emportera*). Les tournées se succèdent aux quatre coins du monde, le groupe est à son zénith, le public les plébiscite, la presse leur rend hommage. Et tout s'achève en juillet 2003 à Vilnius, avec un drame privé et la mort de Marie Trintignant. Bertrand Cantat est condamné à huit ans de prison et le groupe, orphelin, qui se conjugue désormais au « futur incertain » (*Chorus*), sort cependant en septembre 2005 un album enregistré en public avant la chute. Le dernier ?

Claude NOUGARO

Toulouse, 1929 – Paris, 2004. Auteur-compositeur-interprète. Fils d'un chanteur lyrique, il débute dans le journalisme. Installé à Paris en 1953, il découvre la chanson d'auteur et fait ses premières armes dans la « confection sur mesure » pour des interprètes de composition (Philippe Clay, Marcel Amont). Il passe de l'autre côté de la rampe en 1962, avec un succès immédiat (*Les Don Juan*, M. Legrand, *Une petite fille*, mus. J. Datin, *Cécile, ma fille*, mus. J. Datin) et se produit à l'Olympia (en vedette américaine, 1964) et à Bobino (en vedette, 1965). Puis il connaît un passage à vide. Entouré de musiciens de jazz, Maurice Vander, Eddy Louiss, il repart à la conquête d'un public : ses récitals à l'Olympia (1969, 1974, 1977, 1979, 1981) comme ses apparitions régulières au hit-parade (*Dansez sur moi*, mus. N. Hefti, *Brésilien*, Capinam, G. Gil, *Îles de Ré*, mus. G. Pontieux, C. Nougaro, *Tu verras*, mus. C. Buarque), permettent de mesurer son audience nouvelle, sa stature de « phare » de la chanson.

Lancé au plus fort de la vague yé-yé et d'abord identifié à elle, il a su intéresser le public à sa recherche. Car c'est bien ainsi qu'il faut comprendre son entreprise : donner ou redonner aux mots une vertu magique, leur restituer leur force initiale en les catapultant dans un espace nouveau, la chanson. Les images peuvent être prosaïques, le jeu de mots est rarement exsangue, il respire musicalement : Nougaro est à la fois « motsicien » (Fred Hidalgo) et « homme aux semelles de swing » (Christian Laborde). Mais l'impact tient d'abord à la richesse harmonique de la voix, au sens du phrasé, à la référence constante au jazz (rythmique, effets de syncope, onomatopées) étendue plus tard à la musique brésilienne, alors qu'il adopte pourtant une forme traditionnelle : « Pour moi jazz et java c'est du pareil au même » (*Le Jazz et la Java*, mus. J. Datin sur un thème de Haydn). Il y a enfin l'originalité de son écriture : construction analogue au montage cinématographique, épousant le choix rythmique, jeux de mots compris comme viols de mots, tentative désespérée d'échapper à leur fatalité. Les thèmes qui apparaissent dans son œuvre permettent de cerner quelques obsessions : l'érotisme, la mort, la difficulté d'être du couple. Elles sont mises à nu dans et par l'événement : la mort d'une star (*Chanson pour Marylin*, mus. J. Datin), la naissance (*Splaouch*, mus. M. Legrand), un événement politique (*Paris Mai*). Mais le révélateur par excellence est la femme, mère, épouse, amante, fille. La chanson devient alors célébration de l'Ève éternelle et, à travers elle, du désir de l'homme.

Mais l'heure est à la rentabilité. Tout semble marcher pour lui quand sa maison de disques, Barclay, lui rend sa liberté pour cause de ventes insuffisantes. Il relève le défi, vend son appartement et part à New York où il se ressource et enregistre avec l'aide de Philippe Saisse l'album *Nougayork* (1987), dont l'énorme succès est une véritable gifle aux comptables du show-business : Victoire de la musique en 1988, Olympia et Zénith en 1989, le « viré de chez Barclay » est revenu aux premières places. Malgré de graves problèmes de santé (opération du cœur) il continue d'écrire, d'enregistrer, de se produire, jusqu'à la veille de sa mort (*Blue note*, album publié après sa disparition). Son œuvre, déjà classique, ne peut que se bonifier avec le temps. Elle constitue d'ores et déjà un des fleurons de la chanson en français.

NUIT ET BROUILLARD

Chanson, par. et mus. Jean Ferrat (1963). Le premier mérite de cette chanson est d'avoir su échapper aux poncifs du sentimentalisme facile qui la guettait. En dehors même du sujet (les camps d'extermination nazis) et des motivations de Ferrat (une partie de sa famille a été déportée), la chanson revêt une singulière importance dans l'œuvre de son auteur et, peut-être, dans la chanson de son temps. Un refus de *dire*, tout d'abord, de louer ou d'insulter, mais une description à ras de texte qui rappelle les meilleurs moments de Sartre et qui appelle une analyse stylistico-linguistique : « Ils se croyaient des *hommes*, n'étaient plus que des *nombres* » (Ferrat). « Il n'y a pas si longtemps, la terre comptait deux milliards d'habitants, soit cinq cents millions d'hommes et un milliard cinq cents millions d'indigènes » (Jean-Paul Sartre, préface aux *Damnés de la terre* de Frantz Fanon). Dans les deux cas, une sorte de mensonge qui, par le rapprochement éclair (homme/nombre, homme/indigène), révèle le mensonge premier, celui du langage quotidien. Il y a là une direction peut-être, un moyen de rompre le cercle vicieux dans lequel s'enferment ceux qui veulent, au moyen du langage, critiquer une idéologie qui est précisément transmise par le langage et qui le transforme. Mais la chanson est aussi une déclaration de principe :

Je twisterai les mots
s'il fallait les twister
pour qu'un jour les enfants
sachent qui vous étiez.
Face à ceux qui affirment
Que ces mots n'ont plus cours
qu'il vaut mieux ne chanter
que des chansons d'amour,

elle opte pour le combat quotidien dans ce qui, par conséquent, devient autre chose que la chansonnette.

Robert NYEL

Grasse (Alpes-Maritimes), 1930. Auteur-compositeur-interprète. Peintre, poète, commerçant à Grasse, il gagne les bords de la Seine et se reconvertit dans la chanson (1956). Travaillant avec Gaby Verlor, il écrit pour Robert Ripa (*Si à Paris*), Bourvil (*Ma p'tite chanson*), Juliette Gréco (*Le Petit Bal perdu*). Chante à la Méthode, puis enregistre en 1960 *Magali*, qui aura un grand succès (elle sera interprétée également par Robert Ripa, Gloria Lasso, Maria Candido). Puis c'est le reflux. Robert Nyel continue d'écrire (*Déshabillez-moi*, mus. G. Verlor, pour J. Gréco) mais sans retrouver l'audience de *Magali*.

O

Pascal Obispo

Pascal OBISPO

Bergerac, 1965. Auteur-compositeur-interprète. Fils d'un footballeur, il passe son adolescence à Rennes, débute en 1979 comme guitariste du groupe Words of Goethe, puis, en 1988, du groupe Senzo. Un premier disque sans succès (*Le Long du fleuve*) puis un second, en 1992, *Plus que tout au monde*, qui le met sur les rails de la notoriété, suivi d'*Un jour comme aujourd'hui* (1994), et le tour est joué : sa voix de tête, ses textes un peu larmoyants et son sens mélodique ont fait merveille. Il est en première partie de Céline Dion en 1996 et passe en vedette un an plus tard à l'Olympia, puis au Zénith. Il alterne alors entre ses propres albums (*Superflu*, 1996, *Soledad*, 1999) et ce qu'il écrit pour les autres. Florent Pagny lui doit *Savoir aimer* (1997), Johnny Hallyday les musiques et les arrangements du disque *Ce que je sais* (1998), Patricia Kaas *Le Mot de passe* (1999). Il signe également la musique du spectacle d'É. Chouraki *Les Dix Commandements* (2003), l'album de Natasha Saint-Pier (*L'Instant d'après*), devenant ainsi le spécialiste du succès clefs en main, à l'égal de Jean-Jacques Goldman, mais dans un genre notoirement différent : celui d'un « chef d'entreprise remuant » qui a « une vision sportive du show-business » (Maxime Le Forestier) : il n'écrit ou n'enregistre que pour être premier au hit-parade.

Marc OGERET

Paris, 1932. Compositeur-interprète. Mécanographe et apprenti comédien, il met en musique Marc Alyn et Pierre Seghers, se produit Chez Agnès Capri, à la Colombe, et fait le tour de la rive gauche. Bobino 1965, prix Charles-Cros 1962 et de l'Académie de la chanson (1963), il participe aux jam-sessions de Luc Bérimont. Il a consacré de nombreux disques à des œuvres (Aragon, 1966, 1974, 1992, Bruant, 1978, Jean Vasca, 1990) ou à des thèmes (*La Commune*, 1968, *La Mer*, 1970, *La Révolution*, 1988, *La Résistance*, 1990, *Les Marins*, 1996).

Joseph OLLER

Terrassa (Espagne), 1839 – Paris, 1922. Directeur de salles. L'inventeur, en France, du music-hall. Il avait le don de la trouvaille commerciale, du « truc » à effet. D'ailleurs, que n'a-t-il inventé ou introduit en France : le pari mutuel, le journal pour turfistes, la piscine couverte, les chutes d'eau, les montagnes russes, et l'on en passe. Il ouvrit, boulevard des Italiens, le premier music-hall des Boulevards : les Fantaisies-Oller (1875), transformées en théâtre des Nouveautés en 1878. Puis il introduisit le tour de chant au Nouveau Cirque (rue Saint-Honoré) : Kam-Hill notamment y chanta à cheval. En 1889, il ouvrit le Moulin Rouge et coupla ses programmes avec ceux d'un caf'conc' sélect créé à l'emplacement du Pavillon de l'Horloge, le Jardin de Paris (1891). Enfin, en 1893, il fit bâtir l'Olympia sur le terrain libéré par la destruction de ses Montagnes russes. « Mais Oller, s'il était un génie créateur, se désintéressait de son œuvre quand elle était terminée : organiser, monter une nouvelle affaire le passionnait, la diriger l'ennuyait très vite » (Jacques-Charles). Il finit par céder toutes les salles qu'il possédait.

L'OLYMPIA

Music-hall, boulevard des Capucines, Paris. Construit par Joseph Oller (1839-1922) en 1893 sur l'emplacement occupé par les Montagnes russes, il est dirigé de 1898 à 1911 par les frères Isola, qui consacrent leur salle presque exclusivement aux attractions. Puis, pendant trois ans, sous l'impulsion de Jacques-Charles, on y monte de brillantes revues, menées au succès par Régine Fleury, Louise

Balthy, Polaire, Jane Marnac, Max Dearly ou Fragson. Fermé à la déclaration de guerre, il est repris par Raphaël Beretta puis, de 1918 à 1928, par Paul Franck qui, tout en maintenant les traditionnelles attractions, met désormais la chanson au premier plan. Il fera défiler sur la scène de l'Olympia tous les grands noms du tour de chant, d'Yvonne George à Fortugé et de Damia à Fréhel, et donnera aussi leur chance à de jeunes chanteuses comme Lucienne Boyer, Marie Dubas et Raquel Meller. Mais l'essor du cinéma contraint le dernier directeur de la salle, Fouilloux, à la fermer. De 1929 à 1954, elle est vouée au 7e art. Puis l'auteur-compositeur Bruno Coquatrix, peut-être désireux de reprendre le flambeau abandonné par l'A.B.C., la rouvre pour la placer résolument sous le signe de la chanson.
Dans son premier programme, il accueille, non sans quelques dégâts dans la salle, Gilbert Bécaud : sa réputation de consacreur de vedettes date de là. Désormais, figurer en lettres de feu sur le fronton du « premier music-hall d'Europe » (plus de deux mille places, un équipement de premier ordre) signifie, pour un artiste, toute une opération promotionnelle à laquelle concourent radios, télévisions, éditeurs et maisons de disques. Mais la politique de la tête d'affiche qui « remplit la salle » a ses contraintes : se conformant à la mode du moment elle laisse peu de place à la découverte. Bruno Coquatrix, qui avait ouvert les premières parties à de jeunes espoirs, comme Béa Tristan, ou à des chanteurs encore inconnus en France, comme Robert Charlebois, ne sera pas toujours suivi par le public venu pour la vedette. Ce n'est guère que le lundi, jour de relâche, que l'Olympia offre à de jeunes étoiles la possibilité de jeter leurs premiers feux : Gilles Vigneault ou Michel Jonasz, parmi bien d'autres, purent ainsi attirer l'attention. Il est vrai aussi que la concurrence du Palais des Sports et du Palais des Congrès, puis du Zénith, eut pour effet d'alléger la pression exercée sur l'Olympia. Quoi qu'il en soit, le music-hall fait alors partie du paysage parisien, et ses grandes heures (les marathons de Gilbert Bécaud et de Charles Aznavour en 1962 et 1963, les rentrées d'Édith Piaf en 1961, de Charles Trenet en 1971, les tours de chant de Jacques Brel en 1964, de Johnny et Sylvie en 1967, etc.) sont autant de dates dans l'histoire de la chanson d'après-guerre.

Après la mort de Bruno Coquatrix (1979), la relève est assurée par sa fille Patricia et son neveu Jean-Michel Boris jusqu'en 2000, mais la salle connaît des difficultés financières. Elle est détruite en 1997, déplacée de quelques mètres et refaite à l'identique, mais la famille Coquatrix la vend alors au groupe Vivendi-Universal qui en confie la direction à Arnaud Delbarre. On s'interroge depuis lors sur la liberté de programmation d'un lieu lié à une énorme maison de disques.

Marianne OSWALD

[Alice Bloch-Colin] Sarreguemines, 1903 – Limeil-Brévannes, 1985. Interprète. Allemande chassée de sa patrie par l'avénement du IIIe Reich. Ancienne chanteuse de cabaret à Berlin (1925), elle gagne Paris et le Bœuf sur le toit (1933), où elle interprète les chansons de B. Brecht-K. Weill : *La Complainte de Mackie, La Fiancée du pirate*... Avec elle, l'expressionnisme allemand fait son entrée dans la chanson française : une crinière flamboyante sur une robe sombre, une voix de gorge rauque et brute, une diction particulière dont le pouvoir est renforcé par des consonances germaniques, une expression tour à tour tendre et torturée. Au Bœuf sur le toit, on prend feu : Cocteau lui écrit *Anna la bonne* et *La Dame de Monte-Carlo* (1934), Kosma met en musique pour elle *Embrasse-moi* de Prévert, et Maurice Yvain *Le Jeu de massacre* de H.-G. Clouzot. Où qu'elle passe, Folies-Wagram (1933), Alcazar (1934), la faune du Bœuf suit et soutient sa *« pasionaria »*. Elle en a besoin : la critique professionnelle et, *a fortiori*, le grand public, dépaysés, ne suivent pas. Des motifs politiques doublent les jugements esthétiques, la presse de droite parle d'affront au goût français, et Paul Achard stigmatise son « physique de déchéance ». Mais, peu à peu, Marianne Oswald, qui continue à se produire au cabaret (Noctambules, Deux Ânes) et au music-hall (A.B.C., Bobino), modifie, humanise son jeu. Elle passe la guerre aux États-Unis et, à la Libération, se consacre au cinéma (*Les Amants de Vérone*) et à la télévision. Bien que limitée aux milieux intellectuels, son influence a été certaine : par l'audace dont elle fit preuve dans le choix des textes, par son jeu de scène, elle a fait passer un frisson nouveau dans la chanson. Les artistes de Saint-Germain-des-Prés en ont recueilli les fruits.

OUVRARD FILS

[Gaston Ouvrard] Bergerac, 1890 – Caussade, 1981. Auteur-compositeur-interprète. Malgré l'opposition paternelle, il monte sur les planches (1909), et commence... par suivre les traces de son père. Après la guerre, il quitte le pantalon garance pour le bleu horizon. Comprenant que les genres imposés par le caf'conc' ont fait leur temps, il adopte le smoking (1928). Doué d'un talent assez proche de celui de son père, il mit à profit sa diction remarquable pour se spécialiser dans des refrains de volubilité. On retiendra : *Mes tics*, *Je n'suis pas bien portant* et l'*Escouade à Balautrou*. En 1970 et 1971, il réussit un étonnant come-back, en débitant ses refrains, égal à lui-même, à l'Olympia et à Bobino.

P

Édith Piaf

Concert PACRA

Café-concert puis music-hall, boulevard Beaumarchais, Paris. Modeste concert de quartier, cette salle de bal porta d'abord le nom de Grand Concert de l'Époque. Dirigée un moment par Aristide Bruant (1899), elle est prise en main par Ernest Pacra, fils de Jules Pacra, en 1905. Transformée, elle prend le nom de Chansonia en 1908. En 1925, Mme Pacra la rebaptise Concert Pacra. Jusqu'en 1962, on y monte des spectacles fidèles à l'esprit du music-hall, attractions et tours de chant. En 1962, Pierre Guérin, directeur de Bobino, le transforme en Théâtre du Marais, puis G. Sommier en Music-hall du Marais. Cette petite salle circulaire, inconfortable pour les artistes mais où il est facile de susciter une atmosphère bon enfant, en prise directe sur le public, a servi de tremplin à plusieurs générations d'artistes débutants. Barbara, Brassens, en furent les locataires. Dans le même esprit, des artistes à la recherche d'un second souffle ou en fin de carrière venaient s'y refaire une notoriété (Patachou, Georges Ulmer). En 1968, Pacra fut le quartier général des artistes de variétés participant au mouvement de mai-juin. La salle ferme ensuite face à de grosses difficultés financières et l'immeuble est détruit.

José PADILLA

Almeria (Espagne), 1889 – Madrid (Espagne), 1960. Compositeur. Espagnol, sa carrière en France est liée à celle de Raquel Meller, pour qui il compose *El Relicario* (par. L. Boyer, P. Chapelle) et *La Violetera* (par. A. Willemetz, Saint-Granier). Sa seconde grande interprète sera Mistinguett, qui créera ses chansons dans les revues du Moulin Rouge et du Casino de Paris (dont il devient le chef d'orchestre) : la célèbre *Valencia* (créée en Espagne par Mercedes Seros), *Fleur d'amour* (par. A. Willemetz, Jacques-Charles, 1924) et *Ça c'est Paris* (1925).

Herbert PAGANI

Tripoli (Libye), 1944 – Palm Spring (États-Unis), 1988. Auteur-compositeur-interprète. De parents juifs hispano-berbères, il connaît une enfance solitaire et trimbalée à travers l'Europe, de pension en pension. Fixé à Milan, il y débute, aidé par Annalena Limentari, dans des adaptations personnelles de Brel, de Ferré, de Piaf... Adopté par le parti communiste italien, il est interdit d'antenne (*L'Albergo d'ore*, traduction des *Amants d'un jour*, passant en particulier pour pornographique). Les Italiens du Nord pourront néanmoins l'entendre sur Radio Monte-Carlo, où il anime pendant cinq ans une émission. Enfin, il s'installe définitivement en France, où il enregistre grâce à Claude Dejacques. Son personnage d'émigrant italien, chaleureux et tendre, son interprétation lyrique et ses musiques emphatiques, promues par Europe 1, ont tout de suite du succès (*Concerto d'Italie*, *Mon Sud*, 1971, *Chez nous*, 1972, *La Bonne Franquette*, 1974). Sur scène (Théâtre de la Ville, 1972), il fait, en pull-over d'arlequin, de la chanson-théâtre, avec montages et projections de ses peintures. Le goût du fantastique que l'on y trouve lui inspire également *Mégalopolis*, opéra à une personne (1972, Chaillot, 1975, Bobino). Puis il prend parti : pour le sionisme (*L'Étoile d'or*), pour la gauche (l'hymne du parti socialiste) et... contre le commerce dont il est l'objet (*Le Show-biznesse*, 1978). Il se laisse alors solliciter par ses autres formes d'expression (peinture, littérature).

Florent PAGNY

Chalon-sur-Saône, 1961. Interprète. Débute dans les fêtes de village en chantant Luis Mariano ou Gérard Lenorman. Joue quelques petits rôles au cinéma avant d'enregistrer en 1987 *N'importe quoi*, puis, en 1990, l'album *Merci*. Collabore avec Jean-Jacques Goldman, puis avec Pascal Obispo (*Savoir aimer*, 1997, *Châtelet-Les Halles*, 2000) ainsi qu'avec Art Mengo ou David Hallyday pour les musiques, Lionel Florence, Marc Estève ou Éric Chemouny pour les paroles (album *Châtelet-Les Halles*, 2000). Une histoire d'amour avec Vanessa Paradis achève de le médiatiser. Plus tard, il aura des ennuis avec le fisc et tentera de redorer son image avec *Ma liberté de penser* : « Quitte à tout prendre, prenez mes gosses et ma télé, Ma brosse à dents mon revolver, La voiture ça c'est déjà fait... Mais vous n'aurez pas ma liberté de penser. » D'une voix de ténor, il interprète des morceaux cousus main par J.-J. Goldman, P. Obispo ou Art Mengo. *Savoir aimer* (1998) sera un succès étonnant. Il chante l'amour, avec des orchestrations un peu gnangnan. Tout cela n'est pas très varié, mais il reste sa voix... Trouvera-t-il sa voie ?

La PAIMPOLAISE

Chanson, par. Théodore Botrel, mus. Émile Feautrier (1895). Créée par son auteur au cabaret et par Mayol au caf'conc' (Concert Parisien), cette chanson n'a pas cessé d'être chantée depuis lors : elle rapportait encore des droits d'auteur en 1969 ! Présentée comme « chanson des pêcheurs d'Islande », elle est le type même de la pseudo-chanson folklorique ; musique, archaïsme des tournures (« Je serions bien mieux à mon aise »), couleur locale du sujet, tout concourt à en faire une chanson plus bretonne que nature. Le traditionalisme de la thématique (Dieu, travail, patrie) a été accentué par les modifications opérées par l'auteur au cours des années ; ainsi, « les draps tirés jusqu'au menton » deviendra « devant un joli feu d'ajoncs », et « la peau de la Paimpolaise » deviendra sa « coiffe », à la demande de Mayol, pour éviter un vilain jeu de mots. Qu'elle ait pu défier le temps et les modes témoigne de la solidité et de la simplicité de sa construction, mais aussi de la force d'une imagerie que le public a été habitué à ratifier.

PALACE

▶ ÉDEN-CONCERT.

PALAIS DES CONGRÈS

Salle de spectacle, porte Maillot, Paris. Inauguré en 1974, l'immense auditorium du complexe de la porte Maillot a d'emblée choisi son créneau en programmant comme premier locataire Serge Lama : une vedette de premier plan, capable de drainer le public populaire (qui a loué sa place longtemps à l'avance dans les agences ou les comités d'entreprise). La salle accueillera Sylvie Vartan (1976, 1977, 1978), Julien Clerc (1978, 1980), Robert Charlebois (1979), Michel Sardou (1978, 1981, 1987), l'opéra rock *Starmania*, Charles Aznavour (1988, 1997), Henri Salvador (2005), Chantal Goya, ainsi qu'un grand nombre de vedettes étrangères.

PALAIS DES SPORTS

Salle de spectacle, porte de Versailles, Paris. C'est l'avènement du rock puis de la pop music qui fit entrer la chanson dans cette arène fondée en 1959, où l'on vénérait jusque-là plus volontiers les cordes du ring que les cordes vocales. Entre une prestation des Chœurs de l'Armée rouge et une tournée des Harlem Globe Trotters, elle a accueilli la plupart des grands shows hallydiens ainsi que Jean Ferrat, Maxime Le Forestier, Julien Clerc, Véronique Sanson, Bernard Lavilliers, des comédies musicales, de *La Révolution française* (1973) à *Gladiateur* (2004), et les spectacles théâtraux de Robert Hossein. Si, pour certains chanteurs comme Ferrat ou Le Forestier, il s'agissait surtout de rompre avec le circuit classique du tour de chant pour imposer des tarifs d'entrée en harmonie avec leur conception du spectacle, pour des showmen comme Hallyday ou Lavilliers, le Palais des Sports est l'occasion d'exploiter les possibilités techniques de la salle afin d'offrir une fête de la musique et du son propre à mettre en valeur la vedette. Du sport au spectacle, il n'y a que quelques lettres...

Félix PAQUET

Lille, 1906 – Divonne-les-Bains, 1973. Interprète. De genre fantaisiste, il a débuté à la Fourmi, place Pigalle, en 1930, et fait pendant dix ans les levers de rideau de Bobino, l'Européen, l'Alhambra avant d'obtenir la vedette. À partir de 1935, date à laquelle il devient le partenaire de Mistinguett aux Folies-Bergère en remplacement de Fernandel, il se fait un nom dans la revue et l'opérette. Son grand succès : *Le Refrain des chevaux de bois* (1936). Après la guerre, avec sa femme, il se plaça au service de Maurice Chevalier ; il ne survécut pas à la disparition de ce dernier et se suicida quelques mois après sa mort.

Vanessa PARADIS

Saint-Maur-des-Fossés, 1972. Auteur-compositeur-interprète. Lorsque, en 1980, elle chante *Émilie jolie* dans une émission de télévision (« L'école des fans »), personne n'imagine le destin de cette gamine qui, sept ans plus tard, aura un succès mondial avec *Joe le taxi* (par. É. Roda-Gil). C'est alors la vogue des Lolita et, là encore, on croit à un feu de paille. Sa petite voix acidulée, à la limite de la niaiserie, en énerve plus d'un. César du meilleur espoir féminin en 1989 avec *Les Noces blanches*, elle revient à la chanson en 1990 avec l'album *Variations sur le même t'aime* écrit par Gainsbourg, qui lui donnera une Victoire de la musique... Pour compléter le tableau, elle tourne en 1991 une publicité pour un parfum Chanel qui a le don d'énerver les féministes... Puis elle revient à la chanson, mais en anglais cette fois, en 1992 (album réalisé par Lenny Kravitz). Ce n'est qu'en 1993 qu'elle aborde la scène, alors que sa réputation est faite. Au Printemps de Bourges, entourée de musiciens prestigieux, elle assure honnêtement et fait un tabac, même si son jeu de scène tient parfois du trémoussement asémantique. Elle poursuit une carrière cinématographique (*Élisa* en 1994 avec Depardieu, *La Fille sur le pont* en 1999, etc.) et revient à la chanson en 2000 avec l'album *Bliss*. À trente ans à peine, mère de deux enfants (avec Johnny Depp), elle semble n'avoir plus rien à prouver.

PARISIANA

Café-concert, boulevard Poissonnière, Paris (1894-1911). Il fut un des plus courus de la Belle Époque (après la Scala et l'Eldorado). D'abord bazar, il fut transformé par De Basta en théâtre en rond. La salle était confortable, avec promenoir et balcon, mais la scène avait des possibilités techniques restreintes, les machinistes devant travailler à plat ventre. Pour attirer la clientèle, De Basta inventa la formule « entrée libre » avec consommations à l'intérieur. Malgré cette astuce, qui allait connaître un grand succès, il dut vendre son théâtre aux frères Isola (1897) qui firent venir Paulus en vedette et s'arrangèrent pour laisser croire au public qu'il était le directeur de la salle. Cette fois, l'astuce réussit, et les têtes d'affiche à la suite de Paulus furent nombreuses et célèbres : citons Fragson, Bourgès, Ouvrard père, Mansuelle, Boucot. Les frères Isola engagèrent aussi beaucoup de jolies femmes, comme Anna Thibaud, Méaly, Félicia

Mallet, Paula Brébion, Esther Lekain. Cédé à Ruez en 1905, Parisiana allait se spécialiser, jusqu'à sa fermeture, dans la revue. Maurice Chevalier débutant créa la première d'entre elles, non sans avoir manqué d'être renvoyé par son auteur, Verdellet.

PARLEZ-MOI D'AMOUR

Chanson, par. et mus. Jean Lenoir (1925). Un des plus grands succès de l'histoire de la chanson en France et aux États-Unis. Le Grand Prix du disque sera créé tout spécialement à l'intention de son interprète et créatrice Lucienne Boyer (1930). « Le *Parlez-moi d'amour*, qui est une romance assez plate, écrit Gérard Bauër, a répondu à un vœu que la foule portait en elle sans se l'avouer. » On peut y voir en effet la réponse au « cynisme » de la musique de jazz 1925, la revanche de tout un sentimentalisme bafoué qui se replonge avec délices dans le rythme lent et familier de la valse « à hésitation » :

Redites-moi des choses tendres.

« Non, je ne dirai rien ! », répondaient à Lucienne Boyer les auditeurs contestataires. Pour les faire taire, celle-ci ajouta à son tour de chant *Parlez-moi d'autre chose.* S'il est vrai que l'on ne pourrait imaginer fin de couplet plus banale que celle-ci :

Je vous ai-ai-me,

il faut signaler cependant que le texte est loin d'être aussi bêtifiant qu'on pourrait s'y attendre ; il est même relativement original par son côté désenchanté, son aveu conscient d'un besoin de supercherie qui aide les humains à s'élever au-dessus du réel :

Oh je sais bien
que, dans le fond, je n'en crois rien.

Bref, un classique s'il en est, que seul l'irrévérencieux Boris Vian s'est permis de comparer, pour la musique, au *Bon Roi Dagobert.*

PARS...

Chanson, par. et mus. Jean Lenoir (1926). Elle fut le plus grand succès d'Yvonne George qui la créa à l'Olympia. Refusant l'économie de gestes de la traditionnelle romancière, Yvonne George trouva dans le sujet prétexte à saynète et fit de cette romance somme toute assez banale un chef-d'œuvre dans lequel « sa voix sanglotante, ses avances, ses reculs, ses larmes et ses bras tendus créaient non seulement l'autre qu'elle renvoyait en le voulant garder, mais le décor de cet adieu ».

PATACHOU

[Henriette Ragon] Paris, 1918. Interprète. Après avoir été dactylo, employée, commerçante, elle ouvre un cabaret-restaurant à Montmartre, Chez Patachou (1948), qu'elle lance en coupant les cravates de ses riches clients. Patronnée par Maurice Chevalier, elle devient rapidement une des premières chanteuses françaises et une des artistes de music-hall les plus appréciées – l'héritière de l'art des diseuses début de siècle. Une chanson est pour elle une histoire qu'on raconte, enveloppée de quelques gestes stylisés. Pour ce faire, il faut un solide métier (elle a été l'élève de Chevalier), de l'abattage, de l'humour, et un goût sûr dans le choix des chansons. Georges Brassens, qu'elle est la première à interpréter, et qu'elle poussera à chanter lui-même en le faisant passer dans son cabaret (1952), Guy Béart (*Bal chez Temporel*), Léo Ferré (*Nous les filles*), Charles Aznavour, etc., sont les garants de la qualité et de la variété de son répertoire. La fidélité envers ses auteurs, une certaine neutralité de l'interprétation, l'empêcheront cependant de se hisser à la hauteur d'un personnage de la chanson. Elle se retire de la scène au début des années 1960, emportée par la vague yé-yé. Elle n'y reviendra que pour animer un temps le restaurant-cabaret de la tour Eiffel, ou pour donner une leçon de music-hall aux Variétés (1972), mais elle entame une carrière cinématographique (*Faubourg Saint-Martin*, 1987) et théâtrale (*Des journées entières dans les arbres* de M. Duras, 1990).

PAULUS

[Paul Habans] Saint-Esprit (Pyrénées-Atlantiques), 1845 – Saint-Mandé, 1908. Interprète. Chassé du collège pour avoir lancé un encrier à la tête d'un professeur, il travaille très jeune (saute-ruisseau, employé d'une agence de loterie, etc.) tout en chantant dans certaines sociétés d'amateurs de Bordeaux. Engagé en 1863 dans la « troupe » de Lansade, une gloire locale, il entame une tournée qui commence et se termine à Oléron... En 1865, il est à Paris, chante à Romainville, puis au Concert du XIXe siècle et enfin à l'Eldorado

(1868), « mes débuts véritablement sérieux », écrit-il. Mais il est congédié au bout de trois semaines, le trac le rendant incapable de donner toute sa mesure. Il est alors engagé par Lassaigne, dont il épousera plus tard la fille, au Jardin Oriental de Toulouse, où il chante *Les Pompiers de Nanterre*. Passe ensuite à l'Alcazar de Marseille, revient à Toulouse (1869) où il s'attire des ennuis avec la censure : il chante *Les Cocardiers* grimé en Napoléon III. De retour à Paris, il obtient un certain succès à l'Eldorado jusqu'en 1878. Son contrat rompu (après procès), il va à la Scala (octobre 1878) où il aura encore des ennuis : pour avoir insulté puis agressé un spectateur (décoré de la médaille militaire, belge de surcroît) qui lisait ostensiblement le journal durant son tour de chant, Paulus est condamné à 50 francs d'amende. Il se lance alors dans les affaires (1880), mais ne tarde pas à faire faillite. Il revient à la chanson, crée au Concert Parisien les *Statues en goguette* de Delormel et Gamier. Associé à ces derniers, il se lance dans l'édition en petits formats du « répertoire Paulus », affaire dont il tirera d'importants bénéfices. En 1886, il quitte le Concert Parisien, la rupture de contrat lui coûtant 30 000 francs, et va à la Scala dont le propriétaire accepte de payer le dédit. Le 14 juillet 1886, il atteint la gloire par un coup de génie. « Je n'ai jamais fait de politique mais j'ai toujours guetté l'actualité », dit-il. Il profite en effet de la vogue du général Boulanger pour en faire mention dans une strophe, remaniée, de *En revenant de la revue*, dont le succès fut énorme. Delormel et Gamier deviennent alors ses paroliers de prédilection. Il crée avec eux un journal, *La Revue des concerts* (premier numéro en mars 1887), où il donne libre cours à son caractère vindicatif. En 1891, il chante à New York son *Père la Victoire* (Delormel et Garnier-L. Ganne) et ses autres succès. En janvier 1892, il est à Londres. De retour en France, il achète le Ba-Ta-Clan (où passeront des vedettes françaises – Aristide Bruant – et étrangères – le capitaine Cody, *alias* Buffalo Bill), puis l'Alhambra de Marseille. Il mettra moins d'un an pour faire faillite. Se débattant dans d'énormes difficultés financières, il est forcé de poursuivre sa carrière jusqu'en 1903 et n'échappe (relativement) à la misère que grâce à la représentation de retraite organisée par Fursy et le journal *Le Figaro*. De nombreuses vedettes s'y produisent : Mayol, Fragson, Dranem, Galipaux, Yvette Guilbert, etc. Première vedette à avoir atteint d'énormes cachets (400 francs par représentation en 1888, à l'époque des *Pioupious d'Auvergne*), première idole aussi, défrayant la chronique par ses dépenses et son faste, Paulus marque visiblement un tournant dans l'histoire de la chanson française : l'ère du vedettariat a commencé. Surnommé par le critique Francisque Sarcey « le gambillard », il se dépensait énormément sur scène, mimant, suant, soufflant. Sa voix enfin, célèbre, portait avec une extraordinaire vigueur. Paulus a écrit avant sa mort, avec l'aide d'Octave Pradels, ses mémoires : *Trente ans de café-concert.*

PAUVRE MARTIN

Chanson, par. et mus. Georges Brassens (1953). Un des rares cas où Brassens chante le travail. Mais, comme dans *Le Fossoyeur*, c'est le travail de l'homme malheureux, « pauvre Martin, pauvre misère », la lutte contre le temps, « creuse la terre, creuse le temps », et la victoire enfin de celui-ci et de sa complice la camarde : « dors sous la terre, dors sous le temps ». Il y a dans cette chanson de curieux échos socialistes, Martin étant l'archétype de l'homme exploité, qui « retournait le champ des autres ». Mais le Brassens « désengagé » réapparaît cependant avec la soumission, « sans laisser voir sur son visage, ni l'air jaloux ni l'air méchant », et c'est finalement la société (ou le destin ?) qui l'emporte sur l'individu.

PAVILLON DE L'HORLOGE

▶ L'HORLOGE.

André PERCHICOT

Bayonne, 1889-1950. Interprète. Séminariste, puis champion cycliste de France et d'Europe (1912). Sur les vel'd'hiv', il s'amusait à imiter Fragson. Blessé pendant la guerre, il raccroche son vélo et monte sur les planches. Plus renommé à Marseille qu'à Paris, jusqu'à la veille de la Seconde Guerre mondiale, il détaillera le couplet avec élégance et chaleur. *La Scottish espagnole* fut son principal succès.

Pierre PERRET

Castelsarrasin, 1934. Auteur-compositeur-interprète. Prix du conservatoire de Toulouse (saxophone), acteur de théâtre (au Grenier de Toulouse), il se tourne vers la chanson, est révélé par un « Musicorama » (1959), fait le tour des cabarets de la rive gauche en s'accompagnant à la guitare et obtient un premier succès avec *Moi j'attends Adèle.* Deux ans de sanatorium au plateau d'Assy lui donnent le temps de peaufiner son inspiration : *Le Tord-boyaux* (1963) révélera son style d'humour féroce et bouffon. Partant de l'observation de faits réels, il fait dans la caricature et l'exagération (*Les Jolies Colonies de vacances*, 1966, *Les Postières*) avec bonheur. Sa figure ronde et joufflue, son envie de rire fréquente et mal dissimulée et la truculence de ses rengaines (valses, tangos, paso doble) achèvent de le rendre, sur scène, irrésistible. Les spectateurs hilares reprennent en chœur *Tonton Cristobal*, et les enfants des écoles apprennent parfois les refrains à leurs parents (*La Cage aux oiseaux*). D'abord comparé à Brassens, Pierre Perret s'en est éloigné de plus en plus en abandonnant toute prétention poétique, mais non pas tout effet de style. Il est le maître du calembour, du faux proverbe, de la langue populaire qu'il a acquise, enfant, en écoutant les clients du café-restaurant de ses parents. C'est la continuation de « je lui fais pouet pouet », et c'est ce qui explique en grande partie son succès. Il apporte cependant du nouveau dans cette tradition (*Le Zizi*, 1974), et lorsque la critique sociale l'emporte sur le scatologique (*À cause du gosse*, *La Bête est revenue*, 1998) ou lorsque la tendresse s'en mêle (*Lily*, 1977, *Mon p'tit loup*, 1979, *Mélangez-vous*, 2006), on trouve le meilleur Perret. Grand Prix de la chanson française en 1996, il enregistre aussi des chansons érotiques, publie des ouvrages sur la cuisine et sur l'argot, bref, mord à pleines dents dans la vie et dans les mots.

Paul PERSONNE

[René-Paul Roux] Argenteuil, 1949. Auteur-compositeur-interprète. Après un CAP de mécanique, il enregistre à dix-sept ans un premier disque avec son groupe L'Origine, sans succès. D'autres groupes suivent, La Folle Entreprise, Bracos Band, Backstage... Ce n'est qu'en 1982 qu'il enregistre un album sous son nom. On découvre enfin le guitariste hors pair, marqué par Jimi Hendrix, un maître du blues à la française, dont l'album *24/24* (1985) montre le talent. Mais ni le public ni les médias ne s'en rendent compte... Après quelques années de galère, il connaît un triomphe en 1991 aux Francofolies de La Rochelle, suivi en 1992 du disque *Comme à la maison* (avec des textes de Boris Bergman) et d'un passage à l'Olympia en 1993. En 1996, l'album *Instantanés* (avec encore la patte de Bergman et celle de Jean-Louis Aubert) confirme. Il est maintenant sur les rails et impose son style très particulier, des chansons souvent longues, débutant lentement, comme s'il prenait le temps de s'installer avant de démarrer dans un délire musical, entre blues et rock. Sa voix rauque, très New Orleans, son talent de guitariste et sa gestuelle font merveille sur scène : c'est là qu'il faut l'apprécier, plus que sur ses disques, malgré des recherches sophistiquées en studio et sa collaboration avec des musiciens de talent.

Le PETIT CASINO

Café-concert, boulevard Montmartre, Paris. Ouvert en 1893 et dirigé par E. Rey puis, pendant trente ans, par Auguste Lucas, il se présentait comme une salle de théâtre, avec une tablette accrochée au dos de chaque fauteuil pour poser le bock ou l'eau-de-vie de cerise. Donnant chaque jour une matinée et une soirée, il accueillait un public de quartier particulièrement difficile, qui n'hésitait pas à brocarder les débutants malheureux. À cette rude école se révéla notamment Damia, tandis que Camille Stéfani, Gabriello et Pierre Dac réussirent à s'y faire adopter. Dernier caf'conc' de Paris à maintenir la tradition, il ferma ses portes en 1948 et fut remplacé par un cinéma.

La PETITE TONKINOISE

Chanson, par. Georges Villard-Henri Christiné, mus. Vincent Scotto (1906). La première version de cette chanson avait été écrite à la gloire de Marseille, et s'appelait *Le Navigatore* (par. de Villard). La mélodie mi-napolitaine mi-corse trouvée par Scotto plut à Polin. Celui-ci en fit part à son parolier attitré, Rimbault. Mais, peu de temps après, c'est une autre version, signée par Christiné, qui parut, et c'est elle qui atteignit le grand public, relança Polin et fit connaître Scotto. La chanson doit une bonne partie de son succès à l'orientalisme apparent de sa musique, certainement arrangée pour l'occasion par Christiné. Il est vrai que l'exotisme de banlieue a toujours été une des recettes pour sortir une chanson, et puis, pour le petit-bourgeois IIIe République, qu'y a-t-il de plus « bourgeois » qu'une Indochinoise, et de plus tonkinois qu'une Annamite ? Les refrains de caf'conc', à leur manière, auront fait prendre conscience aux Français des ressources de leur Empire. Reprise par Joséphine Baker trente ans plus tard, *La Petite Tonkinoise* aura souvent changé de peau au cours de son existence.

PETIT PAPA NOËL

Chanson, par. Raymond Vincy, mus. Henri Martinet (1946). Un passage de *Destins*, film de Richard Pottier dans lequel jouait Tino Rossi, se rapportant à Noël, il fallut trouver une chanson d'atmosphère pour la scène. Ainsi fut créée cette œuvre qui, soixante ans plus tard, continue à se vendre régulièrement lors des fêtes de fin d'année. Plusieurs dizaines de millions de disques ont été écoulés et seul *White Christmas*, son équivalent américain créé par Bing Crosby, peut prétendre à la comparaison. Et le succès n'est pas seulement économique : en décembre 2005, une enquête de l'IFOP révèle que 73 % des Français considèrent qu'il s'agit de la chanson qui symbolise le mieux les fêtes de Noël. Pendant laïque des « noëls » religieux, sa pérennité témoigne de la charge de sacré dont cette fête continue à être investie : on ne fabrique pas encore le « tube de Noël », différent chaque année.

Le PETIT VIN BLANC

Chanson, par. Jean Dréjac, mus. Borel-Clerc (1943). Créée par Michèle Dorlan au Petit Casino, enregistrée par Lina Margy, qu'elle lança, popularisée par les ondes, et même chantée aux États-Unis par Lucienne Boyer, cette valse populiste est certainement un des refrains les plus populaires de la chanson française contemporaine. Au demeurant d'une excellente facture, elle mêle les thèmes de la fête champêtre et de l'appel à la nature. Mieux qu'aucune publicité, elle aura contribué à répandre la légende de Nogent et de son petit vin.

Les PETITS PAVÉS

Chanson, par. Maurice Vaucaire, mus. Paul Delmet (1891). Un des succès de son compositeur et interprète qui faillit pourtant étouffer dans les élans de son inspiration mélodique l'intention véritable d'un texte très subtil. Fredonnée par « des générations de jeunes filles pâmées » (M. Herbert) et reprise par les chanteurs de charme, cette romance, en effet, n'a pas la suavité de paroles que l'on attendrait d'elle, partant de la musique : son héros jette des pavés dans la fenêtre de sa bien-aimée (et projette de dresser des barricades contre les forces de l'ordre) après lui avoir écrasé la tête en murmurant :

Je t'aime je t'aime bien pourtant.

Il ne s'agit nullement ici de parodie, mais d'une chanson d'un romantisme extrême, suggérant un immense désarroi intérieur, d'une nature différente et beaucoup plus authentique que le chagrin habituel de l'amoureux éconduit de nos chansons. Celui-ci est plutôt un inadapté social, il est décrit de l'intérieur, au bord de la folie, se heurtant férocement à un monde réel devenu monstrueux, jusqu'à l'impossibilité d'y vivre.

PÉTRONILLE, TU SENS LA MENTHE

Chanson, par. Félix Mortreuil-Eugène Joullot, mus. Borel-Clerc (1906). Chanson « idiote » du répertoire Dranem : plus de 250 000 petits formats vendus. Le refrain est apparemment accessible à tous :

Pétronille tu sens la menthe
tu sens la pastille de menthe
tu sens la menthe pastillée
entortillée dans du papier
papier, papier, papier mâché.

Reste à en pénétrer le (les) sens. Dranem, à qui on peut faire confiance en la matière, déclarait : « La plupart des chansons fantaisistes ne donnent rien à la lecture. » Il faut donc se reporter à l'interprétation. Ajoutons cette autre déclaration du grand comique : « Le comique parisien est comme l'esprit de Paris. » Ce qui ouvre de vastes perspectives à la réflexion sociologique.

Nicolas PEYRAC

[Jean-Jacques Tazartez] Saint-Brice-en-Coglès, 1949. Auteur-compositeur-interprète. Une enfance et une adolescence baladeuses, un séjour à Abidjan (Côte-d'Ivoire), où il écrit quelque 350 chansons, et des études de médecine l'ont fait aborder tardivement le monde du show-business. Après une période de relatif insuccès, il est consacré par la grâce d'une chanson (*So far away from L.A.*), révélation de l'année 1975. Sans retrouver la même audience, il confirme son succès les années suivantes, sur scène (Théâtre de la Ville, 1976, Olympia, en américaine 1977, en vedette 1979) comme sur disque (*Et mon père*, 1976, *Je pars*, 1977). Puis le succès le quitte. Il s'installe au Québec, écrit un roman (*Qu'importe le boulevard où tu m'attends*,

1994), chante, enregistre (*Seulement l'amour*, 2003, *Vice Versa*, 2006), mais *so far away*... Une voix aux harmonies riches, un physique de jeune premier romantique, une écriture et une thématique (le mal-amour, l'invitation au voyage) classiques, à mi-chemin entre la confidence et le propos d'époque, composaient une image séduisante de chanteur « qui rêve pour nous » (F. Jouffa), mais sans parvenir à nous faire vraiment rêver. C'est la clé de son succès, et sa limite.

PHILIPPE-GÉRARD

[Philippe Bloch] São Paulo (Brésil), 1924. Compositeur. Licencié en philosophie et prix de piano, solfège, harmonie, il ne se destinait pas du tout à la musique légère. Réfugié à Genève pendant la guerre, il y rencontre Francis Carco dont il met des poèmes en musique. Ceux-ci seront chantés d'abord par Renée Lebas et Germaine Montero, et repris plus tard par Juliette Gréco (*Gréco chante Mac Orlan*, Prix du disque 1958). Devenu producteur d'émissions de radio à la Libération, il crée un petit orchestre, « Philippe-Gérard et son ensemble », qui remporte le Grand Prix du disque en 1950. Sa carrière prend un tournant avec la rencontre d'Édith Piaf (pour qui il écrit *Pour moi toute seule* avec Flavien Monod) ; elle lui présente Yves Montand. C'est ainsi que naîtront *C'est à l'aube* (par. F. Monod), *La Chansonnette* (par. J. Dréjac), *Rengaine ta rengaine* (par. J. Dréjac), etc. Philippe-Gérard compose également pour Eddie Constantine (*Un enfant de la balle*, par. R. Rouzaud) et pour différents artistes en France et à l'étranger : il a été chanté à la fois par Frank Sinatra (*When the world was young*, traduction de la chanson *Le Chevalier de Paris*, écrite avec Angèle Vannier pour Piaf et qui, oubliée en France, connaîtra 117 enregistrements, en Amérique) et par les Chœurs de l'Armée rouge (*Octobre*, par. J. Dréjac). Compositeur de musiques de films (*Le Rififi*, par. J. Lame, créée par Lucienne Delyle), de musiques pour dramatiques télévisées, pour le théâtre, et d'indicatifs radio (*Cha-cha-cha du cœur*, reprise par Jean Constantin), Philippe-Gérard est aussi producteur de radio et de télévision depuis 1962.

Édith PIAF

[Édith Giovanna Gassion] Paris, 1915-1963. Auteur-interprète. Née dans le giron d'un flic sous un bec de gaz de la rue de Belleville, d'une mère goualeuse à Clichy, Anita Maillard, dite Line Marsa, et d'un père acrobate de rue, Louis Gassion, elle est élevée successivement par deux grands-mères, dont la seconde tient un hôtel de passe en Normandie. Aveugle à huit ans, c'est par miracle qu'elle retrouve la vue en priant sainte Thérèse de l'Enfant-Jésus. Le curé du coin persuade le père d'éloigner sa fille des « respectueuses » et, à douze ans, elle commence une vie errante, quêtant lors des exhibitions de Louis Gassion. Elle commence peu à peu à chanter dans la rue pour attirer le client et décide de prendre son indépendance à quinze ans. À dix-sept, elle est mère d'une petite fille qui meurt deux ans après. Elle se retrouve bientôt à Pigalle, parmi les souteneurs et les prostituées. Louis Leplée, directeur d'un cabaret chic, le Gerny's, l'entend un jour dans la rue Troyon (1935) et l'engage sous le nom de « la môme Piaf ». Il sera assassiné quelques semaines après. Bon et mauvais départ pour Piaf, que l'on soupçonne sans preuves à cause du milieu dont elle sort, et que les spectateurs prennent à partie partout où elle se produit. Le parolier Raymond Asso la prend sous sa protection, devient son pygmalion, lui confie ses premières chansons (*Mon légionnaire*, créée par Marie Dubas, et *Le Fanion de la Légion*, écrite pour elle). Il la présente à Mitty Goldin qui la fait débuter à l'A.B.C. (1937). Le lendemain de la première, la critique note : « Hier au soir, une grande chanteuse est née. » Léon-Paul Fargue ajoute en 1938 : « Tout son art consiste à placer le développement dans la main de l'émotion et à devenir elle-même, peu à peu, la plus forte et la plus sûre émotion de la mélodie. » Raymond Asso mobilisé, ce sont Michel Emer (*L'Accordéoniste*), René Rouzaud (*La Goualante du pauvre Jean*), et plus tard Henri Contet (*Padam-padam*) qui deviennent ses paroliers. Pendant la guerre, Piaf chante sur toutes les scènes et va rendre visite aux prisonniers dans les stalags.

En 1945, elle se présente à l'examen de la SACEM pour y déposer ses premières œuvres (*La Vie en rose*, créée par Marianne Michel) qu'elle devra faire signer par Louiguy pour cause d'échec en musique. Elle fait une première tournée aux États-Unis avec les Compagnons de la Chanson (*Les Trois Cloches* de Gilles). Au retour, un unique récital salle Pleyel (1949) donne lieu à une présentation grandiloquente de Pierre Hiégel. Elle y livre une autre de ses chansons, *L'Hymne à l'amour* (mus. M. Monnot), écrite à la mémoire de son grand amour Marcel Cerdan, qui vient de mourir dans un accident d'avion. Droguée à partir de cette date, elle épousera Jacques Pills en 1953, qui tentera – en vain – de la désintoxiquer. Elle repart en tournée aux États-Unis, cette fois avec Georges Moustaki, l'auteur de *Milord* (mus. M. Monnot). Puis elle fait une rentrée triomphale à l'Olympia en 1956 avec *Les Amants d'un jour* (C. Delécluse-M. Monnot) et les chansons de Charles Dumont (*Non, je ne regrette rien*, par. M. Vaucaire). Mais elle est de plus en plus ravagée par la drogue et la maladie. En 1959, elle s'écroule au milieu d'un récital à Maubeuge ; elle se reprend, continue et « on l'encourage, telle une bête blessée qui doit aller jusqu'au bout de son combat » (G. Beauvarlet). Elle survit à trois comas hépatiques, remonte sur scène avec le jeune Théo Sarapo qu'elle vient d'épouser (*À quoi ça sert l'amour ?*) et meurt le 11 octobre 1963. Le même jour, très affecté par cette nouvelle, le poète Jean Cocteau mourait à son tour. « Cas unique, écrit Maurice Chevalier dans ses mémoires, petit phénomène à tripes d'acier. Minuscule splendeur professionnelle. Habitée à chaque étage de son petit corps. » On se souvient de cette silhouette chétive vêtue de sa petite robe noire et surmontée d'une tête pâle, énorme en proportion, d'où sortait cette immense voix : elle « personnifiait la douleur » (G. Beauvarlet), habillant des chansons banales d'un « volume humain considérable » (A. Halimi) : héroïne au grand cœur chargé de souffrances que seul l'amour peut sauver du malheur, un amour qui finit mal (*La Foule*, *L'Homme à la moto*), héroïne doublement victime de la misère et de son statut de femme (il y a néanmoins des héros masculins de même essence, généreux et tragiques : *Bravo pour le clown*). Piaf a, par sa biographie en si étroit rapport avec ses personnages, bouleversé les foules, intellectuels compris. Les légendes créées autour d'elle sont innombrables, chacun défendant la sienne. C'est la figure centrale d'un nombre important de mémoires (les siens s'appellent *Au bal de la chance* et *Ma vie*) et d'études qui, vingt ans après sa mort, continuent de paraître avec succès. Bref, Piaf a été l'incarnation la plus parfaite d'un mythe : « Cosette, la petite fille martyre des *Misérables*, *Les Deux Orphelines*, *La Porteuse de pain…* » Mythe perpétuel qui renaît continuellement dans la chanson sur la voie tracée par Damia, Fréhel, Yvonne George, et d'innombrables chanteuses de rue anonymes jusqu'aux artistes de variétés dont on a dit depuis qu'elles étaient les héritières de Piaf (ce qui est toujours un peu vrai). « Le pathétique ne peut pas mourir » (G. Beauvarlet). Le besoin de recréer quelque chose à l'image de Piaf prouve la pérennité de ce mythe : « Piaf ressemble au chiendent qui repousse d'autant mieux qu'on le décapite » (J. Cocteau).

Jacques PILLS

[René Ducos] Tulle, 1910 – Paris, 1970. Interprète. Il avait entrepris des études de médecine, avant de devenir boy au Casino de Paris au côté de Mistinguett. Puis il forma un premier duo avec un jeune pianiste, Pierre Courmontagnes, Pills et Ward, qui enregistra notamment *Singing in the rain*. Lorsque Ward partit, il le remplaça par Tabet, et ce fut le succès fulgurant de *Couchés dans le foin*. Le duo ne résista pas à l'épreuve de la guerre, mais, dès 1937, J. Pills avait enregistré seul. À partir de 1941, il mène son tour de chant en solitaire : Bobino (1941), Étoile (1943). Avec ce naturel qui est le produit d'un métier solide et d'un physique avantageux, il compose un personnage sympathique mais sans beaucoup de relief. Son répertoire joue sur deux registres : charme et fantaisie (*Mon cher vieux camarade Richard*, *Dans un coin de mon pays*). Après la guerre, accompagnateur puis mari d'Édith Piaf, il poursuit une carrière de vedette internationale, d'où émerge une tournée aux États-Unis, en compagnie d'un jeune pianiste-compositeur, Gilbert Bécaud (*Ça gueule ça*, *Madame*, Piaf-Bécaud, 1952). Collaborateur de Bruno Coquatrix, il dirigea de 1967 à sa mort le cours de music-hall créé par celui-ci.

PILLS ET TABET

Duo d'interprètes (1932-1939) composé de Jacques Pills et de Georges Tabet (Alger, 1905 – Paris, 1984). Compositeur et chef d'une formation de jazz, ce dernier rêvait d'une carrière de music-hall. Engagé au Moulin Rouge, il y fait la connaissance de Pills. Lorsque ce dernier dut remplacer son associé Ward, il pensa immédiatement à Tabet. Leur premier engagement fut pour le Casino de Paris, mais leurs véritables débuts eurent lieu au Bœuf sur le toit, en 1931, où ils chantaient des airs de jazz américains. Ils enregistrent *Couchés dans le foin*, découverte chez l'éditeur Raoul Breton : c'est le point de départ de leur ascension. Promus vedettes du music-hall, en France comme à l'étranger, ils se composent un répertoire où les chansons de Mireille et Jean Nohain (*Philaminte*, *Le Vieux Château*) voisinent avec celles de Paul Misraki (*C'est une joie qui monte*), de Jean Tranchant (*Ici l'on pêche*) ou de Tabet lui-même (*La Fille de Lévy*). Habit noir, œillet à la boutonnière, Tabet (au piano) et Pills (debout, accoudé), à l'instar des duettistes noirs américains Layton et Johnstone, ou des Revellers, jouaient des effets harmoniques de leurs voix fondues, comme de l'opposition entre les facéties de Tabet et le sourire enjôleur de Pills. Élégance, dynamisme et jazz : Pills et Tabet apportèrent un son nouveau dans la chanson française et frayèrent la voie à la révolution Trenet.

Luc PLAMONDON

Saint-Raymond de Portneuf (Canada), 1942. Auteur. Études d'histoire de l'art (Paris, École du Louvre), d'anglais, d'espagnol et d'italien. Écrit d'abord pour des interprètes québécois (Diane Dufresne, Ginette Reno) puis se fait connaître en France par l'opéra rock *Starmania* (sur des musiques de M. Berger, 1979, version anglaise *Tycoon*), dans lequel se produiront de nombreux débutants (Maurane, Balavoine, Fabienne Thibault, Diane Tell...). Écrit alors pour J. Clerc, F. Hardy, J. Hallyday, C. Lara, collabore avec Barbara à l'écriture de *Lily Passion* (1984). Mais c'est décidément dans l'opéra rock qu'il est le plus à l'aise : *La Légende de Jimmy*, avec M. Berger (1991, mise en scène de Jérôme Savary), *Notre-Dame de Paris*, avec R. Cocciante (1998). Incontournable médecin au service des chanteurs en mal de textes, il est capable d'écrire sur mesure du cousu main. C'est-à-dire parfois un peu n'importe quoi.

Georgette PLANA

Agen, 1918. Interprète. Danseuse de métier, elle fait en 1941 ses débuts au music-hall comme chanteuse fantaisiste. Ses passages à l'Alhambra en 1942, puis à l'Olympia, à Bobino, à l'Européen, à l'A.B.C., la consacrent vedette populaire (*Le Petit rat de l'Opéra*, 1947). Peu après, elle se marie et se retire de la scène : elle avait entre-temps enregistré les succès de Fréhel, en hommage à celle-ci. Elle revient en 1963 (Bobino) et enregistre en 1968 un succès ancien, *Riquita* (Dumont-Benech, 1925) : c'est la revanche de la rengaine 1920. Georgette Plana incarne cette résurgence de chansons fossiles avec une authentique voix de chanteuse des faubourgs et en même temps une certaine distanciation vis-à-vis des textes. La rengaine n'est pas morte, mais constitue un gadget à ne pas trop prendre au sérieux. En 1969, elle passe à l'Olympia avec un autre chanteur-gadget, Antoine, mêlant les générations. Elle aura ainsi connu deux carrières, ce qui n'est guère fréquent.

Jacques PLANTE

Paris, 1920-2003. Auteur. Il est sans conteste l'un des plus habiles à trousser le couplet et à s'adapter au style de l'interprète. Qu'on en juge : *Étoile des neiges* (mus. F. Winkler, 1947) chantée par Line Renaud, *Maître Pierre* (mus. H. Betti, 1948) par André Claveau, *Ma p'tite folie* (mus. B. Merill, 1950) par Line Renaud, *Grands Boulevards* (mus. N. Glanzberg, 1951) par Yves Montand, *Les Comédiens* (mus. C. Aznavour, 1962) par son compositeur, sans oublier de nombreux succès de Sheila (*La Famille*, *Adios amor*, *Quand une fille aime un garçon*), Rika Zaraï, Petula Clark et même Eddy Mitchell (*Vieille canaille*, adaptée de l'anglais). Avec un tel tableau de chasse, il n'y a rien d'étonnant à ce qu'il ait fini par s'établir son propre éditeur.

Le PLAT PAYS

Chanson, par. et mus. Jacques Brel (1962). La Belgique, en dunes et en vent, en paroles et musique, Brel présentait là les multiples facettes d'un pays changeant, qui craque au vent du nord et chante au vent du sud, avec « un ciel si gris qu'un canal s'est pendu ». La lecture descriptive de la chanson lui assura un vaste succès : on y voyait des croquis poétiques, une musique simple et belle... Mais une deuxième lecture, symbolique celle-là, est peut-être possible : ce pays qu'on retrouve plus tard dans *Regarde bien petit* (1968), où le vent fait des mirages et joue avec le sable « pour nous passer le temps », c'est plus que la Belgique. L'ennui et sa diversion, l'imaginaire, une des nombreuses possibilités de fuite que Brel, tour à tour, expérimente, sont plus le fruit de la platitude de la vie que celle d'un pays, renié d'ailleurs et souvent pris comme bouc émissaire.

Les PLAY-BOYS

Chanson, par. Jacques Lanzmann, mus. Jacques Dutronc (1966). Un duo qui fera du bruit produisait là son deuxième tube (le premier étant *Et moi et moi et moi*). Une thématique s'y dégageait déjà, celle du « je » et des « autres » : « et moi, et moi », « croyez-vous que je sois jaloux », et plus tard « j'aime les filles », « moi aussi on m'a dit ça », « il est cinq heures je n'ai pas sommeil », etc. Le phénomène de la vedette s'intégrait là au cœur même des textes, comme chez Antoine où le « je » règne aussi en maître et après quelques autres essais : *Jackie* (Brel),

Pauvre Nougaro (C. Nougaro-H. Giraud). Plus que l'affiche, c'était la chanson qui devenait élément publicitaire : Dutronc, c'est moi, je ne suis pas comme les *autres*, et d'ailleurs « j'ai un piège à filles qui fait crac boum hue »... La chanson a par ailleurs contribué à caractériser le « minet », personnage de Saint-Germain-des-Prés annoncé une quinzaine d'années auparavant par Boris Vian (*J'suis snob*).

POLAIRE

[Émilie-Marie Bouchaud] Agha (Algérie), 1877-Champigny-sur-Marne, 1939. Interprète. Après une enfance algéroise, puis métropolitaine, elle rejoint son frère à Paris. Celui-ci chantait sous le nom de Dufleuve à l'Européen. Sur un coup de tête, elle décide de faire de même : elle a alors 14 ans. Après des débuts assez peu convaincants, elle devient tout à coup célèbre : son physique, sa façon de tenir la scène expliquent cette attention subite portée à sa petite personne. Elle appartenait, en effet, à un type de femme très éloigné du canon de la mode de l'époque : taille de guêpe, qui « tenait dans un faux col », yeux de gazelle, cheveux coupés court. « J'étais simplement de vingt ans en avance », déclare-t-elle dans ses mémoires (*Polaire par elle-même*, 1933). Son comportement sur scène était aussi très particulier : cambrée en arrière, les poings crispés, elle était secouée de trépidations et passait continuellement d'un pied sur l'autre. Coqueluche des échotiers, des étudiants, « locomotive » de la mode, *alter ego* de Colette, *Claudine*, au théâtre (1906) comme à la ville, elle connut la grande vogue dans les années de l'immédiat avant-guerre. Dans son répertoire, composé de chansons excentriques, citons *Tha ma ra boum di hé* et *Max ah c'que t'es rigolo*. Vedette de la Scala, des Folies-Bergère, elle fut acclamée à New York, où elle chanta pendant douze semaines, et à Londres. Après la guerre, elle abandonna le caf'conc' pour le théâtre. Prototype de la féministe Belle Époque, elle ne sera pas oubliée, grâce à Colette.

POLIN

[Pierre Paul Marsalés] Paris, 1863 – La Frette-sur-Seine (Seine-et-Oise), 1927. Interprète. Cette gloire du caf'conc' a modestement débuté dans des concerts de quartier, Concert de la Pépinière (1886), Concert du Point du jour, avant de chanter dans des salles plus importantes comme l'Éden-Concert et l'Alcazar d'été. C'est dans cette dernière qu'il atteint la notoriété : Paulus, de retour des États-Unis, préfère résilier son contrat plutôt que d'avoir à affronter le public après son passage. Puis il passe aux Ambassadeurs, et s'installe pour vingt ans à la Scala, ne quittant la salle du boulevard de Strasbourg que pour des tournées en province, ou pour l'Alcazar en été. Son genre est celui du comique troupier, et il reprend à Ouvrard père l'idée de se présenter en tringlot (uniforme du train) : petite veste bleue, pantalon garance à basanes noires, képi planté de travers. Des centaines de chansons créées ou interprétées par Polin, et qui ressortissent pour la plupart au répertoire tourlourou, on retiendra *Le P'tit Objet* (Ah ! Mademoiselle Rose), *La Caissière du Grand Café*, *Aux Tuileries*, *La Petite Tonkinoise*, *L'Anatomie du conscrit*. Ce qui représente cependant l'originalité de Polin et en fait un chanteur marquant dans l'histoire du caf'conc', c'est sa technique de scène. Alors que Paulus, le modèle de la génération précédente, « gambillait », se déplaçait sans cesse et dansait, Polin, comme Dranem, se plantait sans bouger devant le trou du souffleur, avec, comme unique accessoire, un énorme mouchoir à carreaux qu'il tenait à la main et qu'il utilisait pour faire passer un effet un peu cru. Alors qu'il était de bon ton de solliciter sans modestie son organe vocal (n'était-ce pas l'époque des chanteurs à voix ?), Polin, qui n'avait qu'une voix terne, mais agréable, susurrait ses chansons, obligeant l'auditeur à prêter l'oreille et s'accordait ainsi la possibilité d'un art tout de nuance et de finesse. Mayol, son contemporain, soulignait chaque mot d'un geste. Polin visait à l'économie et contribuait ainsi à éloigner l'art du caf'conc' de la pantomime dont il était issu. Tous les comiques troupiers seront ses élèves : Bath, Vilbert, Dufleuve, Raimu, Fernandel. Après la guerre, Polin reparaîtra avec succès au théâtre (*Le Grand Duc*, 1921), et il mourra comme il avait vécu : en bon bourgeois, modeste et effacé.

Michel POLNAREFF

Nérac, 1944. Auteur-compositeur-interprète. D'origine russe, fils du compositeur Léo Poll, il commence à inventer des chansons à l'âge de trois ans. Poussé vers une carrière classique, il rompt avec le milieu familial et mène un certain temps la vie des beatniks, chantant sur les marches du Sacré-Cœur et couchant au commissariat du XVIIIe arrondissement. Des auditeurs l'emmènent chez l'éditeur Rolf Marbot (1965), il enregistre, et c'est tout de suite le succès : *La Poupée qui fait non*, *Love me please love me* (par. F. Gérald), *L'Amour avec toi* (1966), *Âme câline* (1967). Interprète original, il prononce le français à l'anglaise, allongeant ou décomposant les syllabes selon les exigences du tempo et non pas celles du texte, plaçant son timbre de voix comme un instrument supplémentaire. Compositeur à l'avenant, il écrit et dirige les arrangements de ses airs inspirés par la *soul melody*, style dérivé du jazz, où viennent se mêler des réminiscences classiques (*Le Bal des Laze*, par. P. Delanoë). Le tout reflète une sorte de romantisme du XXe siècle qui refuserait de se prendre au sérieux. Cinq ans après ses débuts, sa collection de succès est impressionnante : à ceux déjà cités, ajoutons *Tous les bateaux tous les oiseaux* (par. J.-L. Dabadie, P. de Senneville, 1969) et *On ira tous au paradis* (J.-L. Dabadie, 1973). À l'Olympia, il se révèle magicien d'un univers féerique en porcelaine de Saxe : *Polnarévolution* (1972), *Polnarêves* (1973). Mais l'artiste à scandales, aux tenues extravagantes, qui a affiché ses fesses sur six mille murs de Paris et négligé de payer ses nombreux impôts, se retrouve ruiné. Dépression, cure de sommeil, exil, il part aux États-Unis, son vieux rêve, et y enregistre un disque en anglais qui atteint la perfection technique dans son style. Peut-il aller plus loin ? À son retour en France, il déçoit (album *Coucou me revoilou*, 1978), mais retrouve les faveurs du public avec *Radio* et *Tam tam* (1981). Enfermé dans une chambre d'hôtel pendant de longs mois, entre alcool et matériel électronique, il entre alors dans une longue phase de création dont parviennent des échos : *Goodbye Marylou* (1989), *Kama Sutra* (1990). Installé de nouveau aux États-Unis à partir de 1995, il réenregistre ses grands succès, entretient le mystère sur sa vie et ses projets, laissant (ou faisant) courir la rumeur d'un prochain disque, d'une prochaine scène qui ne viennent jamais, entrant ainsi dans le mythe de l'éternel retour. À l'heure où nous terminons ce livre, il est annoncé, fermement semble-t-il, à Paris en mars 2007…

André POPP

Fontenay-le-Comte, 1924. Compositeur. Pianiste et organiste classique, il change de voie en rencontrant Jean Broussolle, avec lequel il compose sa première chanson (*Grand-papa laboureur*, pour Catherine Sauvage) et raconte aux enfants l'histoire de l'orchestre (*Picolo, Saxo et Cie*, Grand Prix du disque 1957). Curieux de recherche instrumentale, André Popp est surtout connu comme mélodiste : il a composé *Les Lavandières du Portugal* (par. R. Lucchesi) créée par Jacqueline François (1954), *Tom Pillibi* (par. P. Cour), premier prix de l'Eurovision 1960, par Jacqueline Boyer, *Le Chant de Mallory* (par. P. Cour) créée par Rachel (1964), *L'amour est bleu* (par. P. Cour, 1967) qui a fait un succès considérable aux États-Unis par l'intermédiaire de l'orchestre de Paul Mauriat, et des chansons pour Marie Laforêt : *Manchester et Liverpool*, *Mon amour mon ami* sur des paroles d'Eddy Marnay. Son fils, Daniel Popp, s'était lancé dans la chanson en 1971 (*Wakadi-Wakadou*). Mais il se reconvertira en « routard » spécialiste du Sahara.

Louis POTERAT

Troyes, 1901 – Genève (Suisse), 1982. Auteur. Après avoir étudié le droit, fait du journalisme, puis du commerce en province, Louis Poterat écrit pour des revues locales, puis s'essaie à la chanson (*Ne dis plus rien*, mus. J. Lenoir, créée par Damia). Il adapte des succès américains et est bientôt engagé par la firme Pathé-Nathan pour écrire des chansons de films. Travail en série d'où sortiront de nombreux succès (*Le bonheur n'est plus un rêve*, mus. B. Colson, chantée par Gaby Morlay). Dès lors, soit par l'intermédiaire du cinéma, soit directement, Louis Poterat fournira les grandes vedettes : Marie Dubas (*Croyez-vous ma chère !*, mus. H. Ackermans), Gilles et Julien, Lucienne Boyer-Danièle Darrieux (*Les fleurs sont des mots d'amour*, mus. M. Yvain), Rina Ketty (*J'attendrai*, mus. D. Olivieri), Lucienne Delyle (*Sur les quais du vieux Paris*, mus. R. Erwin), Tino Rossi, Georges Guétary (*La Valse des regrets*, mus. J. Brahms), André Claveau (*Tout en flânant*, mus. A. Siniavine), Édith Piaf (*Le Billard électrique*, mus. C. Dumont). Louis Poterat a été cinq fois élu vice-président de la SACEM.

Eugène POTTIER

Paris, 1816-1887. Auteur. Né d'un père artisan, il fréquente l'école jusqu'à douze ans pour ensuite devenir apprenti dans l'atelier paternel. Étudie seul les règles de versification et publie, en 1831, un premier recueil de poèmes, *La Jeune Muse*, dédié à Béranger. Chante ensuite dans les goguettes tout en travaillant comme dessinateur. En 1848, il est sur les barricades. Suit une période de sa vie dont nous ne savons pas grand-chose. Nous le retrouvons en 1864, établi à son compte. Il s'attire d'ailleurs bien vite des ennuis avec ses confrères car il pousse leurs ouvriers à se syndiquer puis à adhérer à la Ire Internationale. Arrive la Commune. Pottier en est élu membre le 16 avril 1871 et sera maire du IIe arrondissement. Après l'échec, traqué, il écrit *L'Internationale* puis doit fuir à Londres par la Belgique, pour finalement s'exiler aux États-Unis où il restera de 1873 à 1880. Il y écrit beaucoup, milite dans les rangs du Socialistic Labour Party, travaille comme professeur et comme dessinateur. Revient en France après l'amnistie. Il remporte en 1883 le prix d'un concours organisé par la Lice chansonnière. Tandis que Jules Vallès, dans son journal *Le Cri du peuple*, lance un appel pour aider Pottier, Gustave Nadaud s'emploie à faire publier ses œuvres qui paraîtront sous le titre de *Quel est le fou ?* (1884). Mais la Commune, l'exil, la misère l'ont profondément atteint, et il écrit dans une lettre à Paul Lafargue (29 mai 1884) : « Ce sont donc les poésies d'un vaincu que la Lice chansonnière édite aujourd'hui. » Le vieux poète-militant meurt bientôt, le 6 novembre 1887, alors que la renommée semblait enfin l'atteindre. Eugène Pottier est peut-être le meilleur exemple de créateur évincé par son œuvre. *L'Internationale* eut un tel retentissement dans l'histoire qu'elle fit oublier son auteur. Il écrivit pourtant un grand nombre de chansons (environ deux cents publiées aujourd'hui, mais certaines sont encore inédites et d'autres, sans doute, perdues) dont la plus grande partie vibre au souvenir de la Commune et des massacres de Juin sans pour autant renier la poésie. Quelque temps avant sa mort, il chantait encore :

Tout ça n'empêche pas, Nicolas,
qu'la Commune n'est pas morte

(Elle n'est pas morte, mus. *V. Parizot, 1886*)

mais sa meilleure image est peut-être celle qu'il nous donne dans sa chanson *Biographie* (1870) :

Mais devenu porte-drapeau
il n'est pas danger qui l'arrête
voilà po-po, le vieux po-po
voilà po-po, le vieux poète.

Octave PRADELS

Arques, 1842 – Parmain (Seine-et-Oise), 1930. Auteur. Directeur de théâtre (Capucines), animateur de conférences-auditions

(Bodinière), président de la SACEM, historiographe de Paulus, et grand voyageur, Octave Pradels a de plus à son actif quelque huit cents chansons interprétées par les artistes les plus connus de caf'conc' entre 1870 et 1890 : Thérésa, Amiati, Bonnaire, Jules Perrin, Kam-Hill. Parmi elles, on relèvera *La Marche lorraine*, écrite en collaboration avec Jules Jouy.

Albert PRÉJEAN

Pantin, 1894 – Paris, 1979. Interprète. Au retour de la guerre de 14-18, il s'engage dans le cinéma comme cascadeur. René Clair lui fait interpréter les chansons de son film *Sous les toits de Paris* (mus. R. Moretti). « Titi en smoking » (L. Rioux), Albert Préjean débute dans le tour de chant fantaisiste au Moulin Rouge (1929), imitant les acteurs connus et lançant sur scène la tenue de cow-boy. Il passe à l'Alhambra en 1933, à l'Étoile, à l'Olympia, faisant alterner jusqu'en 1967 le tour de chant, le théâtre, le cinéma et l'opérette (*Dédé*). Créateur en France du rôle de Mackie dans *L'Opéra de quat'sous* (G. W. Pabst, 1931), il fut aussi le « Monsieur Loyal » du cirque Jean Richard.

Jacques PRÉVERT

Neuilly, 1900 – Omonville-la-Petite (Manche), 1977. Auteur. Révélé au grand public après la guerre par des recueils de poésie aux tirages impressionnants (*Paroles*, 1945, *Spectacles*, 1951), il entre dans la chanson dès 1936 avec le groupe Octobre. Il est alors interprété par Agnès Capri (*La Chasse à la baleine*) et Marianne Oswald. Mis le plus souvent en musique par Joseph Kosma, ses textes auront un succès durable mais limité au public intellectuel, à l'exception des *Feuilles mortes*, qui fera le tour du monde. Ils révèlent les multiples talents d'un poète qui, issu du surréalisme et toujours résolument engagé à gauche, a su atteindre une apparente simplicité, mettant le baroque ou tout simplement le poème d'amour à la portée de tous. Jacques Prévert a été, de son vivant, chanté par Yves Montand, les Frères Jacques, Juliette Gréco, Mouloudji, Cora Vaucaire, etc., et, après sa mort, par Catherine Ribeiro et Megumi Satsu qui, toutes deux, lui ont consacré un disque.

Yvonne PRINTEMPS

[Yvonne Wigniolle] Ermont (Seine-et-Oise), 1894-Neuilly-surSeine, 1977. Interprète. Découverte par Paul-Louis Flers qui la fait jouer dès l'âge de onze ans dans les revues aux Folies-Bergère et la baptise « Mademoiselle Printemps ». Reine de l'opérette, elle eut comme partenaire Sacha Guitry, qu'elle épousa en 1919 (*Mozart*, *L'Amour masqué*), puis Pierre Fresnay (*Les Trois Valses*). On la vit également au cinéma (*La Valse de Paris*). Son succès dans la chanson : *Le Pot-pourri d'Alain Gerbault* (A. Willemetz). « Elle ne chante pas, elle se contente de respirer mélodieusement » (Colette). De tous ces sopranos légers, spécialistes de la note filée, qui abordèrent la chanson (de Marguerite Carré à Mathé Althéry), Yvonne Printemps fut certainement la plus talentueuse.

PRINTEMPS DE BOURGES

Créé à Pâques 1977 avec l'aide de la mairie, le soutien d'un collectif d'acteurs, *Écoute s'il pleut*, et l'impulsion de Daniel Colling et de Maurice Frot, le Printemps de Bourges se voulait, selon ses créateurs, un « festival-fête » : pléonasme plein de sens car il fut à la fin des années 1970 « le » lieu de la chanson, des découvertes et des confirmations, des rencontres, des discussions, ainsi qu'une réaction à la chanson stéréotypée que diffusent les médias, en particulier les chaînes de télévision. Douze mille entrées la première année, 27 000 en 1978, 40 000 en 1979, 45 000 en 1980 : la formule devait séduire un nombre de plus en plus important de spectateurs attirés par la chanson comme un tout et non pas par telle ou telle vedette. À côté de valeurs sûres (Charles Trenet, Guy Béart, Claude Nougaro, Georges Moustaki, Maxime Le Forestier, Léo Ferré, Yves Montand…), on a pu y avoir la confirmation de certains succès (Renaud, Bernard Lavilliers, Jacques Higelin, Alain Souchon, Vanessa Paradis, MC Solaar) ou y découvrir des talents encore inconnus (Michèle Bernard, Charlélie Couture, Francis Lalanne, Paul Personne, Allain Leprest). D'abord tribune pour une autre chanson française, Bourges élargit son paysage au rock francophone (Hallyday et E. Mitchell, 1988) puis aux musiques du monde (Cure 1982, U2 1983, Johnny Clegg 1986, Frank Zappa 1988, Khaled 1989, Cesaria Evora 1993). On calcule que, depuis sa création, en trente ans, il aura programmé plus de trois mille artistes.

Le Printemps de Bourges a constitué un renouveau dans les modes de diffusion de la chanson : après les cabarets de l'après-guerre, les fêtes politiques ou les galas de soutien, la formule du festival, inconnue en France (mais déjà pratiquée outre-Atlantique – Woodstock – ou outre-Manche – île de Wight), représente un tournant qui témoigne de l'importance croissante pour la jeunesse de la chanson, mais pourrait bien en outre préfigurer un nouveau rapport du public à cette forme d'art. Il a été suivi de nombreuses manifestations du même genre, les Francofolies de La Rochelle, bien sûr, mais aussi les Eurockéennes de Belfort, les Vieilles Charrues en Bretagne, etc.

Le PRIX DES ALLUMETTES

Chanson, par. Yves Dessca, mus. Éric Charden (1973). Le succès d'une scie dépend essentiellement du caractère d'évidence de sa proposition principale – ici, l'équivalence sentiment amoureux-prix des allumettes –, qui, le moment de surprise passé, doit s'imposer à l'auditeur, et, d'autre part, du soutien que lui fournit la rythmique – en l'occurrence, une marche pour le refrain. Forme close, et donc répétable à l'infini, comme les boîtes de conserve sur une chaîne de fabrication. Et il faut reconnaître que Stone et Charden étaient passés maîtres dans l'art de lancer sur le marché des produits immédiatement consommables. Mais toute chose ayant son envers, ceux-ci étaient aussi vite oubliés, d'autant plus facilement que le prix des allumettes, lui, a changé peu de temps après.

Le P'TIT BONHEUR

Chanson, par. et mus. Félix Leclerc (1950). Malgré la multiplicité des disques qu'il a enregistrés, Félix Leclerc reste pour le public français l'homme du *P'tit Bonheur* et de *Moi mes souliers*, c'est-à-dire l'homme de la route, de l'air pur. Petite histoire triste pourtant que cette chanson où le bon Samaritain n'est remercié d'aucun retour et repart, seul :

> *J'ai repris mes haillons*
> *mon deuil, mes peines et mes guenilles.*

Mais, plus que le thème, c'est l'ambiance générale qui plaisait, la voix profonde, les cheveux fous peut-être, et les accords de cette guitare sèche qui commence ici et poursuivra avec Georges Brassens une longue carrière française.

QR

Serge Reggiani

QUAND MADELON

Chanson, par. Louis Bousquet, mus. Camille Robert (1913). Cette marche était déjà dans le commerce quand Louis Bousquet lui adjoignit des paroles. Bach essaya de la lancer à l'Eldorado, mais en vain. Polin la reprend en juin 1914 à la Scala sans rencontrer plus de succès : l'humour comique troupier exigeait alors des supports plus substantiels que la... taille ou le menton de Madelon. En décembre 1914, Bach obtint l'autorisation de chanter au front et remet *Quand Madelon* à son répertoire. Sensibilisés par leur situation, les poilus redécouvrent la chanson et commencent à la colporter. Adoptée par le front, « la *Marseillaise* des tranchées » (Jacques-Charles) gagne alors l'arrière, où l'on ne va pas tarder à lui donner des cousines (*La Madelon de la Victoire*, 1918). Porté par le rythme allègre de la musique, le tableau de temps de paix évoqué par les paroles et symbolisé par la femme et le cadre champêtre (la tonnelle, le mur « tout couvert de lierre ») forme un contraste évident avec la condition présente du poilu. Ce qui rend compte de la fonction « bulle d'oxygène » jouée par la chanson, et explique son succès. La chanson est ici à la fois protestation contre une situation, et moyen d'accepter celle-ci.

QUAND ON N'A QUE L'AMOUR

Chanson, par. et mus. Jacques Brel (1956). Un des premiers succès de Brel, d'ailleurs tête de file du disque qui obtint le Grand Prix de l'Académie Charles-Cros (1957). L'amour y était pris comme unique langage, amour de l'homme pour la femme, bien sûr, mais aussi amour de l'humanité :

Alors sans avoir rien
que la force d'aimer
nous aurons dans nos mains,
ma mie, le monde entier.

L'idéalisme de Brel atteint ici son apogée : Dieu n'est pas présent à la lettre, mais sa lumière baigne la chanson. Peu de temps après (1959), ce sera l'époque des *Flamandes*, des *Dames patronnesses*, amorce de la phase critique de son œuvre. La musique, assez simple (sur le schéma rythmique de l'anatole), présente un crescendo parallèle à l'élargissement du champ embrassé : du couple au monde entier, en passant par le miséreux et les faubourgs. Nicoletta a remis cette chanson à la mode en l'enregistrant en 1969.

Les QUATRE BARBUS

Quatuor d'interprètes composé d'un professeur de lettres et harmonisateur (Jacques Tritsch, Orléans, 1913), d'un élève-architecte des Beaux-Arts (Marcel Quinton, Le Mans, 1916), d'un photographe (Pierre Jamet, Saint-Quentin, 1910) et d'un maître de chapelle (Georges Thibaut, Paris, 1911). Ce dernier succède au poste de premier ténor après de nombreux candidats malheureux, entre autres un éminent spécialiste de stomatologie, un non moins éminent chef d'orchestre de l'Opéra, et un certain André (voir Marc et André) dont la barbe – qui était fausse – se décollait à la chaleur des projecteurs. Le groupe naît en 1938, sous le nom de Compagnons de route, issu de l'École des beaux-arts (il comprend alors trois élèves architectes qui seront progressivement remplacés). Le répertoire est celui de l'École :

Car elle est morte Adèèèle
Adèl'ma bien-aimée...

Le quatuor devient barbu à la Libération pour le spectacle Grenier-Hussenot des *Gueux au Paradis* (*Complainte des gueux*, C. Roy, M. Fombeure-A. Obey). Les Quatre Barbus enregistrent en 1949 *La Pince à linge* (premier mouvement de la *Ve Symphonie* de Beethoven, par. F. Blanche) et *J'ai de la barbe* (thème du *Barbier de Séville* de Rossini, par. F. Blanche et P. Dac). C'est un genre fantaisiste, qui pastiche le sérieux des grandes musiques rabâchées. Suivront des adaptations du folklore des étudiants, des marins, des prisonniers, des enfants (une vente régulière de chansons enfantines). Les Quatre Barbus sont le premier quatuor français à s'engager dans la voie ouverte par les Revellers (groupe noir américain des années 1930) et propagée en France par les Comedian Harmonists. Ils ont été copieusement imités par le Trio des Quatre et les Frères Jacques, leurs rivaux moustachus, dont la gloire leur a porté tort à partir de 1955. Ils abandonnent la scène en 1969, en continuant à enregistrer des disques (Grand Prix du disque 1970 pour leurs *Chansons de la Commune*).

Les QUAT'-Z-ARTS

Cabaret montmartrois, boulevard de Clichy, Paris. Son fondateur, François Trombert, plaça le cabaret sous le signe du Bal des Quat'-z-arts, symbole de perdition, pour allécher le client. Le reste était inspiré par le Chat noir, auquel il fit concurrence. Un café gothique, avec le vitrail de rigueur, ouvrait sur une salle de restaurant. Les spectacles se donnaient dans une salle de cent cinquante places, richement décorée. Les tours de chant des chansonniers maison, Georges Sécot, Xavier Privas, Fernand Chezeli, Lucien Boyer, accompagnés au piano par Charles de Sivry, étaient suivis de petites revues montmartroises. C'est au Quat'-z-arts que débutèrent Fragson, le chansonnier Yon Lug et le poète Jehan Rictus, qui y acquit sa renommée. À partir de 1900, on y retrouve les ombres du Chat noir, et en 1907, on y joue *Ubu roi*. Matinées littéraires et guinguettes du dimanche pour amateurs complétaient le programme des manifestations habituelles de ce cabaret, car il y en eut d'exceptionnelles, comme la fameuse *Vachalcades*. Hors programme aussi, la dévastation du local par un commando de la Ligue des patriotes de Paul Déroulède (1889). Enfin les Quat'-z-arts avaient depuis 1897 leur journal, avec à sa tête Émile Goudeau. François Trombert se retira en 1908 et laissa la place à Gabriel Montoya et à Xavier Privas (1910-1914). Le cabaret avait beaucoup baissé lorsqu'il ferma ses portes (1924).

Léon RAITER

Bucarest (Roumanie), 1893 – Paris, 1978. Compositeur-interprète et éditeur. Le compositeur de *On n'a pas tous les jours vingt ans* (par. C.-L. Pothier, 1934), l'auteur de *Rosalie est partie* (mus. V. Scotto, 1930), le premier mentor de Berthe Sylva, l'éditeur du faubourg Saint-Martin retiendra l'attention de l'historien de la chanson à au moins deux titres : celui d'avoir introduit, en 1926, l'accordéon à la radio, où il chantait ses chansons musettes en s'accompagnant de cet instrument ; celui d'avoir composé *Les Roses blanches* (1925), inoubliable chanson et grandissime succès (3 millions de petits formats vendus).

RAPHAËL

[Raphaël Haroche] Paris, 1975. Auteur-compositeur-interprète. Né d'un père juif d'origine mi-marocaine mi-russe, d'une mère argentine, tous deux avocats, professionnels de la tchatche qui le rendent plutôt réservé. Il apprend le piano à partir de cinq ans, puis la guitare, passe une maîtrise de droit avant de se lancer dans la chanson, publiant son premier album, *Hôtel de l'univers*, en 2000. Révélation de l'année aux Victoires de la musique en 2002, il enregistre un duo avec Jean-Louis Aubert (*Sur la route*, 2003) puis sort son troisième CD, *Caravane* (meilleure vente CD de l'année 2005), qui lui permet de faire aux Victoires de la musique 2006 une véritable moisson de récompenses : chanson de l'année (*Caravane*), album de variété de l'année, interprète de l'année. D'une voix atypique, légèrement grinçante, nasillarde, qui rappelle un peu celle de Bob Dylan et force l'écoute, il interprète des textes sensibles mais encore verts. Comme un vin qui mérite de vieillir.

Axelle RED

[Fabienne Demal] Hasselt (Belgique), 1968. Auteur-compositeur-interprète. Flamande et francophone, elle enregistre en 1983 en anglais son premier disque (*Little Girls*), ce qui ne l'empêche pas d'entreprendre des études de droit et de théâtre. Revient à la chanson (*Kennedy Boulevard*, 1988, *Aretha et moi*, 1989) et trouve le succès par le disque (*Elle danse seule*, 1993) et sur scène (Francofolies de La Rochelle, 1994). Deuxième album en 1996 (*À tâtons*), troisième en 1999 (*Toujours moi*), Victoire de la musique la même année (interprète de l'année), elle accumule les ventes et les disques d'or. Promenant sa chevelure d'un roux flamboyant entre musique *soul* et rythmes disco, elle est difficile à classer, chantant aussi en anglais, en espagnol, brouillant parfois les cartes, comme lorsqu'elle interprète avec Youssou N'dour l'hymne officiel de la Coupe du monde de football

(Stade de France, 1998) ou qu'elle enregistre en duo avec Renaud (*Manhattan-Kaboul*, 2002, Victoire de la meilleure chanson en 2003). Tel le furet, elle est passée par ici, elle repassera par là.

Serge REGGIANI

Reggio Emilia (Italie), 1922 – Paris, 2004. Interprète. Il débute en 1939 au Théâtre des Arts dans *Marie-Jeanne ou la femme du peuple* et poursuit une carrière au cinéma (*Les Portes de la nuit*, *Casque d'or*) et au théâtre (*Les Parents terribles*) sans voir reconnaître son talent à sa juste valeur. Puis c'est le grand tournant : à quarante ans passés, il se lance dans la chanson. Un disque sur lequel il chante Boris Vian tout d'abord, mettant les multiples facettes de son art de comédien au service de la bouffonnerie (*Arthur, où t'as mis le corps ?*), du désespoir (*Je bois*), de l'engagement (*Le Déserteur*). Jusque-là, rien de très nouveau : il n'est ni le premier ni le dernier acteur à toucher à la chanson. Mais il ne se contente pas du disque, il aborde la scène du music-hall et gagne son pari : il détaille ses textes, les joue, les donne à voir d'une façon expressionniste mais toujours efficace. Comment sortir de Vian ? Il réunit autour de lui une équipe d'auteurs-compositeurs de talent qui lui fournissent pour ses disques successifs un répertoire à la fois varié et de grande qualité : Georges Moustaki (*Ma liberté*, *Sarah*), Jean-Loup Dabadie (*Le Petit Garçon*), Albert Vidalie (*Les Loups*), Maxime Le Forestier (*Ballade pour un traître*), Claude Lemesle (*Le Barbier de Belleville*), etc. Grand Prix de l'Académie du disque français (1968), il triomphe à Bobino en 1971 et à l'Olympia dix ans plus tard. Il faut l'avoir vu interpréter (verbe dont l'origine latine signifie « expliquer, éclaircir ») *Les Loups* pour comprendre la grande leçon qu'il a donnée à la chanson, montrant ce que le geste, le regard, un clin d'œil même peuvent apporter à la construction du sens. Les années passent, il est toujours là, même s'il ne semble guère se renouveler, et son public lui est fidèle. En 2002, un certain nombre d'artistes (Renaud, P. Bruel, J. Birkin, Arno, M. Le Forestier, Bénabar, B. Lavilliers…) lui rendent hommage en interprétant ses grands succès (*Autour de Serge Reggiani*). Il y joint sa voix, disant le dernier texte, déchirant, écrit pour lui par J.-L. Dabadie, *Le temps qui reste*. Malade, épuisé, il se produira sur scène jusqu'au bout, chantant assis, quelques mois avant sa mort.

RÉGINE

[Régine Zylberberg] Etterbeck (Belgique), 1929. Interprète. Après une enfance traquée (son père est déporté, elle-même doit se cacher), Régine accomplit le rêve de sa vie en ouvrant sa première boîte de nuit, rue Duphot. Françoise Sagan y établit son quartier général, mais Régine achète bientôt un autre établissement boulevard du Montparnasse, le New Jimmy's. C'est en 1967 que la reine de la nuit du Tout-Paris se lance dans la chanson, poussée entre autres par Serge Gainsbourg qui lui écrit ses premiers titres (*Les Petits Papiers*). La réputation du personnage lui assure sur les antennes une publicité extraordinaire, le succès est immédiat. Prix Charles-Cros 1968, et « Musicorama » à l'Olympia, où elle révèle des talents de meneuse de revue (*La Grande Zoa*, F. Botton). Côté larmoyant en moins, Régine est aussi l'héritière authentique des chanteuses réalistes. Mais, au bout d'une dizaine d'années, la femme d'affaires, qui sème et gère des boîtes de nuit un peu partout dans le monde, l'emportera sur l'artiste.

Colette RENARD

[Colette Raget] Ermont (Val-d'Oise), 1924. Interprète. Elle étudie le violoncelle et le chant classique et pratique différents métiers (cuisinière, vendeuse, modèle...). Engagée comme dactylo par Raymond Legrand, elle devient la « femme à tout faire » de l'orchestre et la femme du chef. Malgré un prix Brassens à Deauville, elle s'oriente vers le genre fantaisiste. En 1956, elle joue le rôle principal d'*Irma la douce* (livret A. Breffort, musique M. Monnot). S'ensuivent 932 représentations, jusqu'en 1967. Grand Prix du disque en 1962, elle se fait connaître par des chansons à tonalité populiste (*Zon zon zon, Tais-toi Marseille, Ça c'est d'la musique*), tout en enregistrant parallèlement des vieilles chansons libertines. Avec sa frange de cheveux roux et son timbre gouailleur, elle se situe dans la lignée des grandes chanteuses des faubourgs. « Vous êtes la voix de Paris », lui écrit Paul Guth en 1968. Elle obtient un second Grand Prix du disque (1978), deux disques d'or en 1982 mais reste cependant pour beaucoup le personnage de son premier succès, *Irma la douce*. Il est des rôles dont on s'échappe difficilement...

RENAUD

[Renaud Séchan] Paris, 1952. Auteur-compositeur-interprète. Écrit d'abord dans le genre « anar » après Mai 68 puis, abandonnant le lycée, chante dans la rue un répertoire musette populiste avec une voix pleine de gouaille. Il porte alors un déguisement complet de gavroche (foulard rouge, pantalon à carreaux, casquette et mégot), se voulant à la fois dans la tradition réaliste (*La Java sans joie*) et enfant des barricades crachant sur la société (*Hexagone*), très influencé dans cette dernière attitude par François Béranger. Il enregistre son premier disque en 1975 (*Amoureux de Paname*), se produit à la Pizza du Marais devant un public limité. Le succès vient avec *Laisse béton* (1978), qui le classe dans la catégorie loubard, synthèse possible des tendances précédentes. La panoplie change : santiags, pantalon Levi's, blouson de cuir noir (seul le foulard rouge est conservé). Sur la pochette du disque, une mobylette. Renaud est né, remettant au goût du jour un vieux procédé argotique oublié, le verlan, qui va se répandre comme une traînée de poudre. Irrévérencieux, drôle, linguistiquement inventif, il compose dans ses chansons comme un western de banlieue. Du western, il emprunte aussi la musique, solution intermédiaire entre le musette, désormais abandonné, et le rock, qu'il ne domine pas.

On lui reproche d'être un faux loubard ? Un usurpateur qui va à Bobino (1980) quérir les bravos du public petit-bourgeois ? Qu'importe. Il décortique le monde avec un esprit critique plein de santé, se situe par rapport aux problèmes de société, pas seulement dans ses chansons : il est à l'origine de Chanteurs sans frontières (1985), prend publiquement position pour la réélection de François Mitterrand (il achète en 1988 une page de publicité dans *Libération* avec pour titre *Tonton laisse pas béton*), collabore un temps à *Charlie Hebdo*. En cours de route, il a pris de l'épaisseur, parlant de l'amour, de la paternité (*Morgane de toi*, *En cloque*, 1983), de l'enfance (*Mistral gagnant*, 1985). À chaque disque, comme le beaujolais, le Renaud nouveau arrive et enchante son public. Il s'essaie aussi au cinéma (*Germinal*, de Claude Berri, 1991), enregistre également des chansons populaires en ch'timi (1993) et un disque de Georges Brassens (1996), vend régulièrement ses disques à plus de 500 000 exemplaires. Il entre ensuite dans une zone de turbulences, déstabilisé par des problèmes sentimentaux qu'il tente de surmonter par l'alcool. Il refait surface en 2002, puis en 2006 (*Rouge sang*), mettant ses dérives sur la place publique (*Docteur Renaud*

Mister Renard) et intervenant comme toujours sur la scène politique (*Manhattan-Kaboul* en duo avec Axelle Red, *Les Bobos*). À travers la quête de lui-même dont témoignent ses looks successifs, et malgré une pauvreté musicale qu'il a su compenser par sa collaboration avec des compositeurs plus doués que lui, Renaud a ainsi constitué une œuvre en prise directe sur son temps. Une œuvre qui, dans une langue qui n'appartient qu'à lui tout en semblant empruntée à la rue, est un témoignage original sur trente ans de l'histoire de France.

Line RENAUD

[Jacqueline Enté] Pont-de-Dieppe (Nord), 1928. Interprète. Enfant, elle a fait tous les radio-crochets de sa région natale. Engagée à Radio-Lille dans l'orchestre de Michel Warlop (1944), elle interprète les succès de Léo Marjane, Piaf, sous le nom de Jacqueline Ray. Sa notoriété commençant à s'établir, Raymond Legrand, de passage à Lille, lui propose de venir à Paris. C'est là qu'elle rencontre Loulou Gasté, qui la prend sous contrat et qui transforme Jacqueline Ray, chanteuse réaliste, en Line Renaud, « sentimentale gaie ». Après une période de rodage en cabaret, elle obtient un premier engagement à Bobino (1948). Puis c'est le grand départ avec *Ma cabane au Canada* (M. Brocey-L. Gasté, 1948). Première chanteuse à suivre le Tour de France cycliste, elle devient vedette populaire. Son passage à l'A.B.C. (1950) est un triomphe ; *Ma petite folie* (J. Plante-B. Merill, 1950) se vend à 500 000 exemplaires. À Londres, elle s'essaie à chanter en anglais, avec un accent français de circonstance : les Anglais lui font fête et la surnomment *Mademoiselle from Armentières*. En 1954, elle est au Moulin Rouge et l'année suivante tient le rôle de Madelon dans le film de Jean Boyer. Tournées en France et à l'étranger (deux mois au Waldorf Astoria, à New York), télévisions, succès de disque (*Le Bal aux Baléares*, G. Bonnet-L. Gasté, 1953 ; *Printemps d'Alsace*, L. Gasté-L. Ledrich, 1953 ; *Pampoudé*, B. Michel-L. Gasté, 1954) s'accumulent jusqu'en 1959. Alors que sa vogue commençait à baisser, elle se rend à l'invitation d'Henri Varna et signe au Casino de Paris (1958), ce qui est peut-être le plus court chemin pour aboutir à Las Vegas et y retrouver le même emploi. Puis, touchée par le mal du pays, elle se réinstalle au Casino en 1976 (revue *Paris-Line*), et y restera jusqu'à la fermeture en 1979. De cette carrière conduite avec prudence et habileté par Loulou Gasté émerge un personnage sans surprise : la Française moyenne, gentille et un tantinet pot-au-feu. « On la place précieusement dans son cœur à côté du bifteck-pommes frites et de la petite maison qu'on s'offrira avec un petit jardin, au moment de la retraite » (L. Rioux).

REPRISES ET DISQUES COLLECTIFS

Tout a commencé en 1985 par l'initiative de Renaud (sans doute influencé par une initiative comparable de Bob Geldof, quelques mois auparavant) qui, sous le nom de Chanteurs sans frontières, réunit trente-six artistes chantant au profit de l'Éthiopie où sévit la famine. Par la suite, après la création par Coluche des Restos du Cœur, des chanteurs se réunissent autour d'une chanson écrite par Jean-Jacques Goldman (« Aujourd'hui, on n'a plus le droit ni d'avoir faim, ni d'avoir froid », 1992). Les Enfoirés sont nés, suivis par Sol en Si, groupe d'artistes se produisant et enregistrant au profit des enfants atteints du sida. Au-delà de l'aspect caritatif de ces disques ou concerts, il faut y voir un changement d'attitude fondamental dans le métier de la chanson. Dans les années 1960 et 1970, les galas de soutien (à une cause, une grève, un journal en difficulté, un groupe politique) étaient fréquents. Mais l'arrivée de la gauche au pouvoir, en 1981, avait d'une certaine façon rendu caduque la chanson engagée. Or, la fin du XXe siècle est marquée par une génération d'artistes qui, loin de l'individualisme et du carriérisme, prennent plaisir à partager entre eux avant de partager avec le public. Qu'il s'agisse de se regrouper autour d'une œuvre, (*Boris Vian et ses interprètes*, 1998, *Aux suivants*, 1998, *Bobby Tutti-frutti*, 2002, *Avec Léo*, 2003, *Autour de Serge Reggiani*, 2004...), d'un thème (*Ma chanson d'enfance*, 2001...) ou d'une cause (Les Enfoirés, pour les Restos du Cœur, Sol en Si, Urgence, pour la recherche contre le sida, concerts pour Florence Aubenas en 2005, Avis de KO social à partir de 2003, etc.), l'idée est chaque fois la même : on chante, ensemble ou séparément, des chansons des autres, présents ou absents. Cela donnera quelques perles, comme *Les Mots bleus* de Christophe par Bashung (Urgence), *Quand j'aime une fois j'aime pour toujours* de Richard Desjardins par Cabrel (Sol en Si, 1993), *Jaurès* de Jacques Brel par Zebda (*Aux suivants*), *Le Déserteur* de Boris Vian par Eddie Mitchell, et *Le Loup la biche et le chevalier* d'Henri Salvador par Bernard Lavilliers (*Ma chanson d'enfance)* ou *Mon camarade* de Léo Ferré par Dominique A (*Avec Léo*). En outre, ces reprises donnent parfois un sens nouveau à des chansons anciennes, comme *Douce France* (Charles Trenet) reprise par Carte de Séjour en 1985, ou *Les P'tits Papiers* de Serge Gainsbourg, créée par Régine et reprise par Rodolphe Burger en 1999 (sur l'album *Liberté de circulation*) : dans les deux cas, des chansons sémantiquement anodines deviennent, en situation, des manifestes politiques.

À la différence du concert monté par Bob Geldof, ce qui frappe dans ces pratiques françaises est que certaines s'inscrivent dans la durée : Les Enfoirés en sont, en 2005, à leur seizième saison, Sol en Si à sa cinquième opération. Ces disques ou ces concerts collectifs témoignent d'un altruisme qui renoue avec les galas de soutien des années 1960 et 1970, d'une façon de mettre un instant sa carrière entre parenthèses pour se consacrer à une cause. Bien sûr, pour certains, le fait de figurer dans un tel groupe peut constituer une sorte de promotion, mais l'ambiguïté fondamentale est ailleurs, dans la diffusion de certains de ces spectacles par des chaînes de télévision sans que cela rapporte un seul centime à la cause...

Parallèlement, des artistes (Arno, Julien Clerc, Bernard Lavilliers, etc.) reprennent dans leurs spectacles ou sur leurs disques des chansons plus anciennes, genre que Maxime Le Forestier élèvera à son sommet en enregistrant l'ensemble de l'œuvre de Brassens (qui, lui-même, avait enregistré « les chansons de son enfance » au profit d'une œuvre caritative). Dans les deux cas, reprises ou disques collectifs, il y a là un phénomène sociologique qui mérite analyse. La reprise est une façon d'indiquer ses racines, ses origines, de dire « voilà d'où je viens, voici ce qui m'a marqué » : il n'est pas indifférent que Lavilliers chante plutôt Ferré et Le Forestier, Brassens.

Ajoutons à cela la pratique des duos qui marque la chanson du début du XXIe siècle : Bertignac et Carla Bruni, Lavilliers et Tiken Jah Fakoly, Clarika ou Faudel, Mickey 3D et Jane Birkin, Jacques Dutronc et Françoise Hardy, Arno et Stéphane Eischer, etc. Il y avait eu, bien sûr, quelques précurseurs : Pauline Carton et René Koval chantant ensemble *Les Palétuviers* (1934, mais la chanson l'impliquait), Johnny Hallyday et Sylvie Vartan affichant leur amour dans *J'ai un problème*, ou Charles Aznavour chantant en duo virtuel avec Piaf (*Plus bleu que le bleu de tes yeux*), etc. La chose était ensuite devenue fréquente sur scène, la vedette recevant ses invités et poussant parfois la note avec eux. Elle a gagné les studios et les disques pour devenir un genre à part entière, marqué par le partage des tessitures, des couleurs de voix, jouant sur le contraste ou sur la convergence. En bref, ces disques ou concerts collectifs, ces duos reviennent à « décloisonner un art qui, pour être nécessairement individuel dans la création, n'est pas forcément voué à l'individualisme » (Marc Robine).

Jacques REVAUX

[Jacques Revaud] Azay-sur-Cher, 1940. Compositeur. Avant son service militaire, il se fait remarquer comme auteur-compositeur aux « Numéros 1 de demain » et au premier Coq d'or de la chanson (1958). À son retour de l'armée, il enregistre quelques 45 tours puis abandonne la scène et compose pour Richard Anthony, Dalida, Johnny Hallyday... Il se maintient au poste après la décrue du yé-yé et continue de composer pour Hervé Vilard, Monty, avant de devenir à partir de 1967 le fournisseur attitré de Michel Sardou : *Les Bals populaires, Et mourir de plaisir, J'habite en France* (1970), *Le Rire du sergent* (1972), *La Maladie d'amour* (1973), *Les Villes de solitude* (1974), *La Java de Broadway* (1977), *Les Lacs du Connemara* (1981). Passant avec aisance de la grandiloquence symphonique à la ritournelle populaire, il travaille également pour Claude François (*Comme d'habitude*, 1968, qui, traduite en anglais par Paul Anka deviendra *My way*, un succès international), Johnny Hallyday (*J'ai oublié de vivre*, 1977), Charles Aznavour (*Toi et moi*, 1994). Il a également participé, avec Michel Sardou, à la création des disques Tréma.

REVIENS

Chanson, par. et mus. Harry Fragson-Henri Christiné (1911). Cette valse-romance fut le dernier succès de Fragson. Le texte pourrait parfois prêter à sourire :

> *J'ai retrouvé la chambrette d'amour*
> *témoin de notre folie*
> *où tu venais m'apporter chaque jour*
> *ton baiser, ta grâce jolie.*

Grâce à son refrain, elle restera sur toutes les lèvres et connaîtra une fortune considérable bien après la disparition de son créateur, puisqu'elle fut l'une des chansons françaises le plus souvent enregistrées : de Reda Caire à Jean Lumière, d'Henri Garat à Léo Marjane, de Jean Sablon (qui la chanta en français et en anglais) à Tino Rossi et à Mouloudji, on compte quelque vingt-six interprétations à ce jour.

Catherine RIBEIRO

Lyon, 1940. Auteur-interprète. Fille d'un travailleur émigré portugais, elle fait son entrée dans le monde de la chanson en 1969 avec un 33 tours qui contient déjà en filigrane tout l'univers qu'elle se construira : des textes lyriques et violents mis en musique par Patrice Moullet qui l'accompagne à divers instruments. Dès le deuxième disque (1970), les musiciens dirigés par Moullet se baptisent Alpes, et les disques suivants ainsi que les affiches des spectacles annonceront « Catherine Ribeiro + Alpes », par refus du vedettariat. *Poème non épique* (1970), *L'Ère de la putréfaction* (1974) ou *Une infinie tendresse* (1975) sont parmi les titres forts d'une œuvre toujours à la recherche d'elle-même. Catherine Ribeiro a aussi mis sa remarquable voix au service de la mémoire de Piaf (*Le Blues de Piaf*, 1977), de Jacques Prévert (*Jacqueries*, 1978, ce dernier disque lui valant un procès de la part de la veuve du poète, qui n'appréciait pas le titre), et d'auteurs comme Jacques Brel, Léo Ferré, Félix Leclerc, Jean Ferrat ou Colette Magny (*L'Amour aux nues*, 1992, *Chansons de légende*, 1997). Sur scène, droite, tendue, elle semble souffrir, présentant au public un masque grave, presque torturé. « La grande prêtresse du pop français » s'est créé un public fidèle et nombreux mais marginal, marginalité qui rejaillit sur sa carrière (très peu de passages radio et télévision). Malgré des passages sur des scènes prestigieuses (Printemps de Bourges, Bobino, 1977, Théâtre de la Ville, 1980, Francofolies de La Rochelle, 1993), elle restera dans cette marge.

RICET BARRIER

[Maurice Pierre Barrier] Romilly-sur-Seine (Aube), 1932. Auteur-compositeur-interprète. Après avoir tâté du banjo paternel, rencontré Bernard Lelou, représentant de commerce et auteur, le prof de gym quitta le survêtement pour endosser l'habit de scène. Pris en main par Jacques Canetti, il obtint un prix de l'Académie du disque pour son premier 25 cm, et le succès avec *La Servante du château* (1956) puis avec *La Java des Gaulois* (1958). Vint le reflux, et un relatif effacement. Depuis, il poursuit une carrière discrète, principalement dans les Maisons de la culture. Avec, de temps en temps, une chanson qui perce, comme *Le Savoir-vivre* ou *Stanislas*. On s'aperçoit alors qu'il est toujours là, un peu plus ridé qu'avant, mais sans avoir rien perdu de sa malice. Relevant de la tradition des diseurs, Ricet

Barrier a opté pour le traitement humoristique. Il met en scène des personnages vulnérables, placés dans des situations incongrues ; comique de situation, donc, souligné par la tournure parodique de la forme musicale et la mimique expressive de l'interprète, qu'il exploite au mieux dans ses chansons paysannes (*La Marie, Isabelle, Chatter Lady*). Dans la chanson française, une œuvre mineure, mais attachante.

Zachary RICHARD

La Fayette (Louisiane), 1950. Auteur-compositeur-interprète. Débute dans le style traditionnel (accordéon diatonique, rythmes de valse ou zydeco) avec un groupe, le Bayou des Mystères, et un premier disque, *Réveille* (1976), qui le classe comme militant de la francophonie et lui vaut un beau succès au Québec, où il s'installe quelques années. Révélé en France à la fin des années 1970, en pleine vogue de la chanson « ethnique », par *Travailler c'est trop dur* (1977), il mène cependant une carrière majoritairement américaine, alternant ses lieux de résidences (Louisiane, Québec) et ses genres musicaux, entre rock pur et dur et tradition cajun (*Cap enragé*, son douzième album, 1996), entre anglais (*Snake bite love*, 1992, avec un titre phare, *Crawfish*) et français (*Cœur fidèle*, 1999).

Robert RIPA

Marseille, 1928. Interprète. Il chante en s'accompagnant à la guitare Léo Ferré (*Mon p'tit voyou*), Francis Lemarque (*Paris se regarde*), Robert Nyel (*Si à Paris*), etc., dans les cabarets de la rive gauche (surtout au Club du Vieux-Colombier). Après un certain succès entre 1958 et 1960, particulièrement avec *La Bague à Jules* et *Mon pot' le gitan*, des tournées en France et à l'étranger, il disparaît pratiquement de la scène pour se consacrer à l'animation de cabaret.

Les RITA MITSOUKO

Ils sont deux. Catherine Ringer (Suresnes, 1957), qui étudie la flûte, est mannequin pour vêtements d'enfant, puis actrice porno avant de débuter dans le théâtre, et Fred Chichin (Clichy, 1954), qui apprend la batterie et la guitare et participe à divers petits groupes rock

(Fassbinder, Taxi Girl, Gazoline...). Ils se rencontrent en 1979, lorsque Fred joue de la guitare dans une pièce de Marc'O dans laquelle Catherine est actrice. Créent le groupe Spratz, puis Rita Mitsouko (1980). Premier disque en 1984, sans écho, mais les choses éclatent l'année suivante avec *Marcia Baila.* Suit l'album *The no comprendo* (1986) avec *Les Histoires d'A* et le clip de Jean-Baptiste Mondino pour *C'est comme ça.* Les Rita Mitsouko sont désormais « incontournables » avec leurs litanies répétitives, leur absence d'orchestre (au début de leur carrière, ils utilisent des bandes-son), leur rock aux effluves latino flirtant parfois avec le hip-hop, leur lyrisme et leur look déjanté (*Re*, 1990, *Système D*, 1993), mais, malgré un étrange retour en 2004 avec un orchestre symphonique (*Les Rita Mitsouko en concert avec l'orchestre Lamoureux*), ils semblent (se) lasser.

Jean-Michel RIVAT

Vesoul, 1939. Auteur. Étudiant, il écrit des textes de chansons et des adaptations (*Guantanamera*, *Excuse me Lady*, *Comme la lune*) et monte un canular : celui du chanteur Édouard, rival d'Antoine. En 1967, il rencontre un autre parolier, Frank Thomas (Montpellier, 1936), déjà auteur de chansons pour les Parisiennes, Lucky Blondo, Michel Polnareff. C'est le début d'une collaboration fructueuse et riche : *Bébé requin* (mus. J. Dassin) pour France Gall, *Deux minutes trente-cinq de bonheur* (mus. J. Renard) pour Sylvie Vartan, *Les Daltons*, *Marie-Jeanne*, *La Bande à Bonnot* pour Joe Dassin, *Des jonquilles aux derniers lilas* (mus. M. Benaim) pour Hugues Aufray, *L'Avventura*, *Made in Normandie* (mus. E. Charden) pour Stone et Charden. Puis, à partir de 1973, ils poursuivent leur travail séparément, J.-M. Rivat entamant une longue collaboration avec Michel Delpech, des premiers tubes (*Les Divorcés*, mus. M. Delpech, R. Vincent, 1973, *Quand j'étais chanteur*, 1975) jusqu'aux albums (*Loin d'ici*, 1985, et *Comme vous*, 2004).

Dick RIVERS

[Hervé Fornieri] Villefranche-sur-Mer, 1945. Auteur-interprète. Enfant, il ne rêve que d'Elvis Presley (Dick Rivers est le héros d'un de ses films) ; forme un groupe de rock à quinze ans, les Chats sauvages, dont il devient le chanteur soliste. Ils s'imposent rapidement à Paris, devenant le groupe le plus important après les Chaussettes Noires (*Twist à Saint-Tropez*, *C'est pas sérieux*). Dick Rivers choisit ce moment pour voler de ses propres ailes (1962), d'abord avec succès puis plus laborieusement lorsque le yé-yé connaît sa période de vaches maigres. Jeans, santiags, cheveux noirs gominés, il soigne son look et s'inscrit dans la sémiologie rêvée du cow-boy. Il collabore un temps avec Alain Bashung et Gérard Manset, enregistre aux États-Unis ou en France des albums consacrés aux grands standards (*The Rock machine*, 1972, *Mississippi River*, 1976), tourne avec Francis Cabrel, fait du cinéma avec Jean-Pierre Mocky, continue d'enregistrer (*Vivre comme ça*, 1998), écrit des romans (*Texas Blues*, 2001), bref fait feu de tous bois. Bien que se considérant avant tout comme un chanteur de rock, il obtient ses principaux succès grâce à des slows (*Quand l'amour s'en va*). Mais il n'en a cure car, « resté fidèle aux gens et aux musiques qu'il aime, il peut continuer à se regarder debout devant sa glace » (*Debout devant ma glace*, S. Koolenn-N. Sedaka). Moins connu que ses concurrents des années 1960, J. Hallyday et E. Mitchell, il continue cahin-caha son chemin de crooner rocker (Francofolies de La Rochelle, 2006).

Michel RIVGAUCHE

[Mariano Ruiz] Paris, 1923-2005. Auteur-interprète. Après des études d'ingénieur, se lance dans la chanson (*Mea culpa*, mus. H. Giraud, prix Deauville 1954), puis choisit d'écrire pour les autres et abandonne la scène. En 1957, il adapte pour Édith Piaf un succès argentin, *Que nadie sepa mi sofrir* (plus connu sous le titre de *Amor de mis amores...*), qui devient *La Foule*. Il écrit aussi pour Colette Renard (*Ça c'est d'la musique*, mus. N. Glanzberg), Marcel Amont, Mouloudji, Juliette Gréco, Dalida (*Parlez-moi de lui*), Line Renaud, etc., mais Piaf reste sa principale interprète. Elle le pousse à remonter sur scène dans un tour de chant fantaisiste (Pacra, Olympia), mais c'est surtout l'auteur que l'on connaît, et qui a remporté de nombreux prix. Il a également été administrateur de la SACEM.

Pierre ROCHE

Beauvais, 1914 – Québec, 2001. Compositeur-interprète. Sa carrière (1944-1950) est intimement liée aux débuts de Charles Aznavour avec qui il chante en duo (Roche et Aznavour). Une tournée en 1946 avec Édith Piaf et les Compagnons de la Chanson, de bonnes chansons en commun (*Poker*, *Ma main a besoin de ta main* et surtout *J'ai bu*), un rythme swing leur assurent un certain succès jusqu'au jour où ils se séparent. Aznavour aura la carrière que l'on sait, Pierre Roche s'installera au Canada après la carrière éclair de sa femme Aglaé, en France.

Étienne RODA-GIL

Montauban, 1941 – Paris, 2004. Auteur. Fils d'émigré espagnol, il fait une licence de lettres puis se met à écrire des textes de chansons pour Julien Clerc. Dès le début, l'association entre la voix de Clerc, son écriture musicale, et les textes un peu surréalisants de Roda-Gil fait merveille : *La Cavalerie*, *Niagara*, *Le Caravanier* sont très vite des succès. Ce qui frappe le plus ici, c'est l'absence de métrique classique, forme à laquelle se raccroche la chanson « carrée », plus facile à mettre en musique. Roda-Gil laisse pour sa part aller son inspiration dans des textes débridés qui impliquent des mélodies fluides, déstructurées. Il saura cependant contrôler son inspiration dans des œuvres plus classiques, *36, Front populaire* (mus. J.-P. Bourtayre, J.-C. Petit, 1979) et les chansons qu'il écrira pour Mort Schuman (*Le Lac majeur*, 1978) et Catherine Lara (*Géronimo*, *Bateau de pluie*, 1980). Mais il ne se limite pas à la « bonne » chanson, écrivant également pour Claude François (*Magnolia for ever*, 1977, *Alexandrie Alexandra*, 1978) ou pour une lolita à peine pubère, Vanessa Paradis (*Joe le taxi*, 1987). Il fréquente un temps le camp des rockers avec Johnny Hallyday (*Mirador*, 1989) et Louis Bertignac (l'album *96*), passant entre les deux par la case Juliette Gréco (un album en 1992). Auteur prolixe et atypique, il a aussi publié de rares romans.

Jean RODOR

Sète, 1881-Paris, 1967. Auteur. Il chanta des rengaines de Vincent Scotto dont il écrivait les paroles et dont le succès dépassa largement celui de leur interprète : *Réginella*, *Sous les ponts de Paris* (1913), qui fit la carrière que l'on sait : elle fut notamment interprétée par Georgel, qui chanta une des autres créations du tandem, *La Vipère* (1922). Jean Rodor fut vice-président de la SACEM.

La ROSE ROUGE

Cabaret, rue de la Harpe puis rue de Rennes, Paris (1949-1958). Il vit défiler bon nombre des vedettes d'aujourd'hui, enfants terribles de l'après-guerre : Juliette Gréco, les Frères Jacques, Stéphane Golmann, Francis Lemarque, Nicole Louvier, etc. On put aussi y entendre de la musique de jazz (Henri Crolla), y voir les premières pièces de Boris Vian (*Le Goûter des généraux*, jouée par Yves Robert), des marionnettes, des imitations de Charlot (par Edmond Tamiz), etc. Bref, sous la direction de Nico Papatakis, la Rose Rouge fut un creuset où « existentialistes et zazous » (puisque c'est ainsi que les stigmatisaient les plumitifs bien-pensants) écrivirent une page de l'histoire de la chanson contemporaine.

Les ROSES BLANCHES

Chanson, par. Charles-Louis Pothier, mus. Léon Raiter (1925). Grand classique du style « chanson larmoyante » et succès en particulier de Berthe Sylva. Cette sombre histoire d'enfant voleur de fleurs pour sa mère mourante à l'hôpital a fait une grande carrière : elle se vendit à quelque trois millions de petits formats, fit la fortune de l'éditeur Rolf Marbot qui la racheta en 1932, et fut interprétée par un nombre incalculable d'interprètes dont les plus inattendus, comme les Sunlights (1967) ou Michèle Torr (Olympia, 1980). Noyée de larmes mais insubmersible.

Tino ROSSI

[Constantino Rossi] Ajaccio, 1907 – Neuilly-sur-Seine, 1983. Interprète. Père tailleur, huit enfants. Très tôt on sut que le petit Tino avait un don : sa voix. Pour chanter, il gagne le continent et débute au caf'conc' à Aix. En 1925, il est engagé par la marque de disques Parlophone et monte à Paris. Boy au Casino de Paris (1931), il produit son premier tour de chant à l'A.B.C. (1933), sans succès notable. Sa découverte date de la revue *Parade de France* d'Henri Varna, où il représente la Corse (Casino de Paris, 1934) : il chante *Vieni, vieni* et *Ô Corse, île d'amour* (G. Koger-Scotto), en tenant une guitare à la main. Passé chez Columbia, il enregistre *Adieu Hawaï*. C'est un raz-de-marée : plus de 400 000 disques vendus, chiffre exceptionnel pour l'époque. Avec le film *Marinella*, d'où sont tirées *Marinella* et *Tchi*

tchi, sa popularité monte encore d'un cran : il est premier partout, même aux États-Unis. Désormais, il est intouchable, les succès s'accumulent, les chiffres de vente aussi. Tournée européenne, l'Olympia en 1939, films (*Ma ritournelle*, 1941, *Naples au baiser de feu*, 1937, *Fièvre*, 1941), disques, Tino est omniprésent. La guerre, l'âge, l'embonpoint, les modes, rien n'y fera plus car rien ne peut l'atteindre. Tino n'est plus de ce monde, il participe d'une essence autre, celle dont on fait les mythes. Comment l'approcher ? Par la magie de sa voix : son registre de ténorino mais surtout ses harmoniques la rendent singulière. Voix d'or, de velours, de lait et de miel... que n'a-t-on entendu ? Pourtant les choses sont simples : « Je n'ai jamais appris à chanter, je suis né avec cette voix et j'ai eu de la chance, voilà tout. » Dieu y aura veillé. L'amour est l'autre intermédiaire privilégié pour accéder à l'univers du demi-dieu : toutes ses chansons y sont vouées. Son originalité est d'avoir introduit la géographie dans la chanson d'amour (Corse, Hawaï, Naples...). Il s'est appuyé sur le talent de Vincent Scotto, son compositeur favori (outre les chansons citées : *Chanson pour Nina*, *Écoutez les mandolines*, *Bella Ragazzina*, *La Boudeuse*, etc.). Valses, javas, rumbas furent des supports parfaits pour « la » voix. Plus tard, Tino élargit ses horizons et se tourne vers Schubert, Mozart, Gounod. L'effet obtenu sera le même. Avec lui, les paroles les plus scabreuses se purifient : il transforme une statue de sel en sucre d'orge et, de l'*Ave Maria* au *Petit Papa Noël*, il évolue dans un monde désincarné, peuplé de sentiments sublimes. Reste le physique. Comme Rudolf Valentino, ce séducteur n'a rien d'un Don Juan : type du Méditerranéen à cheveux plats gominés, aux expressions stéréotypées, il évolue entre le saint de vitrail et Casanova revu par Hollywood. Cette absence de singularité est précisément condition de la recevabilité de son image auprès du public. Le processus identification-projection peut opérer. Et s'il est beau, c'est que « la beauté est un des attributs du demi-dieu » (P. Barlatier). Tino Rossi n'a pas eu de concurrents dans la chanson, et ses successeurs, Luis Mariano, Georges Guétary, Enrico Macias, Julio Iglesias ne l'ont pas remplacé : ce type de personnage mythique semble avoir disparu de notre monde, et les hommages (ou leur contraire) sont désormais à rendre à l'imparfait (*L'Idole à papa*, J. Ferrat, 1969). Comme l'écrivit une de ses admiratrices, « il est au-dessus de tous les humains ». Plus que jamais.

René ROUZAUD

Paris, 1905-Paris, 1976. Auteur. Licencié ès lettres, il devient journaliste d'agence (chez Havas) et se tourne vers la chanson en 1938. Il écrit pour Damia (*La Complainte du petit soldat*, mus. De Pierlas), puis pour Georges Guétary, Lys Gauty, Jean Lumière (*Ma carriole*, mus. G. Lafarge, qui sera pendant l'Occupation une chanson « d'actualité »). À la Libération, deux slows ont un grand succès : *Libellule* (mus. G. Luypaerts, 1942) et *Rêver* (mus. G. Luypaerts, R. Thoreau, 1944), repris par tous les chanteurs de charme, notamment Georges Guétary et Jean Sablon. De 1948 à 1955, il se lance dans l'adaptation (*La Colline aux oiseaux*, mus. V. Morton, chantée par Patrice et Mario). Puis il écrit pour Piaf (la célèbre *Goualante du pauvre Jean*, M. Monnot, 1954), Eddie Constantine (*Un enfant d'la balle*, mus. E. Barclay, Philippe-Gérard), Zizi Jeanmaire, Yves Montand (*La Fête à Loulou*, mus. B. Castella), Dalida, Claude François et Henri Salvador. Sans doute l'un des paroliers les plus doués de sa génération.

S

Henri Salvador

Germaine SABLON

Le Perreux, 1899 – Paris, 1985. Interprète. D'une famille déjà tournée vers la chanson (elle est fille du compositeur Charles Sablon et sœur de Jean Sablon), elle apprend le piano et le chant et s'oriente d'abord vers l'opérette. Elle débute dans le tour de chant en 1932 (A.B.C., 1933) et devient vedette dès 1934... À un répertoire qu'elle partage avec d'autres interprètes (*Mon légionnaire*, *Mon homme*, *Ici l'on pêche*), elle ajoute des chansons folkloriques de la Renaissance. On remarque la délicatesse de son interprétation. La Résistance lui donne l'occasion de manifester d'autres talents : elle organise un débarquement d'armes sur la côte du Var, franchit clandestinement la frontière d'Espagne avec Maurice Druon, coauteur du *Chant des partisans* (M. Druon, J. Kessel-A. Marly) qu'elle crée dans le désert de Libye où elle est infirmière. En 1946, elle exporte aux États-Unis et au Canada les joyaux de la chanson française ancienne et moderne...

Jean SABLON

Nogent-sur-Marne, 1906 – Cannes, 1984. Interprète. Frère de Germaine Sablon et fils de Charles Sablon (chef d'orchestre et compositeur). À la fin de ses études au lycée Charlemagne, il débute aux Bouffes-Parisiens et devient chanteur de revue (au Casino de Paris avec Mistinguett) et d'opérette (au théâtre Daunou). Il enregistre en

1932 un premier duo avec Mireille dont il devient l'interprète favori (*Le Petit Chemin*). En 1933, il prend comme accompagnateurs trois musiciens de jazz (André Ekyan, Alexandre Siniavine et Django Reinhardt) et participe ainsi à la révolution swing (*Vous qui passez sans me voir*, par. C. Trenet, J. Hess). Trop nouveau, son style n'est pas apprécié partout : ce chanteur sans voix « qui embouche son micro tenu à deux mains comme un musicien son instrument à vent » fait scandale. Aussi accepte-t-il un contrat pour les États-Unis, et c'est l'Amérique qui découvrira le « Bing Crosby français ». Sablon en revient en 1939 et passe à l'A.B.C. avec *Le Pont d'Avignon jazzé* et surtout *Je tire ma révérence* (par. P. Bastia) et *J'attendrai* (L. Poterat-D. Olivieri), chanson d'origine italienne dont il partage le succès avec Rina Ketty. En remplaçant le chanteur de charme d'autrefois, « avantageux, claironnant, ridicule » et en le transformant en « chanteur-confident-discret, mezzo voce », Sablon a créé la romance-jazz. La mise en scène, réglée en forme de ballet, ne laisse place à aucune improvisation, mais Sablon travaille avant tout pour le disque, et il ose introduire le bruitage vocal (claquements de langue dans *Le Fiacre* pour imiter les sabots du cheval). La guerre survenant, Sablon réembarque pour l'Amérique d'où il reviendra en 1946 (A.B.C.), cette fois avec la petite moustache « à la française » qu'on lui connaît. Entre deux voyages (sa carrière est internationale), il passe en 1949 à l'Étoile et en 1954 à l'Olympia. Avec le temps, le « French troubadour » n'a rien perdu de sa séduction, et, à entendre les chanteurs-crooners qui se poussent devant les micros, il doit se reconnaître bien des héritiers.

SACEM

Société des auteurs, compositeurs et éditeurs de musique, 225 avenue Charles-de-Gaulle, 92528 Neuilly-sur-Seine Cedex.

Le 9 mars 1847, Ernest Bourget, Victor Parizot et Paul Genrion refusent de payer leurs consommations au café-concert des Ambassadeurs : on joue et on chante sur scène des chansons qu'ils ont écrites. L'affaire va en justice et les auteurs l'emportent sur le patron de la salle, qui est condamné à leur payer des droits. L'idée de la SACEM est née. Société civile, elle est créée en 1851 avec deux cent vingt et un adhérents. Elle en a aujourd'hui plus de cent mille. Une filiale, la SDRM, est créée en 1935 pour la perception des redevances sur disques, cassettes, juke-box, etc.

Gérée par un conseil d'administration qui comprend six auteurs, compositeurs et éditeurs élus par une assemblée générale composée essentiellement de notables (ceux qui ont gagné pendant trois ans une somme définie leur donnant quinze voix au lieu d'une), la SACEM rassemble sous son toit les créateurs de « grande » musique aussi bien que de variétés, celles-ci représentant néanmoins 93 % des répartitions. Ses percepteurs, toujours à l'affût, viennent réclamer un pourcentage sur les entrées, consommations ou recettes à l'occasion de la moindre manifestation sonore, taxe supplémentaire souvent dure à supporter pour les petites salles de spectacle (cabarets, cafés-théâtres). En 2004, on comptait environ 500 000 œuvres déposées. Entre un quart et un cinquième des bénéfices est consacré aux frais de fonctionnement, le reste étant redistribué aux auteurs. Pour chaque chanson, cette redistribution se fait par tiers : 1/3 à l'auteur, 1/3 au compositeur, 1/3 à l'éditeur (moitié aux auteurs et moitié à l'éditeur en ce qui concerne les droits de reproduction mécanique perçus par la SDRM). Une seule chanson à succès, dont les passages en radio ou télévision se chiffrent par centaines ou par milliers, est une affaire rentable pour ses auteurs, mais il ne faut pas se leurrer : sur environ dix auteurs percevant régulièrement des droits, c'est-à-dire étant en pleine activité, à peine un seul peut véritablement vivre de ce métier, mais certains en vivent très correctement.

En 1976, la SACEM quitte ses bureaux discrets de la rue Chaptal pour s'installer dans 1 500 mètres carrés luxueux à Neuilly. C'est alors que, dans une France en début de récession économique, ses ennuis commencent. Attaquée comme monopole par des discothèques, elle l'est du même coup par la presse qui s'émeut de son luxe insolent (« À l'Assacem ! » titre *Le Canard enchaîné*). Les grandes questions sont posées : « La SACEM collabore à la gloire du capital et à l'abêtissement général. » Elle répond en développant ses œuvres sociales (aides aux créateurs en difficulté) et culturelles (mécénat privé, entre autres à la jeune chanson, au Printemps de Bourges, à des rencontres, des publications...). Bref un nouveau style s'installe qui, en visant la défense de la chanson française, vise aussi sa pauvre survie. Les critiques continueront sur d'autres fronts. Un ouvrage publié par Irène Inchauspé et Rémy Godeau (*Main basse sur la musique*, 2003) se fait ainsi le porte-parole de différents reproches (avoir spolié les auteurs juifs sous l'Occupation, conserver les droits – importants – de Maurice Ravel, mort sans enfants, etc.). Mais ses plus grands ennemis sont ailleurs : la piraterie et Internet. La SACEM se trouve confrontée au problème de plates-formes de téléchargement (e-compil, Fnacmusic.com, Virginmega.fr, OD2, Apple, etc.) dont certaines refuseraient de payer des droits sur leurs ventes. Et cette question, qui concerne de grosses sommes, n'est pas près d'être réglée. Nous sommes loin d'Ernest Bourget, Victor Parizot et Paul Genrion en mars 1847 aux Ambassadeurs.

SAINT-GRANIER

[Jean Granier de Cassagnac] Paris, 1890-1976. Auteur-interprète, revuiste. Chansonnier à vingt-deux ans, il est en même temps journaliste. Son genre est alors la satire, et il passe notamment à la Pie-qui-chante. Après la guerre, il fonde le théâtre de la Potinière. En 1918, il fait son entrée au Casino de Paris, comme interprète (*Marquita*, *On dit ça*, de Borel-Clerc), et, comme auteur de chansons sentimentales. On lui doit notamment la version française de *Ramona* (collaboration J. Le Soyeux-A. Willemetz) qu'il crée lui-même, ainsi que de *C'est jeune et ça n'sait pas*, un succès de Maurice Chevalier. C'est cependant comme auteur de revues qu'il donnera la pleine mesure de son talent, en collaboration avec Rip, Albert Willemetz ou Jacques-Charles. À partir de 1930, il se consacrera à sa nouvelle carrière d'animateur et chroniqueur radiophonique.

Francis SALABERT

Paris, 1884 – Shannon (États-Unis), 1946. Éditeur. De père petit éditeur de musique classique et de romances, il s'installe en 1908 rue Chauchat. Après la guerre de 14-18, il sera le premier à donner un essor à la variété : il rachète tout Aristide Bruant, signe des contrats avec Vincent Scotto, Albert Willemetz, Georges Van Parys, Henri Christiné, et engage Maurice Yvain et Raoul Moretti comme pianistes pour faire travailler les chanteurs. Ceux qui se présentent ont pour nom Mistinguett, Lucienne Boyer, Joséphine Baker, Henri Garat, Mayol, Fragson, Tino Rossi, Piaf. Sentant le vent tourner, il crée aussi une société phonographique et publie des milliers de 78 tours (Arletty, Fréhel, Marianne Oswald, Albert Préjean, Reda Caire...). Il avait ouvert à Paris quatre boutiques, créé plusieurs filiales de par le monde. Ancêtre du show-business, il avait même inventé la mauvaise habitude de payer les passages radio...

Henri SALVADOR

Cayenne (Guyane), 1917. Auteur-compositeur-interprète. À Paris dès l'âge de sept ans, il se passionne pour la musique, surtout le jazz. Batteur, excellent guitariste, il commence à composer. Chanteur d'orchestre à Nice, à Cannes (chez Bernard Hilda), il devient « collégien » de Ray Ventura et part en tournée en Amérique du Sud (1941). Il restera au Brésil jusqu'en 1945, le temps d'y devenir vedette. De retour en France, il crée *Clopin-clopant* (1946), se fait connaître comme « chanteur créole », s'impose avec *Maladie d'amour* (1950) et *Le Loup, la Biche et le Chevalier* (1951). La France puis l'Europe font alors connaissance avec les multiples facettes de son talent : acteur de sketches (*La Télévision américaine*), parodiste toujours en avance d'une mode (*Rock and roll mops*, *Faut rigoler*, avec Boris Vian, 1959 ; *Twist SNCF*, par. B. Michel, 1962), auteur de pastiches et de scies (*Le Travail c'est la santé*, 1965, *Quand faut y aller*, 1967), etc. Entretemps, il quitte la scène pour se consacrer à des shows télévisés et au disque, qu'il enregistre sous son propre label, Rigolo. Ses spectacles télévisés, dans lesquels il joue toujours au clown, occultent longtemps son talent réel. Il renoue avec le jazz en 1994 (album *Monsieur Henri*, enregistré à New York), puis effectue un retour remarqué à quatre-vingt-trois ans, en 2000, avec *Chambre avec vue* (textes et musiques de B. Biolay, K. Ann, A. Mengo...), obtenant deux Victoires de la musique (interprète masculin et album de l'année).

Sachant tout faire, ayant tout fait, Salvador fait penser à certains showmen américains comme Sammy Davis Jr. Rien d'étonnant à cela : la base de leur technique est le jazz. Homme caméléon, il n'en a pas moins marqué de sa griffe toutes ses œuvres : un pastiche, par exemple *Mon pote le blues*, est aussi un « Salvador blues », identifiable grâce au *feeling* de la voix. Mais la pirouette n'est jamais loin, qui fait réapparaître le rigolard tordu de grimaces, ou encore le charmeur des îles, trop décontracté pour y croire tout à fait. Aussi, plus que dans les sucreries tropicales (*Adios Anita*) ou dans les chansons gags (*Zorro est arrivé*), le meilleur Salvador est-il à chercher sur scène, là où s'opère la synthèse entre ses diverses facettes et ses différents talents.

SAN FRANCISCO

Chanson, par. et mus. Maxime Le Forestier (1973). En 1971, Catherine Le Forestier remporte avec *Au pays de ton corps* le Grand Prix du Festival de Spa, en Belgique. Elle en profite pour partir à la découverte de la Californie avec son frère. Ils rejoignent pendant quelque temps une colonie de hippies, vivant dans « une maison bleue accrochée à la colline ». C'est l'origine d'une chanson qui marquera l'entrée en force de Maxime Le Forestier dans la chanson française. Tout existe ou a existé, la maison, Psylvia, Luc et Lizzard, les us et coutumes de cette vie en commun… Mais s'y ajoutent le talent d'écriture et de composition (ah ! l'introduction musicale en *mi* mineur et *do* !), le sens du croquis, la voix, et cette façon de restituer l'ambiance de la Côte Ouest des États-Unis, en version française, bien sûr.

SANSEVERINO

[Stéphane Sanseverino] Paris, 1962. Auteur-compositeur-interprète. Après une enfance voyageuse, il entame une formation de cuisinier, bifurque vers des cours de théâtre puis se tourne vers la musique, créant les groupes RMC (Renverse-moi chéri) en 1990 et Les Voleurs de poules en 1992. Marqué par François Béranger, puis Bernard Lavilliers, il s'initie à la guitare assez tard, se spécialisant dans le genre manouche, dans lequel il frise la virtuosité. Il entame ensuite une carrière solo. Son premier album, *Le Tango des gens* (2001), le fait connaître grâce à un titre phare, *Les Embouteillages.* En 2004, son deuxième album, *Les Sénégalaises,* confirme un ton nouveau dans la chanson française, grâce à son style rock manouche et ses textes humoristiques.

Véronique SANSON

Paris, 1949. Auteur-compositeur-interprète. Fille d'un avocat pianiste, elle abandonne ses études pour enregistrer en groupe (Les Roche-Martin, 1968), puis seule. Son deuxième album (*Amoureuse*) fait figure d'événement : on découvre une voix au vibrato interminable, une musique mêlant le jazz, le blues et le rock, une langue française devenue magiquement élastique. Les disques suivants confirment les qualités de la chanteuse et de la musicienne dont le piano déploie un rythme sûr et des suites harmoniques riches (parfois répétitives), compensant la relative absence de mélodie, sauf dans les titres qui feront son succès (*Besoin de personne*, *Chanson d'une drôle de vie*). Elle quitte son brillant producteur et pygmalion Michel Berger pour épouser le musicien américain Stephen Stills, et s'installe aux États-Unis où elle enregistre désormais. Elle assure alors seule ses orchestrations (*M le maudit*), gagne son indépendance musicale, mais semble marquer le pas, réexploitant sans cesse la même veine, et montrant sur scène une tendance à privilégier le volume vocal, hurlant presque parfois. Elle a pourtant fait jusque-là, dans le désert de la musique au féminin, figure de prophétesse. Ses disques se font rares, on l'oublie un peu. En 1995, avec l'album *Comme ils l'imaginent*, elle revient en force, entourée de voix amies (Le Forestier, Fugain, Lavoine, Paul Personne...), suit avec *Indestructible* (1998), disparaît à nouveau, connaît des problèmes d'alcoolisme dont elle parle dans *La Douceur du danger*, sur son album *Longue distance* (2004) qui semble marquer un retour douloureux vers un univers plus apaisé.

SAPHO

Marrakech (Maroc), 1950. Arrive en France à seize ans, entame des études de lettres, suit des cours de théâtre (Antoine Vitez) et passe au Petit Conservatoire de Mireille, où elle se fait passer pour une Québécoise, Bergamote, et compose des chansons adaptées à ce pseudonyme gag. Orientale jusqu'au bout des ongles, elle cherche pourtant sa voie du côté du rock (*Le Balayeur du Rex*, 1977, *Janis*, *Le Paris stupide*, 1982, etc.), se produisant dans des tenues et avec des coiffures ou des maquillages excentriques. Sa voix, évocatrice de toutes les sensualités, est alors environnée d'une musique agressive qui la neutralise un peu. Bientôt, elle marie le rock à ses racines, en interprétant des succès de la grande vedette égyptienne Oum Khalsoun (1986), ou en se produisant à l'Olympia avec des musiciens gnawa venus de Marrakech (1988). Elle mélange ainsi les genres, publie des romans (*Ils préféraient la lune*, 1987), dessine, parcourt le monde à la recherche de tout et de rien, de sa vérité peut-être, enfouie derrière de multiples masques. Entre rock et musique orientale (*Jardin andalou*, 1996), elle ne cesse de lutter pour la condition féminine, contre toutes les oppressions, sans obtenir du public la reconnaissance qu'elle mérite. Mais elle a peut-être réussi à renouer les fils de ses identités éclatées en chantant en février 2005 *Imagine* de John Lennon, traduit en arabe marocain dans un concert de soutien à la journaliste Florence Aubenas alors retenue en otage en Irak. Elle a également interprété et enregistré Léo Ferré d'une façon très personnelle (*Ferré flamenco*, 2006).

Théo SARAPO

[Théophile Lamboukas] Paris, 1936 – Limoges, 1970. D'origine grecque, c'est un ancien garçon coiffeur de belle prestance. Il épouse Édith Piaf en 1962 et monte sur scène avec elle pour interpréter *À quoi ça sert l'amour ?* Veuf l'année d'après, il essaie tant bien que mal de poursuivre sa carrière à l'étranger, avec quelque 20 millions de dettes. En 1969, il tente à nouveau sa chance à Paris dans le tour de chant (à la Tête de l'Art), la comédie et le cinéma (*Un condé*). Mais il meurt prématurément dans un accident de voiture.

SARCLO

[Michel de Senarclens] Paris, 1951. Auteur-compositeur-interprète. Élevé en Suisse, il fait des études d'architecture tout en créant un groupe (La Bande en l'Air) et en se produisant dans les Maisons de la culture helvétiques. Enregistre ses premiers disques sous le nom de Sarcloret (*Les Plus Grands Succès de Sarcloret*, 1981, *Les Premiers Adieux de Sarcloret*, 1983). Si l'on ajoute qu'il enregistre sous le label Côte du Rhône, on comprend que Sarclo fait dans la dérision. Dans la tendresse aussi (album *Les Pulls de ma poule*, 1985, *Mon papa*, 1992), et dans la politique (*M. et Mme le maire de Vitrolles*, 1999), ces différents thèmes ne s'excluant pas les uns les autres : une anthologie de ses chansons publiée en 1995 s'intitule *T'es belle comme le petit Larousse à la page des avions*...

Lauréat des Journées Georges-Brassens en 1990, il acquiert une petite notoriété, tourne dans les pays francophones du Nord (Belgique, Québec), mais devant des publics restreints. Renaud, qui l'a emmené avec lui en tournée (1996), le considère pourtant comme « la plus belle invention suisse depuis le gruyère ». C'est tout dire !

Michel SARDOU

Paris, 1947. Auteur-compositeur-interprète. « Aussi loin que remontent mes souvenirs d'enfance, je ne crois pas avoir entendu parler d'autre chose à la maison que de tournées... ou de tours de chant » (M. Sardou). Petit-fils et fils d'artiste, cet enfant de la balle fait des débuts confidentiels au cabaret en 1966. Une chanson de son premier disque, *Les Ricains* (mus. G. Magenta) retient cependant l'attention : il n'est en effet pas banal dans ces années d'avant Mai 68 de signaler son entrée dans la chanson en se marquant aussi nettement à droite. Mais sa carrière prend vraiment son envol après sa rencontre avec Jacques Revaux, qui devient son compositeur attitré, et avec Régis Talar, son producteur. Sa marche en avant commence alors : *Les Bals populaires*, *J'habite en France*, *Et mourir de plaisir*, passage en première partie à l'Olympia en 1970, en vedette en 1971. Il est en 1973 en tête de tous les hit-parades avec *La Maladie d'amour*. Ses chansons (*Le France*, 1975, *Je suis pour*, 1976, *Le Temps des colonies*, 1977) déclenchent de violentes polémiques. La création de comités anti-Sardou et les manifestations dans les villes où il passe l'amènent en 1977 à interrompre une tournée. Aucun chanteur, depuis Hallyday et l'avènement du yé-yé, n'avait réussi à polariser un tel faisceau de réactions. Pourquoi ? Il a imposé un personnage d'une belle vitalité, qui accroche le spectateur ou l'auditeur dès la première chanson et ne le lâche plus avant la fin du tour de chant ou du disque : un gagneur, un mâle, un vrai, comme on les aime en France, pays où « il n'y a quand même pas 50 millions d'abrutis ». Michel Sardou est un chanteur qui prend la mesure des préoccupations de son public et n'hésite pas dans ses chansons à aborder de grands problèmes, l'écologie (*W 450°*), Dieu (*J'y crois*, *Qui est Dieu*), l'amour (*Je vais t'aimer*, *Les Vieux Mariés*), la surpopulation (*6 milliards 980 millions 980 mille*), la peine de mort (*Je suis pour*), la paternité (*Un enfant*, *Mon fils*), avec le crédit de sympathie accordé à celui qui n'hésite pas à dire « je ». Un interprète au timbre bien frappé, au jeu de scène violent et sans bavure, dont les chansons sont fignolées par une équipe de professionnels (Pierre Delanoë pour les paroles, Jacques Revaux pour la musique, Pierre Billon pour les deux, sans oublier les arrangeurs, choisis parmi les meilleurs, pour les disques). Un chanteur enfin qui travaille sans filet : Sardou a pris le risque d'apparaître comme le héraut d'une France petite-bourgeoise, dont le mal-être se traduit par le repli crispé sur des valeurs refuges, fondamentalement négatives (sentiment de supériorité sur « l'autre », l'habitant du tiers-monde, l'homosexuel, l'intellectuel...), le risque aussi d'être considéré comme fermé à tout écho d'émancipation féminine, pour qui la femme restera éternellement « maman ou putain ».

Lassitude ou calcul ? Après la polémique ouverte en 1977, il semble un temps baisser le ton, quitte à apparaître un peu moins souvent au hit-parade (*La Java de Broadway*, 1978, *Les Lacs du Connemara*, 1981). Mais le naturel revient au galop, et il reprend ses interventions sans nuance dans les débats de société (*Vladimir Illitch*, 1983, *Les Deux Écoles*, 1984, *Le Bac G*, 1992). Depuis la fin des années 1990, il alterne tours de chant et pièces de théâtre avec la belle santé qui le caractérise depuis quarante ans. Michel Sardou est à la chanson française ce que Nicolas Sarkozy est à la politique : son moteur tourne à la pulsion de pouvoir.

Catherine SAUVAGE

[Jeanine Saunier] Nancy, 1929 – Bry-sur-Marne, 1998. Interprète. Comédienne, elle chantait pour le plaisir au Lorientais le jour de relâche de Claude Luter. Introduite sur les ondes par Paul Dumas et au Bœuf sur le toit par Moysès (alors directeur), elle entame une carrière de chanteuse de cabaret rive gauche au répertoire poétique (*Grand-papa laboureur*, J. Broussolle-A. Popp), bientôt enrichi par les œuvres de Léo Ferré (*Paris-canaille*) que celui-ci, encore mal armé vocalement, est ravi de confier à cette voix à la fois violente et fine. Jacques Canetti la programme aux Trois Baudets (1953-1954). Elle obtient un premier Prix du disque avec *L'Homme* (Léo Ferré) et passe en vedette à l'Olympia. La même année (1954), elle interprète Brecht à Lyon sous la direction de Roger Planchon. Passe à Bobino (1957, 1960), à la Comédie des Champs-Élysées (1957) et obtient un deuxième prix du disque en 1961. Mais la vague yé-yé la relègue un temps au second plan, et elle se consacre alors au théâtre. Son retour sera difficile, malgré la qualité de son répertoire (Ferré, Leclerc, Vigneault, Prévert…). « Elle ne chante pas, elle mord », disait d'elle Georges Brassens, et elle avouait elle-même être longtemps entrée en scène comme un dompteur dans la cage aux fauves. Mais elle devient de moins en moins sauvage et se transforme en interprète raffinée, d'une présence assez rare sur scène, avec le pouvoir de faire rire ou d'émouvoir.

La SCALA

Café-concert, boulevard de Strasbourg, Paris. Inauguré par Vergeron en 1876, il prit la suite du Concert du Cheval Blanc (1868-1876). Férocement concurrencé par l'Eldorado qui lui faisait face, il s'efforça de lui arracher ses vedettes. La première qui traversa la rue fut Paulus (1879). Sous la direction de Mme Roisin puis, à partir de 1884, de M. et Mme Allemand, la Scala allait se tailler une solide réputation : Aristide Bruant, Amiati, Jeanne Bloch, Ouvrard, Marius Richard s'y produisirent alors. Lorsque les deux établissements concurrents furent réunis sous une même direction (1896), la Scala se spécialisa dans le tour de chant suivi de petites pièces jouées par les chanteurs. La pléiade d'artistes qui s'y firent entendre formait une véritable troupe. On trouvait côté hommes : Polin, qui y demeura vingt-cinq ans, Fragson, Mayol, Max Dearly, Claudius, Moricey, Baldy... ; côté femmes, Polaire, Paulette Darty, Esther Lekain, Anna Thibaud, Yvette Guilbert entourées d'un essaim de jolies filles et de courtisanes célèbres (Liane de Pougy, la Belle Otero, Émilienne d'Alençon). La diversité des genres représentés, la notoriété des chanteurs firent de la Scala le caf'conc' le plus coté de Paris. *Le Violon brisé*, par Amiati, *La Mat'chiche* par Mayol, *Fascination* par Paulette Darty furent quelques-uns des succès créés à la Scala. Ce fut sa grande époque... À partir de 1905 (revue *Paris fin de sexe*), l'évolution vers la formule music-hall annonce le déclin. Vendue à une société (1907), elle est rachetée par Fursy et devient théâtre d'opérettes et de revues montmartroises (1910-1913). Sous la direction de Marcel Simon, elle se transforme en théâtre du Vaudeville consacré aux pièces de Georges Feydeau (1920-1929). Après un retour à l'opérette, elle accueille une dernière fois les artistes du tour de chant (Damia, Alibert, 1934). Depuis 1936, les vedettes de cinéma de la série B ont définitivement supplanté les gloires de la Belle Époque. Devenue cinéma porno au début des années 1970, la salle a été rachetée en 2000 par l'Église universelle du Royaume de Dieu...

Vincent SCOTTO

Marseille, 1876 – Paris, 1952. Compositeur. Il apprend très jeune la guitare et chante dans les banquets. Le grand Polin le remarque et lui prend une chanson qui, modifiée par Henri Christiné, deviendra *La Petite Tonkinoise.* C'est le début d'une énorme production (Scotto écrivit en effet un nombre incalculable de mélodies, plus de quatre mille selon certains), jalonnée de succès et qui ne fut interrompue que par sa mort. Il est significatif que la carrière de bien des interprètes de son époque ait été marquée par une chanson de Scotto : Mayol (*Elle vendait des petits gâteaux*, par. J. Bertet, 1919), Alibert (*Mon Paris*, par. L. Boyer, 1925), Joséphine Baker (*J'ai deux amours*, par. G. Koger, H. Varna, 1930), Ouvrard fils (*Mes tics*, par. G. Koger, Ouvrard, 1935), Maurice Chevalier (*Prosper*, par. G. Koger, V. Telly,

1935), Milton (*Le Trompette en bois*, par. L. Boyer, 1924), Tino Rossi (*Ô Corse, île d'amour*, 1934, *Marinella*, 1936, *Bella Ragazzina*, 1936, *Tchi tchi*, 1937...). Mais la liste de ses œuvres passées à la postérité est plus longue encore : *Ah ! si vous vouliez d'l'amour* (par. W. Burtey, 1907), créée par Lanthenay, *Rosalie est partie* (par. L. Raiter, 1930), par son auteur, *Le Plus Beau Tango du monde* (par. R. Sarvil, Alibert, R. Vincy, 1935), créée par Alibert, *La Java bleue* (par. G. Koger, N. Renard, 1938), chantée notamment par Darcelys, et, surtout, la scie universelle, produit d'exportation par excellence : *Sous les ponts de Paris* (par. J. Rodor, 1913). Sa vogue est si grande que l'on dit toujours « une chanson de Scotto » en oubliant généralement l'auteur des paroles. Ses musiques sont étonnamment variées pour un homme qui travaillait presque à la chaîne : l'invention mélodique est de fait la principale qualité de Scotto, qui composait tous ses airs sur sa guitare. Il faut dire qu'il essayait souvent de composer une chanson pour une vedette précise, d'adapter la musique à son style, et il est vrai qu'on verrait mal Maurice Chevalier vocaliser sur l'air de *Marinella* ou Joséphine Baker sur celui de *Prosper*... Bref, Vincent Scotto fut une véritable institution, un monument, et si l'on peut penser que certains compositeurs (Francis Lopez, par exemple) donnent dans son genre, aucun n'atteint, et de loin, les dimensions de sa production.

SCOUBIDOU

Chanson, par. et mus. Sacha Distel-Maurice Tézé (1958). Tube qui lança Sacha Distel. Cette chanson, écrite dans l'avion qui menait les auteurs vers Alger, prenait pour point de départ l'habitude qu'ont les jazzmen de « scatter », c'est-à-dire de chanter par onomatopées. Le résultat dépassa toutes les espérances : outre les dizaines de milliers de disques vendus, on vit fleurir des objets curieux, faits de fils de plastique multicolores tressés, et portant le nom inattendu de « scoubidou ». Mais il est vrai que le refrain, « des pommes, des poires, et des scoubidous bidous », laissait planer l'ambiguïté sur le signifié de ce signifiant.

Pierre SEGHERS

Paris, 1906-1987. Auteur, éditeur. La chanson française a une double dette envers Pierre Seghers. Envers le poète d'abord, dont les textes ont bien souvent été mis en musique (Léo Ferré, *Merde à Vauban* ; Jacques Loussier, *Adios amigos*, etc.) et interprétés (Léo Ferré, Catherine Sauvage, Marc Ogeret, Jacques Douai, etc.). Mais aussi envers l'éditeur qui, dans sa collection « Poètes d'aujourd'hui » puis « Poésie et chansons », a publié bien des textes de chansons, de Béranger à Serge Gainsbourg en passant par Charles Trenet et Félix Leclerc. On peut certes faire bien des reproches à son initiative : des erreurs peut-être (Charles Aznavour...), des ostracismes (la chanson rock), mais surtout un malentendu fondamental. Est-ce en effet servir la chanson que de la couper de sa musique ? Il y a là tout un débat à instituer : Seghers ne participe-t-il pas d'un courant qui, sous prétexte de donner à la chanson un statut littéraire, donc « noble », ne s'attache en fait qu'à un cadavre de chanson ? Que seraient par exemple les œuvres de Colette Magny, quelle que soit la beauté des textes, si on les séparait de leur musique et de la recherche de symbiose entre celle-ci et ceux-là ? Quoi qu'il en soit, à une époque où la prolifération des chansonnettes sur les ondes pousse peu ou prou les « intellectuels » à mépriser l'objet chanson, l'entreprise de Seghers éditeur a été, à bien des égards, positive.

La SERVANTE DU CHÂTEAU

Chanson, par. Bernard Lelou, mus. Ricet Barrier (1956). Il n'y a pas de grand homme pour sa servante, pourrait dire cette paysanne, qui n'en rêve pas moins du jour où, mariée, elle sera l'invitée de la baronne. En attendant, elle nous fait faire son tour du « propriétaire ». Figurant sur le premier disque de Ricet Barrier, cette œuvre continue à se vendre et à être demandée à son auteur à chacun de ses passages en public. Peinture d'un univers rural traditionnel en voie de disparition, il renoue, sur le mode du pastiche, avec la tradition de la chanson « paysanne », disparue en même temps que le caf'conc'.

Gilles SERVAT

Tarbes, 1945. Auteur-compositeur-interprète. Se destinant tout d'abord aux arts plastiques, il décide au début des années 1970 de faire entendre sa voix, à la suite d'Alan Stivell, alors que les mouvements nationalitaires battent leur plein. Il chante les espoirs de la Bretagne (*Kor'ch ki gwen ha kor'ch ki du*, 1972, *Je dors en Bretagne ce soir*, 1974) et dans cette veine écrit une très belle chanson, *La Blanche Hermine*, qui sera longtemps comme un hymne. À partir de 1976, grâce à une collaboration avec l'orchestrateur Michel Devy, il affine son univers musical et poursuit une carrière régulière, à l'écart de Paris (Bretagne, Occitanie, Belgique, etc.). C'est en effet une époque où la chanson minoritaire de l'Hexagone a fait pratiquement alliance avec les francophones de l'extérieur. Puis c'est le repli de cette vague. Il reviendra plus tard, avec la vogue de la musique celte (*Sur les quais de Dublin*, 1996, *Sous le ciel de cuivre et d'eau*, 2005), mais ne touche alors qu'un public limité.

SHEILA

[Annie Chancel] Créteil, 1946. Interprète. En 1962, Claude Carrère, impresario débutant, aurait pu faire passer dans les journaux l'annonce suivante : « Cherche jeune fille 16 ans, bonne présentation, sachant chanter (pas trop), acceptant direction Claude Carrère pour carrière variétés. » Il n'a pas passé d'annonce mais engagé, sur les conseils d'Henri Leproux, patron du Golf Drouot, Annie Chancel, fille d'un vendeur de bonbons et chanteuse dans un orchestre amateur. Ayant trouvé sa chanteuse il lui fallut envisager un certain nombre de problèmes. Et d'abord, trouver un nom simple et populaire sans être ordinaire : ce sera Sheila, le titre d'un succès de Lucky Blondo (adaptation : C. Carrère). Puis une clientèle : il faut viser les jeunes tout en plaisant aux vieux, être « dans le vent » et en même temps « faire français », bref, trouver le dénominateur commun aux couches les plus larges de la population. Comment ? En rassurant, c'est-à-dire en faisant de Sheila un miroir qui renvoie l'image attendue de sa propre tranquillité, de son amour de la famille et de l'ordre, de son bonheur. Sheila aura donc le visage d'une jeune fille agréable, gaie, vêtue simplement (pull-over, jupe). Son répertoire ? Il lui suffira de chanter les menues joies et misères qui scandent la vie des jeunes Français sur des musiquettes faciles à retenir. La voix, banale, ne fera peur à personne. Et, pour attirer l'attention, on trouvera un gimmick : les couettes. Reste le choix du support pour lancer le produit, question décisive entre toutes : il faudra éviter les passages en public, qui nécessitent du métier et une certaine présence, et choisir de préférence la télévision (où l'on peut chanter en play-back), le disque étant là pour relayer et multiplier le produit. Celui-ci est enfin prêt : en mars 1963, Sheila chante

L'école est finie dans une émission de Guy Lux. Tout va alors très vite. Un million de disques vendus en quelques mois, création du club Sheila, de la boutique Sheila, nouveaux succès de disque avec *Le Folklore américain*, *Ma première surprise-partie*, *C'est toi que j'aime*, tirée du film *Bang-bang* (1967), re-tubes : *Adios amor*, *La Famille*, *Petite fille de Français moyens*... Et les années passèrent. Le public est désormais en âge de se marier. Sheila trouve donc l'homme de sa vie en la personne du chanteur Ringo, qui entre dans l'écurie de Claude Carrère. Pour célébrer l'événement, ils chantent en duo *Les Gondoles à Venise* (1973). Puis c'est la naissance de Ludovic, la première séparation, une insidieuse campagne menée par une certaine presse. Carrère comprend qu'il faut réorienter la carrière de sa protégée. En 1977, ce sera l'opération disco, l'association avec le groupe B. Devotion (version disco de *Singing in the rain*). Avec, en toile de fond, une nouvelle cible : l'immense marché anglo-saxon. Mais le succès n'est pas éternel. En 1989, Sheila fait ses adieux à la chanson sur la scène de l'Olympia (elle y reviendra pourtant en 1998 et 2002). Abandonnée par Carrère, elle publie un livre (*Et si c'était vrai*, 1995) dans lequel elle reproche à son ancien producteur de ne lui avoir laissé qu'une portion congrue des bénéfices, d'avoir signé des chansons qu'il n'avait pas écrites, etc. Puis elle se consacre à l'astrologie et à la sculpture. La petite fille de Français moyens a tiré sa révérence.

Cette histoire est exemplaire à plusieurs titres : *1)* elle est un parfait exemple d'une carrière entièrement planifiée et d'une chanson industrielle dont le moteur unique est le profit ; *2)* elle démontre qu'une chanteuse amenée au pinacle par de telles méthodes ne peut être qu'un produit neutre ou neutralisé par le système, aseptisé et conforme aux stéréotypes dominants, c'est-à-dire réactionnaire sur le plan de l'art comme sur celui de l'idéologie véhiculée (il s'agit bien sûr du personnage public) ; *3)* elle démontre enfin que, quand un produit ne correspond plus aux goûts du public, il convient de le remplacer par un autre.

Pour toutes ces raisons, il faut écouter Sheila.

William SHELLER

[William Hand] Paris, 1946. Auteur-compositeur-interprète. Né d'un père américain et d'une mère française, il vit dans l'Ohio de 1949 à 1953, puis revient en France où il étudie le piano au Conservatoire.

Mais il abandonne la musique classique pour le rock et crée en 1966 le groupe Les Worst puis, sous le nom de Sheller, participe au groupe Les Irrésistibles et signe ses premières compositions. Enregistre seul *Couleurs* (paroles de Gérard Manset), écrite avec le même Manset *Je me repose* pour Dalida puis, en 1973, signe les orchestrations d'un disque de Barbara qui le pousse vers la chanson. En 1975, l'énorme succès de *Donnez-moi madame s'il vous plaît du ketchup pour mon hamburger* (le disque s'intitule *Rock and Roll Dollars*) le propulse vers le grand public. Les succès se succèdent, sans le satisfaire pour autant. Ses goûts musicaux le mènent à d'autres expériences, avec un quatuor à cordes, un orchestre symphonique ou seul au piano. En 1991, le disque *Sheller en solitaire* (deux Victoires de la musique) avec *Un homme heureux* donne au public une autre image de celui qui a évolué vers un art dépouillé, tout en nuances. Il poursuit alors sa route en solitaire, composant de la « grande » musique ou enregistrant seul, chez lui, avec son piano (*Épures*, 2004). Cet itinéraire, du rock vers la chanson minimaliste, n'est qu'un des aspects étonnants de ce créateur qui a choisi de murmurer après avoir beaucoup crié.

Mort SHUMAN

[Mortimer Shuman] Brighton Beach (États-Unis), 1936 – Londres, 1991. Compositeur-interprète. Fils de Polonais émigrés aux États-Unis, il fait ses études musicales dans les rues et les conservatoires de Brooklyn. Il devient à dix-huit ans un pilier du show-business américain, avec des succès (*Surrender*, *Save the last dance for me...*) interprétés par les plus grandes vedettes, d'Elvis Presley à Ray Charles en passant par Janis Joplin. Il se passionne alors pour Jacques Brel, qu'il décide de faire connaître aux États-Unis, et remporte, à partir de 1968, un étonnant succès avec la comédie musicale (écrite avec Éric Blau) *Jacques Brel is alive, and well and living in Paris*, pour laquelle il monte sur scène. Après un intermède londonien, il s'installe en France où il entame une carrière d'interprète plébiscité par le public : *Le Lac majeur*, *Brooklyn by sea*, *Shami-sha* (par. É. Roda-Gil, 1972), *Papa-Tango-Charlie* (par. P. Adler, 1976), etc. Par-delà une indéniable présence vocale et une parfaite adéquation entre l'univers musical, nourri de *soul*, et la transcription par les paroliers français des interrogations d'un nègre blanc d'Amérique à la recherche de ses racines, on retiendra surtout un sens de la mélodie charmeuse, parfois un peu facile. Mais on n'a pas impunément composé pour Elvis Presley.

Michel SIMON

[François Simon] Genève (Suisse), 1895 – Paris, 1975. Chante parfois au cours de sa carrière de comédien : *Elle est épatante cette petite femme-là* (F. Mortreuil-H. Christiné), *Pierrot la tendresse*, *Mémère*, etc. À soixante-quatorze ans, il débute dans le tour de chant, passant à l'Olympia en novembre 1969 avec Marie Laforêt. Ce fut un succès, malgré les dangers de l'entreprise, la critique applaudissant « la prodigieuse charge explosive que représente la combinaison du métier, du talent et de la sensibilité » (Claude Sarraute).

Yves SIMON

Choiseul, 1945. Auteur-compositeur-interprète. Fils de cheminot, il passe son enfance à Contrexéville et vient à Paris pour passer une licence de lettres. Premiers disques en 1967 et 1969, sans succès (*Accroche à tes doigts*, *La porte s'était refermée*, *Lettre à mon père*, etc.). Voyage, écrit, puis revient à la chanson en 1973, avec deux titres qui obtiennent immédiatement les faveurs des médias et du public, *Les Gauloises bleues* et *Au pays des merveilles de Juliet*. L'année suivante, c'est *J'ai rêvé New York*. Il est désormais sur les rails, écrit et enregistre régulièrement des chansons en demi-teinte qui évoquent par petites touches la vie du Quartier latin (*Rue de la Huchette*), les amours malheureuses (*Clo story*) ou la ville d'eaux de son enfance (*Les Fontaines du casino*). L'ensemble constitue une poésie douce-amère, parfois un peu fade, dans un monde musical marqué par la guitare acoustique et le folk. Le public ne semble pas le quitter, c'est plutôt lui qui s'éloigne de la chanson, pour se consacrer à la littérature (il a publié une dizaine de romans intimistes, dont *La Dérive des sentiments*, prix Médicis 1991).

Alexandre SINIAVINE

Odessa (Ukraine), 1916 – Paris, 1994. Compositeur. Fils de médecin, étudie le droit et la musique à Bucarest. Immigré en France, il y devient le créateur de la musique douce au piano, et accompagne

Germaine Sablon, dont le frère Jean enregistre ses premiers titres (*La Dernière Bergère*, par. L. Sauvat, 1935, reprise en 1979 par Georges Brassens). Après la guerre, il accompagne surtout André Claveau et Léo Marjane (*Attends-moi mon amour*, par. J. Larue) et compose ensuite pour de nombreux interprètes : *La Bague à Jules* (par. Jamblan, 1957), créée par Patachou, est son plus grand succès. Vice-président de la SACEM.

Les SŒURS ÉTIENNE

Interprètes duettistes. Font une carrière éclair après la guerre (1947), l'une, Odette (Reims, 1928), ayant gagné un concours de chant amateur, et l'autre, Louise (Reims, 1925), l'ayant imitée. Elles passent dans les cabarets de la rive droite, enregistrent sur des arrangements de Paul Durand (*Qui sait, qui sait, qui sait !*, O. Farres-J. Larue). Le swing alors bat son plein. Elles abandonnent pour cause de mariage en 1953, mais sont relayées, un temps, par les sœurs Bordeaux.

Suzy SOLIDOR

[Suzanne Rocher] Saint-Servan-sur-Mer, 1906 – Cagnes-sur-Mer, 1993. Interprète. Après avoir débuté à l'Européen en 1934, elle s'oriente vers le cabaret, où se déroulera toute sa carrière (Club de l'Opéra, Chez Suzy Solidor…). Accoudée à un piano noir sur lequel est étendu un châle orange, « ses cheveux de lin » accrochant la lumière tandis que le reste de la salle est plongé dans l'obscurité, elle chante d'une voix grave, presque de baryton, et douloureuse les attentes et souffrances des « amants séparés ». Dramatisation et dolorisme, combinés à une certaine exigence littéraire (au répertoire de Suzy Solidor, des poèmes de Henri Heine et de Jean Cocteau, chantés ou dits), contribuent à créer cette atmosphère réaliste-poétique, qu'on retrouve par exemple dans *Quai des brumes* de Marcel Carné. Outre *Johnny Palmer* (C. Vebel-C. Pingault), *Mon légionnaire* (R. Asso-M. Monnot), elle interpréta *Escale* (J. Marèze-M. Monnot, 1935), *Sous tes doigts* (Bataille-Henri-M. Monnot, Juel, 1936) et, pendant l'Occupation, la version française de *Lily Marleen* (H. Lemarchand-N. Schultze, 1942) : à cette dernière période, la clientèle ordinaire de son cabaret était surtout formée de « blonds Aryens » au parler guttural. Elle est l'auteur de certaines de ses chansons (*J'écrirai*, mus. C. Pingault, 1939). Suzy Solidor a abandonné la chanson en 1965.

Francesca SOLLEVILLE

Périgueux, 1935. Interprète. Études de lettres, chant classique puis chanson : elle débute au cabaret en 1958. Sa volonté d'engagement se manifeste par le choix de ses chansons et par son interprétation : elle chante d'une voix rauque et violente Aragon, Maurice Fanon (*La Petite Juive*), Pierre Louki (*Je n'irai pas en Espagne*), Jean Ferrat (*Nuit et Brouillard*), Nazim Hikmet (*Face à la porte de fer*), voire Pierre Perret (*Lily*). Toujours à l'affût d'auteurs de talent (Joan Pau Verdier, Allain Leprest...), elle s'inscrit résolument dans l'actualité politique, participant en 1985 à un hommage à Violetta Parra ou enregistrant en 1988 des chansons de la Révolution française. Mais ce répertoire de qualité manque un peu de variété. Exprimant la passion sans nuance, alors qu'elle n'est pas dépourvue de qualités vocales et scéniques, elle obtient sa meilleure audience dans les meetings et les galas de la CGT ou du PCF.

Alain SOUCHON

Casablanca (Maroc), 1944. Auteur-compositeur-interprète. D'une famille d'universitaires, il ne parvient pas à passer son baccalauréat et commence à chanter dans les cabarets de la rive gauche en 1963. Premier succès en 1973 (*L'Amour 1830*) qui prélude à une succession assez rare de tubes : *J'ai dix ans* (1974), *Bidon* (1976), *Jamais content*, *Allô Maman bobo*, *Poulailler's song* (1977), *Le Bagad de Lann Bihoué* (1978), *Rame* (1980), *J'veux du cuir* (1985), *Foule sentimentale* (1993), *Rive gauche* (1999)... À de rares exceptions près (il signe quelques mélodies), la musique de ses chansons est due à Laurent Voulzy, avec lequel il écrit en outre *Rock collection* qui, chantée par Voulzy, se vendra en 45 tours à plus d'un million d'exemplaires.

L'univers évoqué par ses textes est curieusement puéril. Son vocabulaire emprunte parfois à l'argot lycéen de son temps, sa thématique est celle d'une enfance un peu rêveuse, et son rapport à la politique ressemble à celui d'un bébé qui, touchant du doigt une plaque chauffante, retirerait aussitôt la main (*Et si en plus y'a personne*, 2005) : Souchon porte sur le monde des adultes un regard d'adolescent. La grande force de ses chansons est cependant dans la touche légère, l'évocation, en un mot dans le second degré que viennent souligner des orchestrations subtiles (*Poulailler's song*). En cela, il réussit une synthèse originale entre la chanson populaire et la sophistication, au point qu'on se demande parfois si les gens qui lui font un succès comprennent jusqu'au bout ce qu'il tente d'exprimer. Et l'on peut voir dans son œuvre l'équivalent pour la chanson de ce que sont P. Modiano et F. Sagan à la littérature. Sur scène, il pratique une gestuelle de l'absence : un peu gauche, d'une timidité corrigée par l'ironie, il donne toujours l'impression de vouloir être ailleurs, d'être prêt à prendre congé si jamais il dérangeait, le contraire de la vedette fière de son statut et de sa réussite. Sa carrière débute au moment où percent de nombreux chanteurs français : Bernard Lavilliers, Yves Simon, Maxime Le Forestier, Marie-Paule Belle, une génération que la presse des années 1970 a baptisée la « nouvelle chanson française »... Mais il reste inclassable, en marge des courants et des modes, constituant une mode à lui tout seul. À l'heure où la violence et la phallocratie triomphaient dans certaines chansons (chez Michel Sardou par exemple), il émet l'image d'un homme nouveau, « ces hommes qui savent nous séduire » selon *F. Magazine*. Mièvre ? Tout au contraire, riche d'une thématique subtile, tout en demi-teinte, Souchon apporte un sang neuf à la chanson, son importance esthétique reposant peut-être dans une complémentarité assez rare entre les textes, les mélodies et les orchestrations.

STONE et CHARDEN

[Annie Gautrat] Paris, 1947, [Éric Charden] Haïphong (Tonkin), 1942. Stone, chanteuse yé-yé (*Pour une fille, c'est différent*), découverte par Jean-Pierre Orfino (ex-Hector) au Bus Palladium, élue, grâce à son style unisexe et sa frange à la Brian Jones, miss Beatnik ; Charden, compositeur-interprète, a remporté le premier festival de la chanson française en 1962, a connu le succès avec *Le Monde est gris, le monde est bleu* (mus. J. Monty, 1968), mais tarde à trouver son style. Stone et Charden, donc, qui s'étaient unis dans la vie, décident en 1971 d'unir aussi leurs destins artistiques, pour le meilleur et pour le pire. Le meilleur, c'est assurément les chiffres de vente atteints, durant quatre ans, par leurs succès : *L'Avventura* (par. F. Thomas, J.-M. Rivat, 1971), 1,2 million de disques vendus, *Il y a du soleil sur la France* (F. Thomas, J.-M. Rivat, 1972), *Le Prix des allumettes* (par. Y. Dessca, 1973), succès relayés et amplifiés par de multiples apparitions sur le petit écran. Le pire, c'est le reste. Une « musique de camionneur », des voix mentholées, souvent fondues, à l'unisson, qui servent d'emballage à un univers de supermarché, mariage entre des formules de dépliants publicitaires et des recettes à base de lieux communs :

Le seul bébé qui ne pleure pas
C'est celui qu'on est en train de faire

(Le seul bébé qui ne pleure pas)

Stone et Charden, c'est la transparence totale du contenu et du contenant, leur interchangeabilité complète, le degré zéro de la chanson enfin atteint. Il n'est pas étonnant, dans ces conditions, que le public se soit lassé assez vite de cette version aseptisée du couple et du bonheur.

Leur séparation, à la ville puis à la scène, a mis fin à la carrière de Stone et a replacé celle de Charden sur sa ligne de départ (*Allez bijou*, 1979). Ils ont tenté un come-back en 1997. En vain.

Le SUD

Chanson par. et mus. Nino Ferrer (1974). En 1974, Nino Ferrer publie l'album *Nino and Radiah* (avec Radiah Frye) qui s'ouvre sur un titre en anglais, *South*, et se termine par la version française du même titre, *Le Sud*. « We call it the south, because time is so long there... » devient « On dirait le Sud, le temps dure longtemps... », mais les différences ne sont pas seulement linguistiques. *South* a été enregistré à Londres en novembre 1973, *Le Sud* à Paris en janvier 1974. Sur la version anglaise, on entend la guitare de Claude Engel, les percussions de Marc Chantereau, la basse de Christian Padovan (musiciens français) et le piano de Michel Bernholc (qui signe aussi l'orchestration, un peu envahissante), en bref, tous les ingrédients pour réussir un tube. C'est pourtant la version française qui, avec un environnement musical aux sonorités plus acoustiques et des musiciens anglo-saxons (à l'exception de la guitare de N. Ferrer), fera un succès (1 million de 45 tours vendus). Cette ballade nostalgique, aux résonances légèrement écologiques (qui seront plus nettes, trois ans plus tard, dans *La Maison près de la fontaine*), fera contrepoids à l'image burlesque des précédents succès de Nino Ferrer (*Les Cornichons*, *Mirza*) mais masquera aussi ses recherches ultérieures, plus tournées vers le rock (par exemple dans l'album *Blanat*, 1979).

SULBAC

[Sulzbach] Paris, 1860-1927. Interprète. Débute aux Ambassadeurs en 1878 et devient rapidement un des artistes attitrés de la Scala et de l'Eldorado. Une bonne grosse tête joufflue fendue par un sourire permanent, un petit chapeau, une blouse et un panier sous le bras composent l'attirail de ce « paysan de Paris ». C'est en effet dans ce genre qu'il s'illustra : son tour débutait invariablement par un long monologue patoisé, entrecoupé de refrains *ad hoc* sur les malheurs du rural à Paris. Lorsque les réactions des spectateurs lui apparaissaient insuffisantes, il disait : « J'vas vous faire le poirier fourchu », et s'exécutait sous les applaudissements. Sa chanson à succès fut *La Digue diguedon* (J. Jouy). À partir de 1890, il se tourne vers l'opérette, la revue, et quitte définitivement la scène en 1914.

SUPERMAN

Chanson, par. Serge Lama, mus. Raymond Douglas Davies (1971). Premier disque d'or de Lama en forme d'autoflatterie. Il prétend bien sûr n'y être pour rien, ne rien y comprendre : ce sont les femmes qui tiennent à le prendre pour un surhomme (en réalité, d'après le sens de la chanson, pour un surmâle). Des femmes mariées que leurs maris ennuient. On retrouve là l'objectif perpétuel du chanteur : avoir les femmes (celles des autres) pour, d'une autre manière, avoir les mecs. Bref, les avoir tous. Au demeurant, même si cette chanson est d'une autosuffisance ridicule, il n'est pas exclu que ce qu'elle raconte soit vrai. Que Lama, qui « chante sa virilité d'une façon pas désagréable à cause d'un reste d'enfant blessé » (*dixit* une spectatrice), soit poursuivi par des femmes mûres, c'est probable. Mais qu'il soit ravi de le raconter à tout l'auditoire l'est encore plus. Et qu'il organise, au besoin, son harem pour le suivre dans ses tournées afin de cultiver la chose… mais ça, c'est une autre histoire, la petite.

SUR MA VIE

Chanson, par. et mus. Charles Aznavour (1955). Il manquait une chanson à Charles Aznavour pour son premier passage à l'Olympia. *Sur ma vie* naît en trois heures. La presse saluera « une très bonne chanson et un très mauvais chanteur ». Néanmoins, *Sur ma vie* est la première à faire enfin accepter la voix d'Aznavour qui, après avoir végété pendant des années comme auteur-compositeur, va devenir brusquement un interprète, contesté certes, mais reconnu et écouté. Dans cette chanson apparaît un de ses thèmes principaux : la quête de l'amour impossible, sur un arrière-fond de mysticisme.

Berthe SYLVA

[Berthe Faquet] Saint-Brieuc, 1886 – Marseille, 1941. Interprète. Elle débute dans la chanson larmoyante en 1910. On la découvre en 1928 au Caveau de la République où elle passe avec les chansonniers Noël-Noël et René Dorm. En 1935, ses fans lacèrent les fauteuils. Elle est la première vedette de la radio française. Les Français d'ailleurs ne sont pas les seuls à se délecter en écoutant *Grisante folie* ou *On n'a pas tous les jours vingt ans* ; le nombre de lettres d'admirateurs que reçoit Berthe Sylva est à l'époque sans précédent : il en vient même de Bulgarie. Son répertoire est composé de rengaines de Vincent Scotto, Gaston Gabaroche, Blondeau et Cloërec ; leur dénominateur commun est le sentimentalisme gai ou triste, mais le plus souvent mélodramatique. Les paroles frisent le ridicule : dans *La Prière des petits gueux*, trois enfants meurent de faim tous à la fois et d'un seul coup en criant « trop tard ! » au chemineau venu, enfin, leur apporter du pain. Néanmoins, le succès de Berthe Sylva est immense. Elle est aimée aussi comme personnage. On surnomme « Cœur d'or » cette bonne viveuse à la silhouette opulente qui, contrairement à toute attente, aime bien rire, bien boire, bien manger. Darcelys est son meilleur ami, Fred Gouin son dernier amant, qui ne se consolera pas de sa mort. Dix-sept ans plus tard, elle vendra encore 30 000 disques par mois à titre posthume : en 1967, *Les Roses blanches*, morceau de bravoure de Berthe Sylva, sera même au hit-parade par l'intermédiaire des Sunlights.

Anne SYLVESTRE

[Anne Beugras] Lyon, 1934. Auteur-compositeur-interprète. Lyonnaise, elle vit à Paris à partir de 1944, y passe son baccalauréat, entame des études de lettres. Mais elle préfère la mer, la voile (aux Glénans) et les chansons qu'elle écrit en secret avant de les chanter à la Colombe (1957) : *Les Cathédrales*, *Histoire ancienne*... C'est ensuite le Port du Salut, la Contrescarpe, le Cheval d'or, le circuit classique des cabarets de la rive gauche et une chanson, *Mon mari est parti* (1960), qui marque le début de son succès. Elle se produit à Bobino (1962, 1964, 1968), à l'Olympia (1962), tourne en province et à l'étranger (Suisse, Belgique). Sa carrière subit alors le contrecoup de la vague yé-yé, et Anne Sylvestre ne refait surface qu'en 1974, avec des titres plus mûrs témoignant d'une réflexion sur la condition féminine (*Une sorcière comme les autres*, *Comment je m'appelle*). Entre-temps, elle a su profiter de sa disgrâce momentanée pour investir un domaine qui lui est cher : la chanson pour enfants (*Fabulettes*, *Chansons pour*, *La Petite Josette*, etc.). Ces œuvres, témoignant d'une grande complicité avec les enfants, ont été pendant longtemps la seule alternative possible aux niaiseries que l'on destine en général au premier âge, et lui ont en quelque sorte préparé un public renouvelé pour la suite de sa carrière.

Les chansons de sa première période abordaient sur le mode ironique ou tendre la question amoureuse. Atmosphère feutrée, un peu campagnarde, où éclatait parfois comme une provocation le thème de l'amour libre (*Madame ma voisine*). C'est l'amour qui s'affirmait contre les faiblesses de l'autre (*Tiens-toi droit*) ou contre les bienséances (*La Femme du vent*). Elle dénonçait le sort réservé aux femmes : putain trop généreuse (*Éléonore*), sorcière trop libre (*Philomène*). Derrière ce que certains prenaient pour de la chanson bucolique perçait la fable, avec ce que cela suppose de réflexion critique et de transposition poétique. La presse, toujours avide d'étiquette, la baptisait alors « la Brassens en jupons »... Dans sa deuxième période, portée par la vague féministe et devenue sa propre productrice, elle peut aborder plus ouvertement quelques-unes des grandes revendications des femmes : l'avortement (*Non, tu n'as pas de nom*), la dénonciation du viol (*Douce maison*), l'amitié entre femmes (*Frangines*), le droit de vieillir (*Marie-géographie*). Mais ses musiques restent semblables à celles de ses débuts, comme si elle ne prenait pas la mesure des révolutions musicales en cours. Son entreprise apparaît comme artisanale, et le contrebassiste qui l'accompagne sur scène reste solitaire et discret, elle-même étant plantée devant son micro, accrochée à sa guitare. Elle va alors bouleverser sa conception du spectacle, collaborant un temps avec Pauline Julien (*Gémeaux croisées*, Déjazet, 1988), abandonnant la guitare et le micro fixe et profitant de cette liberté gestuelle retrouvée pour mettre en scène son corps différemment. Elle continue d'enregistrer régulièrement et son public lui reste fidèle (Olympia, 1998), mais les médias ne font guère écho à ses disques (*Partage des eaux*, 2000, *Les Chemins du vent*, 2003).

T

Charles Trenet

Georges TABET

▶ PILLS et TABET.

Henri TACHAN

[Henri Tachdjian] Moulins (Allier), 1939. Auteur-compositeur-interprète. De père arménien, il traîne une enfance mal-aimée de lycée en lycée puis fait l'école hôtelière et travaille au Ritz avant de s'embarquer pour le Québec où il devient plongeur. Il y fait la rencontre de Jacques Brel, qui l'encourage. « Madame, les lions sont lâchés », écrira-t-il à l'occasion de la sortie de son premier album (*Les Mauvais Coups*, Prix du disque 1965), immédiatement interdit d'antenne pour cause de crudité de langage. Malgré de bonnes prestations scéniques (Bobino, 1968), surtout dans *La Table habituelle*, où il campe son personnage d'ancien larbin humilié, la révolte adolescente de Tachan n'en finit pas de s'exprimer dans des disques invendus, malgré le soutien de Jacques Bedos. Il passe à l'Olympia en 1978 et 1980, fait un triomphe au Printemps de Bourges en 1980. Mais son point faible reste la composition (trop de réminiscences, pas de développement mélodique). Ce qu'il apporte de neuf, ce sont les thèmes abordés : la libération sexuelle pour tous, y compris les enfants (*Pas Tintin !*) et les vieillards (*La Pipe à Pépé*), et une dénonciation lucide du machisme (*Les Z'hommes, On est tous des Corses*). Il continue ainsi à crier ses indignations dans des disques cycliques

(*Moi, j'aime les histoires d'amour*, 1988, *Le Pont Mirabeau*, 1991, *Côté cœur, côté cul*, 1996).

Rachid TAHA

Oran (Algérie), 1958. Auteur-interprète. Arrivé en France à l'âge de dix ans, il vit en Alsace, dans les Vosges, puis à Lyon où il exerce des petits boulots avant de fonder Carte de Séjour. Après la séparation du groupe (1989), il enregistre son premier album solo (*Barbès*, 1991). Dans ses disques successifs (*Diwan*, 1990, *Made in medina*, 2000, *Tékitoi*, 2004), il marie allègrement, d'une voix rauque, la musique chaabi (« populaire ») algérienne, la techno, le rock, les succès de la comédie musicale égyptienne (Farid el Atrache) ou de la chanson marocaine récente (Nass el Ghiwane). Entre rock et tradition, il revendique ainsi sa double culture et ses racines diverses, chantant le plus souvent en arabe, parfois en français (*Tékitoi*) ou dans un mélange des deux langues, symbolique de la situation des migrants (*Malheureux toujours*).

Béatrice TEKIELSKI

Avignon, 1948. Auteur-compositeur-interprète. Elle enregistre en 1971 son premier disque, qui passe totalement inaperçu. Sous une forme classique s'y dégageaient une force et une violence peu communes (*Juive et Noire, Un homme a crié*) que l'on retrouvera dans le reste de son œuvre. Devant l'insuccès, elle retourne dans son Avignon natal et chante dans les Maisons de la culture du Sud-Est, s'initiant à la guitare électrique. Elle met ainsi au point une forme de spectacle originale, dans laquelle la sonorisation joue un rôle central. En 1977, elle enregistre coup sur coup deux disques, *La Folle* et *Faudrait rallumer la lumière dans ce foutu compartiment*, qui tous deux connaissent un grand succès. Devenue entre-temps « Mama Béa », elle rassemble alors des publics nombreux venant entendre ses textes lyriques et violents et surtout sa voix, une voix profonde, proche de celle des chanteuses de blues. *Pour un bébé robot* (1978) et *Visages* (1979) confirment les disques précédents : « Mama Béa » Tekielski, qui a su devenir un personnage de scène aux mimiques étonnantes, est en même temps un poète d'une hargne tragique et puissante. Mais le show-biz est impitoyable. Les années 1980 lui seront moins fastes et elle disparaît lentement de la scène, continuant toutefois à enregistrer

(*Indienne*, 1998, ainsi qu'un très bel album consacré à Léo Ferré, *Du côté de chez Léo*, 1995).

TÉLÉCHARGEMENT

La collecte des droits d'auteur remonte, comme on sait, à 1851 (voir SACEM). Depuis lors, les moyens de diffusion de la musique, et donc de la chanson, ont sans cesse évolué : le disque vinyle (78 tours puis 45 tours et 33), la cassette, le CD, le DVD... Puis, par le biais d'Internet, vinrent le téléchargement et le « peer to peer », élégante façon de désigner le piratage. Déjà la cassette avait posé un problème, résolu par une taxe. Mais la copie d'un disque sur une cassette n'avait jamais la qualité de l'original, tandis que la copie d'un CD restituait l'original. D'où l'idée de mettre dans les fichiers musicaux des verrous anti-copie, rendant les CD inaudibles sur certains ordinateurs. Puis la mise sur la toile de musiques disponibles à volonté mit le feu aux poudres. Débat de société ? Peut-être. Mais débat sûrement. Si l'on met de côté l'industrie du disque, qui défend ses intérêts économiques et se positionne évidemment contre le téléchargement, les autres acteurs sont partagés. Faut-il défendre l'idée de mesures techniques de protection (MTP) et poursuivre les pirates, ou doit-on faire payer aux internautes, comme jadis aux acheteurs de cassettes, une taxe (« licence globale ») qui serait redistribuée aux créateurs – mais comment ? par qui ? sur quels critères ? Ces derniers eux-mêmes se divisent, les uns affirmant que grâce à Internet, il est possible de se faire connaître d'un large public, les autres que la copie privée tuera à terme la création. Les premiers sont en général inconnus et ne vendent aucun disque, les seconds vivent de leur art et entendent continuer.

Ce qui est sûr, c'est que la culture est désormais une industrie, et que l'évolution technologique a des retombées économiques. L'intérêt des maisons de disques en la matière est évident. Mais celui des artistes ne l'est pas moins : les droits d'auteur sont pour eux un acquis, et si un interprète peut vivre de la scène (c'est-à-dire des billets d'entrée aux concerts), les compositeurs et les auteurs ont tout à perdre dans le téléchargement sauvage. Et la culture ne doit-elle pas être une démarche volontaire et payante ?

Débat de société ? Bien sûr. Débat économique, évidemment. Débat de générations aussi. Car de l'autre côté de la barrière se trouvent les consommateurs, dont certains ont tendance à considérer que la gratuité est chose normale. Quitte à jouer aux apprentis sorciers en mettant en péril la création.

TÉLÉPHONE

Groupe rock français fondé en 1976 (Jean-Louis Aubert, Louis Bertignac, Corinne Marienneau, Richard Kolinka) qui sera pendant dix ans la référence du public lycéen. Leur rock pur et dur, mais en français, fait très vite florès. Leur premier album, *Crache ton venin* (1979), suivi d'un passage à la fête de *L'Humanité*, les met définitivement sur orbite : tournées internationales, succès en 1980 d'*Argent trop cher*, puis en 1984 d'*Un autre monde*... Leurs références anglo-saxonnes sont évidentes : les Beatles, les Rolling Stones (jusque dans les mimiques buccales de Jean-Louis Aubert qui rappellent celles de Mick Jagger), Chuck Berry... Rock pur jus, foules enthousiastes, ces « quatre favoris » de la jeunesse témoignent d'une belle énergie et symbolisent une autre voie dans cette période charnière entre la présidence de Giscard d'Estaing et celle de Mitterrand, traduisant par leurs textes une problématique à laquelle adhèrent les adolescents. Mais le groupe s'essouffle, pour des raisons plus personnelles (l'ego des uns ou des autres...) qu'artistiques, et il éclate en 1986, les quatre compères poursuivant leur carrière deux à deux (Bertignac et les Visiteurs d'une part, avec Corinne Mariennau, Aubert'n'ko d'autre part, avec Aubert et Kolinka).

Le TEMPS DES CERISES

Chanson, par. Jean-Baptiste Clément (1866), mus. Antoine Renard (1868). Clément dit en avoir cédé les droits contre une pelisse à son compositeur, l'ex-chanteur de l'Opéra Renard. Il n'y accorda alors pas plus d'importance. Et pourtant, de toute son œuvre, c'est cette romance que retinrent ses contemporains. Il la dédia en 1885 à l'ambulancière Louise qui, le 28 mai 1871, ravitailla les Fédérés à la barricade de la rue de la Fontaine-au-Roi. Elle prit alors une signification nouvelle et, de simple évocation d'un amour déçu, devint symbole du désespoir de ceux qui étaient montés « à l'assaut du ciel » :

C'est de ce temps-là que je garde au cœur une plaie ouverte.

Il est vrai que l'identification espérance amoureuse-espoir politique qui a souvent été pratiquée par les poètes rendait possible ce changement de sens. Cependant, à mesure que l'on s'éloignait du printemps 1871, sa résonance politique s'estompait, et elle devint un classique de la chanson d'amour. Même Tino Rossi l'enregistra. Souvent chantée et imitée (*Le Temps des crises*, par. J. Jouy), ses meilleurs interprètes ont été Yves Montand et Mouloudji.

Les TEMPS DIFFICILES

Chanson, par. et mus. Léo Ferré (1961-1963-1966). Type de la chanson de combat « made by Ferré », dont on connaît trois versions successives. Plongé dans l'actualité (la guerre d'Algérie pour la première version, la crise de Cuba pour la deuxième, etc.), l'auteur agresse, moque, ridiculise, avec une curieuse volonté de toujours se rattacher à un univers poétisé et enfoui. À l'époque de la guerre d'Algérie, l'Alhambra, où Ferré chantait la chanson, fut plastiqué par l'OAS.

La TÊTE DE L'ART

Cabaret-restaurant, avenue de l'Opéra, Paris. Ouvert en 1959 dans les anciens locaux du cabaret Chez Gilles par Jean Méjean, la Tête de l'Art s'est fait une solide réputation de qualité. Repris en 1961 par un industriel, Pierre Guérin, elle a été transformée et sa cuisine a été améliorée. Le spectacle, qui comprend deux parties, comme au music-hall, change tous les mois, et les artistes y passent en exclusivité à Paris. De très nombreuses vedettes s'y sont produites : Jacques Brel, qui a été sa première tête d'affiche, Mick Micheyl, Pia Colombo, Mathé Althéry, Marie Laforêt (qui y a fait ses débuts sur scène en France), Dalida, Nana Mouskouri, Barbara, Pierre Perret, Charles Trenet, Juliette Gréco, Jacques Dutronc, etc. La scène est petite, mais la salle peut contenir de cent à cent cinquante personnes : hommes d'affaires, diplomates. Signe des temps, en 1973, la chanson cède la place au nu.

Les TÊTES RAIDES

En 1984, un jeune groupe, Red Ted (Christian Olivier, Bamako, 1964), guitare puis accordéon et voix, Grégoire Simon, Pascal Olivier, basse, Pierre Alu, batterie, commence à se produire à Port-Leucate, sur les terrasses des bistrots, en interprétant des standards du rock anglo-saxon. Devenu les Têtes Raides en 1988, le groupe s'étoffe (huit membres, dont une violoncelliste et un saxophoniste), passe à des textes en français, à une musique plus acoustique. Depuis leurs premiers disques (*Not dead but bien raides*, 1989, *Mange tes morts*, 1990, *Les Oiseaux*, 1992...) jusqu'aux plus récents (*Qu'est-ce qu'on se fait chier*, 2003), ils pratiquent un mélange de rock et de musette, entre Clash et Brassens ou Brel (la reprise qu'ils donnent des *Vieux* sur *Aux suivants*, disque collectif d'hommage à Brel, en 1998, est révélatrice, tant elle est fidèle à l'original, contrairement aux autres titres de l'album). Les textes sont devant, portés par une voix qui dialogue avec le saxophone, l'ensemble donnant une ambiance agréable mais musicalement assez classique, propre à rassurer un public hostile à la nouveauté. Un passage à l'Olympia en 1996 les met définitivement sur les rails, et ils investissent alors des lieux généralement peu fréquentés par la chanson, le Lavoir Moderne (1999), les Bouffes du Nord (2002), pour donner des spectacles complets et non pas seulement des récitals : là est sans doute leur principale originalité. Mais leur apparente évolution vers une chanson française « carrée » est contrebalancée en 2005 par un nouvel album (*Fragile*), dans un mouvement de pendule entre musique acoustique et électrique, chanson réaliste et rock pur et dur. Parallèlement, les Têtes Raides semblent de plus en plus concernées par les choses de ce monde et s'investissent dans des spectacles politisés (Avis de KO social, à partir de 2003) auxquels ils convient de nombreux artistes.

THÉÂTRE DE LA VILLE

Théâtre, place du Châtelet, Paris. Fondé en 1968 par Jean Mercure, ce théâtre subventionné offrit dès le début sa salle de mille places à la chanson, inaugurant l'horaire de 18 h 30. Programmés par Gérard Violette pour leur qualité scénique sans tenir compte de leur impact commercial du moment, les élus profitent d'une excellente publicité. On a pu y entendre entre autres, à une époque où ils étaient peu connus : Gilles Vigneault, Herbert Pagani, Pauline Julien, Henri Tachan, Bernard Lavilliers, Julos Beaucarne, Yves Duteil, Michel Jonasz, Francis Lalanne, Jacques Bertin, Richard Desjardins ou Dominique A. Selon les cas, un tremplin, une chance mal saisie ou une consécration.

THÉÂTRE DE L'ÉTOILE

Théâtre-music-hall, avenue de Wagram. Placée à côté de l'Empire, cette belle salle à scène droite connut un destin contrasté, où les ombres succédèrent régulièrement aux lumières. Avant la guerre, Victor de Cottens fit monter des revues dans ce qui s'appelait alors les Folies-Wagram. Passé en 1941 sous la direction de Georgius, qui reprit la formule du tour de chant-music-hall imposée à l'A.B.C. par Mitty Goldin, le nouveau Théâtre de l'Étoile connut alors une période faste, marquée par les triomphes de Lucienne Boyer, Jacques Pills, Johnny Hess, sans oublier l'amuseur public numéro un. Faute sans doute d'une programmation cohérente, l'Étoile alterna ensuite succès et déboires. On retiendra les passages d'Édith Piaf et des Compagnons de la Chanson (1944), de Marie Dubas, qui y connut un de ses plus grands triomphes (1946), de Jean Sablon, qui y fit sa rentrée parisienne (1950), de Marlène Dietrich (1959) et même de Gene Vincent (1962). Mais le nom de l'Étoile restera associé à celui d'Yves Montand qui, après y avoir obtenu l'intronisation du public parisien en 1944 et 1945, manifestera un attachement sans faille aux lieux de ses premiers triomphes : ses tours de chant de 1953-1954, 1959 et 1962, sont assurément des dates dans l'histoire du music-hall parisien de l'après-guerre. La salle de l'Étoile a été démolie en 1966.

THÉÂTRE DES TROIS BAUDETS

Cabaret, rue Coustou, Paris (1947-1960). Rentré d'Afrique du Nord où il avait créé, pendant la guerre, un théâtre de chansonniers, Jacques Canetti décide de continuer l'expérience et ouvre un local sur l'emplacement d'un tripot mal famé, autrefois café-concert. Les chansonniers ne font qu'un seul spectacle et sont relayés par la chanson. Jacques Canetti anime alors à Radio-Cité une émission consacrée aux chanteurs. Il est en même temps directeur artistique chez Polydor, et les Trois Baudets vont lui servir de laboratoire, à la fois pour auditionner les jeunes et pour lancer des talents déjà confirmés mais mal reconnus ailleurs. La belle époque de ce cabaret se situe dans la période fertile de l'après-guerre. On y entend Robert Lamoureux, Félix Leclerc, Francis Lemarque, Juliette Gréco, Georges Brassens, Jacques Brel, Guy Béart, Philippe Clay, les Frères Jacques, Dario Moreno, Yves Montand, Ricet Barrier, Serge Gainsbourg, Simone Langlois, etc. On peut dire que tous les jeunes auteurs-compositeurs et interprètes de style rive gauche des années 1950 s'y sont produits, ou à peu près. L'audience aux Trois Baudets était régulière : la télévision, alors, ne concurrençait pas les petites salles. Quand survient l'époque néfaste du yé-yé, Jacques Canetti passe la programmation à Jean Méjean (1961). Les Trois Baudets deviennent un théâtre. Finalement, la salle est vendue en 1967. Trois ans plus tard (1970), Jacques Canetti tenta, sans succès, de remonter un cabaret du même nom.

THÉRÉSA

[Emma Vallandon] La Bazoche-Gonet (Eure-et-Loir), 1837 – Neufchâtel-en-Saônois (Sarthe), 1913. Interprète. Fille d'un musicien de guinguette, elle connaît très jeune toutes les rengaines et amuse les patients de son oncle, arracheur de dents. Perpétuellement renvoyée des ateliers de mode (elle en connaîtra une vingtaine en l'espace de trois ans), elle est résolue à faire carrière dans la chanson et fréquente le café du Cirque où se réunit le milieu artistique de l'époque. D'abord engagée comme figurante au théâtre de la Porte-Saint-Martin, elle débute dans le tour de chant au café des Géants, puis à l'Alcazar, mais n'obtient aucun succès. Elle part chanter à la brasserie des Chemins de fer à Lyon, puis revient tenter sa chance à Paris au café Moka (« Thérésa, dira-t-on, a une bien grande bouche pour un si petit établissement »), puis à l'Eldorado. Elle chante alors la romance : son physique vigoureux, ses manières simples et directes ne s'y prêtent pas. Au cours d'un souper d'artistes, Goubert, directeur de l'Alcazar, la surprend en train de pasticher une romance de Mazini, *Fleur des Alpes*. Il la trouve si drôle qu'il l'engage, à la condition de modifier en ce sens tout son répertoire. Le succès vient brutalement : la salle de l'Alcazar, d'abord stupéfaite, est prise d'enthousiasme. On rompt avec les minauderies habituelles, on fait dans le sain, le rustique, le canaille… Tout Paris accourt pour contempler ce phénomène : « Elle est belle d'ardeur, de fougue et de violence, écrit Théodore de Banville, mais s'éloigne autant que possible du type adorable… Elle est venue pour détruire l'expression banale de l'amour à roulades. » Les directeurs de l'Alcazar et de l'Eldorado se livrent alors une bataille acharnée à coups d'appointements. L'Eldorado, vaincu, essaie désespérément de maintenir sa clientèle en engageant Suzanne Lagier. Les cafés-concerts veulent tous avoir « leur » Thérésa. La plupart des interprètes féminines requises n'arrivent qu'à copier les défauts de la diva et ouvrent ainsi « l'ère funeste des Prima-Gueula de la chope » (*Le Trombinoscope*). Thérésa suscite aussi des bagarres entre hommes de lettres : elle est mise en vers par les uns (*La Thérésade, la Thérésaïc*) et en pièces par les autres, dont le critique Louis Veuillot, qui souligne, non sans raison, la parfaite « ineptie » de son répertoire. Celui-ci en effet se compose de chansons dont la fibre comique est assez épaisse : *Rien n'est sacré pour un sapeur, C'est dans l'nez qu'ça m'chatouille, La Femme à barbe*. Joseph Darcier est le responsable de certaines d'entre elles. Longtemps, la haute société, généralement accueillante envers les artistes reconnus, boude cette chanteuse « peuple ». Les portes des salons s'ouvriront quand la princesse Pauline, par un collier de diamants, prouvera son admiration à la « Gardeuse d'ours ». Forte de son succès, Thérésa se lance dans la comédie et passe aux théâtres du Vaudeville, des Variétés et des Bouffes-Parisiens dans des pièces la plupart du temps construites autour de son personnage. Elle ne paraît pas y recueillir autant de succès que dans le tour de chant qu'elle poursuit à l'Alcazar. Néanmoins, par la magie de son nom, les salles sont pleines et les élégantes viennent l'applaudir en « robe à la Thérésa ». Les différentes versions de ses mémoires sont vendues à peine parues. Plusieurs fois aphone, elle abandonne la scène temporairement, et son absence suscite des émeutes. Malade, elle se retire un certain temps et revient sur scène parée d'un embonpoint nouveau (*La Femme-canon*). Dans les derniers temps de son tour de chant, elle crée des chansons plus fines, comme *La Glu* de Jean Richepin et *La Terre* de Jules Jouy, mais, avec l'âge, préfère se cantonner dans des rôles de revues ou de féeries. En 1893, elle donne sa dernière représentation et part s'établir fermière dans la Sarthe où elle meurt très âgée. Elle avait tenu la scène pendant quarante ans et donné ses lettres de noblesse à un genre qui allait connaître une grande postérité au XXe siècle.

Marie-Jo THÉRIO

[Marie-Josée Thériault] Moncton (Nouveau-Brunswick, Canada), 1965. Auteur-compositeur-interprète. Née dans une famille de musiciens, elle apprend très jeune le piano, s'essaie à écrire des chansons et entreprend à Montréal des études de lettres. Se produit dans quelques boîtes à chansons, est recrutée comme double doublure (de Cosette et d'Éponine) dans *Les Misérables*, participe pendant trois ans à un feuilleton télévisé (*Chambres en ville*), puis décide de se consacrer uniquement à la chanson. Avec son premier album (*Comme de la musique,* 1995, réalisé par Daniel Lavoie), elle devient très vite une vedette au Québec et dans son Nouveau-Brunswick natal. Remarquée par Georges Moustaki, qui la programme en première partie de ses spectacles (1997), elle chante également en France. Deuxième album (*La Maline,* 2000), puis *Les Matins habitables* (2005), le premier produit en France.

Ses textes ressemblent plus à de la prose poétique qu'à de la chanson « carrée », elle ne s'embarrasse ni de rimes ni de métrique, au point de tirer parfois vers la mélopée ou le récitatif que sa voix à l'ambitus ample étire et détaille avec précision (*La Maline,* 2000). Malgré son long séjour au Québec, elle est acadienne jusqu'au bout des ongles, utilisant parfois le chiac (*À Moncton,* 1997, *Gisèle,* 2005), ou le mélange des langues (*Where is the Indonesian Woman ?,* 2000), avec des accents rappelant le poète acadien Gérald LeBlanc, ou chantant la Louisiane avec, à la voix et à l'accordéon, le soutien de Zachary Richard (*Emmène-moi en Louisiane*). Elle est américaine aussi, plus, malgré les apparences, qu'une Céline Dion, sœur ou cousine de Léonard Cohen. Capable d'interpréter tous les genres musicaux, pianiste remarquable, avec une étonnante présence scénique, elle est une valeur sûre qui nous rappelle que la francophonie nord-américaine n'est pas seulement québécoise.

Hubert-Félix THIÉFAINE

Dole, 1948. Auteur-compositeur-interprète. Après un passage à l'université (études de droit, de psycho), il enregistre en 1978 son premier disque, *Tout corps vivant branché sur le secteur étant appelé à s'émouvoir,* qui ne se vend qu'à trois mille exemplaires. En 1980, avec son troisième album, *De l'amour, de l'art ou du cochon,* il a gagné la partie. Une partie particulière : fuyant les médias, un peu secret, énigmatique, parfois en dépression, il entretient des rapports étranges avec un public fidèle qui chante en chœur dans ses concerts ses grands succès (*La Fille du coupeur de joints, Lorelei,* etc.). Les disques se succèdent (de *Eros über alles,* 1988, à *Scandale mélancolique,* 2005, son quatorzième opus), sans aucune concession aux médias. Au fil des ans, une nouvelle génération de chanteurs se réclame de lui (Mickey 3D, Cali, Bénabar, la Grande Sophie, Sanseverino...) et il collabore parfois avec eux dans ses dernier albums. Très marqué par Léo Ferré (mais aussi par Dylan ou par Jimi Hendrix), il en garde une écriture haletante, interprétant des textes qui semblent être produits dans l'urgence, ce qui n'est pas synonyme de précipitation mais de vigilance : il y a chez Thiéfaine un regard sans complaisance sur le monde, une méfiance quasi congénitale qui font sa singularité.

Maurice THIRIET

Meulan, 1906 – Puys (Seine-Maritime), 1972. Compositeur. Débute comme musicien classique, puis change de voie pour aborder la chanson et écrit en 1942 sur des paroles de Jacques Prévert les chansons du film *Les Visiteurs du soir.* Mettant en musique des textes de Raymond Queneau, Michel Vaucaire, etc., il sera en particulier chanté par les Frères Jacques (*Place de la Concorde*, 1955), Cora Vaucaire (*Gregory*, 1956) et Jacques Douai (*Démons et merveilles*, 1958).

Frank THOMAS

▶ Jean-Michel Rivat.

Yann TIERSEN

Brest, 1970. Auteur-compositeur-interprète, il fait des études de violon et de piano au conservatoire, joue de la guitare dans quelques groupes de rock et enregistre en 1995 son premier album, *La Valse des morts.* Il enchaîne alors les disques (*Rue des cascades*, 1996, *Le Phare*, 1998), mais c'est la musique de films qui va le révéler : *Le Fabuleux Destin d'Amélie Poulain* (2001), *Goodbye Lenin* (2003). Son disque suivant, *Retrouvailles* (2005), n'en sera que mieux reçu par le public. Tiersen est un maître chanteur, au sens où il fait chanter les autres (Claire Pichet, Dominique A, Jane Birkin, Miossec, Noir Désir, Les Têtes raides…), mais sa voix reste rare dans ses propres compositions (*L'Effondrement*, *L'Échec*). Ses disques ne rendent pas vraiment compte de son œuvre, qui se manifeste mieux sur scène dans des événements collectifs dont il est le maître d'œuvre multi-instrumentiste.

Pierre TISSERAND

Maisons-Alfort, 1936. Auteur-compositeur-interprète. Débute à trente ans dans la chanson après avoir été docker, instituteur, représentant en lingerie féminine ou marchand forain et avant de se consacrer à la peinture et à l'écriture. Grand Prix de l'Académie Charles-Cros en 1975, sa production discographique est soutenue (jusqu'à *Les Mammifères*, 2003) mais discrète. Il est plus connu grâce à ses interprètes : Serge Reggiani (*L'Homme fossile*), Pierre Vassiliu, Magali Noël, Philippe Clay, etc.

TONTON DAVID

[David Grammont] La Réunion, 1967. Auteur-interprète. Enfance et adolescence à Paris, flirt avec la délinquance (qu'il racontera dans *Mon CV*) puis voyage en Angleterre (1987) où il découvre sa voie : le raggamuffin, mélange de rap et de reggae. Révélé par *Peuples du monde* (1990, sur le disque collectif *Rapattitudes*), il sort deux albums, *Le Blues de la racaille* (1991) et *Allez leur dire* (1994), qui semble marquer l'apogée de sa carrière : *Viens* (2000) n'aura guère de succès. « Toaster » efficace et talentueux, auteur de textes qui font écho aux problèmes de société, il mériterait pourtant une plus grande reconnaissance.

TOUS LES GARÇONS ET LES FILLES

Chanson, par. Françoise Hardy, mus. F. Hardy-Roger Samyn (1962). « Locomotive » de Françoise Hardy. Alors adolescente et peu sûre d'elle, l'auteur y décrit l'attente de la jeune fille en fleur, complexée par l'acné ou par les cheveux raides, qui jalouse les couples déjà formés de ceux ou celles qui ont son âge. Le refrain-confidence :

> *Oui mais moi*
> *je vais seule*
> *car personne ne m'aime*

a été immédiatement partagé par des milliers d'adolescentes incomprises dont on ignorait jusque-là non seulement l'existence mais aussi le pouvoir d'achat.

TOUT ÇA PARC' QU'AU BOIS DE CHAVILLE

Chanson, par. Pierre Destailles, mus. Claude Rolland (1948). Extraite d'une revue du Théâtre de Dix-Heures, où elle fut créée par son auteur, c'est un refrain connu de tous les Français pour avoir été retransmis régulièrement sur les antennes chaque année à l'occasion du 1er Mai. On ne se souvient généralement pas de l'ensemble de la chanson, à la fois tragique et pleine d'humour, adressée par son père à un (futur) nouveau-né pour s'excuser de l'avoir fait :

Tout ça parc'qu'au bois d'Chaville
y'avait du muguet

l'obligeant ainsi à travailler, à payer, à faire la guerre, à être enfin... Confidence touchante le jour de la fête du Travail.

TOUT VA TRÈS BIEN, MADAME LA MARQUISE

Chanson, par. Paul Misraki-Bach-Henry Laverne, mus. Paul Misraki (1936). Histoire d'un coup de téléphone à un valet anglais par le truchement duquel une marquise apprend la mort de sa jument, l'incendie de son château et le suicide de son époux :

Mais à part ça, madame la marquise
tout va très bien, tout va très bien.

Les Français de 1936 ont partagé en masse l'humour noir du valet et son stoïcisme devant la série grandissante des catastrophes. Autoprotection contre l'angoisse d'une période agitée ? Ce refrain, popularisé par Ray Ventura et ses Collégiens, a semblé particulièrement de mise à un moment où la conjoncture sociale et politique pouvait faire... déchanter.

Jean TRANCHANT

Paris, 1904-1972. Auteur-compositeur-interprète. Étudiant en droit, puis aux Beaux-Arts, il devient modéliste et décorateur. Auteur d'affiches pour music-hall, il rencontre Lucienne Boyer et lui confie une chanson, *La Barque d'Yves* (1930), puis *Les Prénoms effacés.* Piqué au jeu, il écrira et composera (avec son père J.-H. Tranchant, avocat) pour Germaine et Jean Sablon (*Ici l'on pêche*), Florelle, Lys Gauty, Marlène Dietrich... Dans son premier disque, il sera accompagné par Stéphane Grappelli et Django Reinhardt, et son premier récital, il le donnera à la salle Pleyel (1935). Jean Tranchant est désormais un auteur qui compte : avec Mireille et Jean Nohain, avec Marianne Oswald, il est de ceux qui assurent le renouvellement de la chanson française et qui frayent la voie à Charles Trenet et aux auteurs-compositeurs-interprètes de l'après-guerre. Pendant la guerre, il écrit et joue une opérette, *Feu du ciel*. À la Libération, il s'installe en Argentine et y chante, écrit, compose... De retour en Europe (1964), il publie *La roue tourne*, recueil de souvenirs. L'univers de Jean Tranchant fait songer à un parc situé quelque part entre Passy et la Côte d'Azur d'avant la guerre : tout est à la grâce, à la facilité de vivre. Le jardin à la française s'y mâtine de recoins à l'anglaise : romances (*Il existe encore des bergères*) et airs teintés de jazz (*Ah pourquoi Mademoiselle*) sont proches parents dans l'œuvre, et voisinent avec des adaptations de succès étrangers (*J'aime tes grands yeux*, mus. C. A. Bixio), de charmants pastiches d'opérette (*Mademoiselle Adeline*). Tranchant travaille dans le pastel : élégance, légèreté sont ses qualités, joliesse et parfois fadeur le tribut qu'il leur paie. Mais, après quatre-vingts années de règne de l'esprit caf'conc' sur la chanson, le sang neuf ne pouvait être apporté que de l'extérieur, par transfusion. Avec Tranchant, c'est un peu la bourgeoisie qui vient à la chanson.

TRAVAILLER, C'EST TROP DUR

Chanson traditionnelle adaptée par Zachary Richard en 1977 et qui lui vaut une reconnaissance par le public français. Mélodie simple, texte répétitif (« Travailler c'est trop dur, Et voler c'est pas beau, D'mander la charité, C'est quelqu'chose j'peux pas faire »), mais rythmique d'enfer et certificat de garantie d'authenticité francophone. Le titre est repris par Julien Clerc en 1978, puis par le rasta ivoirien Alpha Blondy qui le transforme en reggae et y injecte sa mystique œcuménique (la vieille Bible d'origine voisinant avec un vieux Coran et une Torah). La chanson a ainsi parcouru, de la Louisiane à la France puis au golfe du Bénin, un chemin qui reprend symboliquement, mais en sens contraire, celui du commerce triangulaire de l'époque de l'esclavage.

Charles TRENET

Narbonne, 1913 – Créteil, 2001. Auteur-compositeur-interprète. Passe son baccalauréat à Perpignan et entame des études artistiques à Berlin (1928) puis à Paris (1930). Peintre, décorateur de cinéma, il écrit aussi quelques chansons. Sa carrière commence vraiment en 1933, lorsqu'il forme avec Johnny Hess un duo, Charles et Johnny. Trenet écrit les paroles et Hess les musiques de chansons qui auront quelque succès (*Sur le Yang-Tsé-Kiang*, *Quand les beaux seront là* et surtout *Vous qui passez sans me voir*, créée par Jean Sablon). Le service militaire de Trenet met fin à cette collaboration. Il en profite pour écrire, un jour qu'il est aux arrêts, *Je chante* (1937), œuvre étonnante dont l'apparente gaieté fait oublier qu'elle se termine par un suicide. Tandis que Maurice Chevalier, en pleine gloire, crée *Y'a d'la joie* (1937), qu'un jeune inconnu, Yves Montand, débute à Marseille avec *C'est la vie qui va*, Trenet entame une seconde carrière, en solo. Début 1938, au micro de Radio-Cité puis sur la scène de l'A.B.C., le public parisien découvre avec une certaine stupeur puis avec ravissement celui que les critiques baptisent déjà le « fou chantant ». Feutre sur l'oreille, œillet à la boutonnière, il swingue, saute sur le piano, aligne des couplets aux mots incongrus, il respire la jeunesse. C'est le coup de foudre : le public jeune attendait Trenet, qui venait à son heure exprimer les aspirations et la sensibilité d'une génération, celle dont la vie commence avec les conquêtes du Front populaire.

On pourrait ajouter : celle pour qui la chanson commence avec la révolution swing, avec les textes d'auteur, bref, avec Trenet. Son apport est en effet considérable. Il introduit le rythme à haute dose sans oblitérer le charme de la mélodie, il marie la syncope et le tango, la valse et les rythmes des Tropiques. À son nouveau, langue nouvelle : il parvient à acclimater au music-hall une poésie qui a emprunté aux surréalistes, à Max Jacob et à Charles Cros. Le coq-à-l'âne et l'onomatopée y ont chassé sans retour le calembour de caf'conc', et l'effet naît autant chez lui de la mise en rapport d'un son et d'un mot que de l'idée exprimée. Tous les genres apparaissent dans son œuvre, et rares sont les échecs. À côté de chansons directement inspirées du surréalisme (*La Folle Complainte*, 1945, *Une noix*, 1947), il y a les valses et les romances, dont ses succès internationaux, *La Mer* (1945) et *L'Âme des poètes* (1951), et tous ces petits chefs-d'œuvre qui ont nom *Fleur bleue* (1937), *Polka du roi* (1938), *Débit de l'eau, débit de lait* (1943), *Mes jeunes années* (1947), *À la porte du garage* (1955) : autant de scènes de mœurs, de croquis savoureux. Mais cet univers paraît parfois singulièrement immatériel. Le personnage d'une chanson n'est souvent qu'esquissé, comme une touche au tableau, et le « je » autobiographique est significativement réservé aux évocations du passé.

Auteur de plusieurs romans et d'un récit consacré à ses années d'enfance, Trenet poursuit inlassablement sa carrière au music-hall (Bobino, 1966, Olympia, 1971 et 1975, jusqu'en 1988 au théâtre du Châtelet, en 1993 au Palais des Congrès et en 1999 à Pleyel), ne se résignant jamais à être de la génération d'avant, alors même que la nouveauté qu'il apportait a été digérée par les nouvelles générations. Dans ses chansons d'âge mûr, si la mélancolie semble l'emporter (*Chante le vent, Rachel dans ta maison*, 1966, *Il y avait*, 1970, *Fidèle*, 1971), on retrouve parfois cette alacrité et ce bonheur d'écriture (*Joue-moi de l'électrophone*, 1972, *Il vend des téléviseurs aux paysans*, 1976) qui rappellent à tous qu'il reste l'un des plus grands créateurs du « 9e art », celui qui a ouvert la « route enchantée » de la chanson française moderne. Ses derniers albums (*Fais ta vie*, 1995, *Les poètes descendent dans la rue*, 1999) n'avaient certes pas le goût de nouveauté de ses débuts, plus de soixante ans auparavant, mais il reste que « la chanson n'a plus eu le même visage après lui » (Jean Ferrat), et qu'il s'est offert pour ses quatre-vingts ans (1993) un véritable tube, *Le Son du cor*, dont le clip est passé régulièrement dans les émissions télévisées spécialisées dans le top 50.

Les TROIS CLOCHES

Chanson, par. et mus. Jean Villard-Gilles (1947). La chanson qui lança les Compagnons de la Chanson (dont ce fut le premier succès international), et pour laquelle Édith Piaf joignait sa voix aux leurs, n'hésitant pas à « casser » son entrée sur scène. *Les Trois Cloches*, ce sont les trois étapes qui marquent la vie d'un homme, ce sont aussi les actes par lesquels la communauté, dont il fait partie, le reconnaît et l'admet en son sein. Le cadre villageois et montagnard, les références religieuses, la construction ternaire, close, le genre complainte renvoient à l'image d'un destin immuable, à la pérennité des choses. Est-ce là de la part du Vaudois Gilles une accusation ou, au contraire, la célébration de la vie d'un humble, d'un petit ? Il est certain que l'interprétation des Compagnons accuse la part de religiosité diffuse et d'harmonie sociale contenue dans la chanson, pour en faire une sorte d'hymne à la tradition. En quoi elle s'intégrait parfaitement au répertoire folklorisant de leurs débuts.

Les TROIS MÉNESTRELS

Groupe vocal d'interprètes : Ginette Sandrini dite Maria (Metz), Jean-Louis Fenoglio (Paris) et Raymond de Rycker (Paris). Rencontre d'une chanteuse réaliste, d'un comédien et d'un boy de revue, le trio débute dans le chœur parlé au théâtre, puis passe à la chanson mimée (*La Guerre de Troie,* J. Nohain-Mireille). On les voit à l'Échelle de Jacob, à Bobino (*Tiens v'là un marin,* J. Bouquet-B. Labadie ; *Des filles, il en pleut,* P. Seghers-L. Ferré, 1961). Entre différentes tournées en France et à l'étranger, ils présentent en 1965 au théâtre de la Potinière, puis aux Trois Baudets, *Deux chats et une souris,* spectacle composé « d'un digest-opéra, d'une tragédie-farce, et, bien sûr, de chansons ». La mort tragique de Jean-Louis Fenoglio (1975) entraîna la disparition du groupe.

TUBES

On prête à Boris Vian l'utilisation de ce mot pour désigner un succès de la chanson. Pourquoi un tube ? Parce que c'est quelque chose de creux, aurait-il dit... Et la notion a donné naissance à une approche comptable de la diffusion. Hit-parade, palmarès, top ten ou top cinquante, peu importent les noms utilisés, la pratique des listes des meilleures ventes est entrée dans la vie culturelle : les ventes de livres ou de disques, les entrées au cinéma sont scrutées à la loupe et publiées dans la plupart des journaux. Si cette pratique à finalité commerciale peut être irritante, elle constitue avec le recul historique un indicateur non négligeable de tendances parfois contradictoires. Le lecteur trouvera ci-dessous quelques éléments lui permettant de se faire sa propre opinion. Voici pour commencer la liste des chansons qui sont restées dix semaines ou plus à la première place entre 1955 et 2002 (entre parenthèses, le nom de l'interprète) :

1955	*Les Lavandières du Portugal* (Jacqueline François)	17 semaines
1956	*Je vais revoir ma blonde* (Dario Moreno)	34 semaines
1957	*Bambino* (Dalida)	31 semaines
	Que sera sera (Jacqueline François)	12 semaines
1958	*Hello le soleil brille* (Annie Cordy)	22 semaines

1959	*Le Marchand de bonheur* (Compagnons de la Chanson)	13 semaines
	Oui oui oui oui (Jean-Philippe)	13 semaines
1960	*Mustapha* (Bob Azzam)	17 semaines
1961	*Je ne regrette rien* (Édith Piaf)	13 semaines
1962	*Un clair de lune à Maubeuge* (Pierre Perrin)	11 semaines
1963	*Enfants de tous pays* (Enrico Macias)	10 semaines
	L'école est finie (Sheila)	10 semaines
1964	*La Montagne* (Jean Ferrat)	10 semaines
1965	*Aline* (Christophe)	11 semaines
	La Nuit (Adamo)	10 semaines
1966	*Mon credo* (M. Mathieu)	11 semaines
1967	*La Dernière Valse* (M. Mathieu)	10 semaines
1975	*Tu t'en vas* (Alain Barrière)	10 semaines
1987	*Viens boire un p'tit coup à la maison* (Licence IV)	12 semaines
1990	*Une femme avec une femme* (Mecano)	13 semaines
1991	*Désenchantée* (Mylène Farmer)	10 semaines
1992	*Dur dur d'être un bébé* (Jordy)	13 semaines
1995	*Pour que tu m'aimes encore* (Céline Dion)	12 semaines
1998	*Belle* (Daniel Lavoie, Garou, Patrick Fiori)	14 semaines
1999	*Tu m'oublieras* (Larusso)	12 semaines
2000	*Ces soirées-là* (Yannick)	14 semaines
2001	*Seul* (Garou)	10 semaines

À titre de comparaison, on trouvera ci-dessous, en contrepoint, les titres élus « chanson de l'année » aux Victoires de la musique (décernées par des professionnels du show-biz) de 1985 à 2000 :

1985	*La Boîte de jazz* (Michel Jonasz)
1986	*Belle-Île-en-Mer* (Laurent Voulzy)
1987	*Musulmanes* (Michel Sardou)
1988	*Né quelque part* (Maxime Le Forestier)
1989/90	*Quand j'serai K.O.* (Alain Souchon)
1991	*Fais-moi une place* (Julien Clerc)
1992	*Un homme heureux* (William Sheller)
1993	*Le Chat* (Pow Wow)
1994	*Foule sentimentale* (Alain Souchon)
1995	*Juste quelqu'un de bien* (Enzo Enzo)
1996	*Pour que tu m'aimes encore* (Céline Dion)
1997	*Aïcha* (Khaled)
1998	*L'Homme pressé* (Noir Désir)
1999	*Belle* (du spectacle Notre-Dame de Paris)
2000	*Tomber la chemise* (Zebda)

Ajoutons-y un sondage effectué par l'IFOP en février 2001 à propos de ce palmarès. La question, posée à un échantillon représentatif de 1 002 personnes, était la suivante : « Je vais vous citer un certain nombre de chansons désignées chanson de l'année aux Victoires de la Musique depuis la création de cette compétition en 1985. Pouvez-vous me dire quelles sont les deux que vous préférez ? » Voici les réponses obtenues, classées de façon décroissante :

Belle, du spectacle Notre-Dame de Paris (1999)	30 %
Foule sentimentale, d'Alain Souchon (1994)	19 %
Pour que tu m'aimes encore, de Céline Dion (1996)	18 %
Musulmanes, de Michel Sardou (1987)	15 %
Né quelque part, de Maxime Le Forestier (1988)	15 %
Belle-Île-en-Mer, de Laurent Voulzy (1986)	15 %
Tomber la chemise, de Zebda (2000)	13 %
L'Homme pressé, de Noir Désir (1998)	11 %
Aïcha, de Khaled (1997)	9 %
La Boîte de jazz, de Michel Jonasz (1985)	8 %
Fais-moi une place, de Julien Clerc (1991)	8 %
Un homme heureux, de William Sheller (1992)	7 %
Quand j'serai K.O., d'Alain Souchon (1989-1990)	7 %
Juste quelqu'un de bien, d'Enzo Enzo (1995)	6 %
Le Chat, de Pow Wow (1993)	4 %

Avec toutes ces données, le lecteur peut maintenant se forger sa propre opinion.

UV

Boris Vian

Georges ULMER

[Jorgen Ulmer] Copenhague (Danemark), 1919 – Marseille, 1989. Auteur-compositeur-interprète. De parents danois, il passe son enfance et la majeure partie de son adolescence en Espagne. En France, où il est installé depuis 1938, il est quelque temps dessinateur humoristique, puis entre dans l'orchestre de Fred Adison, et enfin débute seul à Nice au Cabaret de l'Écrin (1942). Rapidement connu sur la Côte, il part conquérir Paris et fait en 1944 son premier tour de chant à l'A.B.C. (*Quand allons-nous nous marier ?*) en mimant sur scène les cow-boys et les gangsters des films américains. À la Libération, ses parodies connaissent un grand succès. *J'ai changé ma voiture contre une jeep* devient la chanson mascotte de la 2e DB. *Pigalle* est un hit international qui l'incitera à composer d'autres chansons-tableaux de villes célèbres (*Casablanca*, *Les Rues de Copenhague*). *Un monsieur attendait*, chanson de la meilleure veine, est de la même époque. Avec le temps cependant, on lui reprochera de faire du tour de chant un prétexte à grimaces et de ne pas chercher à se renouveler. De plus, la concurrence d'Yves Montand, dont le jeu est plus sobre et la voix plus mordante, lui portera tort.

UN GAMIN DE PARIS

Chanson, par. Mick Micheyl, mus. Adrien Marès (1952). Sur un air de valse musette, c'est le portrait du poulbot, enfant affranchi, adulte avant l'âge, tel qu'on le rencontre dans les rues des faubourgs. « Dans aucun pays il n'y a le même. » C'est le frère du Gavroche de notre littérature. Définitivement, le grand succès de Mick Micheyl.

UN JOUR TU VERRAS

Chanson, par. Mouloudji, mus. Georges Van Parys (1954). Sur un tempo de valse lente, une chanson classique par ses thèmes :

> *Il y aura un bal*
> *très pauvre et très banal*
> *sous un ciel plein de brume et de mélancolie*
> *un aveugle jouera de l'orgu' de barbarie*

Malgré la pauvreté des rimes, les « on », les élisions (et sans doute aussi à cause de tout cela), c'est une des plus belles romances du répertoire d'après-guerre. La mélodie est d'une subtilité inattendue, et le temps des verbes oppose, à l'imparfait habituel aux chansons d'amour, la magie d'un futur beaucoup plus rare.

Philippe VAL

Neuilly-sur-Seine, 1952. Auteur-compositeur-interprète. Collabore de 1977 à 1995 avec Patrick Font à des sketches, des pièces de théâtre, des spectacles dans lesquels la chanson intervient souvent (treize albums enregistrés, la plupart en public). Il sort son premier disque solo en 1980 (*Ma p'tite chérie*) puis, après un long silence (il est rédacteur en chef de *Charlie Hebdo*, fait un billet hebdomadaire à la radio...), revient en 1996 avec *Paris-Vincennes* suivi de deux autres albums. Philippe Val a sans doute souffert de l'image de marque (justifiée) du duo Font et Val, faite de dérision et d'agressivité. Le public ne savait pas que derrière le rire sardonique de Font et Val se cachait Val la tendresse, Val l'humour bien sûr, mais aussi et peut-être surtout Val la culture. Ce qui ne l'empêche pas de continuer à faire dans la dérision, comme dans *Bernadette* (Chirac), ou à prendre position politiquement comme dans *Tout est bon (dans le cochon)* en 2004.

Caterina VALENTE

Paris, 1931. Interprète. Ce n'est pas à proprement parler une chanteuse française ou francophone, mais une vedette internationale, plus spécialement tournée vers le public germanique. D'origine italienne, élevée en Espagne, de nationalité allemande et cependant née en France, elle est la fille de Maria Valente, clown féminin, et de Di Zazzo, accordéoniste. Enfant de la balle, aussi habile au pas de danse acrobatique et à la guitare hawaïenne qu'à la vocalise, elle est d'abord chanteuse de jazz, puis chanteuse « typique » (*Malagueña* est vendu à 4 millions d'exemplaires), faisant du music-hall au sens le plus classique du terme. Tantôt chanteuse de charme et tantôt chanteuse fantaisiste, elle se spécialise dans le pot-pourri de succès divers, accompagnée de son frère (et complice) Silvio. Elle obtient le Grand Prix du disque en 1960 (*Bim Bom Bey*, par. M. Vaucaire, mus. M. David). Longtemps absente de la scène française, elle fait une rentrée à l'Olympia en 1971. Depuis lors, sa carrière se déroule essentiellement en Allemagne. Elle est entrée en 1986 dans le *Guinness Book of Records* pour le nombre de ses enregistrements (1 350 !).

Maurice VANDAIR

Tournan-en-Brie, 1905 – Marseille, 1982. Auteur. Un succès obtenu avec *Le Refrain des chevaux de bois*, chantée par Félix Paquet (1936), le décide à quitter son emploi d'ingénieur pour celui de parolier. C'est le bon choix : il devient très vite l'un des fournisseurs attitrés des vedettes. Dans son abondante production, on retiendra *Tel qu'il est* (Charlys-M. Alexander, 1936) chantée par Fréhel, *J'ai sauté la barrière* (mus. J. Hess, 1938) par Johnny Hess, puis, sous l'Occupation, sa période la plus féconde, *Dans les plaines du Far West* (mus. C. Humel, 1941), pour le débutant marseillais Yves Montand, *Ma ritournelle* (mus. H. Bourtayre, 1941), chantée par Tino Rossi, *La Chanson du maçon* (M. Chevalier-H. Betti, 1941) et *La Marche de Ménilmontant* (M. Chevalier-Borel-Clerc, 1942), succès de Chevalier suivis, en 1944, par *Fleur de Paris* (mus. H. Bourtayre), la chanson de la Libération. Après la guerre, il écrit notamment, pour Lily Fayol, *La Guitare à Chiquita* (mus. H. Bourtayre, R. Legrand, 1944) et *Le Régiment des mandolines* (mus. H. Betti, 1946), et participe, aux côtés de Marc Cab et de Raymond Vincy, aux lyrics de l'opérette *La Belle de Cadix* (1946).

Jean-Claude VANNIER

Bécon-les-Bruyères, 1943. Auteur-compositeur-interprète, orchestrateur, chef d'orchestre. Peu connu du grand public et pourtant omniprésent dans le paysage de la chanson française. Son premier album, *L'Enfant assassin des mouches* (1972), passe totalement inaperçu, tout comme les suivants, *Des coups de poing dans la gueule* (1976), *Public chéri je t'aime* (1985), *Pleurez pas les filles* (1990). Il revient en 2005 avec un double album, *En public & Fait maison*, le premier CD étant la reprise de celui de 1985, le second inédit. Dans tous les cas, il semble chanter avec distance et élégance une sorte d'ennui congénital. Mais il ne s'agit là que d'une partie de son activité. Chef d'orchestre, orchestrateur (pour Gainsbourg, Hallyday, Barbara, Bashung, Dalida, Moustaki...), il écrit aussi des chansons pour Michel Jonasz (*Super nana*), Jane Birkin, C. Lara, Enzo Enzo, Maurane (*Sur un prélude de Bach*). Parallèlement, il compose de nombreuses musiques de films (*La Horse* de Granier-Deferre en 1970, *Sex Shop* de Claude Berri en 1972, *Les Guichets du Louvre* de Michel Mitrani en 1974, pour ne citer que ceux-là). L'un de ses premiers disques, *Jean-Claude Vannier interprète les musiques de Georges Brassens* (1974), témoigne des tendances figuratives de son orchestration (comme on dit une peinture figurative) : une tentative de raconter avec les instruments ce qui se trouve déjà dans la chanson.

Georges VAN PARYS

Paris, 1902-1971. Compositeur. Après des études de droit, fait ses premières armes comme pianiste d'accompagnement Chez Fysher (1924-1927). Puis se tourne vers l'opérette (*Lulu*, 1927) et la musique de film, dans laquelle il excellera tout au long de sa carrière (plus de trois cents partitions). C'est d'ailleurs de films que sont tirés certains de ses succès de chansons : *Si l'on ne s'était pas connus* (coll. P. Parès-L. Lelièvre), chantée par Albert Préjean, dans *Un soir de rafle* (1931) ; *C'est un mauvais garçon* (par. J. Boyer), chantée par Henri Garat dans *Un mauvais garçon* (1936) ; *Y'a toujours un passage à niveau* (par. J. Boyer), interprétée par Pills et Tabet dans *Prends la route* (1936) ; *La Complainte des infidèles* (par. C. Rim), chantée par Mouloudji dans *La Maison Donnadieu* (1951) ; *La Complainte de la Butte* (par. J. Renoir), interprétée par Cora Vaucaire dans *French Cancan* (1954) ; *Si tous les gars du monde* (par. M. Achard, 1955), du film du même nom, interprétée par les Compagnons de la Chanson. Il a aussi écrit directement pour des interprètes : Maurice Chevalier (*Appelez ça comme vous voudrez*, par. J. Boyer ; *Ça fait d'excellents Français*, par. J. Boyer, 1939), Fréhel (*Sans lendemain*, par. M. Vaucaire, 1938), Mouloudji (*Un jour tu verras*, par. Mouloudji, 1954). Ce sont des airs populaires et pourtant jamais vulgaires, dont le refrain est toujours dansant, et où la trouvaille mélodique, au lieu d'être unique, jaillit à plusieurs endroits de la même chanson, ce qui accroît sensiblement la beauté de l'ensemble.

Henri VARNA

[Henri Vantard] Marseille, 1887 – Paris, 1969. Directeur de salle. Son premier emploi fut celui de comédien, au théâtre des Célestins à Lyon et à la Renaissance à Paris. En 1910, il signe sa première revue au théâtre du Château-d'Eau. À la mort d'un des directeurs, son associé, Oscar Dufrenne, l'engage à ses côtés pour diriger le Concert Mayol et les Ambassadeurs, puis l'Éden-Concert et l'Alcazar. En 1924, ils ouvrent l'Empire et y font défiler toutes les grandes vedettes. Puis ils acquièrent le Casino de Paris et restent fidèles à la politique de la revue à tête d'affiche : Mistinguett y mènera la première revue ; lui succéderont Joséphine Baker, Maurice Chevalier, Marie Dubas, Édith Piaf... À la mort d'Oscar Dufrenne, Varna abandonne l'Empire et reprend le Mogador qu'il consacre à l'opérette. Ayant vendu la Renaissance et le Palace (ex-Éden), il dirigera sans désemparer le Casino et le Mogador, son profil d'oiseau de proie décharné, emmitouflé dans son pardessus, veillant jusqu'aux derniers jours à tous les préparatifs de ses spectacles. On doit à Varna la découverte de Tino Rossi (*Parade de France*), la venue de Cécile Sorel au music-hall. On lui est surtout redevable d'avoir tenu à sauvegarder la part de la chanson au music-hall, en aidant certaines vedettes du tour de chant à s'y risquer : Line Renaud, Mick Micheyl. Adaptateur de chansons (version française de *Chapel in the Moonlight*), revuiste, il remonta à l'occasion sur les planches (*Madame Sans-Gêne* à la Renaissance).

Sylvie VARTAN

Iskretz (Bulgarie), 1944. Interprète. Arrive en France à l'âge de huit ans. Neuf ans plus tard son frère Eddy, devenu directeur artistique chez RCA, l'embauche pour donner la réplique à Frankie Jordan dans *Panne d'essence* (1961) : l'enregistrement improvisé devient un tube. Elle quitte alors le lycée et enregistre son premier disque, *Quand le film est triste.* Voix légèrement voilée, mal assurée, jolie pochette, battage publicitaire orchestré par Daniel Filipacchi : c'est le succès. Ce premier visage de Sylvie Vartan est le plus ingrat : elle n'a alors pour elle que sa charmante frimousse et sa bonne volonté. Ce n'est pas assez pour surmonter la première défaillance de micro, le premier « été pourri » du yé-yé (1963).

Avril 1965 : Sylvie épouse à Loconville Jean-Philippe Smet, alias Johnny Hallyday. Pour des millions de jeunes, ils sont « le » couple. Quant à elle, son succès s'est maintenu vaille que vaille, de *Tous mes copains* (J.-J. Debout) à *La Plus Belle pour aller danser* (C. Aznavour-G. Garvarentz) et son assurance a grandi. Cours de chant, tournées en Amérique, au Japon où elle se maintient pendant des mois première au hit-parade, lui apprennent le métier. Son répertoire se situe entre ceux de Johnny et de Françoise Hardy, et elle hésite à changer.

Avril 1968 : Sylvie vedette à l'Olympia, le public conquis, la critique élogieuse. Déjà l'année précédente, dans la même salle (spectacle Hallyday-Vartan), on avait entrevu la nouvelle Sylvie. Pas de révolution dans l'art du tour de chant ou de la chanson, bien sûr. Mais un spectacle et une artiste professionnelle dignes de ce nom. Loin le twist, le rock : l'heure est à la ballade, à la romance (*Deux minutes trente-cinq de bonheur*, F. Thomas, J.-M. Rivat-J. Renard, 1967 ; *Comme un garçon*, R. Dumas-J.-J. Debout, 1968). Pour marquer cette émancipation, le spectacle se termine par une descente d'escalier, celui des revues de l'entre-deux-guerres, la seule audace du spectacle.

1975 : Sylvie prend possession, pendant un mois, du Palais des Congrès (performance renouvelée en 1977, 1978, 1983). Le retour vers la revue façon Las Vegas, avec force renforts de danseurs et d'accessoires divers, semble définitif. Son ambition est de donner à voir autant qu'à entendre, et ses succès du disque passent presque au second plan (*Je chante pour Swany*, R. Dumas, P. Porte-J.-J. Debout, 1975 ; *La Maritza*, P. Delanoë-J. Renard).

Années 1980 : désormais divorcée, elle se produit au Palais des Sports (1981) puis refait sa vie aux États-Unis, et sa carrière se ralentit : quelques disques (*Made in USA*, 1985, *Virage*, 1986) sans beaucoup de succès. Mais elle a ouvert des écoles de danse à Paris et à Tokyo, a publié aux États-Unis un livre, *Beauty Book*, et l'enregistrement en 1989 d'un de ses vieux succès, *Quand tu es là* (1965), réarrangé par Étienne Daho, suffit à la ramener au hit-parade.

1993 : elle triomphe dans un film de Jean-Claude Brisseau, *L'Ange noir* et vient au Parc des Princes chanter avec Johnny, qui fête ses cinquante ans, *Les Tendres Années.* Nostalgie, nostalgie, entretenue par ses passages au Casino de Paris (1995) et à l'Olympia (1996, 1999).

À force de volonté, de patience et malgré le succès venu trop tôt, la petite voix de *La Panne d'essence* a donc trouvé sa voie en se démarquant lentement du yé-yé et du rock pour renouer avec une forme de spectacle des plus traditionnels qui, en d'autres temps, l'aurait cantonnée au Casino de Paris. Sa carrière, au départ mêlée à celle de Johnny, a ainsi pris son indépendance. Leur fils, David, est également chanteur et musicien. Passant le cap de la soixantaine, Sylvie jette pour sa part un regard sur sa vie dans un livre autobiographique (*Entre ombre et lumière*, 2004).

Jean VASCA

[Jean Stievenard] Bressuire (Deux-Sèvres), 1940. Auteur-compositeur-interprète. Enfance à Charleville et à Paris. Commence une licence de lettres à la Sorbonne et découvre le circuit des cabarets de la rive gauche (la Colombe, l'École buissonnière, 1964) dont il devient un habitué. Aussi sensible aux textes qu'à la musique, il poursuit avec exigence une recherche qui se traduit dans les albums qu'il enregistre régulièrement et qui obtiennent pratiquement tous les grands prix disponibles. *Midi, Mourir de tout cela, Sorcière, Attaque à mots armés, En attendant les orages* sont de purs chefs-d'œuvre littéraires et musicaux qui, hélas, ne parviennent pas aux oreilles du grand public : les médias les considèrent comme « trop difficiles », « trop intellectuels ». Malgré un passage en 1978 au Théâtre de la Ville, il ne parvient pas à briser cette conspiration du silence. Il continue pourtant, contre vents et marées, à chanter ses obsessions intimes, son désir rimbaldien de l'ailleurs (*Je suis ailleurs*, 1996), avec talent et obstination. Il a également été interprété par Marc Ogeret (*Marc Ogeret chante Jean Vasca*, 1990). Face aux flonflons et à la médiocrité, il fait figure de résistant. Mais pour quelle libération ?

Pierre VASSILIU

Villecresnes (Seine-et-Oise), 1937. Auteur-compositeur-interprète. Ancien jockey, il passe avec succès des hippodromes au cabaret (l'Écluse) et au music-hall (Olympia 1962). Commence dans la chanson à rire (*Armand, Charlotte*), avec un humour corrosif qui « fait mal » lorsqu'il s'attaque à des types sociaux particulièrement vulnérables : *La Femme du sergent* (1963) notamment, dans laquelle il retourne contre l'armée les ressorts du comique troupier, lui vaudra les attentions de la censure. Mais Pierre Perret, bien moins gênant pour l'ordre établi, occupe ce créneau, et Vassiliu est éclipsé par son succès. On le croit reconverti à la romance (*Une fille et trois garçons*, 1969) ou à l'adaptation de succès brésiliens (*Qui c'est celui là ?*, mus. Chico Buarque, 1974), alors qu'il mène des recherches musicales dont son spectacle au Théâtre de la Ville (1976) et son disque *Déménagements* (1978) rendent bien compte. Fou de rythmes latino-américains ou africains, il s'installe au Sénégal où il ouvre un restaurant (1984-1986), en ramène un titre, *Toucouleur*, puis s'établit dans le Gers, dont il sort pour quelques apparitions scéniques (Bobino, 1999) ou pour enregistrer des disques (*La Vie ça va*, 1993). Dans l'ombre, loin des bruits de la ville, il a élaboré une œuvre puis une vie originales.

Cora VAUCAIRE

[Geneviève Collin] Marseille, 1918. Interprète. Venue à Paris pour faire du théâtre, elle est engagée à la Libération dans le cabaret d'Agnès Capri où, par la rencontre de jeunes auteurs, elle se constitue un répertoire. Ayant remporté un concours organisé à l'A.B.C. en 1941 (avec la *Chanson tendre*, F. Carco-Larmanjat), elle devient la « Dame Blanche de Saint-Germain-des-Prés » que l'on entend à l'Échelle de Jacob, Chez Gilles et à l'Écluse, chanter du Trenet et du Prévert. Elle dirige quelque temps le cabaret de la Tomate, où elle présente Lucette Raillat, Raymond Lévesque et Pierre Louki, et où elle met au choix et « à la carte » ses chansons les plus classiques (*Les Feuilles mortes*, *Rose blanche*, *Frédé*, *La Complainte de la Butte*, *Le Temps des cerises*, *Le Roy Renaud*...). Elle participe aux spectacles aventureux du Caveau Thermidor (devenu Milord l'Arsouille) et du College Inn. À mille lieues des intrigues nécessaires à une carrière dans le show-business, Cora Vaucaire se laisse reléguer au second plan par la vague yé-yé et par des interprètes plus ambitieux(ses). Et, bien que trois fois Prix du disque et réenregistrée en 1970 (*Comme au théâtre*), cette diseuse au timbre grave, tout en sensibilité, en douceur et en nuances, ne s'est que très rarement produite hors des scènes de cabarets (Théâtre de la Ville, 1973, Déjazet, 1992).

Michel VAUCAIRE

Brissago (Suisse), 1904-1980. Auteur. Diplômé en langues orientales, il est à la fois journaliste, poète, producteur de radio et expert en livres anciens. Sa carrière d'auteur est longue et variée. Maniant aussi bien l'humour que la poésie ou le réalisme, il écrit pour des interprètes de genres très différents : Jean Sablon (*La Chanson des rues*, mus. R. Goehr, 1936), Gilles et Julien, Fréhel (*Sans lendemain*, mus. G. Van Parys, 1938), Lys Gauty, Cora Vaucaire, son épouse (*Frédé*, mus. D. White, 1946), Jacqueline François (*September song*, mus. K. Weill, 1953), les Frères Jacques (*À la Saint-Médard*, mus. Révil, 1953), Colette Renard (*Envoie la musique,* mus. C. Dumont, 1958), Édith Piaf (*Non, je ne regrette rien*, mus. C. Dumont), et Caterina Valente (*Bim bom bey*, mus. M. David, 1960).

Ray VENTURA

[Raymond Ventura] Paris, 1908 – Palma de Majorque (Espagne), 1979. Chef d'orchestre. Influencé par la mode du grand orchestre lancée par Paul Whiteman en Amérique, propagée par Jack Hylton en Europe, et mise à profit par Grégor et ses Grégoriens en France, Ray Ventura participe d'abord à un orchestre amateur du même type, où ses coéquipiers se nomment, entre autres, Paul Misraki, pianiste, Loulou Gasté, guitariste, Coco Aslan, chanteur et percussionniste. La formation enregistre son premier disque en 1929 et, après un concert salle Gaveau en 1931, se lance dans une carrière de music-hall : Empire, Olympia, Casino de Paris, tournées, ouverture d'un club sur les Champs-Élysées (1936). Les musiques des chansons sont de Misraki (*Fantastique*, indicatif de l'orchestre et son premier succès, 1932), les paroles d'André Hornez (*Ça vaut mieux que d'attraper la scarlatine*, 1936, *Comme tout le monde*, 1938), les arrangements de Raymond Legrand, entré dans l'orchestre en 1934, au retour des États-Unis. Les Collégiens deviennent alors les chefs de file de cette formule de jazz-band, où les musiciens sont en même temps comédiens et chanteurs, qui fait fureur avant et pendant la guerre dans les salles de spectacle, sur les bateaux de croisière et sur les antennes : « Les Collégiens de Ray Ventura, Paul Misraki et Grégoire Aslan en tête, achevèrent d'un éclat de rire l'agonisante guimauve et la romance scatologique » (J. Tranchant). Leur grand succès : *Tout va très bien, madame la marquise* (1936). Sous leur influence, les orchestres à sketches se multiplient : Fred Adison, Jo Bouillon, Jacques Hélian, Raymond Legrand montent, chacun, le leur. Après des tournées en Europe, puis en Amérique du Sud sous l'Occupation (avec de nouveaux musiciens, dont Henri Salvador et André Ekyan), les Collégiens reviennent en France, obtiennent de nouveaux succès (*Maria de Bahia*, 1947, *La Mi-août*, 1949) et jouent dans plusieurs films. Cependant, vers 1950, la mode change et le grand orchestre devient une formule coûteuse peu en rapport avec les exigences d'un public éduqué par la radio et le disque. Ses promoteurs se reclassent alors, tant bien que mal, dans l'édition musicale et dans l'orchestre de danse. À la fin des années 1970, la mode rétro fit le succès du Grand Orchestre du Splendid, qui redonna une seconde jeunesse à certains tubes des Collégiens (*Qu'est-ce qu'on attend pour être heureux ?*).

Florence VÉRAN

[Éliane Meyer] Paris, 1922. Compositeur. Sortie du Conservatoire, elle se destine d'abord à une carrière de concertiste, ensuite à celle d'interprète de chansons, se produisant dans différents cabarets puis à Bobino (première partie des Frères Jacques) et à l'Olympia (première partie de Lionel Hampton). Mais ses chansons ont plus de succès que leur interprète, et elles font le bonheur de Juliette Gréco (*Je hais les dimanches*, par. C. Aznavour, 1952), Philippe Clay (*Le Noyé assassiné*, par. C. Aznavour), Mouloudji (*On m'a donné une âme*, par. J. Lecannois, 1953), Patachou (*On m'a volé tout ça*, par. L. Poret, 1954), Lucienne Delyle (*Fleur de mon cœur*, par. R. Bravard, 1957). Sa fille, Marianne Mille, a chanté en duo avec Maurice Dulac dans les années 1970.

Joan Pau VERDIER

Périgueux, 1947. Auteur-compositeur-interprète. Après deux ans en fac de lettres, il commence à chanter en français, puis sort son premier disque (*Desemplumat*, 1972) en langue occitane, se situant ainsi délibérément dans le mouvement des minorités ethniques. Ses frères de langue lui reprocheront pourtant d'avoir enregistré à Paris et non pas sous label occitan… *Occitania sempre*, *Dança liure*, les titres se succèdent et obtiennent un certain succès tandis que Verdier commence à chanter de plus en plus en français avec un grand bonheur d'écriture : *Odile*, *Ma Marseillaise à moi*, *Vivre* sont parmi ses plus belles réussites. Mais il se cherche musicalement, soumis à des influences contradictoires : Ferré, Gainsbourg, la musique anglo-saxonne. Évoluant entre le rock ou la pop et la ballade, il prend souvent son public à contre-pied. En 1977, il passe au Théâtre de la Ville, à Paris, et sort *Tabou le chat* qui est peut-être son meilleur disque : tous les éléments sont donc réunis pour qu'il prenne, enfin, un vrai départ et touche le grand public. Mais l'irrésistible ascension de Bernard Lavilliers lui sera défavorable : il n'y a pas place pour deux anars se réclamant de Ferré dans le show-biz. Retourné dans son Limousin natal, il enregistre des disques moins bien diffusés qu'à son époque parisienne (*Cinquième saison*, 1987, *Pirouettes*, 1992...) et sort en 2001 un album de chansons de Léo Ferré (*Léo, domani...*).

Paul VERLAINE

Metz, 1844 – Paris, 1896. Auteur. Ses vers musicaux (« de la musique avant toute chose, Et pour cela préfère l'impair ») attirèrent les compositeurs : Georges Brassens (*Colombine*), Charles Trenet (*Chanson d'automne*), Léo Ferré (un disque 33 tours complet), Georges Moustaki (*Gaspard*) les firent passer du livre aux ondes. Signalons que, de son vivant, Verlaine fréquenta beaucoup le Chat noir où son beau-frère, Charles de Sivry, était pianiste, et participa aux soirées chansonnières du Procope.

La VEUVE

Chanson, par. Jules Jouy (1880), mus. Pierre Larrieu (1924). Jules Jouy, qui devait finir dans un asile d'aliénés, était obsédé par les exécutions capitales, que l'on offrait à l'époque en spectacle au public. Il dédia donc à l'échafaud ce poème :

> *Alors tendant ses longs bras roux*
> *bichonnée, ayant fait peau neuve*
> *elle attend son nouvel époux,*
> *la veuve.*

Le poème fut mis en musique par Pierre Larrieu à l'intention de Damia. Celle-ci l'interprétait les bras recouverts de gants rouges éclairés par les projecteurs, qu'elle était la première à utiliser ainsi sur scène. L'effet était, paraît-il, saisissant.

Boris VIAN

Ville-d'Avray, 1920 – Paris, 1959. Auteur-compositeur-interprète. Dernier représentant de la race des « hommes à tout faire », cet ancien ingénieur sorti de l'École centrale ne fut longtemps perçu que comme un farceur, membre actif du Collège de Pataphysique, fanatique de jazz (il jouait de la trompette au Tabou et écrivait dans la revue *Jazz-hot*), traducteur pour vivre, romancier pour le plaisir, compositeur et parolier pour la rigolade. Cela allait changer : après avoir lancé une bombe dans la littérature avec *J'irai cracher sur vos tombes* (1946), roman signé Vernon Sullivan et qualifié de pornographique, il en lance une autre dans la chanson avec *Le Déserteur* (1954), chanson antimilitariste qui sera interdite. Bon début pour une œuvre qui comprend près de cinq cents titres : parodies de rock'n'roll et autres rythmes américains composés avec Henri Salvador et Michel Legrand (*Le Blues du dentiste*, *Rock and rollmops*, *Une bonne paire de claques dans la gueule*, 1958), loufoqueries pures (*Valse dingue*, *Rue Traversière*), satires ironiques ou féroces, en collaboration avec les compositeurs Alain Goraguer et Jimmy Walter : contre le machisme (très en avance !) (*Vous mariez pas, les filles*, 1958), contre le snobisme Saint-Germain-des-Prés (*J'suis snob*, 1954), contre la police (*La Java des chaussettes à clous*, 1955), contre le fisc (*Complainte des contribuables*, 1956) et surtout contre l'armée (des dizaines de chansons, dont *Les Joyeux Bouchers*). Ces chansons ne connaissent pas la célébrité tout de suite. Comme interprète, Boris Vian ne convainc pas. Mouloudji, qui le chante, est bientôt interdit sur les antennes. Il faut attendre 1965, soit six années après sa mort, pour entendre vraiment parler de Boris Vian. Ses romans, comme *L'Écume des jours*, se vendent comme des petits pains. Une pléiade de jeunes interprètes se font les dents sur ses textes et ses chansons : Pauline Julien, Marie-José Casanova, Brigitte Fontaine, Magali Noël. Serge Reggiani débute dans la chanson par un disque qui lui est consacré (*Arthur, où t'as mis le corps ?*, mus. L. Bessières), Jean Ferrat lui rend hommage (*Pauvre Boris*, 1967), Richard Anthony, les Sunlights, Peter, Paul and Mary reprennent *Le Déserteur*, dans des versions d'ailleurs édulcorées. Un spectacle Vian, *En avant la zizique*, d'Ève Griliquez, est présenté à la Gaîté-Montparnasse (prix Paul-Gilson 1970), et Mouloudji retrouve son audience avec *Allons z'enfants* (1971). Le phénomène se poursuit puisque en 1979 les disques Philips gagnent le Grand Prix audiovisuel pour la réédition des chansons de Boris Vian interprétées par lui-même. Bref, voici l'auteur en passe d'être totalement assimilé par ce milieu qu'il avait férocement attaqué, alors qu'il était directeur artistique, dans son livre charge *En avant la zizique... et par ici les gros sous* (1958).

Albert VIDALIE

Châtillon, 1913 – Paris, 1971. Auteur. Romancier (*Les Bijoutiers du clair de lune*, « rien de commun avec le film », précise-t-il, *La Bonne Ferté*, etc.), auteur de pièces de théâtre (*Les Mystères de Paris*), il écrit des textes de chansons d'une grande qualité : *Actualités* (mus. S. Golmann, 1950), *Le Mineur* (mus. S. Golmann), *Les Loups* (mus. L. Bessières, 1968) interprétée par Serge Reggiani.

Maurice VIDALIN

Paris, 1924-1986. Auteur. La première phase de sa carrière est marquée par sa collaboration avec Jacques Datin : *Julie*, chantée par Marcel Amont (1957), *Zon zon zon* interprétée par Colette Renard (1957), *Les Boutons dorés* par Jean-Jacques Debout (1959) et *Nous les amoureux*, par Jean-Claude Pascal (1961, premier prix au concours de l'Eurovision) en sont les étapes marquantes. Il passe alors par la case yé-yé, écrivant pour Lucky Blondo (*Cette fille*), Claude François (*En souvenir*), Richard Anthony (*Au revoir*, 1963) et Françoise Hardy (*Le Temps des souvenirs*, 1965). Il entre ensuite dans l'équipe de Gilbert Bécaud et devient, avec Pierre Delanoë et Louis Amade, l'un de ses paroliers attitrés, spécialisé dans la chanson à touche humoristique (*La Grosse Noce*, 1962, *Quand Jules est au violon*, 1964, *La Vente aux enchères*, 1971). Mais il est aussi l'auteur de textes sensibles, à l'émotion amoureuse ou à prétention poétique : *Le Mur* (1958), *C'était moi* (1961), *Le P'tit Oiseau de toutes les couleurs* (1966). Tout en continuant à travailler pour Bécaud, il mettra aussi son savoir-faire au service de Gérard Lenorman (*Soldats ne tirez pas*, mus. G. Mattéoni, 1974) et de Michel Fugain (*La Fête*, 1974, *Les Acadiens*, 1975). Il a aussi adapté en français la comédie musicale *Fiddler on the roof* (*Un violon sur le toit*).

Gilles VIGNEAULT

Natashquan (Canada), 1928. Auteur-compositeur-interprète. Né à 1 300 kilomètres de Montréal, sur la rive gauche du Saint-Laurent, d'un père pêcheur et d'une mère institutrice. Après une licence de lettres, il devient professeur (algèbre, français, latin) et commence à publier : contes, recueils de poèmes, pièces de théâtre. Conteur-né, il donne des récitals de monologues, en y glissant parfois une mélodie. Jacques Labrecque crée sa première chanson, *Jos Monferrand* (1959) et, en 1961, Vigneault donne son premier tour de chant à l'île d'Orléans, devant trois mille personnes : il est devenu « bozo » (auteur-compositeur-interprète). Venu pour la première fois en France en 1963, il y revient régulièrement (le plus souvent à Bobino), élargissant chaque fois le cercle de ses admirateurs, et réussissant même à faire un tube avec une chanson bilingue (*I went to the market*, 1977) aux connotations très canadiennes. Il produira de ce côté-ci de l'Atlantique une trentaine de disques et acquerra une renommée égale sinon supérieure à celle de Félix Leclerc. Exprimant mieux que nul autre la prise de conscience de son peuple, Gilles Vigneault est devenu plus qu'un symbole, un agent de l'essor culturel québécois, un vecteur de l'identité nationale. La sensibilité à l'espace, à l'élément liquide partout présent, à la prodigalité de la nature engendrant chez l'homme un sentiment d'écrasement puis d'aspiration à nommer l'immensité (*Mon pays*, 1965), peuple ses chansons de types humains caractéristiques des zones pionnières (*Jos Hébert*, 1969, *Jack Monnoloy*, 1966, *Berlu*, 1970), et donne à l'univers de Vigneault ce souffle et cette amplitude propres au Nouveau Monde. Volonté moderniste (*Fer et Titane*, 1968) se mariant chez lui avec une exigence de fidélité à l'héritage du passé, qui est aussi un combat contre les impérialismes culturels, français, canadien-anglais, américain : on la retrouve dans ses *reels* (*La Danse à Saint-Dilon*), ses gigues (*Tam ti delam*) et même dans ses emprunts au plain-chant (*La Manikoutai*, 1968). « C'est le talent de l'avenir d'être parfois enraciné », dit Vigneault.

Auteur traditionnel par sa technique, ses références culturelles, il n'en est pas pour autant régionaliste : son œuvre, ancrée dans une réalité cernée, datée, est une affirmation à portée universelle. Il participe en 1974 avec Robert Charlebois et Félix Leclerc à la Superfrancofête de Montréal, qui donne naissance à un album emblématique (*J'ai vu le loup, le renard et le lion*, 1975). Des textes forts, relevant d'une poésie immédiate, de tradition orale, des mélodies prenantes (parfois composées avec Gaston Rochon : *Au doux milieu de vous*, ou avec Robert Bibeau : *La Vieille Margot*), une voix peu conformiste, éraillée, et sur laquelle il tire jusqu'à la casser, une « gueule » en figure de proue complètent le portrait de cette personnalité attachante. Celle-ci s'épanouit entièrement sur scène, au contact du public : là, le conteur, le danseur de gigue, relaient et soutiennent l'interprète pour reformer, l'espace d'une soirée, le cercle enchanté des soirées d'hiver à Natashquan. À côté de Félix Leclerc, qui fait figure de précurseur, et dont il déclare qu'il « est passé en raquettes dans des chemins où nous passons aujourd'hui en limousine », Gilles Vigneault s'est affirmé comme le créateur éminent de l'« Âge d'or » de la chanson québécoise. Infatigable militant de l'indépendance, il a choisi symboliquement, en 1990, de publier en CD cent une de ses chansons, par référence à la « loi 101 » qui a fait du français la langue officielle du Québec. En 2004, avec son album *Au bout du cœur*, il montre que les années ont peu de prise sur son talent.

Hervé VILARD

Paris, 1946. Auteur-compositeur-interprète. Enfant de l'Assistance publique que poursuit un intense besoin d'affection, il se fait connaître en l'espace d'un été par un succès mémorable, *Capri, c'est fini* (H. Vilard-M. Hurten, 1965) qui, enregistrée en sept langues, se vend à 3 millions d'exemplaires. Dans la même veine, qu'il exploite à fond, il enchaîne avec *Fais-la rire* et *Mourir ou vivre* (R. Bernet-D. Gérard, 1966). Puis c'est *Sayonara* (F. Thomas, J.-M. Rivat-J. Revaux, 1969), et l'exil en Amérique du Sud, où il fait une carrière remarquée, publiant sept albums au Mexique. Mais la France, marâtre repentante, finit par le rappeler. *Capri*, ce n'était pas vraiment fini, et Hervé Vilard se réinstalle même en tête du hit-parade avec *Nous* (double disque d'or, 1978) et continue une carrière régulière et sans surprise dans le disque (*Mamma mia*, 1992, *Simplement*, 1997, *Cri du cœur*, 2004) et sur scène (Olympia, 1996).

VILBERT

[Henri Rayne] Marseille, 1870 – Théoule-sur-Mer (Alpes-Maritimes), 1926. Interprète, un des nombreux imitateurs puis continuateurs de Polin. Pour se distinguer de son modèle, il apparaissait sur scène revêtu du treillis de corvée du cavalier et maniait avec une étonnante dextérité ses accessoires : seau, pelle ou balai ! Après s'être produit dans son Midi natal, il fit ses grands débuts à la Cigale vers 1897, puis devint le favori du public de Parisiana. Sympathique et nanti d'une voix agréable, relevée d'une pointe d'accent, son répertoire était celui du tourlourou d'avant-guerre (*Content d'être soldat*, Briollet, Tinant-Fragson ; *Nous nous plûmes*, G. Sibre-Fragson). Après la guerre, il se tourna vers l'opérette, la comédie, et y réussit pleinement.

Roch VOISINE

Edmunston (Nouveau-Brunswick, Canada), 1963. Auteur-compositeur-interprète. Très jeune, il est un joueur de hockey prometteur, mais un accident met fin à sa carrière. Il profite de sa convalescence pour apprendre la guitare, se tourne vers la musique et sort en 1986 son premier album, *Sweet Songs*. Mais c'est avec *Hélène* (1989, par. S. Lessard) qu'il atteint les sommets : 3 millions de disques vendus, tournée triomphale au Québec, puis en France (1990), deuxième album la même année (*Double*), en anglais et en français, deuxième tournée (après le Zénith, c'est Bercy cette fois, et à guichets fermés), troisième tournée et, en avril 1992, spectacle devant 75 000 personnes au pied de la tour Eiffel. Bref, la folie est en marche, et il entre en 1993 au musée Grévin, c'est tout dire. Propre sur lui, avenant, bien peigné, il a tout pour plaire et il plaît. Mais à peine a-t-on le temps de s'interroger sur cette flambée médiatique qu'on se demande s'il ne s'agit pas d'un feu de paille : les albums suivants (*Kissin rain*, 1996, *Chaque feu*, 1999) se vendent moins, et il passe cette fois-ci à l'Olympia, une salle à dimensions humaines. Après ses premiers succès sucrés, il enregistre en 2000 des chants de Noël (*Mon beau sapin*, *Petit Papa Noël*), puis repasse à l'anglais (*Higher*, 2002), mais le blizzard a perdu de sa force. Il aura tout de même enregistré douze albums en quinze ans, fait hurler des millions de minettes hystériques, ajouté momentanément un mot à la langue française (Rochmania). Mais l'on songe au titre d'un film de Claude Lelouch : *Tout ça... pour ça ?*

Léon VOLTERRA

18.. ? – Paris, 1949. Directeur de salles. Ce grand nom du monde hippique fut d'abord et avant tout un grand directeur, possédant, selon Jacques-Charles, « un sens inné du goût du public ». Encore enfant, il vendait des programmes qui n'avaient rien d'officiel à l'entrée de Parisiana ; il les présentait en disant : « Je les paie 50 centimes », et on ne lui donnait jamais moins d'un franc. Associé en 1914 à la direction de l'Olympia, puis propriétaire, de 1917 à 1929, du Casino de Paris, il y lança, avec Jacques-Charles, la revue à grand spectacle. Il fut aussi, en même temps ou par la suite, propriétaire de l'Alhambra de Bruxelles, du Grand Casino de Marseille, de l'Apollo, du Lido, qu'il créa en 1932, de théâtres, et même du Luna Park de la porte Maillot.

Laurent VOULZY

Paris, 1948. Compositeur-interprète. Tout jeune, il joue de la batterie et de la guitare. Étudiant en droit, il crée un groupe (Le Poing) avec lequel il tourne en France, tout en enregistrant en solo et sans succès quelques 45 tours. Tout change lorsqu'il rencontre Alain Souchon en 1974. De leur collaboration sortent des albums dont Voulzy n'est que le compositeur. Puis, en 1977, il enregistre lui-même *Rock Collection*, évocation des grands succès des années 1960 (Beatles, Rolling Stones, Beach Boys, etc.). C'est le tube. Les deux compères récidivent en 1978 avec *Bubble Star*, en 1979 avec *Le Cœur grenadine* et *Karin Redinger*. Dorénavant, ils travaillent à quatre mains, Souchon aux textes et Voulzy aux musiques, concoctant des albums pour l'un ou l'autre. Mais Voulzy est le plus rare, préférant les 45 tours puis les singles (*Belle-Île-en-Mer*, 1985, *Les Nuits sans Kim Wilde,* 1986, *Le Rêve du pêcheur*, 1992, qui sont autant de tubes) aux albums (depuis son premier album de 1979, il n'a enregistré que *Bopper en larmes*, 1983, *Caché derrière*, 1992, et *Avril*, 2001). Il a également enregistré en 2006 *La Septième Vague*, album dans lequel il interprète en français (*La Madrague*, *À bicyclette*...) ou en anglais (*Do You Wanna Dance*, *Smooth Operator*...) les succès d'autrui chers à son cœur. Abonné aux Victoires de la musique, ce compositeur perfectionniste, marqué par les Beatles et amoureux des harmonies sophistiquées, ne se presse guère... Mais, outre sa carrière, il a contribué à construire le succès d'Alain Souchon.

VOUS QUI PASSEZ SANS ME VOIR

Chanson, par. Charles Trenet, mus. Johnny Hess (1936). Selon Johnny Hess, elle fut écrite en trois minutes et composée en cinq. Proposée à Jean Sablon, la vedette montante, elle est créée par celui-ci au Bœuf sur le toit. Couronnée par l'Académie Charles-Cros l'année suivante, elle lance définitivement les jeunes duettistes et assure au futur « French troubadour » son plus durable succès : « Depuis ce jour-là, je ne suis jamais entré en scène sans être accompagné de quelques mesures de *Vous qui passez...* », confie-t-il dans ses mémoires. Succès redevable à l'heureuse conjonction, tout entière présente dans l'attaque de la chanson, entre le thème, à l'audience assurée, le swing au tempo lent et la voix de velours de l'interprète.

WX
YZ

Zazie

Albert WILLEMETZ

Paris, 1887 – Marnes-la-Coquette, 1964. Auteur. Fonctionnaire au ministère de l'Intérieur, Albert Willemetz trouve suffisamment de loisir pour écrire des poèmes (qu'il signe Metzvil) et des chansons (qui ne sont pas des poèmes) ; celles-ci le changent un peu du vocabulaire utilisé en haut lieu. Elles parviennent jusqu'aux oreilles de Mistinguett (*La Belote, Mon homme, J'en ai marre, En douce*) et de Maurice Chevalier (*Ah ! si vous connaissiez ma poule, Dans la vie faut pas s'en faire, Valentine*) qui s'en régaleront : autant de succès de gouaille et d'optimisme, parfois dotés d'un certain sentimentalisme sous-jacent, qui s'accordent à la perfection à la personnalité de ces deux monstres sacrés. Auteur débordant d'inspiration, Albert Willemetz signera aussi des centaines de revues, d'opérettes (dont *Phi-Phi*) et de scénarii de films. À partir de 1946, il sera élu plusieurs fois président de la SACEM. Il avait été, dans sa jeunesse, secrétaire de Clemenceau.

John WILLIAM

[Armand Huss] Grand-Bassam (Côte-d'Ivoire), 1922. Interprète. De mère ivoirienne et de père alsacien, il est le créateur en France de *Si toi aussi tu m'abandonnes* (1952) qui en fait l'interprète populaire des grandes chansons de films (*Le Bleu de l'été, La Chanson de Lara*) et des classiques du negro-spiritual (*Ol'man river*). Il tente de renouveler ce dernier genre en créant des modern' spirituals (*Pax hominibus*), sortes de cantiques rythmés en français, et abandonne le show-business en 1968.

Léon XANROF

[Léon Fourneau] Paris, 1867-1953. Auteur-compositeur. Tire son nom de l'anagramme du mot latin *fornax* (fourneau). Avocat au début de sa carrière, il abandonne très vite ce métier pour la chanson. Épouse en 1894 la cantatrice Marguerite Carère. Son œuvre la plus connue reste *Le Fiacre*, immortalisé par Yvette Guilbert, dont il écrivit une part importante du répertoire (*Très bien*, *L'Hôtel du n° 3*). Mais Xanrof toucha un peu à tous les genres : chansonnier dans *La Chambre et le Parlement* qu'il interprétait au Chat noir et dans laquelle il moquait la pseudo-opposition entre ces deux institutions ; l'opérette dont certains livrets, celui de *Rêve de valse* entre autres, lui rapporteront d'énormes droits d'auteur. Mais la principale tendance de son œuvre demeure l'humour, comme en témoigne le titre (*Chansons à rire*) d'un des recueils qu'il publia.

Gabriel YACOUB

Paris, 1952. Auteur-compositeur-interprète. Adolescent fou de guitare et de musique folk, il débute au Centre culturel américain de Paris avec son groupe, le New Ragged Company, puis accompagne à 18 ans Alan Stivell (en compagnie de Dan Ar Braz et de René Werneer). C'est avec ces derniers et sa femme, Marie, qu'il enregistrera *Pierre de Grenoble* (1973), mélange de chansons traditionnelles et d'instruments électriques. Dans la foulée, il fonde Malicorne et enchaîne disques et tournées. Lorsque le groupe se dissout (1981), il connaît des années de galère, tente sa chance aux États-Unis (*Elementary Level of Faith*, 1987) mais a bien du mal à démarrer sa carrière solo, tant l'image de Malicorne lui colle à la peau : il ne retrouvera le public français qu'en 1990 (*Bel*), et poursuit alors sur sa lancée (*Babel*, 1997, *Je vois venir*, 2004).

Y'A D'LA JOIE

Chanson, par. Charles Trenet, mus. Ch. Trenet-Michel Emer (1936). C'est l'époque où, service militaire oblige, Charles (Trenet) quitte

Johnny (Hess). Et l'armée favorisant sans doute la création, il y écrit *Je chante* et *Y'a d'la joie*. Maurice Chevalier, alors en pleine gloire, interprète et enregistre l'œuvre du débutant, ce qui facilite sans doute le départ du jeune Narbonnais (mais il est vrai qu'il n'avait pas besoin de parrain). C'est une des chansons les plus caractéristiques de cette période qui vaudra à Trenet le surnom de « fou chantant » : tempo endiablé, évasion vers une poésie de la vie quotidienne (le réveil de la ville, le facteur, le boulanger) et, bien sûr, joie éclatante. La jeunesse s'amuse, s'étourdit, s'enchante. En attendant Munich. Et le reste... On comparera avec intérêt l'interprétation de Chevalier et celle de Trenet : deux styles différents appliqués à une même œuvre semblent en faire deux objets différents.

Les YEUX DE MA MÈRE

Chanson, 1995, par. A. Hintjens, mus. P. Jorens. Arno Hintjens chante depuis 1969 lorsqu'il sort cette étonnante chanson qui va le faire connaître du grand public français, portrait impudique des rapports fils-mère, illustration sans complexe du complexe d'Œdipe : « j'aime ses mains sur mon corps, j'aime l'odeur au-dessous de ses bras... elle a quelque chose d'une allumeuse... elle sait que mes pieds puent »... mais « dans les yeux de ma mère il y a toujours une lumière ». Sigmund Freud n'aurait pas mieux écrit.

Maurice YVAIN

Paris, 1891-Suresnes, 1965. Compositeur. Études au conservatoire de Paris. Introduit au cabaret des Quat'z-arts par Gabriel Montoya, il y apprend le métier d'accompagnateur. Après la guerre, il devient un des collaborateurs de Jacques-Charles au Casino de Paris. Entre 1920 et 1925, il ne composera pas moins de vingt opérettes, *Ta bouche* (par. Y. Mirande, A. Willemetz), *Pas sur la bouche* (par. A. Barde), *Là-haut* (par. Y. Mirande, G. Quinson), etc. Ses chansons, écrites principalement en collaboration avec Albert Willemetz, en font un compositeur de réputation internationale : *Cach' ton piano* (1920), *Mon homme* (1920), *J'en ai marre* (1921), créées par Mistinguett, *Avec le sourire* chantée par Maurice Chevalier, *Oouin* par Dorville, *Pouet Pouet*, un succès de Georges Milton (1929). Mélodiste de grand talent, il a su intégrer avec élégance l'apport du jazz. Compositeur de musiques de films et de ballets, Maurice Yvain a publié un recueil de souvenirs, *Ma belle opérette* (1962). « Il était réellement tout ce que je rêvais de devenir un jour » (G. Van Parys).

ZAO

[Casimir Zoba] Brazzaville (Congo), 1953. Auteur-compositeur-interprète. D'abord percussionniste dans le groupe Les Anges, il devient instituteur (1978) puis se lance dans une carrière solo et touche le grand public avec *Corbillard* (1983) et surtout *Ancien Combattant* (1984). Le ton est donné, entre humour et dérision. Les disques se succèdent (*Soulard*, 1986, *Moustique*, 1988, *Patron*, 1989, jusqu'à *L'Aiguille*, 2006...), obtenant toujours le même succès en Afrique. Zao est le premier utilisateur intensif dans la chanson du français d'Afrique, que l'on avait longtemps baptisé de façon péjorative « petit nègre ». Les néologismes (*cadavérer*, *footer le ballon*, *pouler les œufs*, *bomber*...) et les expressions populaires (*deuxième bureau* pour « maîtresse »...) ponctuent son œuvre et illustrent la créativité linguistique africaine, montrant que d'autres formes de français sont peut-être en train de naître. Son sens du rythme (*des* rythmes plutôt, car il les utilise tous, ou presque) assure par ailleurs la présence de ses œuvres dans les boîtes de nuit africaines.

Rika ZARAÏ

[Rika Gussmann] Jérusalem, 1939. Compositeur-interprète. Quitte son pays à vingt-deux ans pour les bords de la Seine, où elle est d'abord l'ambassadrice du folklore israélien (*Hava Naguila*, 1960), avant de se reconvertir dans le genre illustré, depuis Rina Ketty, par des dizaines de chanteuses à accent venues des berges de la Méditerranée. Mais, à l'instar de Petula Clark, elle jouera sur la corde de la gentille étrangère conquise par notre beau pays (*Balapapa*, C. Desage-J. Kluger ; *Tante Agathe*, F. Gérald-J. Kluger, 1971) et adoptée par ses nouveaux concitoyens reconnaissants. Calcul qui s'est révélé payant : elle a vendu des disques par millions. Sa seconde reconversion sera d'un tout autre genre : elle se lance dans la publication de livres de médecine naturelle (vendus eux aussi à des millions d'exemplaires) puis, poursuivie par l'Ordre des médecins, se reconvertit une nouvelle fois dans les livres de cuisine. La chanson mène donc à tout...

ZAZIE

[Isabelle de Truchis], 1964. Auteur-compositeur-interprète. Étudie le violon, le piano, la guitare et... la kinésithérapie, tout en composant sur un synthétiseur ses premières œuvres. Premier album en 1992 (*Je, tu, ils*) avec un titre phare, *Sucré salé*, Victoire de la musique en 1993 (révélation féminine de l'année) et, en 1997, (meilleure interprète féminine), elle conjugue ses propres albums (*Zen*, 1995, *Made in love*, 1998, *Rodéo*, 2004, etc.) à l'écriture de textes pour d'autres artistes : Patricia Kaas, Florent Pagny, Jane Birkin, et surtout Johnny Hallyday (*Allumer le feu*). Elle s'implique en outre dans l'association Sol en Si (Solidarité enfants sida). Considérée à ses débuts comme un avatar tardif de la vogue des lolitas (Lio, Vanessa Paradis, etc.), elle s'affirme en fait comme auteur de textes très personnels, à l'écriture recherchée. Elle est pour Maxime Le Forestier « la Barbara de cette génération ».

ZEBDA

Groupe toulousain (Magyd Cherfi, Moustapha et Hakim Amokrane, Rémi Sanchez, Vincent Sauvage, Joël Saurin et Pascal Cabero), révélé en 1993 aux Francofolies de La Rochelle. Le jeu de mots franco-arabe qui leur donne leur nom est plein de sens : *zebda* signifie en arabe « beurre », celui qui vient du lait de la vache et renvoie à *beur*, forme verlan de l'adjectif « arabe ». Ils ne sont pas tous beurs, pourtant, et ont plus l'accent toulousain que maghrébin, mais ils se situent du côté des exclus, des migrants, de ceux que la société ne regarde pas, ou ne voit que lorsqu'elle a peur d'eux, comme le chantait Léo Ferré. Premiers succès avec *Le Bruit et l'Odeur*, puis *Tomber la chemise* (tube de l'été 1999), qu'ils défendent sur scène avec une belle énergie et une conviction communicative. Leur univers musical est cependant un peu monotone, pas seulement à cause de la répétition cyclique des éléments samplés, ce qui est une loi du genre, mais par l'ambitus extrêmement étroit de leurs mélodies.

Le groupe participe à la campagne municipale de Toulouse avec la liste Motivé(e)s, qui ne parvient pas à battre le maire en place. Après l'album *Essence ordinaire*, Zebda décide en 2003 de faire une pause. Magyd Cherfi sort alors un album solo (*Cité des étoiles*, 2004) et un ouvrage (*Livret de famille*), dans lequel il met sur le papier les problèmes identitaires d'un fils de migrants algériens qui croit profondément aux valeurs de la République française. Les frères Amokrane (Mouss et Hakim) en font de même en 2005.

ZÉNITH

Salle de spectacle, Paris, porte de la Villette. En 1981, le nouveau ministre de la Culture, Jack Lang, décide de lancer une nouvelle politique concernant les musiques populaires et de créer une salle pouvant accueillir de grands spectacles de variétés et de rock. Ce sera le Zénith, réalisé par deux architectes (Philippe Chaix et Jean-Paul Morel) conseillés par des professionnels du spectacle (dont Daniel Colling) et inauguré en 1984 par un concert de Renaud. Avec sa salle et sa scène modulables (de 2 500 à 6 000 places), le Zénith recevra les plus grands noms de la chanson française, des groupes internationaux, ainsi que des événements sportifs ou politiques. Le « concept » (en fait, Zénith est devenu une marque déposée) est ensuite étendu à d'autres villes de France : Rouen, Montpellier, Toulon, Pau, Nancy, Caen, Lille, Orléans, Toulouse, Clermont-Ferrand, et d'autres sont en cours de création (Nantes, Amiens, Dijon, Limoges, Saint-Denis de la Réunion…). Les Zénith participent à la décentralisation de la diffusion de la musique en France, et en même temps à la course vers le gigantisme : après le Palais des Congrès et avant Bercy, le Zénith de Paris a pratiquement sonné le glas des petits lieux comme les cabarets de la rive gauche, où pouvaient débuter de jeunes talents. On débute désormais par un disque, en attendant d'avoir la chance de se produire un jour… au Zénith.

Le ZIZI

Chanson, par. et mus. Pierre Perret (1975). Un trait de génie que d'avoir osé parler de ce qui était tu parce que caché ! Mais il fallait pour cela savoir attendre son heure – en particulier, l'entrée de l'information sexuelle à l'école – et réunir dans un même mouvement la charge, qui fait rire et désamorce le propos, et l'humour exercé sur soi-même, qui est aussi une déclaration de non-agression à l'égard de l'autre sexe. Car derrière l'amour gourmand de Pierre Perret pour les mots, il faut apprécier, comme un signe des temps, l'égalisation des valeurs, l'absence de norme établie, de classement entre l'appendice « du mécanicien en détresse » et celui du monsieur « aux mœurs incertai-aines ». Ce n'est d'ailleurs pas la moindre réussite de l'auteur que d'y être parvenu en utilisant la forme même de la chanson dite gauloise. Le succès énorme du *Zizi* (1,3 million de disques vendus), reprise dans toutes les cours de récréation, lui aura permis de jouer le rôle d'une vaste catharsis à l'échelle d'une nation entière.

INDEX DES NOMS CITÉS

En italique : noms de groupes et de formations musicales.

INDEX DES ŒUVRES CITÉES

En romain : chansons.
En italique : disques et albums, ouvrages, revues, spectacles, films...

Index des salles et lieux cités

En italique : émissions de télé, de radio, maisons de disques, prix, concours, festivals...

Un ouvrage tel que celui-ci, regroupant un grand nombre d'informations, ne peut se prétendre à l'abri d'une erreur de détail, d'un oubli ou d'une imprécision portant sur une date de naissance ou de mort, la sortie d'un album, etc. L'auteur serait reconnaissant au lecteur de lui signaler ceux qu'il pourrait rencontrer, en vue d'une prochaine édition.

Ouvrage composé
par Atlant' Communication
aux Sables-d'Olonne (Vendée)

Impression réalisée sur CAMERON par

BRODARD & TAUPIN
GROUPE CPI

La Flèche
en novembre 2006
pour le compte des Éditions de l'Archipel
département éditorial
de la S.A.R.L. Écriture-Communication

Imprimé en France
N° d'édition : 956 – N° d'impression : 37783
Dépôt légal : décembre 2006